고등학교 정치와 법

자습서

금성출판사

교재 사용 매뉴얼

친절한 핵심 개념과 자료 해설

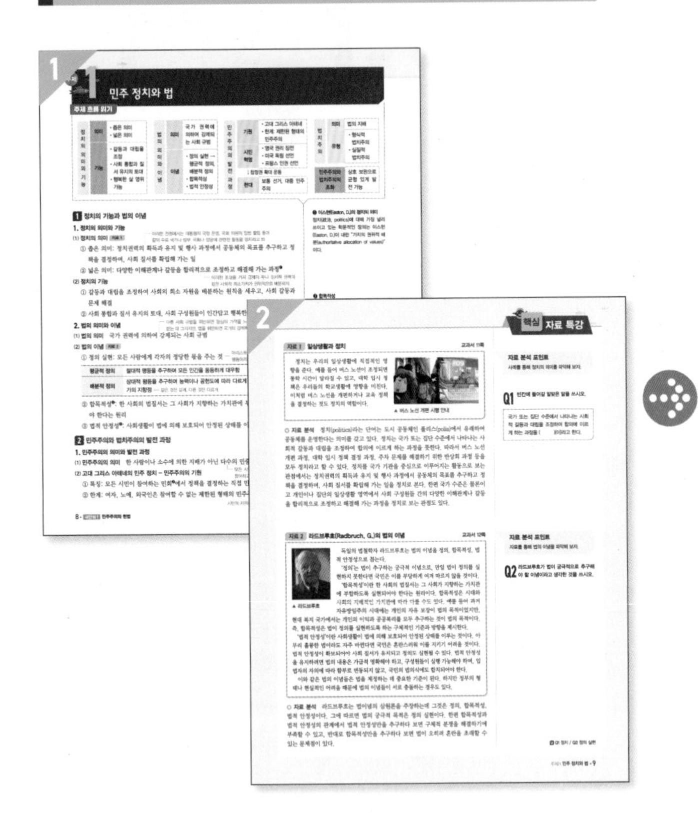

❶ 핵심 정리

주제의 흐름을 파악한 후, 교과서의 내용을 체계적으로 학습할 수 있도록 정리하였습니다. 핵심 키워드에는 노란색 하이라이트를, 상세한 설명이 필요한 곳에는 육하원칙에 따른 친절한 주석을 달았습니다. 보다 많은 설명이 필요한 개념들은 보조단에 설명을 덧붙였습니다.

❷ 핵심 자료 특강

시험 대비에 필수적인 자료들을 자세한 분석과 함께 제시하였습니다. 학생들이 자료를 이해하는 데 도움이 되는 질문을 제시하고, 이에 답하는 형태로 구성하였습니다. 그리고 자주 나오는 선택지를 이용한 문제로 자가 점검이 가능하도록 하였습니다.

내신 정복을 위한 단계별 문제 풀이

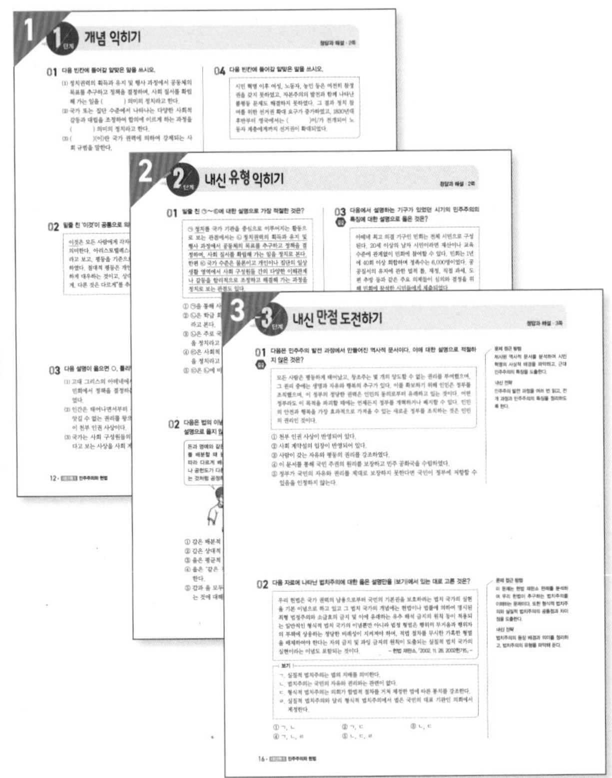

❶ 개념 익히기

OX, 빈칸 채우기 등과 같은 간단한 문제들로 중요 개념을 익힐 수 있게 하였습니다.

❷ 내신 유형 익히기

학교 시험에 주로 출제되는 유형의 문제를 중심으로 구성하였습니다.

❸ 내신 만점 도전하기

고난도 문제들을 마련하여 배점이 높은 문제에 대비할 수 있도록 하였습니다.

18개의 주제로 구성된 교과서의 핵심 개념과 요점들을 이해하기 쉽게 정리하였고, 개념을 이해하는 데 필수적인 자료들을 함께 학습할 수 있도록 하였습니다. 그리고 내신, 수능, 논술 모두를 대비할 수 있는 문제들로 구성하여 학습의 효율성을 높이도록 하였습니다.

수능을 대비할 수 있는 문제 풀이

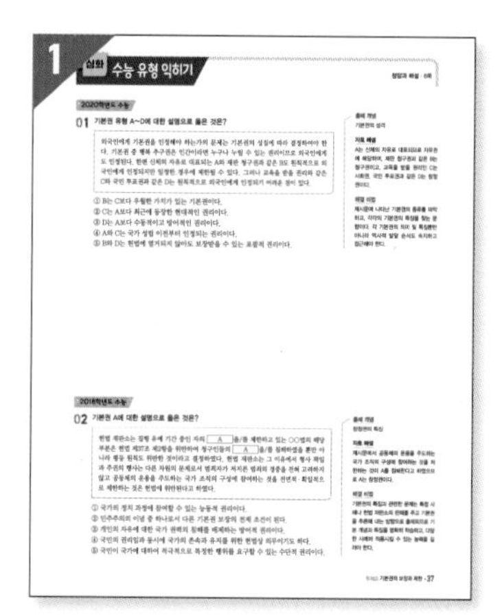

❶ 수능 유형 익히기

최근 자주 출제되는 기출 유형을 수록하여 수능에 대비할 수 있도록 하였습니다.

통합형 문제로 학습 마무리하기

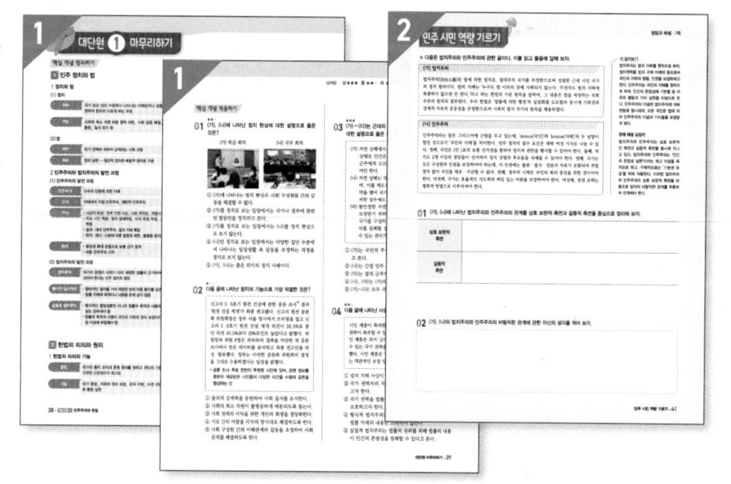

❶ 대단원 마무리하기

대단원 전체를 정리할 수 있도록 각 주제별 핵심 내용과 통합 문제로 구성하였습니다.

❷ 민주 시민 역량 기르기

대단원별로 구성한 논술 문제를 통해 비판적 사고력과 글쓰기 능력을 기를 수 있도록 하였습니다.

정확한 답과 친절한 활동 해설

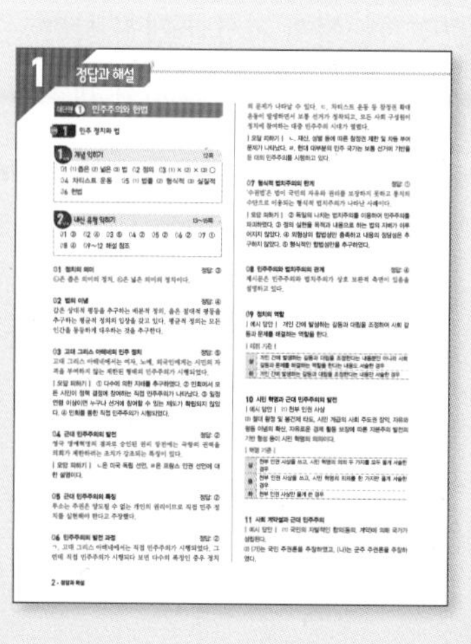

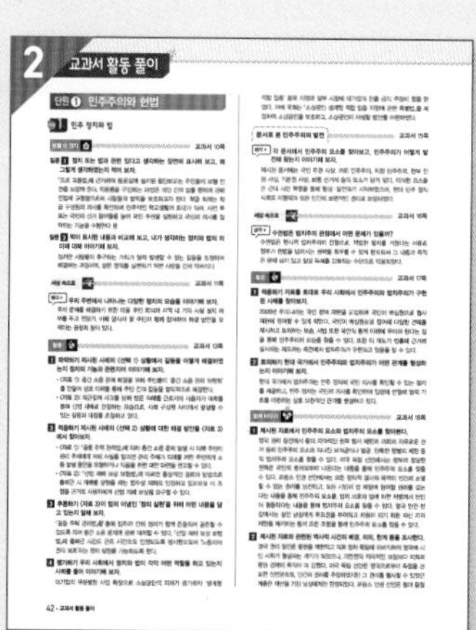

❶ 정답과 해설

자기 주도 학습이 가능하도록 정답과 오답에 대한 친절한 설명을 제공하였습니다. 이를 통해 문제 이해력을 높이고, 유사 문제나 응용 문제에 대비할 수 있습니다.

❷ 교과서 활동 풀이

교과서의 생활 속 정치·법, 활동, 함께 배우기, 스스로 확인하기, 창의·융합 활동, 단원 마무리에 대한 예시 답안을 제시하였습니다.

차례

1 민주주의와 헌법

2 민주 국가와 정부

3 정치 과정과 참여

4 개인 생활과 법

5 사회생활과 법

6 국제 관계와 한반도

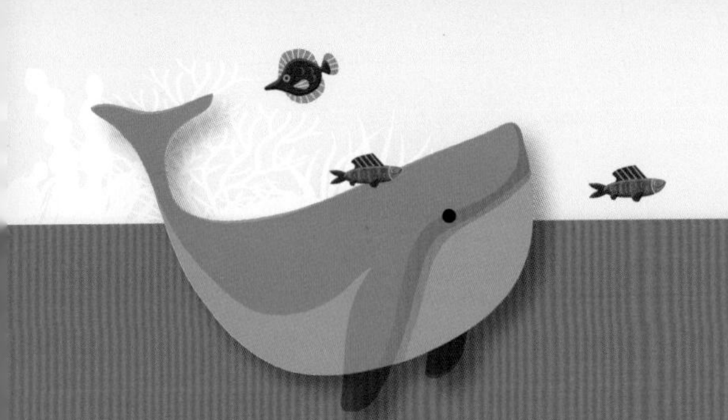

대단원 1

민주주의와 헌법

학습 계획표

- 자신의 일정에 맞게 계획을 세워 보고, 실제 학습한 날짜를 적어 봅시다.
- 학습을 마무리한 후 스스로 얼마나 학습 목표를 달성했는지 점검해 봅시다.

주제 1 민주 정치와 법	쪽수	계획일	완료일	목표 달성도
Day 01 핵심 정리, 핵심 자료 특강	8 ~ 11쪽	월 일	월 일	☆☆☆☆☆
Day 02 개념 익히기, 내신 유형 익히기	12 ~ 15쪽	월 일	월 일	☆☆☆☆☆
Day 03 내신 만점 도전하기, 수능 유형 익히기	16 ~ 17쪽	월 일	월 일	☆☆☆☆☆

주제 2 헌법의 의의와 원리	쪽수	계획일	완료일	목표 달성도
Day 04 핵심 정리, 핵심 자료 특강	18 ~ 21쪽	월 일	월 일	☆☆☆☆☆
Day 05 개념 익히기, 내신 유형 익히기	22 ~ 25쪽	월 일	월 일	☆☆☆☆☆
Day 06 내신 만점 도전하기, 수능 유형 익히기	26 ~ 27쪽	월 일	월 일	☆☆☆☆☆

주제 3 기본권의 보장과 제한	쪽수	계획일	완료일	목표 달성도
Day 07 핵심 정리, 핵심 자료 특강	28 ~ 31쪽	월 일	월 일	☆☆☆☆☆
Day 08 개념 익히기, 내신 유형 익히기	32 ~ 35쪽	월 일	월 일	☆☆☆☆☆
Day 09 내신 만점 도전하기, 수능 유형 익히기	36 ~ 37쪽	월 일	월 일	☆☆☆☆☆
Day 10 대단원 마무리하기, 민주 시민 역량 기르기	38 ~ 41쪽	월 일	월 일	☆☆☆☆☆

주제 1 민주 정치와 법

주제 흐름 읽기

정치의 의미와 기능		
	의미	• 좁은 의미 • 넓은 의미
	기능	• 갈등과 대립을 조정 • 사회 통합과 질서 유지의 토대 • 행복한 삶 영위 가능

법의 의미와 이념		
	의미	국가 권력에 의하여 강제되는 사회 규범
	이념	• 정의 실현 → 평균적 정의, 배분적 정의 • 합목적성 • 법적 안정성

민주주의 발전 과정		
	기원	• 고대 그리스 아테네 • 한계: 제한된 형태의 민주주의
	시민 혁명	• 영국 권리 장전 • 미국 독립 선언 • 프랑스 인권 선언
		↓ 참정권 확대 운동
	현대	보통 선거, 대중 민주주의

법치주의		
	의미	법의 지배
	유형	• 형식적 법치주의 • 실질적 법치주의
민주주의와 법치주의의 조화		상호 보완으로 균형 있게 발전 가능

1 정치의 기능과 법의 이념

1. 정치의 의미와 기능

(1) 정치의 의미 자료 1

이러한 관점에서는 대통령의 국정 운영, 국회 의원의 입법 활동 등과 같이 주로 국가나 정부, 국회나 정당에 관련된 활동을 정치라고 봐.

① 좁은 의미: 정치권력의 획득과 유지 및 행사 과정에서 공동체의 목표를 추구하고 정책을 결정하며, 사회 질서를 확립해 가는 일

② 넓은 의미: 다양한 이해관계나 갈등을 합리적으로 조정하고 해결해 가는 과정❶

이러한 조정을 거쳐 경제적 부나 정치적 권력과 같은 사회적 희소가치가 권위적으로 배분되지.

(2) 정치의 기능

① 갈등과 대립을 조정하여 사회의 희소 자원을 배분하는 원칙을 세우고, 사회 갈등과 문제 해결

② 사회 통합과 질서 유지의 토대, 사회 구성원들이 인간답고 행복한 삶을 영위하도록 함

2. 법의 의미와 이념

다른 사회 규범을 위반하면 양심의 가책을 느끼거나 사회적 비난을 받는 데 그치지만, 법을 위반하면 국가의 강제력에 의한 제재를 받지.

(1) 법의 의미 국가 권력에 의하여 강제되는 사회 규범

(2) 법의 이념 자료 2

① 정의 실현: 모든 사람에게 각자의 정당한 몫을 주는 것 — 아리스토텔레스는 정의의 본질을 평등이라고 보았어.

평균적 정의	절대적 평등을 추구하며 모든 인간을 동등하게 대우함
배분적 정의	상대적 평등을 추구하며 능력이나 공헌도에 따라 다르게 대우함, 현대 법치 국가의 지향점 — 같은 것은 같게, 다른 것은 다르게

② 합목적성❷: 한 사회의 법질서는 그 사회가 지향하는 가치관에 부합하도록 실현되어야 한다는 원리

③ 법적 안정성❸: 사회생활이 법에 의해 보호되어 안정된 상태를 이루는 것

2 민주주의와 법치주의의 발전 과정

1. 민주주의의 의미와 발전 과정

(1) 민주주의의 의미 한 사람이나 소수에 의한 지배가 아닌 다수의 민중에 의한 지배

모든 시민이 자유롭고 평등하게 정치에 참여하고 의사를 결정하는 정치 형태야.

(2) 고대 그리스 아테네의 민주 정치 – 민주주의의 기원

① 특징: 모든 시민이 참여하는 민회❹에서 정책을 결정하는 직접 민주주의 시행

② 한계: 여자, 노예, 외국인은 참여할 수 없는 제한된 형태의 민주주의

시민의 지위를 제한적으로 부여했어.

❶ 이스턴(Easton, D.)의 정치의 의미
정치(政治, politics)에 대해 가장 널리 쓰이고 있는 학문적인 정의는 이스턴(Easton, D.)이 내린 "가치의 권위적 배분(authoritative allocation of values)"이다.

❷ 합목적성
합목적성은 그 시대의 법을 유지시키는 이념이며, 법이 따라야 하는 가치나 기준을 제시해 준다.

❸ 법적 안정성
법이 국민으로부터 신뢰를 얻기 위해서는 법이 안정적으로 정착되어 일반인으로부터 확신을 얻어야 한다.

❹ 민회
아테네 민주 정치의 중심으로 입법, 주요 정책 심의, 공직 담당자 선출 등을 담당했던 기구이다. 특히 공직 담당자 선출 시 추첨제·윤번제 등을 적용함으로써 모든 시민이 정치에 참여할 수 있도록 하였다. 또한 독재적 지배자인 참주의 출현을 방지하기 위해 도편 추방제를 실시하였다.

자료 1 일상생활과 정치

교과서 11쪽

정치는 우리의 일상생활에 직접적인 영향을 준다. 예를 들어 버스 노선이 조정되면 통학 시간이 달라질 수 있고, 대학 입시 정책은 우리들의 학교생활에 영향을 미친다. 이처럼 버스 노선을 개편하거나 교육 정책을 결정하는 것도 정치의 역할이다.

▲ 버스 노선 개편 시행 안내

자료 분석 정치(politics)라는 단어는 도시 공동체인 폴리스(polis)에서 유래하여 공동체를 운영한다는 의미를 갖고 있다. 정치는 국가 또는 집단 수준에서 나타나는 사회적 갈등과 대립을 조정하여 합의에 이르게 하는 과정을 뜻한다. 따라서 버스 노선 개편 과정, 대학 입시 정책 결정 과정, 주차 문제를 해결하기 위한 반상회 과정 등을 모두 정치라고 할 수 있다. 정치를 국가 기관을 중심으로 이루어지는 활동으로 보는 관점에서는 정치권력의 획득과 유지 및 행사 과정에서 공동체의 목표를 추구하고 정책을 결정하며, 사회 질서를 확립해 가는 일을 정치로 본다. 한편 국가 수준은 물론이고 개인이나 집단의 일상생활 영역에서 사회 구성원들 간의 다양한 이해관계나 갈등을 합리적으로 조정하고 해결해 가는 과정을 정치로 보는 관점도 있다.

자료 분석 포인트
사례를 통해 정치의 의미를 파악해 보자.

Q1 빈칸에 들어갈 알맞은 말을 쓰시오.

국가 또는 집단 수준에서 나타나는 사회적 갈등과 대립을 조정하여 합의에 이르게 하는 과정을 (   )(이)라고 한다.

자료 2 라드브루흐(Radbruch, G.)의 법의 이념

교과서 12쪽

▲ 라드브루흐

독일의 법철학자 라드브루흐는 법의 이념을 정의, 합목적성, 법적 안정성으로 꼽는다.

'정의'는 법이 추구하는 궁극적 이념으로, 만일 법이 정의를 실현하지 못한다면 국민은 이를 부당하게 여겨 따르지 않을 것이다.

'합목적성'이란 한 사회의 법질서는 그 사회가 지향하는 가치관에 부합하도록 실현되어야 한다는 원리이다. 합목적성은 시대와 사회의 지배적인 가치관에 따라 다를 수도 있다. 예를 들어 과거 자유방임주의 시대에는 개인의 자유 보장이 법의 목적이었지만, 현대 복지 국가에서는 개인의 이익과 공공복리를 모두 추구하는 것이 법의 목적이다. 즉, 합목적성은 법이 정의를 실현하도록 하는 구체적인 기준과 방향을 제시한다.

'법적 안정성'이란 사회생활이 법에 의해 보호되어 안정된 상태를 이루는 것이다. 아무리 훌륭한 법이라도 자주 바뀐다면 국민은 혼란스러워 이를 지키기 어려울 것이다. 법적 안정성이 확보되어야 사회 질서가 유지되고 정의도 실현될 수 있다. 법적 안정성을 유지하려면 법의 내용은 가급적 명확해야 하고, 구성원들이 실행 가능해야 하며, 입법자의 자의에 따라 함부로 변동되지 않고, 국민의 법의식에도 합치되어야 한다.

이와 같은 법의 이념들은 법을 제정하는 데 중요한 기준이 된다. 하지만 정부의 형태나 현실적인 어려움 때문에 법의 이념들이 서로 충돌하는 경우도 있다.

자료 분석 라드브루흐는 법이념의 삼원론을 주장하는데 그것은 정의, 합목적성, 법적 안정성이다. 그에 따르면 법의 궁극적 목적은 정의 실현이다. 한편 합목적성과 법적 안정성의 관계에서 법적 안정성만을 추구하다 보면 구체적 분쟁을 해결하기에 부족할 수 있고, 반대로 합목적성만을 추구하다 보면 법이 오히려 혼란을 초래할 수 있는 문제점이 있다.

자료 분석 포인트
자료를 통해 법의 이념을 파악해 보자.

Q2 라드브루흐가 법이 궁극적으로 추구해야 할 이념이라고 생각한 것을 쓰시오.

답 Q1 정치 / Q2 정의 실현

(3) 시민 혁명과 근대 민주주의의 성립

— 중세 유럽의 봉건체와 절대 왕정을 거치면서 민주주의가 약화되었다가 시민 혁명을 통해 다시 발전되었어.

① 시민 혁명의 발생 배경: 천부 인권 사상❶, 사회 계약설❷, 계몽사상❸ 등의 영향

② 3대 시민 혁명

영국 명예혁명 (1688)	국왕의 전제 정치에 저항한 사건, 권리 장전 승인(1689), 입헌 군주제 및 의회 정치의 기반 마련 — 의회가 주도하였지.
미국 독립 혁명 (1776)	영국으로부터의 독립, 독립 선언문 채택(1776), 국민 주권의 원리 보장, 민주 공화국 수립
프랑스 혁명 (1789)	봉건적인 신분 제도로 인한 불평등한 사회 구조 철폐, 인권 선언(1789)을 통해 자유와 평등이 천부 인권임을 선언함

(4) 현대 민주 정치로의 이행

① 배경: 시민 혁명 이후 대의 민주주의와 법의 지배가 이루어졌지만 여성, 노동자, 농민 등은 여전히 참정권을 획득하지 못함, 자본주의 발달로 인한 불평등 문제

— 영국에서 노동자들이 보통 선거권을 획득하기 위해 전개한 참정권 확대 운동이야.

② 참정권 확대 운동❹: 차티스트 운동, 미국과 영국 등에서 이루어진 중산층 여성들의 참정권 운동, 미국의 흑인 민권 운동 → 보통 선거 제도 도입 — 노동자, 여성, 흑인 순으로 참정권을 인정받았어.

(5) 보통 선거와 현대 민주 정치

— 보통 선거가 정착되면서 대중 민주주의 시대가 됐어.

① 대중 민주주의: 모든 사회 구성원이 정치에 참여하는 민주 정치

② 대의 민주주의: 국민이 선출한 대표가 정치를 담당

└ 인구가 많고 영토가 넓은 현대 국가에서는 모든 국민이 참여하는 직접 민주 정치 시행이 어려워.

2. 법치주의의 발전 과정

(1) 법치주의 국가의 운영이 의회가 미리 제정한 법률에 근거하여 수행되어야 한다는 원리, '인(人)의 지배'가 아닌 '법(法)의 지배' — 절대 왕정 시기에 국왕의 자의적인 법 집행으로 인한 폐해를 경험하면서 도덕성과 합리성을 갖춘 정의로운 법에 따라 국가 운영이 이루어질 때만 국민의 자유와 권리가 보장될 수 있다는 인식이 싹트면서 등장했어.

(2) 형식적 법치주의 자료 1

① 초기 법치주의, '법에 의한 지배'

② 의회가 합법적인 절차를 거쳐 제정한 법에 따른 통치를 강조

③ 형식적인 합법성만 강조하면서 법치주의에 의한 민주주의의 파괴를 경험함

└ 독일의 수권법을 예로 들 수 있어.

(3) 실질적 법치주의

① 오늘날 법치주의, '법의 지배'

② 형식적인 합법성뿐만 아니라 법률의 목적과 내용의 정당성도 강조

③ 정의 실현을 목적과 내용으로 하는 법의 지배가 이루어지게 하여 인간의 존엄성, 실질적 자유와 평등을 실현하고자 함

④ 실현 방법: 위헌 법률 심사제❺, 권력 분립 제도, 사법권의 독립 등

3. 민주주의와 법치주의의 조화 자료 2

(1) 상호 보완적 측면 민주주의의 이념은 법치주의에 의해 헌법에 명시되고, 국민은 법의 이름으로 민주주의의 이념과 가치들을 보장받게 됨

(2) 갈등적 측면 민주주의는 국민의 의사에 따라 이루어지는 정치 형태로 변화와 역동성을 내재하지만, 법치주의는 법적 안정성을 중시하여 안정을 추구함

(3) 조화 방향 민주주의의 이념은 법치주의를 통해 더욱 확고하게 보장하고, 민주주의는 법치주의의 틀 안에서 운영되어야 함

❶ 천부 인권 사상
인간은 태어나면서부터 누구에게도 양도하거나 빼앗길 수 없는 권리를 하늘로부터 부여받았다는 사상이다.

❷ 사회 계약설
국가는 사회 구성원들의 자유스런 합의를 통하여, 즉 계약으로 국가를 형성하는 데 합의하고, 이를 통해 국가가 창설되었다는 주장이다.

❸ 계몽사상
인간의 합리적 이성에 따라 인간 생활의 진보를 이룰 수 있다고 보는 사상이다.

❹ 영국의 선거권 확대 과정

1832년 이전	귀족과 일부 부유층에게만 선거권 부여
1832년 개정 선거법	일정액 이상의 재산을 가진 성인 남성에게만 인정
1867년 개정 선거법	도시 노동자와 소시민에게 인정
1884년 개정 선거법	농부와 광산 노동자에게 인정
1918년 개정 선거법	21세 이상의 남성, 30세 이상의 여성에게 인정
1928년 개정 선거법	21세 이상의 모든 성인 남녀에게 인정

❺ 위헌 법률 심사제
법률의 위헌 여부가 재판의 전제가 되었을 때 법원의 제청으로 해당 법률의 위헌 여부를 판단하는 심판이다. 소송 당사자의 신청 또는 법원의 직권으로 심판 제청이 가능하다. 위헌 결정이 내려지면 해당 법률이나 법률 조항은 그 결정이 있는 날부터 효력이 상실된다.

자료 1 **독일의 수권법(授權法)** 교과서 16쪽

1933년 히틀러가 독일의 총리가 된 후 의회에서는「국민 및 국가의 위기 극복에 관한 법률」, 일명 '수권법'을 제정하였다. 이 법에 근거하여 히틀러가 제정·시행하였던 법률 중에는 인종 차별적인 내용을 담고 있는「뉘른베르크 법」이 있다.「뉘른베르크 법」은 유대인의 탄압과 대량 학살의 근거로 사용되었다.

> 제1조 독일 제국의 법률은 바이마르 헌법이 규정하고 있는 절차 외에 제국 정부에 의해서도 의결될 수 있다.
> 제2조 제국의 정부가 의결하는 법률에는 바이마르 헌법과 다른 규정을 둘 수 있다.

자료 분석 「뉘른베르크 법」은 1935년 뉘른베르크 전당 대회에서 발표된 나치 독일의 반유대주의 법이다. 모든 유대인과 독일 국민 혹은 독일 혈통 사이의 결혼 금지, 유대인은 독일 국민 혹은 독일 혈통의 45세 이하 여성을 집안의 가정부로 고용할 수 없음, 유대인은 독일의 국기를 흔들거나 게양할 수 없음 등 인간의 존엄성을 크게 훼손하는 법이다. '수권법'과「뉘른베르크 법」 등과 같이 독일에서는 국민의 자유와 권리를 보장하지 못하고 통치의 수단으로 악용되는 형식적 법치주의가 나타났다.

자료 분석 포인트

수권법은 법치주의의 관점에서 어떤 문제가 있을지 생각해 보자.

Q1 제시된 자료에서 나타나고 있는 법치주의의 유형을 쓰시오.

자료 2 **민주주의와 법치주의의 상호 관계** 교과서 17쪽

민주주의와 법의 지배는 서로 다른 제도적 체계에서 구현된다. 민주주의는 주로 선거 제도, 정부, 입법부와 관계가 있다. 법은 법원이나 법률가들을 통해 작용한다. 물론 민주주의와 법이 밀접하게 만나는 교차점이 있다. 대표적인 것이 입법부이며, 배심 재판도 이러한 사례에 속한다고 할 수 있다. 이러한 직접적인 만남은 드문 편이지만, 일상적인 정치와 생활이 법의 테두리 안에서 벌어지는 것을 생각하면 정치와 법은 늘 접촉하고 교섭한다.

민주주의와 법은 일상적인 긴장 이상의 긴장이 존재할 가능성이 높다. 만일 사법 제도가 사회적 상호 작용을 규제하고 조직화할 수 있는 권한을 갖게 되면 민주주의적 지배는 다소 제한된다. 반대로 의회가 어떤 법이든 만들 수 있는 주권을 갖게 되면 사법 제도는 보조적인 지위로 격하된다. – 애덤 쉐보르스키 외,『민주주의와 법의 지배』–

자료 분석 입법부는 선거로 선출된 국민의 대표들로 구성된 기관으로, 국민의 지배를 원칙으로 하는 민주주의가 나타난다. 또한 법률을 제정하는 역할을 하여, 법의 지배를 원칙으로 하는 법치주의도 나타난다. 오늘날 법치주의는 형식적인 합법성뿐만 아니라 법률의 목적과 내용의 정당성도 추구하는 실질적 법치주의이다. 이 점에서 민주주의와 법치주의는 입법부를 통해 조화를 이룰 수 있다. 만약 합법성만을 강조하는 형식적 법치주의를 추구한다면 민주주의와 법치주의는 우선순위의 차이에 따라 갈등이 발생할 가능성이 크다.

자료 분석 포인트

민주주의와 법치주의의 상호 관계를 이해하였는지 확인해 보자.

Q2 민주주의와 법치주의에 대한 설명으로 옳지 않은 것은?

① 민주주의는 다수의 지배를 원칙으로 한다.
② 민주주의는 인간의 존엄성 실현이라는 최고 이념을 목적으로 한다.
③ 법치주의는 합의된 입법 내용에 기초한 신뢰를 보호하고 법적 안정성을 경시한다.
④ 법치주의는 정치권력을 법의 규제 아래에 둠으로써 국민의 자유와 평등, 인권을 보장하려고 한다.
⑤ 민주주의의 이념은 법치주의에 의해 헌법에 명시되고, 모든 국민은 법의 이름으로 민주주의의 이념과 가치를 보장받는다.

답 Q1 형식적 법치주의 / Q2 ③

개념 익히기

정답과 해설 ▸ 2쪽

01 다음 빈칸에 들어갈 알맞은 말을 쓰시오.

(1) 정치권력의 획득과 유지 및 행사 과정에서 공동체의 목표를 추구하고 정책을 결정하며, 사회 질서를 확립해 가는 일을 (　　　　) 의미의 정치라고 한다.

(2) 국가 또는 집단 수준에서 나타나는 다양한 사회적 갈등과 대립을 조정하여 합의에 이르게 하는 과정을 (　　　　) 의미의 정치라고 한다.

(3) (　　　　)(이)란 국가 권력에 의하여 강제되는 사회 규범을 말한다.

02 밑줄 친 '이것'이 공통으로 의미하는 법의 이념을 쓰시오.

> 이것은 모든 사람에게 각자의 정당한 몫을 주는 것을 의미한다. 아리스토텔레스는 이것의 본질을 평등이라고 보고, 평등을 기준으로 이것을 두 가지로 구분하였다. 절대적 평등은 개인차를 고려하지 않고 동등하게 대우하는 것이고, 상대적 평등은 "같은 것은 같게, 다른 것은 다르게"를 추구한다.

03 다음 설명이 옳으면 ○, 틀리면 ×표 하시오.

(1) 고대 그리스의 아테네에서는 모든 시민이 참여하는 민회에서 정책을 결정하는 간접 민주주의가 시행되었다. (　　)

(2) 인간은 태어나면서부터 누구에게도 양도하거나 빼앗길 수 없는 권리를 왕으로부터 부여받았다는 사상이 천부 인권 사상이다. (　　)

(3) 국가는 사회 구성원들의 계약으로 성립·창설되었다고 보는 사상을 사회 계약설이라고 한다. (　　)

04 다음 빈칸에 들어갈 알맞은 말을 쓰시오.

> 시민 혁명 이후 여성, 노동자, 농민 등은 여전히 참정권을 갖지 못하였고, 자본주의의 발전과 함께 나타난 불평등 문제도 해결하지 못하였다. 그 결과 정치 참여를 위한 선거권 확대 요구가 증가하였고, 1830년대 후반부터 영국에서는 (　　　　)이/가 전개되어 노동자 계층에게까지 선거권이 확대되었다.

05 다음 괄호 안에 들어갈 알맞은 말에 ○표 하시오.

(1) 법치주의란 국가의 운영이 의회가 미리 제정한 (법률 / 조례)에 근거하여 수행되어야 한다는 민주 정치의 원리이다.

(2) 의회가 합법적인 절차를 거쳐 제정한 법에 따른 통치만을 강조하는 법치주의를 (형식적 / 실질적) 법치주의라고 한다.

(3) 오늘날 법치주의는 개인의 자유를 국가의 침해로부터 보호하고 절차적 합법성과 내용의 정당성을 모두 요구하는 (형식적 / 실질적) 법치주의를 지향한다.

06 다음 빈칸에 들어갈 알맞은 말을 쓰시오.

> 민주주의의 이념은 법치주의에 의해 (　　　　)에 명시되고, 모든 국민은 법의 이름으로 민주주의의 이념과 가치들을 보장받게 된다는 점에서 양자 간에는 상호 보완적 측면이 있다. 결국 민주주의의 발전 과정이 곧 법치주의의 발전 과정이라고 할 수 있다.

내신 유형 익히기

정답과 해설 ▸ 2쪽

01 밑줄 친 ㉠~㉢에 대한 설명으로 가장 적절한 것은?

> ㉠ 정치를 국가 기관을 중심으로 이루어지는 활동으로 보는 관점에서는 ㉡ 정치권력의 획득과 유지 및 행사 과정에서 공동체의 목표를 추구하고 정책을 결정하며, 사회 질서를 확립해 가는 일을 정치로 본다. 한편 ㉢ 국가 수준은 물론이고 개인이나 집단의 일상생활 영역에서 사회 구성원들 간의 다양한 이해관계나 갈등을 합리적으로 조정하고 해결해 가는 과정을 정치로 보는 관점도 있다.

① ㉠을 통해 사회적 갈등과 대립을 조정할 수 없다.
② ㉡은 학급 회의나 주민 회의에 참여하는 것도 정치라고 본다.
③ ㉡은 주로 국가나 정부, 국회나 정당에 관련된 활동을 정치라고 본다.
④ ㉢은 사회적 희소가치가 권위적으로 분배되는 과정을 정치라고 보지 않는다.
⑤ ㉢은 ㉡에 비해 정치를 좁은 의미로 본다.

02 다음은 법의 이념에 대한 갑과 을의 대화이다. 이에 대한 설명으로 옳지 않은 것은?

① 갑은 배분적 정의의 입장을 갖고 있다.
② 갑은 상대적 평등을 추구하는 입장을 갖고 있다.
③ 을은 평균적 정의의 입장을 갖고 있다.
④ 을은 '같은 것은 같게, 다른 것은 다르게'를 추구한다.
⑤ 갑과 을 모두 모든 사람에게 각자의 정당한 몫을 주는 것에 대해 이야기하고 있다.

03 중요 다음에서 설명하는 기구가 있었던 시기의 민주주의의 특징에 대한 설명으로 옳은 것은?

> 아테네 최고 의결 기구인 민회는 전체 시민으로 구성된다. 20세 이상의 남자 시민이라면 재산이나 교육 수준에 관계없이 민회에 참여할 수 있다. 민회는 1년에 40회 이상 회합하며 정족수는 6,000명이었다. 공공질서의 유지에 관한 법적 틀, 재정, 직접 과세, 도편 추방 등과 같은 주요 의제들이 심의와 결정을 위해 민회에 참석한 시민들에게 제출되었다.

① 소수에 의한 지배를 추구하였다.
② 간접 민주주의만 나타난 시기였다.
③ 보통 선거 제도가 확립된 시기였다.
④ 아테네 시민들은 대표들의 결정을 무조건 지지했다.
⑤ 여자, 노예, 외국인은 참여할 수 없는 제한된 형태의 민주주의였다.

04 중요 다음은 민주주의 발전 과정에서 만들어진 역사적 문서이다. 이에 대한 옳은 설명만을 |보기|에서 있는 대로 고른 것은?

> 제1조 국왕은 의회의 동의 없이 왕권으로 법의 효력을 정지하거나, 법의 집행을 정지할 수 있다는 주장은 위법이다.
> 제4조 국왕이 의회의 승인 없이 …… 세금을 징수하는 것은 위법이다.
> 제5조 국왕에게 청원하는 것은 국민의 권리이므로, 그러한 청원을 했다고 해서 구금하거나 박해하는 것은 위법이다.

|보기|
ㄱ. 의회가 주도하여 국왕의 전제 정치에 저항한 결과이다.
ㄴ. 영국의 부당한 식민 지배에 대항한 독립 전쟁의 결과로 만들어졌다.
ㄷ. 이 문서가 승인되면서 의회제와 입헌주의가 확립되었다.
ㄹ. 봉건적인 신분 제도를 타파하고 자유와 평등이 천부 인권임을 선언하였다.

① ㄱ, ㄴ ② ㄱ, ㄷ ③ ㄴ, ㄹ
④ ㄱ, ㄷ, ㄹ ⑤ ㄴ, ㄷ, ㄹ

05 다음은 대표적인 근대 사회 계약론자의 주장이다. 이에 대한 설명으로 옳은 것은?

> 공동체에는 모두의 안녕과 복지를 도모하는 일반 의지가 존재하며, 진정한 민주주의는 일반 의지가 모두로부터 올 때 실현된다. 이것은 법률 제정에 있어서 모든 사람이 참여해야 한다는 것을 의미한다. 법의 집행은 대리될 수 있으나 법의 제정은 대리될 수 없다.

① 천부 인권 사상을 부정하였다.
② 국민 주권과 직접 민주주의를 주장하였다.
③ 국민은 주권을 군주에게 양도해야 한다고 주장하였다.
④ 국가의 성립에는 국민의 자발적인 합의가 필요하지 않다고 보았다.
⑤ 정치적 결정을 선출된 대표에게 맡기는 대의 민주주의를 주장하였다.

06 중요 다음 민주주의의 발달 과정에 대한 옳은 분석 및 설명만을 |보기|에서 고른 것은?

| 보기 |
ㄱ. ㉠은 중우 정치로 전락할 위험성이 있었다.
ㄴ. ㉡은 재산, 성별 등에 따라 참정권을 제한하지 않았다.
ㄷ. ㉢은 보통 선거가 정착되면서 대중 민주주의가 실현되었다.
ㄹ. ㉢은 보통 선거에 기반을 둔 직접 민주제를 전면적으로 실시하는 특징을 갖는다.

① ㄱ, ㄴ ② ㄱ, ㄷ ③ ㄴ, ㄷ
④ ㄴ, ㄹ ⑤ ㄷ, ㄹ

07 중요 법치주의의 관점에서 다음 법률을 분석한 내용으로 옳은 것은?

> 1933년 히틀러가 독일의 총리가 된 후 의회에서는 「국민 및 국가의 위기 극복에 관한 법률」, 일명 '수권법'을 제정하였다. 그 내용은 다음과 같다.
> 제1조 독일 제국의 법률은 바이마르 헌법이 규정하고 있는 절차 외에 제국 정부에 의해서도 의결될 수 있다.
> 제2조 제국의 정부가 의결하는 법률에는 바이마르 헌법과 다른 규정을 둘 수 있다.

① 통치의 수단으로 악용되는 형식적 법치주의라는 문제가 있다.
② 독일의 나치는 법치주의에 의한 민주주의의 수호를 추구하였다.
③ 정의 실현을 목적과 내용으로 하는 법의 지배가 이루어지게 하였다.
④ 법률 내용의 정당성만을 중시하고 외형상의 합법성이 충족되지 않았다.
⑤ 형식적인 합법성뿐만 아니라 법률의 목적과 내용의 정당성도 추구하였다.

08 다음 글을 통해 알 수 있는 민주주의와 법치주의의 관계로 가장 적절한 것은?

> 민주주의는 인간의 존엄성에 기반을 둔 자유와 평등의 가치 실현을 이념으로 한다. 법치주의는 정치권력을 법의 규제 아래에 둠으로써 국민의 자유와 평등, 인권을 보장하려고 한다. 민주주의의 이념은 법치주의에 의해 헌법에 명시되고, 모든 국민은 법의 이름으로 민주주의의 이념과 가치들을 보장받게 된다.

① 추구하는 목적이 서로 상반된다.
② 우선순위의 차이에 따라 항상 갈등이 발생한다.
③ 민주주의와 법치주의는 영역이 다르기에 교차점이 없다.
④ 민주주의의 이념은 법치주의를 통해 보장되고, 민주주의는 법치주의의 틀 안에서 운영되어 상호 보완적인 측면이 있다.
⑤ 민주주의는 국민의 의사를 입법에 반영하기 위해 새로운 정책 결정에 적극적이지만, 법치주의는 새로운 정책 결정에 소극적이다.

서술형 문제

09 다음 글을 통해 알 수 있는 정치의 역할을 서술하시오.

> 공동 주택의 발코니, 화장실 등 세대 내의 흡연에 따라 공동 주택 입주자 간에 갈등이 발생하는 사례가 많아졌다. 이러한 문제점을 해결하기 위해 다음과 같은 공동 주택 관리법 조항이 만들어졌다.
>
> 제20조의 2(간접흡연의 방지 등) ① 공동 주택의 입주자 등은 발코니, 화장실 등 세대 내에서의 흡연으로 인하여 다른 입주자 등에게 피해를 주지 아니하도록 노력하여야 한다.
> ② 간접흡연으로 피해를 입은 입주자 등은 관리 주체에게 간접흡연 발생 사실을 알리고, 관리 주체가 간접흡연 피해를 끼친 해당 입주자 등에게 일정한 장소에서 흡연을 중단하도록 권고할 것을 요청할 수 있다. 이 경우 관리 주체는 사실 관계 확인을 위하여 세대 내 확인 등 필요한 조사를 할 수 있다.

서술형 문제

10 다음은 민주주의 발전 과정에서 만들어진 역사적 문서이다. 이를 읽고 물음에 답하시오.

> **프랑스 인권 선언**
> **(인간과 시민의 권리 선언)(1789)**
> 제1조 인간은 자유롭고 평등한 권리를 가지고 태어난다.
> 제2조 모든 정치적 결사의 목적은 자유, 재산, 안전, 압제에 대한 저항 등 인간의 소멸될 수 없는 권리를 보전함에 있다.
> 제6조 모든 시민은 직접 또는 대표자를 통해서 법 제정에 참여할 권리를 가진다. 법의 보호, 법에 의한 처벌에서 만인은 평등하다.

(1) 제1조에 내포되어 있는 사상을 쓰시오.

(2) 민주주의 발전 과정에서 위와 같은 선언이 나온 사건의 의의를 두 가지만 서술하시오.

서술형 문제

11 다음은 대표적인 근대 사회 계약론자 두 사람의 주장이다. 글을 읽고 물음에 답하시오.

> (가) 사람이란 편파성, 욕정 등을 지닌 불완전한 존재인 탓에 자연 상태의 개인들은 종종 발생할 수 있는 위험으로부터 벗어나 자유와 안전을 완전히 보장받기 위해 사회 계약을 맺는다.
> (나) 자연 상태에서 인간은 서로가 서로를 위협하는 투쟁 상태에 있다. 이러한 투쟁으로부터 안전과 질서를 지키기 위해서 권리를 통치자에게 전부 양도하는 계약을 통해 국가를 만든다.

(1) 국가 성립에 대한 (가), (나) 주장의 공통점을 쓰시오.

(2) 국가 주권의 소재에 대한 (가), (나) 주장의 차이점을 서술하시오.

서술형 문제

12 다음 글을 읽고 물음에 답하시오.

> 자유는 타인에게 해롭지 않은 모든 것을 행할 수 있음이다. 그러므로 각자의 자연권 행사는 사회의 다른 구성원들에게 같은 권리의 향유를 보장하는 이외의 제약을 갖지 아니한다. 그 제약은 법에 의해서만 규정될 수 있다.

(1) 위 글에서 강조하는 민주 정치의 원리(칙)를 쓰시오.

(2) (1)의 의미를 서술하시오.

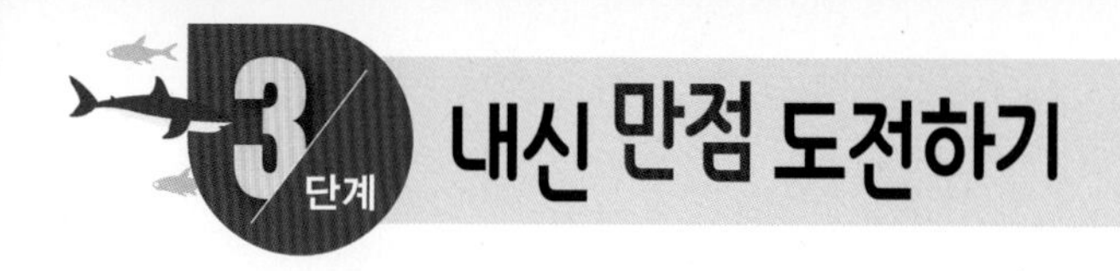

정답과 해설 ▸ 3쪽

01 중요 다음은 민주주의 발전 과정에서 만들어진 역사적 문서이다. 이에 대한 설명으로 적절하지 않은 것은?

> 모든 사람은 평등하게 태어났고, 창조주는 몇 개의 양도할 수 없는 권리를 부여했으며, 그 권리 중에는 생명과 자유와 행복의 추구가 있다. 이를 확보하기 위해 인민은 정부를 조직했으며, 이 정부의 정당한 권력은 인민의 동의로부터 유래하고 있는 것이다. 어떤 정부라도 이 목적을 파괴할 때에는 언제든지 정부를 개혁하거나 폐지할 수 있다. 인민의 안전과 행복을 가장 효과적으로 가져올 수 있는 새로운 정부를 조직하는 것은 인민의 권리인 것이다.

① 천부 인권 사상이 반영되어 있다.
② 사회 계약설의 입장이 반영되어 있다.
③ 사람이 갖는 자유와 평등의 권리를 강조하였다.
④ 이 문서를 통해 국민 주권의 원리를 보장하고 민주 공화국을 수립하였다.
⑤ 정부가 국민의 자유와 권리를 제대로 보장하지 못한다면 국민이 정부에 저항할 수 있음을 인정하지 않는다.

문제 접근 방법
제시된 역사적 문서를 분석하여 시민 혁명의 사상적 배경을 파악하고, 근대 민주주의의 특징을 도출한다.

내신 전략
민주주의의 발전 과정을 여러 번 읽고, 전개 과정과 민주주의의 특징을 정리하도록 한다.

02 다음 자료에 나타난 법치주의에 대한 옳은 설명만을 |보기|에서 있는 대로 고른 것은?

> 우리 헌법은 국가 권력의 남용으로부터 국민의 기본권을 보호하려는 법치 국가의 실현을 기본 이념으로 하고 있고 그 법치 국가의 개념에는 헌법이나 법률에 의하여 명시된 죄형 법정주의와 소급효의 금지 및 이에 유래하는 유추 해석 금지의 원칙 등이 적용되는 일반적인 형식적 법치 국가의 이념뿐만 아니라 법정 형벌은 행위의 무거움과 행위자의 부책에 상응하는 정당한 비례성이 지켜져야 하며, 적법 절차를 무시한 가혹한 형벌을 배제하여야 한다는 자의 금지 및 과잉 금지의 원칙이 도출되는 실질적 법치 국가의 실현이라는 이념도 포함되는 것이다.
> – 헌법 재판소, 「2002. 11. 28. 2002헌가5」

|보기|
ㄱ. 실질적 법치주의는 법의 지배를 의미한다.
ㄴ. 법치주의는 국민의 자유와 권리와는 관련이 없다.
ㄷ. 형식적 법치주의는 의회가 합법적 절차를 거쳐 제정한 법에 따른 통치를 강조한다.
ㄹ. 실질적 법치주의와 달리 형식적 법치주의에서 법은 국민의 대표 기관인 의회에서 제정한다.

① ㄱ, ㄴ　② ㄱ, ㄷ　③ ㄴ, ㄷ
④ ㄱ, ㄴ, ㄹ　⑤ ㄴ, ㄷ, ㄹ

문제 접근 방법
이 문제는 헌법 재판소 판례를 분석하여 우리 헌법이 추구하는 법치주의를 이해하는 문제이다. 또한 형식적 법치주의와 실질적 법치주의의 공통점과 차이점을 도출한다.

내신 전략
법치주의의 등장 배경과 의미를 정리하고, 법치주의의 유형을 파악해 둔다.

수능 유형 익히기

정답과 해설 ▸ 3쪽

2018학년도 수능

01 (가), (나)에 대한 설명으로 옳은 것은? (단, (가)와 (나)는 각각 고대 아테네 민주 정치, 근대 민주 정치 중 하나이다.)

> (가) 국가의 주요 의제에 대한 최고 의결 권한을 가지는 기구가 있었고, 모든 시민은 이 기구에 참가하여 중요한 정치 문제를 토의하고 결정하였다.
> (나) 시민에 의해 선출된 대표로 구성된 기구가 대의 기능을 수행하였으나, 공직 선출이나 정치 참여에 있어 재산, 성별 등에 따른 제한이 있었다.

① (가)에서는 국민 주권론에 근거한 정치 체제가 확립되었다.
② (가)에서는 국가 주요 사안을 시민들이 직접 결정할 수 있는 기회가 보장되었다.
③ (나)에서는 보통 선거 원칙이 확립되었다.
④ (가)에서는 (나)와 달리 입헌주의 원리가 확립되었다.
⑤ (가), (나) 모두 천부 인권 사상의 영향을 받아 발전하였다.

출제 개념
고대 아테네의 민주 정치와 근대 민주 정치

자료 해설
(가)는 모든 시민이 함께 중요한 정치 문제를 토의하고 결정하므로 고대 아테네 민주 정치에 해당한다. (나)는 의회의 기능을 언급하고, 공직 선출이나 정치 참여에 제한을 두므로 근대 민주 정치에 해당한다.

해결 비법
제시문에 나타나 있는 민주 정치의 발전 과정을 파악하고, 각각의 특징을 찾는 전형적인 문항이다. 민주 정치의 발전 과정 관련 내용들을 정확하게 파악하고 있어야 하며, 각 과정의 특징을 숙지하고 접근해야 한다.

2020학년도 수능

02 법치주의의 유형 A, B에 대한 설명으로 옳은 것은?

> 헌법은 국가 권력의 남용으로부터 국민의 기본권을 보호하려는 법치주의 실현을 기본 이념으로 하고 있다. 이러한 법치주의는 어떤 행위가 범죄이고 그 범죄에 대하여 어떤 처벌을 할 것인가는 미리 성문의 법률에 규정되어 있어야 한다는 원칙을 포함한다. A는 의회가 제정한 법률이라면 범죄와 형벌을 규정하는 근거가 된다고 본다. 하지만 합법적으로 제정된 법률이라도 인간의 존엄과 가치를 실질적으로 보장하지 못할 수 있다. 이에 따라 법률의 목적과 내용도 실질적 정의에 합치할 것을 고려하는 B는 법률이 정한 형벌이 행위의 무거움과 행위자의 책임에 비해 지나치게 가혹하지 않아야 할 것을 강하게 요구한다.

① A는 국가 권력의 자의적 형벌권 남용을 방지하기 위해 통치자도 법의 구속을 받도록 하는 근거가 된다.
② B는 법의 목적과 내용이 정의에 부합할 때 국가 권력이 정당성을 확보한다는 점을 간과한다.
③ A는 B와 달리 법의 예측 가능성을 높여 국가의 개입에 대한 국민의 신뢰를 보호하고자 한다.
④ B는 A와 달리 범죄와 형벌을 법률로 정해야 한다고 본다.
⑤ A와 B 모두 국민의 자유와 권리를 보장하는 것보다 통치의 합법성을 중시한다.

출제 개념
형식적 법치주의와 실질적 법치주의

자료 해설
A는 인간의 존엄과 가치를 실질적으로 보장하지 못할 수 있다는 내용을 통해 형식적 법치주의임을 알 수 있고, B는 법률의 목적과 내용도 실질적 정의에 합치할 것을 고려한다는 내용을 통해 실질적 법치주의에 해당함을 알 수 있다.

해결 비법
법치주의에 관련한 문제는 형식적 법치주의와 실질적 법치주의의 특징을 비교하는 문제가 출제된다. 따라서 기본 개념과 특징을 명확히 학습하고 다양한 사례에 적용시킬 수 있는 능력을 기른다.

주제 2

헌법의 의의와 원리

주제 흐름 읽기

헌법의 의의와 기능		
의의	• 기본권 보장, 통치 조직과 운영 원리를 정한 최고 규범 • 고유한 의미의 헌법 → 근대 입헌주의 헌법 → 현대 복지 국가 헌법	
기능	• 국가 창설 • 조직 수권 규범	• 자유와 권리 보장 • 사회 통합

헌법의 기본 원리	
• 국민 주권주의 • 복지 국가의 원리 • 국제 평화주의	• 자유 민주주의 • 문화 국가의 원리 • 평화 통일의 지향

1 헌법의 의의와 기능

1. 헌법의 의의

(1) **헌법**

헌법을 살펴보면 그 나라가 어떤 이상을 품고 국가를 운영하는지 알 수 있어.

① 국민의 기본권을 보장할 수 있도록 국가의 통치 조직과 운영 원리를 정한 최고 규범❶

② 국가 공동체 생활의 근본 질서를 형성한다는 점에서 근본법

③ 다른 법 규범들의 근거가 된다는 점에서 최고법

(2) **시대에 따른 헌법의 의미 변천** 자료 1

구분	내용
고유한 의미의 헌법	국가 통치 기관을 조직·구성하고 이들 기관의 상호 관계와 활동 범위를 규정한 국가의 조직법
근대 입헌주의❷ 헌법	국가 통치 기관의 존립 근거가 될 뿐 아니라 국민의 기본권과 권력 분립을 성문의 형식으로 명시하기 시작
현대 복지 국가 헌법	근대 입헌주의 헌법을 계승하면서 실질적인 민주화와 복지 국가의 이념을 구현

우리나라 헌법은 근대 입헌주의 헌법을 토대로 하면서 현대 복지 국가 헌법을 수용하고 있어.

2. 헌법의 기능

대한민국 정부는 헌법의 토대 위에 세워졌어.

구분	내용
국가 창설의 토대	• 헌법은 정치적인 통일을 형성한 국가 창설의 토대가 됨 • 사례: 우리나라 건국 헌법 제정이 정부 수립보다 앞서 이루어진 것
자유와 권리 보장	헌법에 국민의 기본권 보장을 선언하고 그 불가침성을 규정함으로써 국민은 실질적으로 자유와 권리를 누림
조직 수권 규범	• 국가의 통치 기구와 통치 작용을 구성하는 조직 규범 • 각 권한이 어느 국가 기관에 귀속하는가를 규정한 수권 규범
사회 통합 실현❸	헌법은 국민의 합의된 의사로서 사회 통합의 매개체가 됨

모든 국가 기관의 조직과 권력의 정당성은 헌법에 근거를 두고 헌법의 틀 안에서 정치가 이루어지도록 해.

2 우리나라 헌법의 기본 원리

1. 국민 주권주의 자료 2

(1) **의미** 국민이 국가의 주인이고, 국가의 의사를 결정할 수 있는 주권❹이 국민 전체에게 최종적으로 있다는 것

> **헌법 제1조** ① 대한민국은 민주 공화국이다.
> ② 대한민국의 주권은 국민에게 있고, 모든 권력은 국민으로부터 나온다.

(2) **실현 방안** 참정권과 언론·출판·집회·결사의 자유 보장, 민주적 선거 제도 규정, 국민 투표 등

---

❶ 최고 규범

우리나라의 법은 헌법, 법률, 명령, 조례·규칙으로 단계를 이루고 있다. 아래 단계에 있는 법은 위 단계의 법을 어겨서는 안 되므로 모든 법은 최고 단계인 헌법을 따라야 한다.

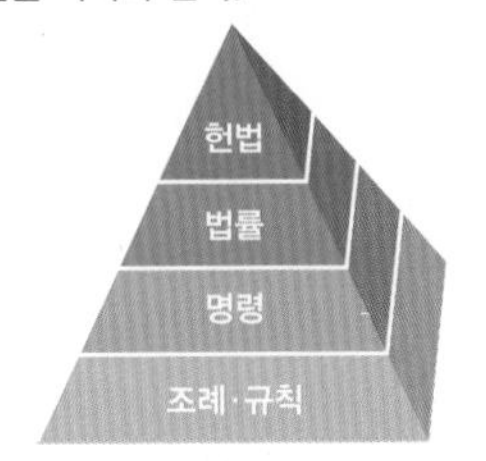

❷ 입헌주의

국민의 기본적 인권을 보장하기 위하여 통치 및 공동체의 모든 생활이 헌법에 따라서 영위되어야 한다는 정치 원리이다. 근대의 입헌주의는 개인의 자유를 중시하여 자유주의적인 입헌 질서를 강조하며, 현대의 입헌주의는 국민의 생존과 인간다운 생활을 보장하기 위하여 복지 국가로서의 입헌주의 질서를 중시한다.

❸ 사회 통합을 실현하는 헌법

「친일 반민족 행위자 재산의 국가 귀속에 관한 특별법」에 관한 논쟁, 행정 수도 이전 등 정치적 대립과 갈등이 심각할 때 헌법 재판을 통해 헌법상의 규범과 가치를 조화시킨다.

❹ 주권

국가의 의사를 최종적으로 결정하는 최고 권력을 의미한다. 국가 안으로는 최고의 절대성을 띠고, 밖으로는 독립성을 띤다.

자료 1 헌법에 의한 통치, 입헌주의

교과서 21쪽

입헌주의란 헌법에 따라 정부가 조직, 운영되고 국가 권력이 행사되는 것을 말한다. 입헌주의는 근대 시민 혁명 과정에서 절대 군주의 통치 권력을 제한하려는 목적에서 등장하였다. 절대 군주의 자의적인 통치가 아니라 국민의 합의로 제정된 헌법에 따라 정치가 이루어져야 한다는 것이다.

입헌주의에 따르면 국가 권력은 헌법에 구속되고, 모든 국가 권력은 헌법에 합치되도록 행사하여야 한다. 이때 단지 헌법이 있고 그 헌법에 따라 국가를 통치하였다고 모두 입헌주의를 실현하고 있다고 할 수 없다. 입헌주의는 단순히 헌법에 따른 형식적 통치만을 의미하는 것이 아니라 국가 권력의 자의적 행사를 방지하고 실질적으로 국민의 기본권을 보장하여 민주주의 이념을 실현하는 데 궁극적인 목적이 있다.

그렇다면 헌법에 따른 통치, 즉 입헌주의는 왜 중요할까? 그것은 우리 헌법에서 "대한민국의 주권은 국민에게 있고, 모든 권력은 국민으로부터 나온다."라고 규정하고 있는 것처럼 국가의 모든 권력은 주권자인 국민으로부터 유래하는데, 그 국민이 인권의 보장과 통치 기관의 구성을 위해 합의한 것이 바로 헌법이기 때문이다.

자료 분석 입헌주의의 출현은 영국에서 명예혁명을 통해 입헌 군주제의 기반이 마련된 것과 관련이 있다. 영국의 명예혁명은 왕권신수설에 입각한 국왕의 전제 정치에 저항한 사건이다. 그 결과 권리 장전이 승인되면서 입헌 군주제 및 의회 정치의 기반이 마련되었다. 입헌 군주제는 군주의 권력이 헌법에 의하여 제약을 받는 정치 체제이므로 군주는 존재하나 정치에 개입하지 않는 모습으로 나타난다. 군주는 일반적으로 상징적인 존재로 남고, 정치는 법률을 제정하는 의회 중심으로 운영된다.

자료 분석 포인트

자료에서 입헌주의의 의미와 중요성을 파악해 보자.

Q1 빈칸에 들어갈 알맞은 말을 쓰시오.

입헌주의는 국가의 의사를 최종적으로 결정하는 최고 권력이 절대 군주가 아니라 (　　　)에게 있다는 것을 추구한다.

자료 2 투표권 행사

교과서 27쪽

선거법 개정으로 선거 연령이 하향 조정되면서 만 18세 유권자들이 처음으로 투표권을 행사하게 되었다. 사전 투표소를 찾은 한 청소년은 "청소년의 관심사인 입시 정책과 청년 실업 해결 방안을 제시해 줄 수 있는 후보에게 소중한 한 표를 행사하겠다."라고 말했다.

– 연합뉴스, 2020. 4. 10. –

자료 분석 국민 주권주의를 실현하기 위해 우리나라 헌법은 민주적 선거 제도를 규정하고 있다. 헌법 제41조 제1항에 "국회는 국민의 보통·평등·직접·비밀 선거에 의하여 선출된 국회 의원으로 구성한다."라고 규정하고 있으며, 헌법 제67조 제1항에 "대통령은 국민의 보통·평등·직접·비밀 선거에 의하여 선출한다."라고 규정하고 있다. 이에 따라 일정 나이 이상의 국민이라면 누구나 선거권을 부여받고, 투표 가치의 차등 문제를 해소하기 위해 정치적으로 많은 노력을 기울이고 있다. 또한 선거일에 선거 참여를 할 수 없는 국민들을 위해 사전 투표 제도를 마련하여 국민들의 선거에 대한 관심과 참여를 높이기 위해 노력하고 있다.

자료 분석 포인트

국민 주권주의의 실현 방안을 파악해 보자.

Q2 자료에 제시된 것 이외에 국민 주권주의를 실현하기 위한 방안을 쓰시오.

답 Q1 국민 / Q2 언론·출판·집회·결사의 자유 보장 등

2. 자유 민주주의

(1) **의미** 개인의 자유를 중요시하는 자유주의와 통치 권력의 정당성이 국민적 합의에 의해 이루어진다는 민주주의가 결합된 원리

> **헌법 전문** …… 자율과 조화를 바탕으로 자유 민주적 기본 질서를 더욱 확고히 하여 …….
> **제8조** ② 정당은 그 목적·조직과 활동이 민주적이어야 하며, …….

(2) **실현 방안** 국민의 기본권을 헌법에 규정, 권력 분립❶, 법치주의, 복수 정당제를 기반으로 한 자유로운 정당 활동 보장 등

3. 복지 국가의 원리❷

(1) **의미** 모든 국민이 기본적 생활 수요를 충족받고 인간다운 생활을 영위할 수 있는 권리를 국가가 보장하는 원리

> **헌법 제34조** ① 모든 국민은 인간다운 생활을 할 권리를 가진다.
> ② 국가는 사회 보장·사회 복지의 증진에 노력할 의무를 진다.

(2) **실현 방안** 사회권 보장, 사회 보험❸과 공공 부조❹ 제도, 최저 임금제 등 실시, 소득 재분배 정책 추진 등 — 사회권은 인간다운 생활을 국가에 요구할 수 있는 권리야.

4. 문화 국가의 원리 자료 1

국가는 전통문화의 계승·발전과 민족 문화의 창달을 위해 노력할 의무가 있어. 또한 국가는 문화를 육성하고 지원하지만 문화의 내용에 대한 직접적 규제는 할 수 없어.

(1) **의미** 국가가 문화를 보호하고 문화 활동의 자유를 보장하며, 개인의 문화적 생활 구현을 위해 노력해야 한다는 원리

> **헌법 전문** 유구한 역사와 전통에 빛나는 …… 정치·경제·사회·문화의 모든 영역에 있어서 각인의 기회를 균등히 하고, …….
> **제9조** 국가는 전통문화의 계승·발전과 민족 문화의 창달에 노력하여야 한다.

(2) **실현 방안** 교육의 정치적 중립성 보장, 의무 교육 제도 시행, 평생 교육 진흥, 문화적 다양성을 보장하기 위한 활동 등

5. 국제 평화주의 자료 2

— 두 차례의 세계 대전을 경험한 이후, 세계 각국은 인류 공존과 번영을 위해 대외 정책의 기본 원칙으로 국제 평화주의를 선언했어.

(1) **의미** 국제 질서를 존중하고, 세계 평화와 인류의 번영을 위해 노력한다는 원리

> **헌법 제5조** ① 대한민국은 국제 평화의 유지에 노력하고 침략적 전쟁을 부인한다.
> **제6조** ① 헌법에 의하여 체결·공포된 조약과 일반적으로 승인된 국제 법규❺는 국내법과 같은 효력을 가진다.

(2) **실현 방안** 침략적 전쟁 부인, 국제법 존중, 국제 평화 유지 활동에 참여, 상호주의 원칙에 따라 외국인의 지위 보장, 어려움에 처한 다른 나라를 돕는 활동 등

6. 평화 통일의 지향

— 남북 분단이라는 역사적 상황에 따라 우리 헌법만이 가지는 기본 원리야.

(1) **의미** 헌법에 조국의 평화적 통일을 국가적 사명으로 선언하고, 자유 민주적 기본 질서에 입각한 평화 통일 정책을 추진하도록 하고 있음

> **헌법 제4조** 대한민국은 통일을 지향하며, 자유 민주적 기본 질서에 입각한 평화적 통일 정책을 수립하고 이를 추진한다.
> **제66조** ③ 대통령은 조국의 평화적 통일을 위한 성실한 의무를 진다.

(2) **실현 방안** 평화적 통일을 실현하기 위한 노력을 대통령의 의무로 규정, 북한 동포에 대한 인도적 지원, 남북 간 교류 활동, 군사적 긴장 완화를 위한 남북 간 대화 등

---

❶ 권력 분립
국가 권력이 각각 독립된 조직에 분산되어 서로에 대한 상호 견제를 통해 권력 간 균형을 유지하는 민주주의의 원리이다.

❷ 복지 국가의 원리
자본주의가 발달함에 따라 빈부 격차가 커지고 사회적 약자들이 인간으로서 마땅히 누려야 할 권리를 보장받지 못하는 문제점이 발생하였다. 이에 현대 민주 국가는 이러한 자본주의의 문제점을 극복하고 국민의 자유와 권리를 실질적으로 보장하기 위해 복지 국가를 지향하고 있다.

❸ 사회 보험
국가가 국민에게 발생하는 상해, 질병, 노령, 실업, 사망 등의 위협으로부터 국민을 보호하기 위해 운영하는 보험 방식의 사회 보장 제도이다.

❹ 공공 부조
국가와 지방 자치 단체의 책임하에 생활 유지 능력이 없거나 생활이 어려운 국민의 최저 생활을 보장하고 자립을 지원하는 제도이다.

❺ 일반적으로 승인된 국제 법규
국제 사회의 반복적인 관행이 국제 사회에서 법 규범으로 승인되어 효력을 가지게 된 국제 관습법과 문명국들이 공통적으로 승인하여 따르는 법의 일반 원칙 등을 의미한다.

자료 1 문화 복지

교과서 25쪽

문화 복지는 '문화(culture)'와 '복지(welfare)'의 합성어로, '문화'가 '사회 복지'와 만나 새로운 의미를 갖는 신조어이다. 현대 사회에서 다양한 욕구가 증가하고 사회 문제의 영역이 확대되면서 사회 복지의 목적도 생존권 보장을 넘어 사회 구성원의 다양한 문제를 해결하고 생활 조건을 개선하여 인간다운 삶을 확보하는 것으로 확대되고 있다. 따라서 문화적 욕구 충족을 통해 개인의 잠재력과 창의성을 극대화하는 문화 복지의 실현은 복지 사회 발전에 있어 매우 중요한 공공 정책이다.

문화 복지는 문화권(cultural right)의 확보와 문화 예술 향유 및 참여를 통해 얻을 수 있는 사회적·경제적 가치를 극대화하기 위한 문화 정책의 주요한 구성 요소이다. 문화권의 보장을 위해 국가는 모든 국민이 문화에 공평하게 접근하도록 하고, 문화생활에 직접 참여하여 내적인 발전을 이루어 가도록 공적 자원을 활용하여 개입할 의무가 있다.

– 한국 문화 예술 위원회, 「웹진 아르코」 –

▼ 움직이는 예술 정거장
문화 소외 지역을 직접 찾아가는 이동형 문화 예술 프로그램이다.

◎ 자료 분석 현대 사회에 새롭게 요구되는 인권 중 문화권이 있다. 문화권은 저소득층이나 장애인 등 문화생활에서 소외되거나 그들이 가진 문화생활이 무시되고 차별받는 경우가 발생하는 배경에서 등장하였다. 개인이 자유롭게 공동체의 문화생활에 참여하고 예술을 감상하며 과학의 진전에 따른 혜택을 나눠 가질 권리, 문화생활에서 차별을 받지 않고 문화적 접근과 참여 활동을 보장받을 권리를 포함한다. 이는 우리 헌법의 문화 국가의 원리와 밀접한 관련이 있다.

자료 분석 포인트

문화 복지와 헌법의 기본 원리 간의 관련성을 바탕으로 문화 복지의 중요성을 파악해 보자.

Q1 제시된 자료와 밀접한 관련이 있는 헌법의 기본 원리를 쓰시오.

자료 2 올림픽 휴전 결의안

교과서 26쪽

국제 연합(UN) 총회에서 2018년 평창 동계 올림픽 및 동계 패럴림픽 대회 기간에 휴전을 결의하는 안이 만장일치로 채택되었다. '스포츠와 올림픽 이상을 통해 평화롭고 더 나은 세상 건설'이라는 제목의 이번 결의안은 올림픽 개최 7일 전부터 패럴림픽 종료 7일 후까지 적대 행위 중단을 촉구하고 있다. 또한 스포츠를 통한 평화, 개발, 인권 증진과 함께 평창 올림픽을 통해 한반도 및 동북아시아에서의 평화 분위기 조성을 기대한다는 내용으로 이루어져 있다.

올림픽 휴전 결의안은 지난 1993년 처음 채택된 이후 동계 및 하계 올림픽이 열리는 2년마다 채택되어 왔다. 이 결의안은 안전 보장 이사회 결의안처럼 강력한 구속력이 있는 것은 아니지만, 최근 핵 실험 등 한반도를 둘러싼 일련의 긴장 상황이 조성되어 있던 만큼 상징적인 의미가 크다고 전문가들은 분석한다.

– 헤럴드경제, 2017. 11. 14. –

◎ 자료 분석 올림픽 휴전 결의안은 세계 평화와 인류의 번영을 위해 노력한다는 취지를 가지고 있으므로 우리 헌법의 국제 평화주의와 관련이 있다. 우리 헌법 제5조와 제6조뿐만 아니라 전문에도 "…… 항구적인 세계 평화와 인류 공영에 이바지함으로써 ……"라는 내용을 통해 국제 평화주의가 나타난다. 이에 따라 우리나라는 국제 연합 평화 유지군을 파병하고, 침략적 전쟁을 부인하는 등 세계 평화와 인류 공영에 이바지하고 있다.

자료 분석 포인트

올림픽 휴전 결의안과 헌법의 기본 원리 간의 관련성을 바탕으로 국제 평화주의의 내용을 파악해 보자.

Q2 국제 평화주의의 실현 방안만을 |보기|에서 골라 기호를 쓰시오.

보기
ㄱ. 국제법 존중
ㄴ. 침략적 전쟁의 부인
ㄷ. 자유로운 정당 활동 보장
ㄹ. 상호주의 원칙에 따라 외국인의 지위 보장

답 Q1 문화 국가의 원리 / Q2 ㄱ, ㄴ, ㄹ

개념 익히기

정답과 해설 ▸ 3쪽

01 **다음 빈칸에 들어갈 알맞은 말을 쓰시오.**

(1) 국민의 기본권을 보장할 수 있도록 국가의 통치 조직과 운영 원리를 정한 최고의 규범을 (   )(이)라고 한다.

(2) (   )은/는 개인의 자유를 중요시하는 자유주의와 통치 권력의 정당성이 국민적 합의에 의해 이루어진다는 민주주의가 결합된 헌법의 기본 원리이다.

(3) (   )은/는 헌법에 조국의 평화적 통일을 국가적 사명으로 선언하고, 자유 민주적 기본 질서에 입각한 평화 통일 정책을 추진하도록 하는 헌법의 기본 원리이다.

02 **다음에서 설명하는 헌법을 쓰시오.**

> 이 헌법은 국가 통치 기관의 존립 근거가 될 뿐 아니라 국민의 기본권과 권력 분립을 성문의 형식으로 명시하기 시작하였다. 우리나라 헌법은 이 헌법을 토대로 한다.

03 **다음 설명이 옳으면 ○, 틀리면 ×표 하시오.**

(1) 국민의 생존권적 기본권을 보장하여 인간다운 생활을 영위할 수 있도록 하는 실질적인 민주화와 복지 국가의 이념을 구현하는 헌법을 현대 복지 국가 헌법이라고 한다. (   )

(2) 국가의 최고 규범인 헌법에 직접 국민의 기본권 보장을 선언하고 그 가침성을 규정함으로써 국민은 자유와 권리를 실질적으로 누릴 수 있다. (   )

(3) 국제 평화주의를 실현하기 위해 헌법에서 국가나 국제기구를 당사자로 하는 조약과 국제 관습법 등 국제법을 존중함을 밝히고 있다. (   )

04 **다음 빈칸에 들어갈 알맞은 말을 쓰시오.**

> 헌법은 (   )의 토대가 된다. 우리나라 건국 헌법 제정이 정부 수립보다 앞서 이루어진 것은 대한민국 정부가 헌법의 토대 위에 세워졌음을 의미한다.

05 **다음 괄호 안에 들어갈 알맞은 말에 ○표 하시오.**

(1) 헌법은 국가의 통치 기구와 통치 작용을 구성하는 (수권 규범 / 조직 규범)이다.

(2) 헌법은 각 권한이 어느 국가 기관에 귀속하는가를 규정한 (수권 규범 / 조직 규범)이다.

(3) 복지 국가의 원리를 실현하기 위해 국가는 (효율성 제고 / 소득 재분배) 정책을 추진할 수 있다.

06 **다음 |보기|를 국민 주권주의의 실현 방안과 문화 국가의 원리의 실현 방안으로 구분하시오.**

보기	
ㄱ. 국민 투표	ㄴ. 참정권 보장
ㄷ. 의무 교육 제도	ㄹ. 평생 교육의 진흥
ㅁ. 전통문화의 진흥	ㅂ. 민주적 선거 제도

(1) 국민 주권주의:

(2) 문화 국가의 원리:

내신 유형 익히기

정답과 해설 ▸ 3쪽

01 밑줄 친 '이것'에 대한 설명으로 옳은 것은?

> 국가라는 공동체가 존재하기 위해서는 국민과 국가의 관계, 그리고 국가의 조직과 권한에 대한 기본 원칙을 정하는 법이 필요하다. 그래서 법에 최고성을 부여하고 이에 따라 국가를 구성하고 운영하는데, 이를 '이것'이라고 부른다. '이것'은 국민의 기본권을 보장할 수 있도록 국가의 통치 조직과 운영 원리를 정한 최고의 규범이다.

① 주권자인 국민의 자유와 권리를 경시한다.
② 국가 공동체 생활의 근본 질서를 형성하지는 못한다.
③ '이것'에 위반되는 법률이나 국가 행위라도 효력이 있다.
④ 다른 법 규범들의 근거가 된다는 점에서 최고법이다.
⑤ 국가가 어떤 이상을 품고 국가를 구성하고 운영하는지 알 수 없다.

02 다음에서 설명하는 정치 원리에 대한 설명으로 옳은 것은?

> 국민의 기본적 인권을 보장하기 위하여 통치 및 공동체의 모든 생활이 헌법에 따라서 영위되어야 한다는 정치 원리이다. 근대의 이 원리는 개인의 자유를 중시하여 자유주의적인 질서를 강조하였다.

① 근대 산업 혁명 과정에서 등장하였다.
② 절대 군주의 통치 권력을 보호하려는 목적에서 등장하였다.
③ 국민의 기본권과 권력 분립을 성문의 형식으로 헌법에 명시하기 시작하였다.
④ 권력자의 합의만으로 제정된 헌법에 따라 정치가 이루어져야 한다는 것이다.
⑤ 국가 권력은 법률에 구속되고, 모든 국가 권력은 법률에 합치되도록 행사하여야 한다는 원리이다.

03 중요 그림은 헌법을 그 의미에 따라 A~C로 구분한 것이다. 이에 대한 설명으로 옳은 것은? (단, A~C는 각각 고유한 의미의 헌법, 근대 입헌주의 헌법, 현대 복지 국가 헌법 중 하나이다.)

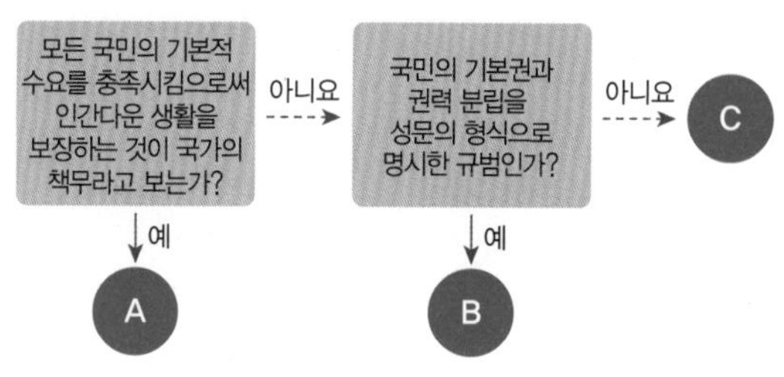

① A가 시기적으로 제일 먼저 나타났다.
② A에서는 기본권 중 자유권이 강조된다.
③ B에서는 국가 기관 간 견제·균형보다 사회권 보장이 강조된다.
④ C가 가장 광범위한 헌법의 의미를 갖는다.
⑤ 시대의 발전에 따라 헌법의 의미가 C, B, A 순으로 변천되어 왔다.

04 다음 사례에 나타난 헌법의 기능으로 가장 적절한 것은?

> 2003년 당시 대통령의 공약이었던 '행정 수도 이전 문제'를 둘러싸고 이해 당사자 간에 첨예한 정치적 대립과 갈등이 발생하면서 사회적 혼란이 가중되고 있었다. 이러한 갈등은 2004년 10월 헌법 재판소가 위헌 결정을 내림으로써 헌법이라는 판단 기준을 통해 해결되었다. 위헌 결정의 핵심 이유는 "수도가 서울이라는 점이 우리나라의 관습 헌법에 해당한다."라는 것이다. 즉, 수도를 정하는 문제가 성문 헌법상 명문 조항은 아니지만, 국명을 정하거나 우리글을 한글로 하는 것과 같이 국가의 정체성을 실체적으로 규정한 관습 헌법이기 때문에 이를 폐기하기 위해서는 일반적인 헌법 개정 절차인 국회의 의결과 국민 투표 과정을 거쳐야 한다고 본 것이다.

① 헌법은 국가 창설의 토대가 된다.
② 헌법은 주권자인 국민의 자유와 권리를 보장한다.
③ 헌법은 사회적 갈등을 극복하고, 사회 통합에 기여한다.
④ 헌법은 국가의 통치 기구와 통치 작용을 구성하는 조직 규범이다.
⑤ 헌법은 각 권한이 어느 국가 기관에 귀속하는가를 규정한 수권 규범이다.

내신 유형 익히기

05 밑줄 친 ㉠~㉢에 담긴 헌법의 기본 원리를 바르게 짝지은 것은?

> 대한민국 헌법 전문
>
> ㉠ 유구한 역사와 전통에 빛나는 우리 대한 국민은 3·1 운동으로 건립된 대한민국 임시 정부의 법통과 불의에 항거한 4·19 민주 이념을 계승하고, 조국의 민주 개혁과 ㉡ 평화적 통일의 사명에 입각하여 정의·인도와 동포애로써 민족의 단결을 공고히 하고, 모든 사회적 폐습과 불의를 타파하며, ㉢ 자율과 조화를 바탕으로 자유 민주적 기본 질서를 더욱 확고히 하여 ……

	㉠	㉡	㉢
①	복지 국가의 원리	국제 평화주의	자유 민주주의
②	복지 국가의 원리	문화 국가의 원리	국민 주권주의
③	문화 국가의 원리	국제 평화주의	자유 민주주의
④	문화 국가의 원리	평화 통일 지향	국민 주권주의
⑤	문화 국가의 원리	평화 통일 지향	자유 민주주의

06 중요 다음 올림픽 휴전 결의안과 관련 있는 헌법의 기본 원리에 대한 옳은 설명만을 |보기|에서 고른 것은?

> 국제 연합(UN) 총회에서 2018년 평창 동계 올림픽 및 동계 패럴림픽 대회 기간에 휴전을 결의하는 안이 만장일치로 채택되었다. '스포츠와 올림픽 이상을 통해 평화롭고 더 나은 세상 건설'이라는 제목의 이번 결의안은 올림픽 개최 7일 전부터 패럴림픽 종료 7일 후까지 적대 행위 중단을 촉구하고 있다. 또한 스포츠를 통한 평화, 개발, 인권 증진과 함께 평창 올림픽을 통해 한반도 및 동북아시아에서의 평화 분위기 조성을 기대한다는 내용으로 이루어져 있다.

보기

ㄱ. 침략적 전쟁을 부인한다.
ㄴ. 조약과 국제 관습법 등 국제법을 부정한다.
ㄷ. 상호주의 원칙에 따라 외국인의 지위를 보장한다.
ㄹ. 평화적 통일을 실현하기 위한 노력을 대통령의 의무로 규정하고 있다.

① ㄱ, ㄴ ② ㄱ, ㄷ ③ ㄴ, ㄷ
④ ㄴ, ㄹ ⑤ ㄷ, ㄹ

07 다음 사례에 나타난 헌법의 기본 원리와 관련한 내용으로 옳은 것은?

> 투표권이 없는 만 18세 이하 청소년들이 모의 투표를 통해 대통령을 뽑는 행사가 열렸다. 한 시민 단체는 제19대 대통령 선거일에 만 18세 이하 참정권을 실현하고 청소년의 투표에 대한 관심을 높이기 위해 청소년 모의 투표소를 설치하여 투표하도록 하였다.

① 사회권을 보장한다.
② 국민 투표를 허용하지 않는다.
③ 교육의 정치적 중립성을 보장한다.
④ 국민의 언론·출판·집회·결사의 자유를 보장한다.
⑤ 군사적 긴장 완화를 위한 남북 간 대화 노력을 한다.

08 중요 다음은 우리 헌법의 일부이다. 이와 관련한 헌법의 기본 원리에 대한 옳은 설명만을 |보기|에서 있는 대로 고른 것은?

> 전문 …… 안으로는 국민 생활의 균등한 향상을 기하고 ……
> 제34조 ① 모든 국민은 인간다운 생활을 할 권리를 가진다.
> ② 국가는 사회 보장·사회 복지의 증진에 노력할 의무를 진다.
> 제119조 ② 국가는 균형 있는 국민 경제의 성장 및 안정과 적정한 소득 분배를 유지하고 …… 경제에 관한 규제와 조정을 할 수 있다.

보기

ㄱ. 사회권을 보장하는 것과 관련이 있다.
ㄴ. 평생 교육을 진흥하는 것과 관련이 있다.
ㄷ. 최저 임금제를 실시하는 것과는 거리가 멀다.
ㄹ. 사회 보험과 공공 부조 제도를 실시하는 것과 관련이 있다.

① ㄱ, ㄴ ② ㄱ, ㄹ ③ ㄴ, ㄷ
④ ㄱ, ㄷ, ㄹ ⑤ ㄴ, ㄷ, ㄹ

서술형 문제

09 다음 글을 읽고 입헌주의가 추구하는 궁극적인 목적을 서술하시오.

> 입헌주의란 헌법에 따라 정부가 조직, 운영되고 국가 권력이 행사되는 것을 말한다. 이때 단지 헌법이 있고 그 헌법에 따라 국가를 통치하였다고 모두 입헌주의를 실현하고 있다고 할 수 없다. 입헌주의는 단순히 헌법에 따른 형식적 통치만을 의미하는 것이 아니다.

서술형 문제

10 다음 글을 읽고 물음에 답하시오.

> 1948년 7월 17일에 제정된 우리나라 건국 헌법의 내용을 보면, 국회는 단원제로 하고 국회 의원 임기는 4년이었으며, 소선거구에서 1인씩 선출하도록 법률로 정하였다. 국회는 입법부로서 미국식 삼권 분립주의 권력 구조에 따라 그 지위가 규정되었다. 대통령은 국가 원수이자 행정부 수반으로서 계엄 선포권과 긴급 명령권 등 막강한 권한을 가지고 있었다. 대통령 선거는 국회에서 간선제 방식으로 치러져 초대 대통령에 이승만, 부통령에 이시영이 당선되었다. 이승만 대통령은 곧바로 내각을 조직하고, 1948년 8월 15일에 대한민국 정부의 수립을 국내외에 선포하였다(제1 공화국).

(1) 헌법이 제정된 이후 대한민국 정부가 수립된 이유를 헌법의 기능과 관련하여 서술하시오.

(2) 위 글의 밑줄 친 부분에서 나타나는 헌법의 기능을 서술하시오.

서술형 문제

11 다음 글을 읽고 물음에 답하시오.

> 문화 복지는 문화권(cultural right)의 확보와 문화 예술 향유 및 참여를 통해 얻을 수 있는 사회적 · 경제적 가치를 극대화하기 위한 문화 정책의 주요한 구성 요소이다. 문화권의 보장을 위해 국가는 모든 국민이 문화에 공평하게 접근하도록 하고, 문화생활에 직접 참여하여 내적인 발전을 이루어 가도록 공적 자원을 활용하여 개입할 의무가 있다.

(1) 위 글과 관련된 헌법의 기본 원리를 쓰시오.

(2) 위 글과 관련된 헌법의 기본 원리를 실현하기 위한 방안을 두 가지만 서술하시오.

서술형 문제

12 다음 글을 읽고 물음에 답하시오.

> 전문 …… 자율과 조화를 바탕으로 자유 민주적 기본 질서를 더욱 확고히 하여 ……
> 제4조 …… 자유 민주적 기본 질서에 입각한 평화적 통일 정책을 수립하고 이를 추진한다.
> 제8조 ② 정당은 그 목적 · 조직과 활동이 민주적이어야 하며 ……

(1) 위 헌법 전문과 조항에 공통으로 담겨 있는 헌법의 기본 원리를 쓰시오.

(2) (1)이 추구하는 방향 두 가지를 서술하시오.

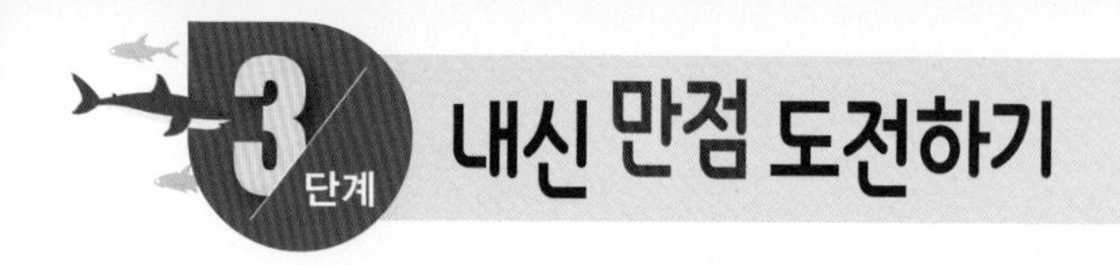

정답과 해설 ▸ 4쪽

01 다음 자료에 나타난 헌법의 의미에 대한 옳은 설명만을 |보기|에서 고른 것은?

> 1919년에 제정된 독일의 바이마르 헌법은 당시 가장 진보적인 헌법이었다. 이 헌법은 국민 주권주의를 바탕으로 기본권과 언론·집회·결사의 자유, 여성의 참정권과 투표권을 보장하였다. 또한 고전적인 자유 민주주의를 기초로 삼으면서도 재산권의 행사가 공공복리에 어긋나지 말아야 하고, 국민의 생존에 필요한 경제적 조건의 보장을 국가에 요구할 수 있다는 점을 명확히 하였다.

보기

ㄱ. 국가 기관의 상호 관계만 규정한 조직법이다.
ㄴ. 근대 입헌주의 헌법을 부정하지 않고 계승한다.
ㄷ. 사회권적 기본권 조항을 헌법에 넣어 복지 국가의 법적 근거를 마련하였다.
ㄹ. 자본주의의 문제점을 극복하기보다는 국민의 자유와 권리를 실질적으로 보장하고자 하였다.

① ㄱ, ㄴ ② ㄱ, ㄷ ③ ㄴ, ㄷ
④ ㄴ, ㄹ ⑤ ㄷ, ㄹ

문제 접근 방법
제시된 헌법 사례를 분석하여 헌법의 의미를 파악하고, 특징을 도출한다.

내신 전략
시대에 따른 헌법의 의미 변천 과정을 이해하고, 시대별로 확대되는 내용을 정리하도록 한다.

02 다음은 1974년에 내려진 긴급 조치 제1호의 내용이다. 이에 대한 설명으로 옳은 것은?

> 1. 대한민국 헌법을 부정, 반대, 왜곡 또는 비방하는 일절의 행위를 금한다.
> 2. 대한민국 헌법의 개정 또는 폐지를 주장, 발의, 제안 또는 청원하는 일절의 행위를 금한다.
> 3. 유언비어를 날조 유포하는 일절의 행위를 금한다.
> 4. 전 1, 2, 3호에서 금한 행위를 권유, 선동, 선전하거나 방송, 보도, 출판, 기타 방법으로 이를 타인에게 알리는 일절의 언동을 금한다.
> 5. 이 조치에 위반한 자와 이 조치를 비방한 자는 법관의 영장 없이 체포, 구속, 수색하며 15년 이하의 징역에 처한다.
> 6. 이 조치를 위반한 자와 이 조치를 비방하는 자는 비상 군법 회의에서 심판, 처단한다.
> 7. 이 조치는 1974년 1월 8일 17시부터 시행한다.

① 참정권 보장을 통해 국민 주권주의를 실현했다.
② 표현의 자유 보장을 통해 자유 민주주의를 실현했다.
③ 신체의 자유를 침해하여 국제 평화주의가 실현되지 못했다.
④ 실질적 법치주의를 파괴하여 평화 통일의 지향이 실현되지 못했다.
⑤ 언론·출판·집회·결사의 자유를 침해하여 국민 주권주의가 실현되지 못했다.

문제 접근 방법
이 문제는 헌법의 기본 원리를 이용하여 긴급 조치의 한계를 파악하는 문제이다. 헌법의 기본 원리와 그 실현 방안을 긴급 조치에 적용하며 긴급 조치가 타당한지 판단한다.

내신 전략
헌법의 기본 원리 6가지를 정리하고, 각각의 구체적 실현 방안을 파악해 둔다.

정답과 해설 ▸ 5쪽

2020학년도 수능

01 다음에서 공통으로 파악할 수 있는 우리나라 헌법의 기본 원리를 실현하는 방안으로 가장 적절한 것은?

> • 국가는 여자와 연소자의 근로에 대해 특별한 보호를 위한 정책을 실시하여야 한다.
> • 국가는 균형 있는 국민 경제의 성장 및 안정을 위하여 경제에 관한 규제와 조정을 할 수 있다.

① 영유아 보육을 위해 국가의 지원을 확대한다.
② 개발 도상 국가에 대한 대외 원조를 확대한다.
③ 문화재 관리를 위해 국가의 지원을 확대한다.
④ 투표율을 높이기 위해 사전 투표제를 확대한다.
⑤ 사생활과 관련된 개인 정보 보호 정책을 강화한다.

출제 개념
우리 헌법의 기본 원리

자료 해설
여자와 연소자의 근로에 대한 특별 보호 정책, 균형 있는 국민 경제의 성장 및 안정을 위해 경제 규제와 조정을 하는 것은 복지 국가의 원리를 실현하기 위한 것이다.

해결 비법
제시문에 나타난 정책과 관련된 우리 헌법의 기본 원리를 파악한 후, 이를 실현하기 위한 방안으로 적절한 정책을 찾는 문항이다. 우리 헌법의 기본 원리에 대한 기본적인 이해뿐만 아니라 이를 구체적인 정책과 연관 지을 수 있도록 각각의 기본 원리의 실현 방안을 정확하게 파악해야 한다.

2018학년도 수능

02 다음 자료에 대한 설명으로 옳은 것은?

우리나라 헌법의 기본 원리	관련 헌법 조문 예시	기본 원리의 실현 방안
(가)	모든 국민은 거주 · 이전의 자유를 가진다.	A
(나)	모든 국민은 인간다운 생활을 할 권리를 가진다.	B

① (가)는 국민의 기본적 생활을 국가가 보장해 주는 원리이다.
② (나)는 자유방임적 시장 경제 질서를 유지하는 것이 국가의 주된 역할임을 강조한다.
③ (가)는 (나)와 달리 법률 제정과 정책 결정의 방향을 제시한다.
④ A에는 '국가가 저소득층을 비롯한 주거 약자에게 안정적인 주거 환경을 우선적으로 보장하는 제도'가 들어갈 수 있다.
⑤ B에는 '국가가 치매를 비롯한 각종 질병으로 일상생활에 어려움을 겪고 있는 노인을 지원하는 제도'가 들어갈 수 있다.

출제 개념
자유 민주주의와 복지 국가의 원리

자료 해설
(가) 국민의 거주 · 이전의 자유를 강조하는 헌법 조문은 자유 민주주의와 관련이 있다. (나) 국민의 인간다운 생활을 할 권리를 강조하는 헌법 조문은 복지 국가의 원리와 관련이 있다.

해결 비법
제시된 표에서 자유 민주주의와 복지 국가의 원리를 파악하고, 각 원리의 실현 방안을 찾는 전형적인 문항이다. 자유 민주주의와 복지 국가의 원리의 특징 및 실현 방안들을 정확하게 파악하고 있어야 하며, 각 원리와 관련된 헌법 조항들도 숙지하고 접근해야 한다.

주제 3 기본권의 보장과 제한

주제 흐름 읽기

기본권	의미	헌법에 규정하여 보장하는 국민의 기본적 인권
	종류	• 인간의 존엄과 가치 및 행복 추구권 • 평등권 • 자유권 • 참정권 • 청구권 • 사회권

기본권의 제한	요건	• 국가 안전 보장 • 질서 유지 • 공공복리
	한계	• 법률을 통해서만 제한 • 필요한 최소한으로 제한 • 본질적 내용의 침해 금지

1 기본권

1. 기본권의 의미

(1) **기본권** 헌법에 규정하여 보장하는 국민의 기본적 인권 ─ 인권은 인간이기 때문에 당연히 가지는 권리이고, 기본권은 국민의 기본적 권리를 헌법으로 보장한 것이야.

(2) **성격**❶ 개인이 가지는 양도할 수 없는 불가침의 권리이자 그 나라 헌법에 따라 보장되는 실정법상의 권리 ─ 기본권은 국가의 성립과 관계없이 인간이 태어나면서부터 가지는 권리인 자연법상의 권리와 실정법상의 권리의 성격을 모두 갖고 있지.

2. 헌법에서 보장하는 기본권의 종류

(1) 인간의 존엄과 가치 및 행복 추구권

인간의 존엄과 가치	• 헌법이 지향하는 최고의 가치이자 모든 기본권에 적용되는 기본권의 이념 • 인간은 인간이라는 이유만으로 존중받아야 함 ─ 인간은 다른 목적을 위한 수단이 될 수 없고, 인간성을 부정하거나 인간을 물건으로 취급하는 행위 등은 금지되고 있어. • 포괄적 권리❷
행복 추구권❸	• 물질적 풍요뿐만 아니라 정신적 만족을 동시에 충족시킬 수 있는 권리 • 기본권 보장의 기본 가치이자 포괄적 권리

(2) **평등권** 자료 1

① 의미: 모든 인간을 원칙적으로 평등하게 대우할 것과 합리적 이유 없이 국가로부터 차별적 대우를 받지 않도록 요구할 권리 ─ 인간의 존엄성을 보장하기 위한 본질적 기본권으로 다른 기본권 실현을 위한 전제 조건의 성격도 있어.

② 성격: 상대적 · 실질적 평등, 합리적 차별❹ 인정

③ 내용: 법 앞의 평등, 사회적 특수 계급의 금지, 교육의 기회균등, 근로관계 · 가족생활에서의 양성평등 등

(3) **자유권** 자료 2

① 의미: 개인의 자유로운 생활에 대하여 국가의 간섭이나 침해를 받지 않을 권리

② 성격: 소극적 권리, 방어적 권리, 포괄적 권리 ─ 국가 권력이 행사되지 않음으로써 보장되며, 국가 권력에 의한 침해를 배제하는 권리를 의미해.

③ 내용

신체의 자유	불법적인 체포 · 감금을 당하지 않고 신체의 안전을 보장받으며 국가 권력의 간섭 없이 자율적으로 활동할 수 있는 자유
사회 · 경제적 자유	거주 · 이전의 자유, 직업 선택의 자유, 사생활의 비밀과 자유, 통신의 자유, 재산권의 보장과 행사의 자유 등
정신적 자유	양심의 자유, 종교의 자유, 언론 · 출판 · 집회 · 결사 등 표현의 자유, 학문과 예술의 자유 등

❶ **우리 헌법에 나타난 기본권의 성격**

> 제10조 …… 국가는 개인이 가지는 불가침의 기본적 인권을 확인하고 이를 보장할 의무를 진다.

우리 헌법은 기본권의 천부 인권성을 선언하면서 다양한 기본권을 보장하고 있다.

❷ **포괄적 권리와 열거적 권리**
포괄적 권리는 헌법에 열거되어 있지 않아도 보장되는 천부 인권적 권리이고, 열거적 권리는 헌법에 구체적 규정이 있어야 보장되는 권리이다.

❸ **행복 추구권**
행복 추구권에서 헌법에 열거되지 않은 일반적 행동 자유권, 개성의 자유로운 발현권, 자기 결정권 등이 도출될 수 있다.

❹ **합리적 차별**
선천적 조건과 후천적 차이를 고려한 차별로, 남자에게만 병역의 의무를 부과하는 것, 여성에게만 생리 휴가를 주는 것, 누진세 제도, 가중 처벌 제도 등이 그 예이다.

자료 1 적극적 평등 실현 조치(affirmative action)

교과서 33쪽

적극적 평등 실현 조치란 인종, 성별, 종교, 장애 등으로 인한 차별을 줄이기 위한 소수 계층 우대 정책을 의미한다. 적극적 평등 실현 조치는 단순히 차별을 철폐하고 똑같은 대우를 하는 것보다 더 적극적인 성격의 대응책으로 실질적 평등을 실현하기 위한 제도이다.

우리나라에서도 여성 고용 할당제 및 장애인 의무 고용 제도 등 적극적 평등 실현 조치를 시행하고 있다. 「남녀 고용 평등과 일·가정 양립 지원에 관한 법률」에서는 '적극적 고용 개선 조치'를 명시하여 남녀 간 고용 차별을 없애거나 고용 평등을 촉진하기 위해 잠정적으로 특정 성을 우대하도록 하고 있다. 또한 「장애인 고용 촉진 및 직업 재활법」에서는 국가와 지방 자치 단체의 장, 사업주가 일정 비율 이상의 장애인을 의무적으로 고용하도록 명시하고 있다.

적극적 평등 실현 조치에 대해 다양성 존중을 위해 필수적인 제도라는 주장과 함께 소수 집단 외에 다른 사람의 평등권을 침해하는 '역차별'이라는 논란이 제기되기도 한다.

자료 분석 우리나라에서는 1995년에 제정된 「여성 발전 기본법」 제6조에 따라 '여성 채용 목표제'를 실시하여 여성들에게 더 많은 공무원 채용 기회를 제공하였다. 제도 시행 후, 일부 모집 단위에서 여성 합격률이 남성 합격률을 상회하여 2003년부터는 '양성평등 채용 목표제'로 전환하여 실시하고 있다. 또한 대학 입시 및 공무원 채용 등의 절차에서 '지역 할당제'를 실시하여 수도권을 제외한 지역 출신에게 가산점을 부여하는 등의 특혜를 제공하고 있다.

자료 분석 포인트

사례와 관련 있는 기본권의 종류와 내용을 파악해 보자.

Q1 빈칸에 들어갈 알맞은 말을 쓰시오.

적극적 평등 실현 조치는 소수 계층의 차별을 줄이기 위한 우대 정책으로, 기본권 중 (　　　)와/과 관련이 있다.

자료 2 평등권과 자유권의 침해

교과서 32쪽

자료 분석 갑은 평등권이 침해되었다. 우리 헌법 제11조 제1항에서는 "모든 국민은 법 앞에 평등하다. 누구든지 성별·종교 또는 사회적 신분에 의하여 정치적·경제적·사회적·문화적 생활의 모든 영역에 있어서 차별을 받지 아니한다."라고 규정되어 있다.

을은 자유권(사생활의 비밀과 자유)이 침해되었다. 우리 헌법 제17조에서는 "모든 국민은 사생활의 비밀과 자유를 침해받지 아니한다."라고 규정되어 있다.

자료 분석 포인트

사례와 관련 있는 기본권의 종류와 내용을 파악해 보자.

Q2 제시된 갑과 을의 상황에서 각각 침해받은 기본권을 쓰시오.

답 Q1 평등권 / Q2 갑: 평등권, 을: 자유권(사생활의 비밀과 자유)

기본권의 보장과 제한

(4) **참정권** 자료 1

① 의미: 주권자인 국민이 국가 기관 형성과 정치적 의사 형성 과정에 참여할 수 있는 권리

② 성격: 능동적 권리, 국민 주권의 원리를 구현하는 기본적 수단, 정치적 기본권 — 국민이 국가의 정치에 참여할 수 있는 권리이기 때문이야.

③ 내용

선거권	국민이 대표자를 선출할 수 있는 권리
공무 담임권❶	국가 기관의 구성원으로 선임될 수 있는 권리
국민 투표권	헌법 개정안 확정과 국가 안위에 관한 중요 정책 결정 시 직접 투표할 수 있는 권리

(5) **청구권**

① 의미: 국민이 국가에 대하여 적극적으로 특정한 행위를 요구하거나 침해당한 기본권의 구제를 청구할 수 있는 권리

② 성격: 수단적 권리, 절차적 권리, 적극적 권리 — 다른 기본권의 보장을 위한 수단적 권리이며, 기본권을 실현하기 위한 절차적인 권리의 성격을 가져.

③ 내용

청원권	국가 기관에 대해 자신의 의견을 문서로 제출할 수 있는 권리
재판 청구권	헌법과 법률이 정한 법관에 의하여 법률에 따라 재판을 받을 권리
국가 배상 청구권	공무원의 직무상 불법 행위로 손해를 입으면 국가 또는 공공 단체에 정당한 배상을 청구할 수 있는 권리
형사 보상 청구권	형사 피의자나 피고인으로 구금되었던 자가 불기소 처분이나 무죄 판결을 받은 경우 국가에 보상을 청구할 수 있는 권리
범죄 피해자 구조 청구권	범죄 피해로 생명이나 신체에 해를 입은 사람이 국가에 구조를 청구할 수 있는 권리

(6) **사회권❷**

① 의미: 모든 국민이 인간다운 생활을 영위할 수 있도록 실질적 평등을 누릴 권리

② 성격: 적극적 권리, 현대적 권리 — 국가에 대해 인간다운 생활의 보장을 요구하고, 가장 최근에 등장한 기본권이기 때문이야.

③ 내용: 인간다운 생활을 할 권리, 교육을 받을 권리, 노동 3권, 환경권 등

2 기본권의 제한

1. 기본권 제한

(1) **사유** 타인의 기본권과 충돌하거나 공동체의 이익이나 사회 질서를 해치는 경우

(2) **원칙** 국민의 대표 기관인 국회에서 제정한 법률에 의해서 제한하는 것이 가장 일반적임

2. 기본권 제한의 요건과 한계❸

(1) **내용**

국가와 사회의 구성원 모두를 위한 공공의 이익을 의미해. (공공복리)

헌법에 규정된 계엄이나 긴급 명령 등에 따라 기본권이 제한될 수 있어. (국가 비상사태에는 예외)

목적상의 한계	국가 안전 보장❹, 질서 유지 또는 공공복리로 한정됨
형식상의 한계	국회에서 제정한 법률을 통해 이루어져야 함 → 국가 비상사태에는 예외
방법상의 한계	기본권을 제한하는 경우에도 필요한 최소한에 그쳐야 함 → 과잉 금지의 원칙❺
내용상의 한계	모든 조건을 충족하는 경우에도 기본권의 본질적 내용은 침해할 수 없음

(2) **헌법에 기본권 제한 규정을 둔 목적** 기본권 제한의 한계를 분명히 하여 국가 권력이 함부로 국민의 기본권을 침해할 수 없도록 함 → 국민의 기본권을 최대한 보장, 공익 실현

---

❶ 공무 담임권
국민이 국가 및 공공 단체의 구성원이 되어 직무를 담당할 수 있는 권리이다.

❷ 사회권의 등장 배경
자본주의가 발달함에 따라 물질적으로는 풍요로워졌지만, 빈부 격차가 커지고 사회적 약자들이 인간으로서 마땅히 누려야 할 권리를 보장받지 못하는 문제점이 발생하면서 사회권이 등장하였다. 사회권은 1919년 독일 바이마르 헌법에서 최초로 보장하였다.

❸ 헌법에 명시된 기본권 제한 규정

제37조 ② 국민의 모든 자유와 권리는 국가 안전 보장, 질서 유지 또는 공공복리를 위하여 필요한 경우에 한하여 법률로써 제한할 수 있으며, 제한하는 경우에도 자유와 권리의 본질적인 내용을 침해할 수 없다.

❹ 국가 안전 보장
국가의 존립과 영토의 보전, 헌법의 기본 질서 유지, 헌법에 의하여 설치된 국가 기관의 유지 등을 뜻한다.

❺ 과잉 금지의 원칙(비례의 원칙)

목적의 정당성	국가 안전 보장, 질서 유지, 공공복리를 위한 정당한 목적이 있어야 함
방법의 적절성	기본권 제한의 목적을 달성하는 데 필요하고 효과적이어야 함
피해의 최소성	피해가 가장 작은 방법으로 제한해야 함
법익의 균형성	보호하려는 공익이 침해되는 개인의 이익보다 커야 함

자료 1 여성의 정치 대표성, 어떻게 확보해야 할까?

교과서 34쪽

프랑스는 2000년 이른바 「파리테 법」을 제정하여 지방 의원 선거, 하원 의원 선거, 상원 비례 대표 선거 등에서 여성 후보를 남성 후보와 동수로 추천하고 있다. 각 정당은 여성 후보 할당을 지키지 않으면 국고 정당 보조금이 삭감되거나 후보자 명부를 접수할 수 없다. 「파리테 법」 시행 이후 프랑스 여성 의원이 지속적으로 증가하여 2019년 현재 하원 39.7%, 상원 32.2%로 늘었다. 독일의 경우 브란덴부르크주 의회는 「파리테 법」을 모델로 2019년 정당의 비례 대표 명부 후보를 남녀 동수로 구성하는 내용의 선거법 개정안을 통과시켰다. 그러나 우리나라는 제20대 국회에서 여성 의원이 17%, 2020년 지방 의원은 23.8%로 여성의 정치 대표성이 상대적으로 낮다.

– 미디어오늘, 2020. 1. 26. –

찬성 우리나라는 제20대 국회에서 의원 300명 중 여성 의원은 51명으로 17%, 제21대 국회에서 57명으로 19%에 불과하다. 여성 의원의 비율이 낮은 것은 사회 구조적인 문제에 원인이 있기 때문에 실질적인 평등을 달성하기 위해서는 선거법 개정이 필요하다.

반대 우리나라 선거법에서도 국회 의원 비례 대표 명부 작성 시 정당은 후보자의 50% 이상을 여성에게 할당하고 있다. 여성 당선자가 늘어나야 한다는 점에는 공감하지만, 선거에서 경쟁력은 정당과 국민들이 판단하는 것이기 때문에 여성 후보 추천을 강제하기는 어렵다.

자료 분석 여성의 정치 대표성 강화에 대한 찬성 의견에는 사회 구조적 해결을 위해 선거에서 여성 후보를 남성 후보와 동수로 추천하는 법적 장치 마련의 필요성 등을 주장하는 내용이 있다. 반대 의견에는 선거에서 경쟁력은 정당과 국민들이 판단하는 것이므로 여성 후보 추천을 법적 장치를 두어 강제하지는 않아도 된다는 등의 내용이 있다.

자료 분석 포인트

'여성의 정치 대표성 강화'와 기본권을 연관시켜 보고, '여성의 정치 대표성 강화'에 관한 각각의 입장을 정리해 보자.

Q1 제시된 자료에서 주요 쟁점이 되고 있는 기본권을 쓰시오.

자료 2 헌법에 열거된 국민의 의무

교과서 37쪽

구분	의무	내용
고전적 의무	납세의 의무	모든 국민이 법률이 정하는 바에 따라 세금을 내야 할 의무 → 조세 법률주의를 원칙으로 함
	국방의 의무	국가를 보위하기 위한 포괄적인 의무
현대적 의무	교육의 의무	모든 국민이 보호하는 자녀에게 적어도 초등 교육과 법률이 정하는 교육을 받게 할 의무
	근로의 의무	근로를 통해 자신의 생존권을 보장하고 국가의 부를 증대시키는 데 이바지할 의무
	재산권 행사의 공공복리 적합의 의무	재산권을 보장하면서도 공공복리에 적합하도록 행사해야 할 의무
	환경 보전의 의무	국가와 국민이 환경 보전에 노력해야 할 의무

자료 분석 우리 헌법에서는 국민의 기본적인 권리를 보장함과 동시에 국민의 기본적인 의무에 관해서도 규정하고 있다. 국민의 의무에는 근대 입헌주의 국가가 성립되기 이전부터 부과된 고전적 의무와 현대 복지 국가에서 공공복리 증진을 위해 등장한 현대적 의무가 있다.

자료 분석 포인트

헌법에서 규정하는 국민의 기본적인 의무를 파악하고, 이를 고전적 의무와 현대적 의무로 분류해 보자.

Q2 현대적 의무만을 |보기|에서 골라 기호를 쓰시오.

보기
ㄱ. 교육의 의무 ㄴ. 납세의 의무
ㄷ. 국방의 의무 ㄹ. 근로의 의무

답 Q1 참정권 / Q2 ㄱ, ㄹ

개념 익히기

정답과 해설 ▸ 5쪽

01 다음 빈칸에 들어갈 알맞은 말을 쓰시오.

(1) 오늘날 대부분의 민주 국가에서는 국민의 기본적 인권을 헌법에 규정하여 보장하고 있는데, 이를 (   )(이)라고 한다.
(2) (   )은/는 인간이 인간이라는 이유만으로 존중받아야 할 권리로 헌법 질서 최고의 원리이다.
(3) (   )은/는 국민이 국가에 대하여 적극적으로 특정한 행위를 요구하거나 침해당한 기본권의 구제를 청구할 수 있는 권리이다.

02 다음 헌법 조항과 관련이 있는 기본권을 쓰시오.

> 제13조 ① 모든 국민은 행위 시의 법률에 의하여 범죄를 구성하지 아니하는 행위로 소추되지 아니하며, 동일한 범죄에 대하여 거듭 처벌받지 아니한다.

03 다음 설명이 옳으면 ○, 틀리면 ×표 하시오.

(1) 우리 헌법상 평등은 각 사람이 처한 상황이나 여건이 다르면 그 차이에 따라 적절하게 대우해 주는 절대적 평등이다. (   )
(2) 참정권은 주권자인 국민이 국가 기관의 형성과 국가의 정치적 의사 형성 과정에 참여할 수 있는 권리이다. (   )
(3) 기본권 제한의 한계를 둔 이유는 국가 권력이 함부로 국민의 기본권을 침해할 수 없도록 하기 위함이다. (   )

04 다음 빈칸에 공통으로 들어갈 말을 쓰시오.

> (   )은/는 인간다운 생활의 보장을 국가에 요구할 수 있는 권리이다. 자본주의가 발달함에 따라 물질적으로는 풍요로워졌지만, 빈부 격차가 커지고 사회적 약자들이 인간으로서 마땅히 누려야 할 권리를 보장받지 못하는 일들이 증가하였다. 이에 1919년 독일의 바이마르 헌법에서 헌법에 (   )을/를 처음으로 규정하였다.

05 다음 괄호 안에 들어갈 알맞은 말에 ○표 하시오.

(1) 역사가 가장 오래된 기본권으로 국가의 간섭이나 침해를 받지 않음으로써 보장되는 소극적·방어적 성격의 기본권은 (자유권 / 사회권)이다.
(2) 청구권은 다른 기본권을 보장하기 위한 (소극적 / 수단적) 권리이다.
(3) 기본권을 제한하는 경우에도 필요한 (최소한 / 최대한)에 그쳐야 한다.

06 다음 |보기|를 고전적 의무와 현대적 의무로 구분하시오.

> **보기**
> ㄱ. 근로의 의무　　ㄴ. 납세의 의무
> ㄷ. 국방의 의무　　ㄹ. 교육의 의무
> ㅁ. 환경 보전의 의무
> ㅂ. 재산권 행사의 공공복리 적합의 의무

(1) 고전적 의무:
(2) 현대적 의무:

2단계 내신 유형 익히기

정답과 해설 ▸ 5쪽

01 중요 표는 기본권 A와 B를 비교하기 위한 것이다. 이에 대한 설명으로 옳은 것은? (단, A와 B는 각각 인간의 존엄과 가치 또는 자유권 중 하나이다.)

구분	공통점	차이점
A	(가)	헌법이 지향하는 최고 가치이자 모든 기본권에 적용되는 기본 이념이다.
B		(나)

① A는 B와 달리 포괄적 권리이다.
② B는 A와 달리 국가 권력의 간섭을 옹호한다.
③ (가)에는 '인간은 인간이라는 이유만으로 존중받아야 함을 지지한다.'가 들어갈 수 있다.
④ (나)에는 '인간성을 부정하는 행위나 인간을 물건으로 취급하는 노예제 등은 금지된다.'가 들어갈 수 있다.
⑤ (나)에는 '절대적 · 형식적 평등이 아니라, 각 사람이 처한 상황이나 여건이 다르면 적절히 대우해 주는 상대적 · 실질적 평등이 들어갈 수 있다.

02 다음 사례와 밀접한 관련이 있는 기본권에 대한 설명으로 옳은 것은?

아동 수당은, 만 6세 미만(0∼71개월) 아동에게 월 10만 원씩 지급함으로써, 아동의 건강한 성장 환경을 조성하여 아동의 기본적 권리와 복지 증진에 기여하기 위해 도입되었다. 아동 수당은 아동의 권리 · 복지 증진, 양육 부담 경감 등을 위해 미국, 터키, 멕시코를 제외한 모든 OECD 국가에서 오래 전부터 시행 중인 제도이다.

① 복지 국가와 연관이 없는 권리이다.
② 인간다운 생활의 보장을 국가에 요구할 수 있는 권리이다.
③ 다른 기본권의 보장을 위한 수단적 권리의 성격을 갖는다.
④ 국가 권력이 행사되지 않음으로써 보장되는 소극적 권리이다.
⑤ 이 기본권을 보장하기 위해 우리 헌법에서는 노동 3권을 제한한다.

03 중요 우리 헌법 (가)~(라)에 나타난 기본권에 대한 설명으로 옳은 것은?

(가) 제11조 ① …… 누구든지 성별 · 종교 또는 사회적 신분에 의하여 정치적 · 경제적 · 사회적 · 문화적 생활의 모든 영역에 있어서 차별을 받지 아니한다.
(나) 제21조 ① 모든 국민은 언론 · 출판의 자유와 집회 · 결사의 자유를 가진다.
(다) 제29조 ① 공무원의 직무상 불법 행위로 손해를 받은 국민은 법률이 정하는 바에 의하여 국가 또는 공공 단체에 정당한 배상을 청구할 수 있다.
(라) 제34조 ① 모든 국민은 인간다운 생활을 할 권리를 가진다.

① (가)의 기본권은 다른 기본권 보장의 전제 조건이다.
② (나)의 기본권은 국가로부터의 자유, (라)의 기본권은 국가에의 자유를 추구한다.
③ (다)의 기본권은 가족생활에서의 양성평등을 추구한다.
④ (라)의 기본권은 기본권 보호를 위한 방어적 권리이다.
⑤ (라)의 기본권 출현 이후에 (나)의 기본권이 나타났다.

04 다음에서 설명하는 기본권에 해당하는 내용만을 |보기|에서 있는 대로 고른 것은?

주권자인 국민이 국가 기관의 형성과 국가의 정치적 의사 형성 과정에 참여할 수 있는 능동적 권리이다.

보기

ㄱ. 청원권　　ㄴ. 선거권
ㄷ. 국민 투표권　　ㄹ. 공무 담임권
ㅁ. 교육을 받을 권리

① ㄱ, ㄴ　② ㄱ, ㄷ　③ ㄱ, ㄷ, ㄹ
④ ㄴ, ㄷ, ㄹ　⑤ ㄷ, ㄹ, ㅁ

05 다음 사례에서 갑이 활용할 수 있는 기본권에 대한 설명으로 옳지 않은 것은?

> 고등학생인 갑은 장애인의 날을 맞아 자신과 같은 시각 장애인이 지역 횡단보도를 건널 때 불편함은 없는지 확인하는 조사를 실시하였다. 조사한 결과 신호등 음향 신호기 설치 비율이 저조하였고, 설치되었더라도 대부분 고장이 나서 무용지물이었다. 이러한 현실에 심각성을 느낀 갑은 문제를 해결해야겠다는 생각을 하였다.

① 국민이 국가에 대해 적극적으로 특정한 행위를 요구할 수 있는 권리이다.
② 국가 기관에 대해 자신의 의견을 문서로 제출할 수 있는 청원권을 그 내용으로 한다.
③ 국민의 기본권이 국가나 타인에 의해 침해당하였을 때 그 구제를 청구할 수 있는 권리이다.
④ 헌법과 법률이 정하는 법관에 의해 공정하고 신속한 재판을 받을 수 있는 국가 배상 청구권을 그 내용으로 한다.
⑤ 범죄 피해로 생명이나 신체에 해를 입은 사람이 국가에 구조를 청구하는 범죄 피해자 구조 청구권을 그 내용으로 한다.

06 다음 사례에 관한 옳은 설명만을 |보기|에서 고른 것은?

| 보기 |
ㄱ. 금연 구역은 흡연자의 행복 추구권 보장을 위해서 존재하는 것이다.
ㄴ. 모든 국민의 기본권을 조화롭게 보장하기 위해 개인의 기본권을 제한하는 사례이다.
ㄷ. 학교 앞 어린이 보호 구역은 학교에 등교하는 어린이의 자유권을 제한하는 것이다.
ㄹ. 원칙적으로 국민의 대표 기관인 국회에서 법률을 제정하는 방법으로 기본권을 제한할 수 있다.

① ㄱ, ㄴ ② ㄱ, ㄷ ③ ㄴ, ㄷ
④ ㄴ, ㄹ ⑤ ㄷ, ㄹ

07 다음 헌법 조항에 대한 설명으로 옳은 것은?

> 제37조 ② 국민의 모든 자유와 권리는 ㉠ 국가 안전 보장, 질서 유지 또는 공공복리를 위하여 ㉡ 필요한 경우에 한하여 법률로써 제한할 수 있으며, 제한하는 경우에도 자유와 권리의 본질적인 내용을 침해할 수 없다.

① ㉠은 기본권 제한의 형식에 포함된다.
② ㉡에서 기본권 제한 수단이 적절한 것인지 여부는 고려하지 않는다.
③ 어떠한 경우에도 기본권을 제한할 수 없음을 명시하고 있다.
④ 국가 비상사태에는 긴급 명령에 따라 예외적으로 기본권이 제한될 수 없다.
⑤ 기본권 제한의 한계를 분명히 하여 국가 권력이 함부로 국민의 기본권을 침해할 수 없도록 하는 데 목적이 있다.

08 다음 사례를 읽고 옳게 추론한 것은?

> 갱년기 우울증을 앓고 있던 A 씨는 본인의 의사와 상관없이 정신 병원에 입원하게 되었다. 보호 의무자 2인의 동의와 정신과 전문의 1인의 진단만으로 정신 질환자를 병원에 강제로 입원시킬 수 있도록 한 「정신 보건법」 제24조에 근거한 '보호 입원 제도' 때문이다. 이에 대한 소송을 진행 중이던 A 씨는 해당 법률 조항이 자신의 권리를 침해한다며 법원에 위헌 법률 심판 제청을 신청하였다. 법원은 이를 받아들여 헌법 재판소에 위헌 법률 심판을 제청하였고, 헌법 재판소는 이에 대해 「정신 보건법」 제24조는 개인의 신체의 자유를 지나치게 제한하므로 헌법에 합치되지 않는다는 결정을 내렸다.
>
> – 헌법 재판소, 「2016. 9. 29. 2014헌가9」 –

① A 씨는 참정권을 침해받았다.
② 기본권 제한이 법률에 의해 이루어지지 않았다.
③ 「정신 보건법」 제24조는 법률이므로 개정 및 삭제할 수 없다.
④ 헌법 재판소는 기본권을 제한하는 경우에도 필요한 최소한에 그쳐야 함을 강조한 것이다.
⑤ 헌법 재판소는 국가 안전 보장을 위해 기본권 제한이 광범위하게 허용되어야 함을 강조한 것이다.

서술형 문제

09 **다음 글을 읽고 기본권의 종류를 포괄적 권리와 열거적 권리로 구분하시오.**

> 포괄적 권리는 헌법에 열거되어 있지 않아도 보장되는 천부 인권적 권리이며, 열거적 권리는 헌법에 구체적인 권리 규정이 있어야 보장되는 권리이다.

서술형 문제

10 **다음 글을 읽고 물음에 답하시오.**

> 적극적 평등 실현 조치란 인종, 성별, 종교, 장애 등으로 인한 차별을 줄이기 위한 소수 계층 우대 정책을 의미한다. 적극적 평등 실현 조치는 단순히 차별을 철폐하고 똑같은 대우를 하는 것보다 더 적극적인 성격의 대응책으로 (   )을/를 실현하기 위한 제도이다. 우리나라에서도 여성 고용 할당제 및 장애인 의무 고용 제도 등 적극적 평등 실현 조치를 시행하고 있다.

(1) 위 글의 빈칸에 들어갈 평등의 종류를 쓰시오.

(2) 위 글과 밀접한 관련이 있는 기본권의 특징을 두 가지만 서술하시오.

서술형 문제

11 **다음 글을 읽고 물음에 답하시오.**

> 죄형 법정주의란 범죄와 형벌은 미리 법률로써 규정하여야 한다는 근대 형법의 기본 원리로 "법률이 없으면 범죄도 없고, 법률이 없으면 형벌도 없다."라는 명제로 표현된다. 여기서 말하는 법률은 의회에서 제정한 것으로, 국민의 대표 기관인 의회가 제정한 법률에 의할 때 민주적 정당성을 인정받을 수 있다.

(1) 위 글과 밀접한 관련이 있는 기본권을 쓰시오.

(2) (1)의 의미를 서술하시오.

서술형 문제

12 **다음은 일상생활에서 나타나는 기본권 제한 사례이다. 물음에 답하시오.**

(가)

> 고등학교 2학년인 허약해 군은 최근 유행하는 독감에 걸렸다. 하지만 기말고사가 얼마 남지 않아 학교에 가려고 하였다. 그런데 학교에서는 다른 학생들에게 감염시킬 수 있다며 완치될 때까지 등교하지 말라고 하였다.

(나)

(1) (가), (나)에서 공통으로 국민의 기본권을 제한한 목적을 쓰시오.

(2) (가), (나)와 같이 기본권을 제한할 경우 지켜져야 할 요건과 한계를 세 가지 이상 서술하시오.

내신 만점 도전하기

정답과 해설 ▸ 6쪽

01 기본권 A~D에 대한 설명으로 가장 적절한 것은? (단, A~D는 각각 자유권, 참정권, 청구권, 사회권 중 하나이다.)

중요

구분	A	B	C	D
국가 권력에 의한 침해를 배제하는 방어적 권리인가?	아니요	아니요	예	아니요
실질적 평등을 보장하고자 하는가?	아니요	아니요	아니요	예
헌법에 구체적 규정이 있어야 보장되는 권리인가?	예	예	아니요	예
다른 기본권을 보장하기 위한 수단적 권리인가?	예	아니요	아니요	아니요

① A에서의 평등은 상대적 · 실질적 평등이다.
② 국민은 B를 보장받기 위해 국민 투표권을 가진다.
③ C는 국가로부터 차별적 대우를 받지 않도록 요구할 권리이다.
④ 국민은 D를 보장받기 위해 재판 청구권과 형사 보상 청구권을 가진다.
⑤ C는 D에 비해 복지 국가를 지향하는 최근 분위기에서 등장한 현대적 권리이다.

문제 접근 방법
제시된 기본권의 특징을 분석하여 해당하는 기본권을 파악한다.

내신 전략
기본권과 관련된 헌법 조항을 여러 번 읽어 눈에 익히고, 각 기본권의 의미와 특징, 그 내용을 정리하도록 한다.

02 다음은 국민연금 강제 가입에 대한 과거 헌법 재판소 판례 요지이다. 이에 대한 옳은 설명만을 |보기|에서 있는 대로 고른 것은?

> 헌법 재판소는 당시 결정문에서 "국민연금은 반대급부 없이 국가에서 강제로 징수하는 조세와는 성격을 달리하는 것으로, 국민의 생활 보장과 복지 증진을 기하는 공익 목적의 제도이기 때문에 헌법 취지에 위배되지 않는다."라고 했다. 국민의 기본권도 과잉 금지의 원칙에 위배되지 않는다면 국가 안전 보장, 질서 유지, 공공복리를 위해 법률로써 제한할 수 있다는 판단이다. 국민의 노후뿐 아니라 장애 · 사망 시에 연금을 지급해 생활을 안정시킨다는 국민연금법의 목적이 정당하고, 국민연금 제도가 개인이 당할지 모르는 사회적인 위험을 분산시키는 사회 안전망 역할을 한다는 것이다. 헌법 재판소는 "국민연금 제도를 통해 달성하고자 하는 공익이 개별적인 내용의 저축에 대한 선택권이라는 개인적 사익보다 월등히 크다."라고 밝혔다. 헌법 재판소는 국민연금의 강제 가입이 위헌으로 볼 수 없다는 판단을 내렸다.

보기

ㄱ. 헌법 재판소는 법익의 균형성을 전혀 고려하지 않았다.
ㄴ. 국민연금의 강제 가입은 과잉 금지의 원칙에 위배되지 않는다.
ㄷ. 국민연금의 강제 가입은 법률을 통해서 이루어지고 있는 기본권 제한이다.
ㄹ. 헌법 재판소의 판단 근거가 되는 헌법 조항은 국가 권력이 함부로 국민의 기본권을 침해할 수 없도록 하는 데 목적이 있다.

① ㄱ, ㄴ　② ㄱ, ㄷ　③ ㄴ, ㄷ
④ ㄱ, ㄴ, ㄹ　⑤ ㄴ, ㄷ, ㄹ

문제 접근 방법
이 문제는 사례를 분석하여 기본권 제한의 한계를 파악하는 문제이다. 기본권 제한의 요건과 한계 및 과잉 금지의 원칙을 사례에 적용하며 기본권 제한이 적절한지 판단한다.

내신 전략
기본권 제한의 요건과 한계를 정리하고, 과잉 금지의 원칙의 구체적 내용 네 가지를 파악해 둔다.

정답과 해설 ▸ 6쪽

2020학년도 수능

01 기본권 유형 A~D에 대한 설명으로 옳은 것은?

> 외국인에게 기본권을 인정해야 하는가의 문제는 기본권의 성질에 따라 결정하여야 한다. 기본권 중 행복 추구권은 인간이라면 누구나 누릴 수 있는 권리이므로 외국인에게도 인정된다. 한편 신체의 자유로 대표되는 A와 재판 청구권과 같은 B도 원칙적으로 외국인에게 인정되지만 일정한 경우에 제한될 수 있다. 그러나 교육을 받을 권리와 같은 C와 국민 투표권과 같은 D는 원칙적으로 외국인에게 인정되기 어려운 점이 있다.

① B는 C보다 우월한 가치가 있는 기본권이다.
② C는 A보다 최근에 등장한 현대적인 권리이다.
③ D는 A보다 수동적이고 방어적인 권리이다.
④ A와 C는 국가 성립 이전부터 인정되는 권리이다.
⑤ B와 D는 헌법에 열거되지 않아도 보장받을 수 있는 포괄적 권리이다.

출제 개념
기본권의 성격

자료 해설
A는 신체의 자유로 대표되므로 자유권에 해당하며, 재판 청구권과 같은 B는 청구권이고, 교육을 받을 권리인 C는 사회권, 국민 투표권과 같은 D는 참정권이다.

해결 비법
제시문에 나타난 기본권의 종류를 파악하고, 각각의 기본권의 특징을 찾는 문항이다. 각 기본권의 의미 및 특징뿐만 아니라 역사적 발달 순서도 숙지하고 접근해야 한다.

2018학년도 수능

02 기본권 A에 대한 설명으로 옳은 것은?

> 헌법 재판소는 집행 유예 기간 중인 자의 [A]을/를 제한하고 있는 ○○법의 해당 부분은 헌법 제37조 제2항을 위반하여 청구인들의 [A]을/를 침해하였을 뿐만 아니라 평등 원칙도 위반한 것이라고 결정하였다. 헌법 재판소는 그 이유에서 형사 책임과 주권의 행사는 다른 차원의 문제로서 범죄자가 저지른 범죄의 경중을 전혀 고려하지 않고 공동체의 운용을 주도하는 국가 조직의 구성에 참여하는 것을 전면적·획일적으로 제한하는 것은 헌법에 위반된다고 하였다.

① 국가의 정치 과정에 참여할 수 있는 능동적 권리이다.
② 민주주의의 이념 중 하나로서 다른 기본권 보장의 전제 조건이 된다.
③ 개인의 자유에 대한 국가 권력의 침해를 배제하는 방어적 권리이다.
④ 국민의 권리임과 동시에 국가의 존속과 유지를 위한 헌법상 의무이기도 하다.
⑤ 국민이 국가에 대하여 적극적으로 특정한 행위를 요구할 수 있는 수단적 권리이다.

출제 개념
참정권의 특징

자료 해설
제시문에서 공동체의 운용을 주도하는 국가 조직의 구성에 참여하는 것을 제한하는 것이 A를 침해한다고 하였으므로 A는 참정권이다.

해결 비법
기본권의 특징과 관련한 문제는 특정 사례나 헌법 재판소의 판례를 주고 기본권을 추론해 내는 방향으로 출제되므로 기본 개념과 특징을 명확히 학습하고, 다양한 사례에 적용시킬 수 있는 능력을 길러야 한다.

핵심 개념 정리하기

1 민주 정치와 법

1 정치와 법

(1) 정치

의미	국가 또는 집단 수준에서 나타나는 이해관계나 갈등을 조정하여 합의에 이르게 하는 과정
기능	사회의 희소 자원 배분 원칙 마련, 사회 갈등 해결, 사회 통합, 질서 유지 등

(2) 법

의미	국가 권력에 의하여 강제되는 사회 규범
이념	정의 실현 → 평균적 정의와 배분적 정의로 구분

2 민주주의와 법치주의의 발전 과정

(1) 민주주의의 발전 과정

민주주의	다수의 민중에 의한 지배
고대	아테네의 직접 민주주의, 제한적 민주주의
근대	• 사상적 배경: 천부 인권 사상, 사회 계약설, 계몽사상 등 • 주요 시민 혁명: 영국 명예혁명, 미국 독립 혁명, 프랑스 혁명 • 결과: 대의 민주주의, 법의 지배 확립 • 한계: 재산·신분에 따른 참정권 제한, 불평등 문제
현대	• 참정권 확대 운동으로 보통 선거 정착 • 대중 민주주의 시작

(2) 법치주의의 발전 과정

법치주의	국가의 운영이 의회가 미리 제정한 법률에 근거하여 수행되어야 한다는 민주 정치의 원리
형식적 법치주의	• 합법적인 절차를 거쳐 제정한 법에 따른 통치를 강조 • 법률 자체의 목적이나 내용을 문제 삼지 않음
실질적 법치주의	• 형식적인 합법성뿐만 아니라 법률의 목적과 내용의 정당성도 갖추어야 함 • 법률의 목적과 내용이 국민의 자유와 권리 보장이라는 헌법 이념에 부합해야 함

2 헌법의 의의와 원리

1 헌법의 의의와 기능

헌법	국가의 통치 조직과 운영 원리를 정하고 국민의 기본권을 규정한 근본법이자 최고법
기능	국가 창설, 자유와 권리 보장, 조직 규범, 수권 규범, 사회 통합 실현

2 우리나라 헌법의 기본 원리

국민 주권주의	주권이 국민 전체에게 최종적으로 있다는 원리
자유 민주주의	자유주의와 민주주의가 결합한 원리
복지 국가의 원리	모든 국민의 인간다운 생활을 보장하려는 원리
문화 국가의 원리	국가가 문화를 보호하고 문화 활동의 자유를 보장해야 한다는 원리
국제 평화주의	세계 평화와 인류의 번영을 위해 노력한다는 원리
평화 통일의 지향	평화적 통일을 국가적 사명으로 선언하고, 평화 통일 정책을 추진하도록 한 원리

3 기본권의 보장과 제한

1 기본권

(1) 기본권의 의미　헌법에 규정하여 보장하는 국민의 기본적 인권

(2) 기본권의 종류

	의미	특징
인간의 존엄과 가치 및 행복 추구권	인간이라는 이유만으로 존중받을 권리	헌법의 최고 지향 가치, 기본권의 이념, 포괄적 권리
평등권	국가로부터 차별적 대우를 받지 않을 권리	상대적·실질적 평등, 합리적 차별 인정
자유권	국가의 간섭이나 침해를 받지 않을 권리	소극적·방어적 권리
참정권	국가 기관의 형성과 국가의 정치적 의사 형성 과정에 참여할 권리	능동적 권리, 정치적 기본권
청구권	국가에 대하여 특정한 행위를 요구할 수 있는 권리	수단적·절차적 권리
사회권	인간다운 생활과 실질적 평등을 누릴 권리	적극적·현대적 권리

2 기본권 제한의 요건과 한계

목적상의 한계	국가 안전 보장, 질서 유지, 공공복리로 한정됨
형식상의 한계	국회에서 제정한 법률을 통해 이루어져야 함
방법상의 한계	기본권을 제한하는 경우에도 필요한 최소한에 그쳐야 함 → 과잉 금지의 원칙(비례의 원칙)
내용상의 한계	모든 조건을 충족하는 경우에도 기본권의 본질적인 내용은 침해할 수 없음

핵심 개념 적용하기

●●○
01 (가), (나)에 나타난 정치 현상에 대한 설명으로 옳은 것은?

(가) 학급 회의 (나) 국무 회의

① (가)에 나타나는 정치 현상은 사회 구성원들 간의 갈등을 해결할 수 없다.
② (가)를 정치로 보는 입장에서는 국가나 정부에 관련된 활동만을 정치라고 본다.
③ (가)를 정치로 보는 입장에서는 (나)를 정치 현상으로 보지 않는다.
④ (나)만 정치로 보는 입장에서는 다양한 집단 수준에서 나타나는 일상생활 속 갈등을 조정하는 과정을 정치로 보지 않는다.
⑤ (가), (나)는 좁은 의미의 정치 사례이다.

●○○
02 다음 글에 나타난 정치의 기능으로 가장 적절한 것은?

> 신고리 5·6호기 원전 건설에 관한 공론 조사* 결과 '원전 건설 재개'가 최종 권고됐다. 신고리 원전 공론화 위원회장은 정부 서울 청사에서 브리핑을 열고 신고리 5·6호기 원전 건설 재개 의견이 59.5%로 중단 의견 40.5%보다 19%포인트 높았다고 밝혔다. 위원장과 위원 8명은 외부와의 접촉을 차단한 채 공론 조사에서 얻은 데이터를 분석하고 최종 권고안을 작성·발표했다. 정부는 이러한 공론화 위원회의 결정을 그대로 수용하겠다는 입장을 밝혔다.
>
> * 공론 조사: 주로 찬반이 뚜렷한 사안에 있어, 관련 정보를 충분히 제공받은 시민들의 다양한 의견을 수렴해 공론을 형성하는 것

① 물리적 강제력을 동원하여 사회 질서를 유지한다.
② 사회의 희소 자원이 불평등하게 배분되도록 돕는다.
③ 사회 전체의 이익을 위한 개인의 희생을 정당화한다.
④ 서로 간의 마찰을 각자의 방식대로 해결하도록 한다.
⑤ 사회 구성원 간의 이해관계와 갈등을 조정하여 사회 문제를 해결하도록 한다.

●●●
03 (가)~(다)는 근대의 대표적인 사상가의 주장이다. 이에 대한 설명으로 옳은 것은?

> (가) 자연 상태에서 인간은 '만인에 대한 만인의 투쟁' 상태로 인간은 자신의 권리를 지키기 위해 절대 군주에게 모든 권리를 양도하고 그에게 복종해야만 한다.
> (나) 자연 상태는 자유롭고 평등하며 평화로운 상태이며, 이를 제도적으로 보장받기 위해 사람들이 계약을 맺어 국가를 건설하였다. 그러나 주권은 어떠한 경우에도 양도할 수 없는 천부적 권리이다.
> (다) 불안정한 자연 상태를 예방하고 자유와 평등을 보장받기 위하여 사회 구성원들이 계약을 통해 국가를 구성하였으며, 국가가 개인의 자유와 권리를 침해할 경우 개인은 부당한 권력에 대항할 수 있는 권리가 있다.

① (가)는 국민의 주권을 군주에게 일부 양도해야 한다고 본다.
② (나)는 간접 민주 정치를 주장하였다.
③ (다)는 절대 군주제를 옹호하였다.
④ (나), (다)는 (가)와 달리 국민 주권론을 주장하였다.
⑤ (가)~(다) 모두 국가 권력의 원천을 군주에게 둔다.

●●○
04 다음 글에 나타난 사상에 대한 설명으로 옳지 <u>않은</u> 것은?

> 시민 계층이 축적한 재산을 과거 군주 시대처럼 국가 권력이 좌우할 수 있도록 놓아둘 수는 없었다. 이에 시민 계층은 과거 '군주와의 약속'과 같이 변덕을 가져올 수 있는 국가 권력을 통제할 수 있는 제도를 찾아야만 했다. 시민 계층은 '국가 권력자에 의하여 좌우됨이 없는 객관적인 보장 장치'를 '객관적인 법'에서 찾았다.

① 법의 지배 사상이 확립되면서 자리 잡기 시작하였다.
② 국가 권력자의 자의적이고 독단적인 지배를 배척하고자 한다.
③ 국가 권력을 법률에 구속하여 국민의 자유와 권리를 보호하고자 한다.
④ 형식적 법치주의는 외형상의 합법성만 강조하면서 법률 자체의 내용은 고려하지 않는다.
⑤ 실질적 법치주의는 법률의 권위를 위해 법률의 내용이 인간의 존엄성을 침해할 수 있다고 본다.

정답과 해설 ▸ 6쪽

05 다음 조항에 나타난 헌법의 기본 원리와 관련된 헌법 전문의 내용을 |보기|에서 고른 것은?

> 제34조 ① 모든 국민은 인간다운 생활을 할 권리를 가진다.
> ② 국가는 사회 보장·사회 복지의 증진에 노력할 의무를 진다.

| 보기 |

㉠ 유구한 역사와 전통에 빛나는 우리 대한 국민은 …… 조국의 민주 개혁과 ㉡ 평화적 통일의 사명에 입각하여 정의·인도와 동포애로써 민족의 단결을 공고히 하고, 모든 사회적 폐습과 불의를 타파하며, ㉢ 자율과 조화를 바탕으로 자유 민주적 기본 질서를 더욱 확고히 하여 정치·경제·사회·문화의 모든 영역에 있어서 각인의 기회를 균등히 하고, 능력을 최고도로 발휘하게 하며, 자유와 권리에 따르는 책임과 의무를 완수하게 하여, ㉣ 안으로는 국민 생활의 균등한 향상을 기하고 밖으로는 ㉤ 항구적인 세계 평화와 인류 공영에 이바지함으로써 …….

① ㉠ ② ㉡ ③ ㉢ ④ ㉣ ⑤ ㉤

06 표는 헌법의 기본 원리를 나타낸 것이다. (가)~(마)에 대한 설명으로 옳지 않은 것은?

헌법의 기본 원리	관련 헌법 내용
(가)	대한민국의 주권은 국민에게 있다.
(나)	정당은 그 목적·조직과 활동이 민주적이어야 한다.
복지 국가의 원리	(다)
문화 국가의 원리	(라)
국제 평화주의	(마)

① 국민 투표제의 실시는 (가)의 실현 방안이다.
② "대통령은 조국의 평화적 통일을 위한 성실한 의무를 진다."라는 헌법 조항은 (나)와 관련된다.
③ "모든 국민은 인간다운 생활을 할 권리를 가진다."라는 헌법 조항은 (다)에 들어갈 수 있다.
④ "국가는 전통문화의 계승·발전과 민족 문화의 창달에 노력하여야 한다."라는 헌법 조항은 (라)에 들어갈 수 있다.
⑤ "대한민국은 국제 평화의 유지에 노력하고 침략적 전쟁을 부인한다."라는 헌법 조항은 (마)에 들어갈 수 있다.

07 밑줄 친 부분에 대한 옳은 설명만을 |보기|에서 고른 것은?

> 교육 분야 전문가인 '갑'은 퇴직을 앞두고 앞으로 어떤 삶을 살아야 할지 고민하다 자신의 전문 분야를 살려 교육감이 되고자 한다. 이에 따라 지방 선거 후보자 등록을 하기 위해 선거 관리 위원회를 방문했으나 직원의 개인적인 판단에 의해 국가 교육 기관에서 근무한 경력이 없다는 이유로 후보자 등록을 거부당하였다. 그러나 '갑'과 동일하게 국가 교육 기관에서 근무한 경력이 없는 '을'은 후보자 등록을 거부당하지 않았다. '갑'은 결국 교육감의 꿈을 포기할 수밖에 없었다.

| 보기 |

ㄱ. '갑'은 국가 배상 청구권을 침해받았다.
ㄴ. '갑'은 재산권의 보장과 행사의 자유를 침해받았다.
ㄷ. '갑'은 차별적인 대우를 받아 평등권을 침해받았다.
ㄹ. '갑'은 국가 기관의 구성원으로 선임될 수 있는 공무 담임권을 침해받았다.

① ㄱ, ㄴ ② ㄱ, ㄷ ③ ㄴ, ㄷ
④ ㄴ, ㄹ ⑤ ㄷ, ㄹ

08 밑줄 친 부분에 대한 설명으로 가장 적절한 것은?

> 헌법 재판소는 온라인 게임 강제적 셧다운제에 대해 제기된 헌법 소원 사건에서 합헌 결정을 했다고 밝혔다. 헌법 재판소는 "기본권 침해의 직접성이 인정되지 않고, 인터넷 게임 이용률 및 중독성이 강한 인터넷 게임의 특징을 고려할 때 청소년의 건전한 성장과 인터넷 게임 중독을 예방하기 위해 청소년의 일반적 행동 자유권, 부모의 자녀 교육권 및 인터넷 게임 제공자의 직업 수행의 자유에 대한 과도한 제한이라고 보기 어렵다."라고 지적하며 합헌 결정을 내렸다.

① 강제적 셧다운제가 공공복리를 저해한다고 판단한 것이다.
② 강제적 셧다운제 이외의 더 효과적인 수단이 존재한다는 것을 인정한 것이다.
③ 강제적 셧다운제가 자유와 권리의 본질적인 내용을 침해하는 것이라고 판단한 것이다.
④ 강제적 셧다운제로 얻게 되는 공익이 침해당하는 사익보다 적을 것이라고 판단한 것이다.
⑤ 강제적 셧다운제가 기본권 제한의 피해를 최소화시킬 수 있는 방법이라고 판단한 것이다.

민주 시민 역량 기르기

정답과 해설 ▸ 7쪽

❖ 다음은 법치주의와 민주주의에 관한 글이다. 이를 읽고 물음에 답해 보자.

(가) 법치주의

법치주의(法治主義)란 법에 의한 정치로, 절대주의 국가를 부정함으로써 성립한 근대 시민 국가의 정치 원리이다. 법의 지배는 '누구도 법 이외의 것에 지배되지 않는다. 주권자도 법의 지배에 복종하지 않으면 안 된다.'라고 하는 헌법의 기본 원칙을 말하며, 그 내용은 법을 제정하는 의회 우위의 원칙과 결부된다. 우리 헌법은 '법률에 의한 행정'의 실질화를 도모함과 동시에 사회권과 경제적 자유의 공공성을 규정함으로써 사회적 법치 국가의 원칙을 채용하였다.

(나) 민주주의

민주주의라는 말은 그리스어에 근원을 두고 있는데, 'demos(국민)'와 'kratos(지배)'의 두 낱말이 합친 것으로서 '국민의 지배'를 의미한다. 민주 정치의 필수 요건은 대략 여섯 가지로 나눌 수 있다. 첫째, 국민은 1인 1표의 보통 선거권을 통하여 정치적 권한을 행사할 수 있어야 한다. 둘째, 적어도 2개 이상의 정당들이 선거에서 정치 강령과 후보들을 내세울 수 있어야 한다. 셋째, 국가는 모든 구성원의 민권을 보장하여야 하는데, 이 민권에는 출판 · 결사 · 언론의 자유가 포함되며 적법 절차 없이 국민을 체포 · 구금할 수 없다. 넷째, 정부의 시책은 국민의 복리 증진을 위한 것이어야 한다. 다섯째, 국가는 효율적인 지도력과 책임 있는 비판을 보장하여야 한다. 여섯째, 정권 교체는 평화적 방법으로 이루어져야 한다.

더 알아보기

법치주의는 법의 지배를 원칙으로 하며, 정치권력을 법의 규제 아래에 둠으로써 국민의 자유와 평등, 인권을 보장하려고 한다. 민주주의는 국민의 지배를 원칙으로 하며, 인간의 존엄성에 기반을 둔 자유와 평등의 가치 실현을 이념으로 한다. 민주주의의 이념은 법치주의에 의해 헌법에 명시되며, 모든 국민은 법에 따라 민주주의의 이념과 가치들을 보장받게 된다.

문제 해결 길잡이

법치주의와 민주주의는 상호 보완적인 측면과 갈등적 측면을 동시에 지니고 있다. 법치주의와 민주주의는 '인간의 존엄성 실현'이라는 최고 이념을 목적으로 하고, 구체적으로는 '기본권 보장'을 위해 작용한다. 이러한 법치주의와 민주주의의 상호 보완적 측면을 바탕으로 양자의 바람직한 관계를 추론하여 전개해야 한다.

01 (가), (나)에 나타난 법치주의와 민주주의의 관계를 상호 보완적 측면과 갈등적 측면을 중심으로 정리해 보자.

상호 보완적 측면	
갈등적 측면	

02 (가), (나)의 법치주의와 민주주의의 바람직한 관계에 관한 자신의 생각을 적어 보자.

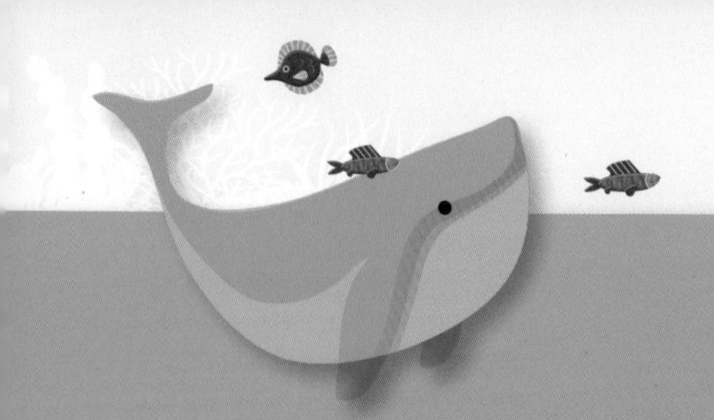

대단원 2

민주 국가와 정부

학습 계획표

• 자신의 일정에 맞게 계획을 세워 보고, 실제 학습한 날짜를 적어 봅시다.
• 학습을 마무리한 후 스스로 얼마나 학습 목표를 달성했는지 점검해 봅시다.

주제 1 민주 국가와 정부 형태	쪽수	계획일	완료일	목표 달성도
Day 01 핵심 정리, 핵심 자료 특강	44 ~ 47쪽	월 일	월 일	☆☆☆☆☆
Day 02 개념 익히기, 내신 유형 익히기	48 ~ 51쪽	월 일	월 일	☆☆☆☆☆
Day 03 내신 만점 도전하기, 수능 유형 익히기	52 ~ 53쪽	월 일	월 일	☆☆☆☆☆

주제 2 국가 기관의 역할과 상호 관계	쪽수	계획일	완료일	목표 달성도
Day 04 핵심 정리, 핵심 자료 특강	54 ~ 59쪽	월 일	월 일	☆☆☆☆☆
Day 05 개념 익히기, 내신 유형 익히기	60 ~ 63쪽	월 일	월 일	☆☆☆☆☆
Day 06 내신 만점 도전하기, 수능 유형 익히기	64 ~ 65쪽	월 일	월 일	☆☆☆☆☆

주제 3 지방 자치의 의의와 과제	쪽수	계획일	완료일	목표 달성도
Day 07 핵심 정리, 핵심 자료 특강	66 ~ 69쪽	월 일	월 일	☆☆☆☆☆
Day 08 개념 익히기, 내신 유형 익히기	70 ~ 73쪽	월 일	월 일	☆☆☆☆☆
Day 09 내신 만점 도전하기, 수능 유형 익히기	74 ~ 75쪽	월 일	월 일	☆☆☆☆☆
Day 10 대단원 마무리하기, 민주 시민 역량 기르기	76 ~79쪽	월 일	월 일	☆☆☆☆☆

주제 1

민주 국가와 정부 형태

주제 흐름 읽기

정부 형태		
의미	한 나라의 권력 체계의 구성 형태	
대통령제	• 입법부와 행정부의 상호 독립 • 각각의 선거에 의해 구성	
의원 내각제	• 입법부와 행정부의 밀접한 협력 • 입법부가 행정부 구성	

우리나라의 정부 형태	
원리	대통령제를 토대로 의원 내각제 요소 일부 도입
대통령제 요소	• 각각의 선거를 통해 행정부와 입법부 구성 • 대통령의 법률안 거부권
의원 내각제 요소	• 행정부의 법률안 제출권 • 국무총리와 국무 위원의 국회 의원 겸직 가능

1 민주 국가의 정부 형태

1. 민주 국가의 운영 원리 — 간접 민주주의를 근간으로 국민 투표, 국민 발안, 국민 소환 등의 제도를 통해 국민의 직접 참여 기회도 보장하고 있어.

(1) **대의제** 국민이 선거를 통해 대표를 선출하여 그 대표들이 국가의 주요한 의사 및 정책을 결정하도록 위임하는 제도

(2) **권력 분립의 원리❶** 국가 권력을 입법권, 사법권, 행정권으로 분산 자료 1

2. 정부 형태의 종류 — 입법부와 행정부가 구성되는 방식과 둘의 관계에 따라 대통령제와 의원 내각제로 구분해.

(1) **대통령제** 입법부와 행정부가 엄격하게 분립하여 상호 견제와 균형을 이루는 정부 형태

(2) **의원 내각❷제** 입법부와 행정부가 밀접하게 협력하되 견제하기도 하는 정부 형태

2 대통령제

1. 대통령제의 특징 자료 2

(1) **대통령의 권한** 국가 원수❸로서의 지위와 행정부 수반으로서의 지위를 가지고 국가를 대표하고 국정을 운영하는 실권을 행사함

(2) **구성 방식** 국민이 입법부인 의회를 구성하는 선거와 별도로 행정부의 수반인 대통령을 선출함 자료 3 — 대통령과 의회 의원이 각각의 선거에 의해 구성되므로, 대통령은 국민에 대해서만 책임을 지고, 의회에 대해서는 책임을 지지 않아.

(3) **입법부와 행정부의 관계**

① 행정부의 각료는 의회의 의원 겸직이 불가하고, 입법부도 행정부 구성에 직접적으로 개입하지 않음 — 의회는 대통령을 불신임할 수 없고 대통령도 의회를 해산할 수 없음

② 대통령과 행정부는 법률안 제출권을 가지지 않지만, 법률안 거부권을 통해 의회를 견제함

③ 의회는 각종 동의권과 승인권을 통해 행정부를 견제함

④ 의회는 탄핵 소추권❹을 행사하여 대통령과 고위직 공무원의 권력 남용을 방지함

2. 대통령제의 장·단점

(1) **장점** 대통령이 정해진 임기를 보장받으므로 임기 내에 국정을 안정적으로 운영하고 국가 정책을 지속적으로 추진할 수 있음

(2) **단점**

① 대통령이 강력한 권한을 가지면서도 의회에 대해 책임을 지지 않아 독재화될 우려가 있음

② 입법부와 행정부가 대립할 경우 국정 혼란이 초래될 수 있음

---

❶ 우리 헌법에 나타난 권력 분립의 원리

> 제40조 입법권은 국회에 속한다.
> 제66조 ④ 행정권은 대통령을 수반으로 하는 정부에 속한다.
> 제101조 ① 사법권은 법관으로 구성된 법원에 속한다.

우리 헌법은 입법권, 행정권, 사법권을 각각 명시하여 권력 분립의 원리를 보장하고 있다.

❷ 내각
한 국가의 행정권을 담당하는 최고의 합의 기관으로, 국무 위원 또는 수상과 각료로 구성된다. 의원 내각제에서 내각은 행정권을 행사하고 의회에 대하여 연대 책임을 진다.

❸ 국가 원수
국제법상 외국에 대하여 한 국가를 대표하는 사람을 의미한다.

❹ 탄핵 소추권
대통령 등의 고위직 공무원이 헌법이나 법률을 위배한 경우 의회가 그 책임을 묻는 것이다.

자료 1 몽테스키외의 3권 분립론

교과서 45쪽

자료 분석 프랑스의 정치학자인 몽테스키외는 그의 저서 『법의 정신』에서 국가 작용은 입법, 행정, 사법으로 나뉘며, 각 작용은 독립된 기관에 나누어져야 한다고 했다. 또한 각 기관의 관할 사항은 다른 기관으로부터 간섭이나 구속 없이 결정할 수 있는 권한이 주어져야 하며, 특히 사법부의 독립성을 강조하여 입법자나 군주가 재판관이 되어서는 안 되고 독립된 법원 조직과 재판 활동을 보장해야 한다고 하였다.

▲ 몽테스키외 (Montesquieu, C. D.)

자료 분석 포인트

국가 작용을 나누어 서로 다른 기관이 맡도록 하는 이유를 생각해 보자.

Q1 국가 권력을 입법권, 행정권, 사법권으로 나누는 민주 국가의 운영 원리를 쓰시오.

자료 2 미국의 대통령제

교과서 45쪽

미국은 영국의 식민지 지배에 대항하여 천부 인권, 국민 주권의 내용이 담긴 미국 독립 선언(1776)을 발표하였다. 총사령관 워싱턴의 활약과 유럽 각국의 지원으로 독립 전쟁에서 승리한 미국은 헌법을 만들고 그에 따라 최고 지도자를 직접 선출하였다. 이 과정에서 입법부와 행정부의 엄격한 분립을 바탕으로 대통령이 행정권을 행사하는 대통령제가 만들어졌다.

조지 워싱턴 ▶

자료 분석 영국의 식민지로부터 독립하여 새로운 정부를 조직하는 과정에서 미국은 영국과 같이 세습되는 군주 제도를 채택하는 것은 위험하다고 보고, 국민이 선출한 통치자가 국가를 이끌어 나가는 것이 바람직하다고 생각하였다. 이에 따라 국민의 자유와 권리를 보장하기 위해 상호 견제와 균형, 권력 분립의 원리에 충실한 대통령제를 1787년 헌법 제정과 함께 채택하였다.

자료 분석 포인트

미국에서 대통령제가 성립한 배경과 특징을 파악해 보자.

Q2 빈칸에 들어갈 알맞은 정부 형태를 쓰시오.

> 미국은 상호 견제와 균형, 권력 분립의 원리에 충실한 (   )을/를 채택하였다.

자료 3 의원 내각제와 대통령제의 정부 구성 방식

교과서 46쪽

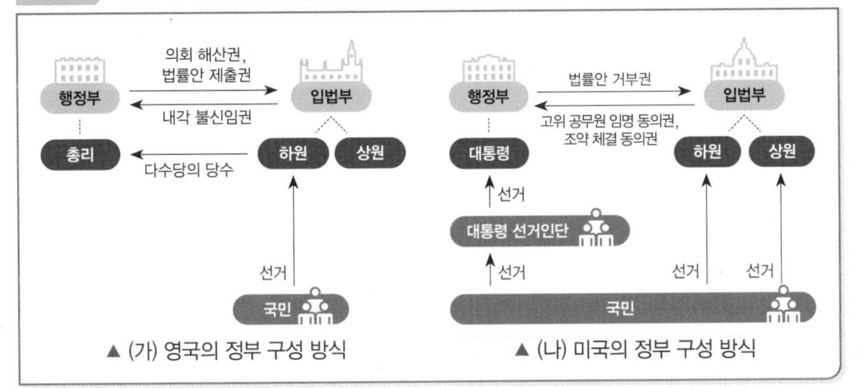

▲ (가) 영국의 정부 구성 방식 ▲ (나) 미국의 정부 구성 방식

자료 분석 정부 형태는 입법부와 행정부가 구성되는 방식과 관계에 따라 대표적으로 대통령제와 의원 내각제로 구분될 수 있다. (가)는 의원 내각제를 채택하고 있는 영국의 정부 구성 방식으로, 선거를 통해 하원을 구성하고 하원 다수당의 당수가 총리가 되어 행정부를 구성한다. (나)는 대통령제를 채택하고 있는 미국의 정부 구성 방식으로, 국민의 선거를 통해 행정부와 입법부가 각각 따로 구성된다. 이를 통해 영국은 미국에 비해 입법부와 행정부가 밀접하게 협력하는 권력 융합적인 정부 형태임을 알 수 있으며, 미국은 영국에 비해 견제와 균형의 원리에 충실한 정부 형태임을 알 수 있다.

자료 분석 포인트

영국과 미국의 정부 구성 방식과 특징을 파악해 보자.

Q3 빈칸에 들어갈 알맞은 말을 쓰시오.

> 의원 내각제 국가에서는 국민의 선거에 의해 구성된 의회 다수당이 내각을 구성하므로, 행정부와 입법부가 밀접하게 협력하는 (   )인 정부 형태이다.

답 Q1 권력 분립의 원리 / Q2 대통령제 / Q3 권력 융합적

3 의원 내각제

1. 의원 내각제의 특징 자료 1

(1) 국가 원수와 행정부 수반의 이원화

① 국가 원수인 왕이나 대통령은 국가를 대표하는 상징적 존재임

② 의회 다수당의 대표인 총리가 행정부 수반이 되어 내각을 구성하고 행정권을 행사함

(2) 구성 방식 국민이 선거를 통해 입법부를 구성하고, 입법부가 내각을 구성함

일반적으로 의회 다수당의 당수가 총리가 되어 내각을 구성해.

(3) 입법부와 행정부의 관계

① 총리는 의회의 신임을 필요로 하고, 일반적으로 각료는 의회의 의원을 겸직함

② 내각은 의회에 법률안을 제출할 수 있고, 의회에 출석해 지지를 호소하거나 의회의 질의에 답변할 수 있음

③ 내각이 의회의 신임과 지지에 반하는 실정을 할 경우 의회가 내각 불신임권❶ 행사

이때 내각은 연대 책임을 지고 모두 물러나.

④ 내각은 의회 해산권❷을 통해 의회를 견제할 수 있음

2. 의원 내각제의 장·단점

(1) 장점

① 의회와 내각의 권력이 융합적이므로 신속하고 효율적인 국정 운영 가능

② 내각이 의회와 국민의 요구에 민감하게 반응하는 책임 정치 실현 가능

(2) 단점

규모가 크지 않은 군소 정당의 난립으로 연립 내각이 구성될 수 있어.

① 의회 내 과반수 정당이 없어 연립 내각❸ 구성 시 국정 불안정 우려

② 내각 불신임권이 있어 내각의 임기가 보장되지 않으므로 국정 운영의 안정성 저해 및 총선거를 다시 치를 경우 비용 소요

4 우리나라의 정부 형태

1. 우리나라 정부 형태❹의 특징 자료 2

(1) 대통령제 채택 — 우리나라의 대통령은 행정부 수반과 국가 원수로서의 지위를 가지고 있어.

① 행정부와 입법부 분립: 별도의 선거를 통해 대통령 선출 및 국회 구성

② 대통령은 국회를 해산할 수 없고 국회는 대통령을 불신임할 수 없음

(2) 의원 내각제적 요소 일부 도입

① 행정부가 법률안 제출권을 가지고 있음

② 국무총리제❺를 운영하며, 국무총리나 국무 위원이 국회 의원을 겸직할 수 있음

③ 국회가 대통령에게 국무총리나 국무 위원의 해임을 건의할 수 있음

④ 국무총리나 국무 위원이 국회에 출석하여 의견을 진술하고, 국회의 출석 요구 시 출석해 답변해야 함

2. 우리나라 정부 형태의 장점

(1) 행정부와 입법부의 상호 견제

① 대통령이 법률안 거부권을 행사하여 국회의 입법 활동을 견제할 수 있음

② 국회가 대통령의 고위 공직자 임명에 대한 동의권을 통해 대통령을 견제할 수 있음

(2) 의원 내각제 요소 의회와 행정부 간의 협력과 국정 운영의 효율성 제고

---

❶ 내각 불신임권
의회가 내각의 행정부 운영 능력을 믿지 못할 경우, 내각 불신임권을 행사하여 현재의 내각을 해산하고 새로운 내각을 구성할 수 있다.

❷ 의회 해산권
의회의 내각 불신임권 행사에 대항하여 총리가 의회 해산권을 통해 의회를 해산시키고 총선거 실시를 요구할 수 있다.

❸ 연립 내각
의원 내각제에서 의회 과반 의석을 차지한 정당이 나타나지 않았을 때 두 개 이상의 정당들이 연합하여 내각을 구성한 형태를 말한다.

❹ 헌법 개정으로 보는 우리나라 정부 형태의 변화
- 헌법 제정(1948): 대통령제와 국회 단원제 등을 채택한 대한민국 헌법을 제정·공포
- 제3차 개헌(1960): 대통령제 폐지, 의원 내각제와 국회 양원제 채택
- 제5차 개헌(1962): 대통령제 채택, 국회를 단원제로 환원
- 제7차 개헌(1972): '통일 주체 국민 회의'에서 대통령과 국회 의원 3분의 1을 선출하는 유신 체제 등장
- 제8차 개헌(1980): 간선제에 의한 7년 단임 대통령제 채택
- 제9차 개헌(1987): 현행 헌법으로, 직선제에 의한 5년 단임 대통령제 채택

❺ 우리나라의 국무총리 제도

> **헌법 제86조** ① 국무총리는 국회의 동의를 얻어 대통령이 임명한다.

우리나라의 국무총리는 대통령을 보좌하고 행정 각부를 통할하며 대통령이 공석일 때 권한을 대행하는 행정부의 2인자 역할을 한다.

자료 1 영국의 의원 내각제

교과서 45쪽

> 영국의 명예혁명(1688)은 의회가 전제 정치를 한 제임스 2세를 폐위하고 공주인 메리 2세와 남편 윌리엄 3세를 공동 왕으로 추대한 사건이었다. 이때 왕권을 제한하고 의회의 권한을 보장하는 내용이 담긴 '권리 장전'이 승인되어 의회 중심 입헌 군주제의 토대를 마련하였다. 이후 영국의 정치와 문화에 밝지 못하고 국정에도 소극적이었던 조지 1세가 즉위하였고, 국정은 의회와 내각의 재량으로 운영되었다. 이와 같은 역사 속에서 '왕은 군림하나 통치하지 않는다.'는 전통이 만들어졌고, 오랜 시간을 거치면서 의회의 신임을 얻어 구성되는 내각이 행정권을 행사하는 의원 내각제가 정착되었다.

자료 분석 의원 내각제는 군주의 권력 행사를 제한하기 위해 군주보다 의회의 권한을 상대적으로 강화해 온 영국의 민주 정치 발달 과정에서 등장하였다. 영국은 1215년에 대헌장을 통해 처음으로 국왕의 권력 행사에 의회의 동의를 받게 하여 왕의 권력 행사를 제한했으며, 명예혁명과 권리 장전의 승인을 거치며 의회 권력이 우위에 있는 의원 내각제 정부 형태로 발전하였다. 이러한 전통에 따라 영국에서는 총리를 중심으로 한 내각이 실질적인 행정권을 행사하며, 국왕은 단지 국가를 대표하는 상징적인 역할을 한다.

자료 분석 포인트

영국의 정부 형태의 특징을 파악해 보자.

Q1 빈칸에 들어갈 알맞은 말을 쓰시오.

> 영국의 국왕은 국가를 대표하는 상징적인 역할을 하며, (　　　)이/가 실질적인 행정권을 행사한다.

자료 2 우리나라의 정부 형태

교과서 50쪽

> 제40조 입법권은 국회에 속한다.
> 제52조 국회 의원과 정부는 법률안을 제출할 수 있다.
> 제66조 ① 대통령은 국가의 원수이며, 외국에 대하여 국가를 대표한다.
> ④ 행정권은 대통령을 수반으로 하는 정부에 속한다.
> 제67조 ① 대통령은 국민의 보통·평등·직접·비밀 선거에 의하여 선출한다.
> 제70조 대통령의 임기는 5년으로 하며, 중임할 수 없다.
> 제86조 ① 국무총리는 국회의 동의를 얻어 대통령이 임명한다.

자료 분석 우리나라의 정부 형태는 대통령제를 바탕으로 의원 내각제적 요소를 일부 가미한 형태이다. 순수한 대통령제에서 대통령은 국가 원수이자 행정부의 수반이기 때문에 내각을 담당하는 총리가 필요하지 않지만 우리나라는 대통령을 보좌하여 행정 각부를 통할하는 국무총리 제도를 운영하고 있다(제86조 ①). 또한 정부가 직접 법률안을 제출할 수 있다(제52조).

자료 분석 포인트

우리나라의 정부 형태에서 대통령제와 의원 내각제 요소를 각각 분류해 보자.

Q2 우리나라 정부 형태의 특징 중 의원 내각제 요소가 아닌 것은?

① 국무총리 제도
② 행정부의 법률안 제출권
③ 대통령의 법률안 거부권
④ 국회 의원의 국무 위원 겸직 가능
⑤ 국회의 국무총리에 대한 해임 건의권

자료 3 프랑스의 이원 집정부제

교과서 49쪽

> 대통령이 국가 원수로서 실권을 행사하고, 국정 운영에 관한 행정권을 총리에게 분할한다. 그래서 분권형 대통령제, 반(半)대통령제 등으로 불린다. 의회는 내각을 불신임할 수 있지만 대통령을 불신임할 수는 없고 대통령은 의회를 해산할 수 있다.

자료 분석 프랑스는 대통령제와 의원 내각제를 절충한 이원 집정부제를 채택하고 있다. 프랑스의 대통령은 국가 원수로서 평상시에는 외교 및 국방 등을 담당하고, 총리는 내정에 관한 행정권을 행사하지만 국가 비상사태 시에는 대통령이 모든 행정권을 행사한다. 대통령과 의회는 각각 국민의 직접 선거에 의해 선출, 구성된다. 대통령은 의회에 대해 책임을 지지 않고, 의회 해산권을 가지며 총리를 임명한다. 내각은 의회의 신임에 의존하여 의회에 대해 책임을 진다. 또한 대통령의 소속 정당과 의회 다수당이 서로 다른 경우에는 동거 정부가 구성되기도 한다.

자료 분석 포인트

각국의 상황에 맞게 대통령제와 의원 내각제를 변형한 여러 나라의 정부 형태의 특징을 확인해 보자.

Q3 빈칸에 들어갈 알맞은 말을 쓰시오.

> 프랑스의 정부 형태인 (　　　)은/는 대통령제와 의원 내각제를 절충한 제도로, 평상시에는 대통령과 총리가 행정권을 공유한다.

답 Q1 총리(수상) / Q2 ③ / Q3 이원 집정부제(이원정부제)

개념 익히기

정답과 해설 ▸ 8쪽

01 다음 빈칸에 들어갈 알맞은 말을 쓰시오.

(1) 오늘날 대부분의 민주 국가는 선거를 통해 선출된 국민의 대표가 국가의 주요 의사를 결정하는 (　　　)을/를 채택하고 있다.
(2) 대통령제에서 대통령은 행정부 수반과 (　　　)(으)로서의 지위를 동시에 가지고 있다.
(3) 의원 내각제에서 내각은 의회를 견제하는 수단으로 (　　　)이/가 있다.

02 다음 헌법 조항과 관련이 있는 대통령의 권한을 쓰시오.

> 제53조 ② 법률안에 이의가 있을 때에는 대통령은 …… 이의서를 붙여 국회로 환부하고, 그 재의를 요구할 수 있다. 국회의 폐회 중에도 또한 같다.

03 다음 내용이 옳으면 ○, 틀리면 ×표 하시오.

(1) 탄핵 소추권은 국가 기관 고위직 공무원들의 위헌·위법 행위에 대해 의회가 책임을 묻는 제도이다. (　　)
(2) 의원 내각제는 입법부에 의해 행정부가 구성됨으로써 견제와 균형에 충실한 정부 형태이다. (　　)
(3) 우리나라의 정부 형태는 전형적인 대통령제를 채택하고 있다. (　　)

04 다음 글에 나타난 두 사상가가 공통으로 주장하는 민주주의의 원리를 쓰시오.

> 영국의 철학자인 로크는 국가 권력을 입법권과 집행권으로 나누어야 한다고 주장했으며, 프랑스의 정치학자인 몽테스키외는 입법권, 행정권, 사법권으로 나누어야 한다고 주장했다.

05 다음 괄호 안에 들어갈 알맞은 말에 ○표 하시오.

(1) 입법부와 행정부의 엄격한 분립을 강조하는 대통령제를 처음으로 채택한 나라는 (미국 / 영국)이다.
(2) 의원 내각제에서 정당 간의 연합으로 연립 내각이 구성될 경우 국정이 (안정 / 불안정)해질 수 있다.
(3) 우리나라는 제9차 개헌을 통해 5년 (단임 / 중임)의 대통령제를 채택하였다.

06 우리나라의 정부 형태에서 나타나는 제도를 |보기|에서 있는 대로 고르시오.

> **보기**
> ㄱ. 국무총리 제도
> ㄴ. 내각의 의회 해산권
> ㄷ. 의회의 내각 불신임권
> ㄹ. 대통령의 법률안 거부권
> ㅁ. 국무 위원의 국회 의원 겸직 가능

내신 유형 익히기

정답과 해설 ▸ 8쪽

01 다음 수업 장면에서 교사의 질문에 옳은 대답을 한 사람만을 있는 대로 고른 것은?

> 교사: 전형적인 대통령제 국가에서 의회 의원 선거 결과 과반수 의석을 차지한 정당과 대통령의 소속 정당이 다르다면 어떻게 될까요?
> 갑: 의회의 내각 불신임권 행사 가능성이 높아져요.
> 을: 여소 야대 현상으로 행정부와 의회가 대립할 수 있어요.
> 병: 연립 내각이 구성될 수 있어요.
> 정: 대통령이 더욱 강력하게 정책을 추진할 수 있어요.

① 갑 ② 을 ③ 갑, 병
④ 을, 병 ⑤ 병, 정

02 중요 표는 전형적인 정부 형태를 지닌 갑국의 최근 의회 의원 선거 결과이다. 표를 보고 알 수 있는 갑국 정치의 특징으로 가장 적절한 것은? (단, 행정부 수반은 B당 소속이다.)

정당	의석수(석)	의석 점유율(%)
A당	78	52.0
B당	32	21.3
C당	40	26.7
합계	150	100

① 내각은 의회를 해산할 수 있다.
② 행정부 수반은 법률안을 제출할 수 있다.
③ 내각은 의회에서 선출된 총리에 의해 구성된다.
④ 입법부와 행정부의 대립이 발생했을 때 조정이 용이하다.
⑤ 의회는 주요 공직자에 대한 탄핵 소추권을 행사할 수 있다.

03 중요 빈칸에 들어갈 적절한 내용만을 |보기|에서 고른 것은?

> 갑국의 행정부 수반은 국가 원수로서의 지위도 함께 갖는다. 행정부와 입법부는 각각의 선거에 의해 구성되며, 엄격한 권력 분립을 통해 견제와 균형의 원리에 충실한 정부 형태이다. 하지만 이러한 갑국의 정부 형태는 (   )는 단점이 있다.

|보기|
ㄱ. 연립 내각이 등장하면 정국 불안이 우려된다
ㄴ. 입법부와 행정부의 대립이 발생하면 조정이 곤란하다
ㄷ. 다수당이 입법부와 행정부를 장악하므로 다수당의 횡포가 우려된다
ㄹ. 한 사람이 강력한 권한을 가지면서도 의회에 대해 책임을 지지 않아 독재화될 우려가 있다

① ㄱ, ㄴ ② ㄱ, ㄷ ③ ㄴ, ㄷ
④ ㄴ, ㄹ ⑤ ㄷ, ㄹ

04 갑국의 정치 상황에 대한 옳은 분석 및 추론만을 |보기|에서 고른 것은? (단, 갑국은 전형적인 정부 형태를 채택하고 있으며, 두 시기의 의회 의석수는 동일하다.)

> 갑국의 10대 의회 의원 선거 결과, A당은 120석을 차지해 단독으로 행정부를 구성하였다. 하지만 4년 뒤 실시된 11대 의회 의원 선거 결과 B당이 80석을 차지해 C당과 연립하여 행정부를 구성하게 되었다.

|보기|
ㄱ. 10대 의회에서는 여소 야대 현상이 발생하였다.
ㄴ. 10대 의회는 11대 의회보다 다수당의 횡포 가능성이 높다.
ㄷ. 11대 의회는 10대 의회보다 정국 불안의 가능성이 높다.
ㄹ. 갑국의 정부 형태는 견제와 균형의 원리에 보다 충실하다.

① ㄱ, ㄴ ② ㄱ, ㄷ ③ ㄴ, ㄷ
④ ㄴ, ㄹ ⑤ ㄷ, ㄹ

05 중요 다음은 전형적인 정부 형태를 채택하고 있는 갑국의 헌법 중 일부이다. 갑국의 정부 형태에 대한 옳은 설명만을 |보기|에서 있는 대로 고른 것은?

- 행정부는 의회에서 선출된 총리에 의해 구성된다.
- 의회 의원의 임기는 5년이다. 단, 의회가 해산될 경우에는 그 기간 만료 전에 종료한다.

보기

ㄱ. 의회 의원은 내각의 각료를 겸직할 수 없다.
ㄴ. 행정부는 입법부에 대해서 연대 책임을 진다.
ㄷ. 내각도 법률안을 제출할 수 있는 권한이 있다.
ㄹ. 의회는 내각에 대한 불신임권을 행사할 수 없다.

① ㄱ ② ㄴ ③ ㄱ, ㄷ
④ ㄴ, ㄷ ⑤ ㄷ, ㄹ

06 그림은 입법부와 행정부의 관계의 측면에서 전형적인 정부 형태를 A, B로 나타낸 것이다. A, B의 특징으로 옳은 것은?

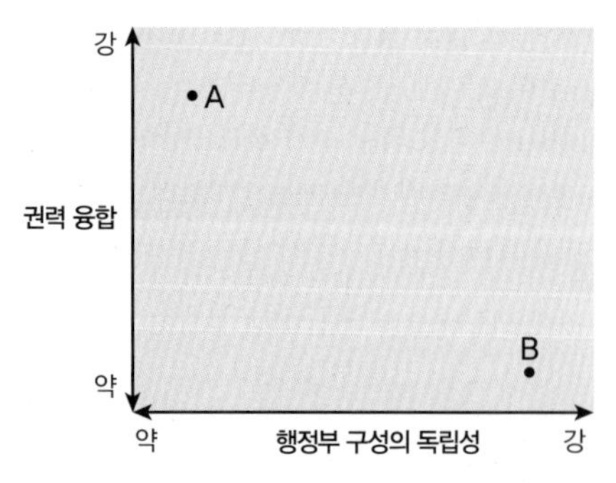

① A의 행정부 수반은 법률안 거부권을 행사할 수 있다.
② A의 행정부 수반은 국가 원수로서의 지위도 갖는다.
③ B의 내각은 의회를 해산할 수 있다.
④ A보다 B가 내각에 대한 의회의 협조가 용이하다.
⑤ B와 달리 A의 의회 의원은 내각의 각료를 겸직할 수 있다.

07 밑줄 친 ㉠~㉢ 중 우리나라가 채택하고 있는 의원 내각제 요소에 해당하는 것만을 |보기|에서 있는 대로 고른 것은?

보기

㉠ 국무총리 주재로 열린 국무 회의에서 통과된 ○○법 개정안이 ㉡ 정부 발의로 국회에 제출되었다. 이 법률안은 진통 끝에 소수 야당의 협조를 얻어 가까스로 통과되었지만, 다수 야당 의원 사이에서 법안 통과를 반대하며 법안을 입안한 ㉢ 장관에 대한 해임을 건의해야 한다는 주장이 힘을 얻고 있다.

① ㉠ ② ㉡ ③ ㉠, ㉢
④ ㉡, ㉢ ⑤ ㉠, ㉡, ㉢

08 (가)~(다)는 우리나라의 주요 헌법 개정 내용이다. 이에 대한 옳은 설명만을 |보기|에서 있는 대로 고른 것은?

(가) 제3차 개헌: 대통령제를 폐지하고, 의원 내각제와 국회 양원제를 채택하였다.
(나) 제7차 개헌: '통일 주체 국민 회의'에서 대통령과 국회 의원 3분의 1을 선출하는 유신 체제가 등장하였다.
(다) 제9차 개헌: 직선제에 의한 5년 단임 대통령제를 채택하였다.

보기

ㄱ. (가)는 국무총리가 국가 원수의 역할을 담당한다.
ㄴ. (나)는 권력 분립의 원리에 충실한 국정 운영이 이루어졌다.
ㄷ. (가)에 비해 (다)는 대통령의 임기가 보장되어 정책의 연속성이 확보된다.

① ㄱ ② ㄴ ③ ㄷ
④ ㄱ, ㄴ ⑤ ㄴ, ㄷ

서술형 문제

09 빈칸에 들어갈 알맞은 정부 형태가 무엇인지 쓰고, 이 정부 형태의 장점을 한 가지 쓰시오.

> (   )은/는 미국이 영국으로부터 독립하여 영국에 맞설 수 있는 강력한 정부 형태를 추구하기 위해 만든 것으로 현재 미국을 비롯한 많은 나라에서 채택하고 있다.

서술형 문제

10 다음 글을 읽고 물음에 답하시오.

> 전형적인 정부 형태를 채택하고 있는 갑국은 지난해 행정부 수반을 선출하는 선거를 실시한 결과, A당이 당선자를 배출했다. 올해 실시된 국회 의원 선거에서는 B당이 의회 의석의 과반수를 차지했다. 현재 야당 주도로 ○○ 법안이 의회를 통과한 가운데, 행정부 수반은 이에 대해 (   )을/를 행사하여 시행을 저지할 계획을 밝혔다.

(1) 빈칸에 해당하는 권한의 명칭과 그 목적을 쓰시오.

(2) 위의 사례를 통해 알 수 있는 갑국의 정부 형태의 단점을 한 가지 쓰시오.

서술형 문제

11 다음 글을 읽고 물음에 답하시오.

> 영국 의회는 국민들의 직접 선거에 의해 구성되고, 의회 다수당의 당수가 행정부 수반으로서 내각을 구성한다. 하지만 2017년에 실시한 총선 결과, 의회 의석의 과반수를 차지한 정당이 나타나지 않아 갑당과 을당이 (   )을/를 구성하였다.

(1) 빈칸에 들어갈 용어를 쓰시오.

(2) 영국에서 채택하고 있는 정부 형태의 성립 배경을 쓰시오.

서술형 문제

12 다음 글을 읽고 물음에 답하시오. (단, 갑국과 을국이 채택하고 있는 정부 형태는 각각 대통령제와 의원 내각제 중 하나이다.)

> 갑국과 을국은 각각 전형적인 정부 형태를 채택하고 있다. 갑국에서 실시된 의회 의원 선거 결과, A당이 과반수 의석을 차지하여 A당의 당수가 내각을 구성하였다. 또한 을국에서 실시된 행정부 수반을 선출하는 선거에서는 B당이 당선자를 배출하여, 현재 의회 다수당이 C당인 상황에서 (   ) 현상이 나타났다.

(1) 빈칸에 알맞은 용어를 쓰시오.

(2) 행정부 수반의 정치적 책임 소재에 대한 갑국과 을국의 차이점을 각각 쓰시오.

정답과 해설 ▸ 9쪽

01 중요 표의 (가)~(다)에 각각 들어갈 말로 옳은 것은? (단, A, B는 각각 전형적인 대통령제와 의원 내각제 중 하나이다.)

질문 항목	정부 형태	
	A	B
행정부가 법률안을 제출할 수 있는가?	아니요	예
(가)	예	아니요
의회 의원이 행정부 각료를 겸직할 수 있는가?	(나)	(다)

	(가)	(나)	(다)
①	의회에서 선출된 총리가 내각을 구성하는가?	예	예
②	입법부와 행정부의 관계가 권력 융합적인가?	예	아니요
③	의회가 내각에 대해 불신임권을 행사할 수 있는가?	아니요	예
④	행정부 수반이 의회에서 가결된 법률안의 재의를 요구할 수 있는가?	아니요	예
⑤	사법권의 독립을 보장하고 있는가?	아니요	아니요

문제 접근 방법
제시된 질문을 통해 전형적인 정부 형태의 특징을 구분하는 문제이다. 각 정부 형태별 특징을 명확하게 구분한다.

내신 전략
전형적인 대통령제와 의원 내각제를 중심으로 정부 형태에 대한 특징이 명확하므로 이를 구분하여 정리해 둔다.

02 그림 (가), (나)는 전형적인 정부 형태인 대통령제와 의원 내각제 중 하나를 나타낸 것이다. 이에 대한 옳은 설명만을 |보기|에서 있는 대로 고른 것은?

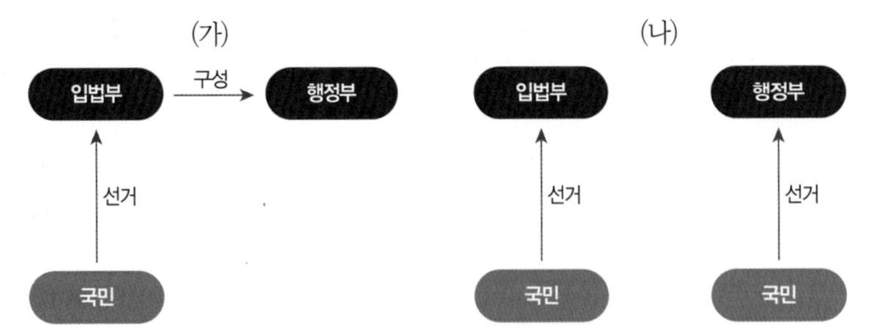

보기
ㄱ. (나)는 (가)에 비해 의회와 내각의 긴밀한 협조가 가능하다.
ㄴ. (가)와 달리 (나)의 의회는 행정부 수반의 탄핵 소추를 할 수 있다.
ㄷ. (가)는 (나)에 비해 내각이 정치적 책임과 국민적 요구에 민감하다.
ㄹ. (가)의 행정부 수반과 달리 (나)의 행정부 수반은 임기가 보장된다.

① ㄱ, ㄴ ② ㄱ, ㄷ ③ ㄴ, ㄷ
④ ㄱ, ㄷ, ㄹ ⑤ ㄴ, ㄷ, ㄹ

문제 접근 방법
이 문제는 정부의 구성 방식을 나타낸 그림을 통해 대통령제와 의원 내각제를 구분하고 각각의 특징을 비교하는 문제이다. 대통령제와 의원 내각제에서 입법부와 행정부를 구성하는 방식을 파악하고 각각의 특징을 비교한다.

내신 전략
대통령제와 의원 내각제에 따른 입법부와 행정부의 구성 원리와 각 정부 형태의 특징에 대한 이해가 필요하다.

정답과 해설 ▸ 9쪽

2018학년도 수능

01 다음 자료에 대한 분석 및 추론으로 옳은 것은?

갑국과 을국은 전형적인 정부 형태를 채택하고 있다. 갑국의 행정부 수반은 국민의 직접 선거로 선출되는 반면, 을국의 행정부 수반은 의회에서 선출된다. 표는 (가)와 (나) 시기별 갑국과 을국의 정치 상황을 '행정부 수반 소속 정당이 의회에서 과반 의석을 차지하고 있는가?'를 기준으로 구분한 것이다.

국가 \ 시기	(가)	(나)
갑국	예	아니요
을국	아니요	예

① 갑국과 달리 을국의 행정부 수반은 의회에 법률안을 제출할 수 있는 권한이 없다.
② 을국과 달리 갑국의 행정부 수반은 국가 원수를 겸직하지 않는다.
③ 갑국의 경우, 행정부 수반의 법률안 거부권 행사 가능성은 (나)보다 (가)에서 높을 것이다.
④ 을국의 경우, 행정부 수반의 의회 해산권 행사 가능성은 (가)보다 (나)에서 높을 것이다.
⑤ 을국의 경우, 의회의 내각 불신임권 행사 가능성은 (나)보다 (가)에서 높을 것이다.

출제 개념
대통령제, 의원 내각제

자료 해설
갑국은 대통령제, 을국은 의원 내각제를 채택하고 있다. 대통령제는 권력의 상호 견제 원리를 바탕으로 하며, 의원 내각제는 권력 융합적이다. 또한 행정부 수반과 의회 과반 의석을 차지하는 정당이 일치하는 경우 상대적으로 입법부와 행정부의 견제 장치의 실현 가능성이 낮다.

해결 비법
제시된 지문을 통해 정부 형태를 파악하고, 정부 형태의 특징과 의회 의석에 따른 정치 상황을 추론할 수 있어야 한다.

2020학년도 수능

02 갑, 을의 주장에 대한 옳은 설명만을 |보기|에서 고른 것은?

사회자: 우리나라 정부 형태를 어떻게 바꾸어야 한다고 생각하십니까?
갑: 정부의 법률안 제출권을 폐지하는 한편, 국회 의원이 국무총리나 국무 위원을 겸직할 수 없도록 해야 합니다.
을: 대통령은 상징적인 지위를 갖고, 국회가 선출하는 국무총리가 국정에 관한 전반적인 권한과 책임을 행사하도록 해야 합니다.

보기
ㄱ. 갑은 권력 분립의 원리가 엄격하게 구현되어야 한다고 본다.
ㄴ. 을은 행정부와 국회 간 더욱 긴밀한 협조가 필요하다고 본다.
ㄷ. 갑은 을과 달리 행정부가 국회에 정치적 책임을 져야 한다고 본다.
ㄹ. 을은 갑과 달리 국가 원수와 행정부의 수반이 일치되어야 한다고 본다.

① ㄱ, ㄴ　② ㄱ, ㄷ　③ ㄴ, ㄷ
④ ㄴ, ㄹ　⑤ ㄷ, ㄹ

출제 개념
대통령제, 의원 내각제, 우리나라 정부 형태의 특징

자료 해설
우리나라 정부 형태는 대통령제를 기본으로 의원 내각제의 요소를 일부 도입하고 있는데, 갑은 전형적인 대통령제, 을은 전형적인 의원 내각제 정부 형태를 주장하고 있다.

해결 비법
갑, 을이 주장하는 내용이 우리나라 정부 형태를 어떠한 방향으로 변화시키고자 하는 것인지를 파악해야 한다. 이를 위해서는 우리나라 정부 형태의 특징을 알고, 전형적인 대통령제와 의원 내각제의 특징과 비교하여 이해할 수 있어야 한다.

주제 **2**

국가 기관의 역할과 상호 관계

주제 흐름 읽기

국가 기관		
	입법부	• 국민의 대표 기관, 입법 기관, 국정 통제 기관 • 구성: 지역구 의원, 비례 대표 의원
	행정부	• 공공복리나 공익 실현을 위한 적극적인 국가 작용 • 구성: 대통령, 국무총리, 국무 회의, 행정 각부, 감사원
	사법부	• 법을 해석, 적용하여 옳고 그름이나 권리관계 확정 • 구성: 법원

권력 분립		
	목적	권력의 집중이나 자의적 행사로부터 국민의 자유와 권리를 보호하기 위함
	형태	국회의 입법권, 대통령과 행정부의 행정권, 법원의 사법권으로 분립되어 고유한 권한을 행사하며 상호 견제함

1 입법부의 역할

1. 입법 기관인 국회
— 의회는 민주 국가에서 대의 민주주의를 실현하는 바탕으로 국민이 선출한 대표가 모인 회의체이자 입법부야. 우리나라에서는 국회라고 불러.

(1) 국회의 위상

① 국민의 대표 기관으로서 여론을 수렴하고 이해관계를 조정하여 정책에 반영

② 입법 기관으로서 법률 제 · 개정

③ 국정 통제 기관으로서 행정부와 사법부 감시 및 비판

(2) 국회의 구성

① 지역구 의원과 비례 대표 의원으로 구성❶ — 국회 의원의 임기는 4년이고 연임할 수 있어.

② 국회 의장은 국회를 대표하고 회의가 원활하게 운영될 수 있도록 함

③ 효율적인 의사 진행을 위해 각종 위원회와 교섭 단체❷를 운영함 자료 1

(3) 국회의 운영

① 본회의에서 중요 의제를 논의하며 법률안과 예산안 등을 결정 (재적 의원 5분의 1 이상 출석으로 개회해.)

② 국회의 회의는 정기회와 임시회 형태로 개회하며 국회 회의의 원칙에 따라 운영 자료 2
— 회의 공개의 원칙, 회기 계속의 원칙, 일사부재의의 원칙이야.

2. 국회의 역할

(1) 입법에 관한 역할

① 헌법 개정 절차 자료 3

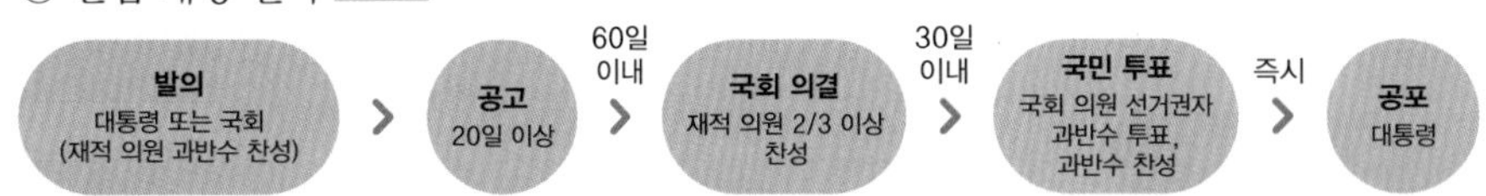

② 법률 제 · 개정 절차

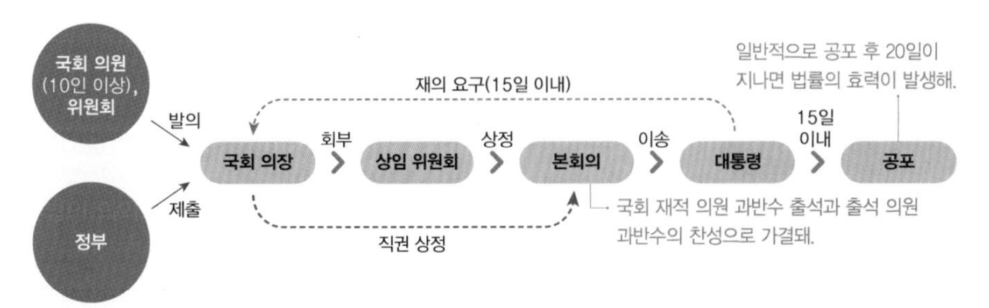

③ 조약 체결 · 비준에 대한 동의권: 중대한 재정적 부담을 지우는 조약, 입법 사항에 관한 조약 등에 대한 동의권 — 이를 통해 조약은 법률과 같은 효력을 가지게 돼.

---

❶ 국회 의원의 구성

> **헌법 제41조** ② 국회 의원의 수는 법률로 정하되, 200인 이상으로 한다.

우리 헌법은 국회 의원 수를 200인 이상으로 정하고 있으며, 지역구 253인, 비례 대표 47인의 총 300인의 국회 의원으로 구성되어 있다(2018년 9월 현재).

❷ 교섭 단체

> **국회법 제33조** ① 국회에 20명 이상의 소속 의원을 가진 정당은 하나의 교섭 단체가 된다. 다만, 다른 교섭 단체에 속하지 아니하는 20명 이상의 의원으로 따로 교섭 단체를 구성할 수 있다.

20명 이상의 소속 의원을 가진 정당이나 20명 이상의 의원 모임은 교섭 단체를 구성할 수 있다. 교섭 단체는 국회가 원활하게 운영될 수 있게 하는 역할을 하지만 소수 정당의 의사 개진을 막는다는 단점도 있다.

자료 1 국회의 각종 위원회

교과서 53쪽

위원회에는 상임 위원회와 특별 위원회가 있다. 상임 위원회는 행정부 소관 부처들에 속하는 의안 등을 심사하는 등의 직무를 수행한다. 특별 위원회는 여러 상임 위원회 소관의 안건이나 특별히 필요한 안건을 효율적으로 심사하기 위해 본회의 의결로 설치된다. 위원회는 국회 의장이 회부한 법률안을 본회의 전에 심사한다.

자료 분석 국회의 위원회는 국가 기능이 확대되면서 입법 기관도 의안을 심의하는 과정에서 고도의 전문화된 지식이 필요해짐에 따라 발달하였다. 현재 국회에 설치되어 있는 위원회는 국회 운영 위원회, 법제 사법 위원회, 정무 위원회, 기획 재정 위원회, 교육 위원회, 과학 기술 정보 방송 통신 위원회, 외교 통일 위원회, 국방 위원회, 행정 안전 위원회, 문화 체육 관광 위원회 등의 상임 위원회와 윤리 특별 위원회, 예산 결산 특별 위원회 등의 특별 위원회가 있다.

자료 분석 포인트

국회에 위원회를 설치하여 운영하는 목적을 파악해 보자.

Q1 빈칸에 들어갈 알맞은 말을 쓰시오.

위원회는 본회의에서 심의할 안건을 미리 조사하여 심의하는 곳으로, (　　　)와/과 특별 위원회가 있다.

자료 2 국회 회의의 원칙

교과서 53쪽

회의 공개의 원칙	본회의는 공개하는 것이 원칙이다.
회기 계속의 원칙	한 회기 중에 의결하지 못한 법률안이나 의안을 다음 회기에 이어서 심의한다.
일사부재의의 원칙	한번 부결된 안건은 같은 회기 중에 다시 발의·제출하지 못한다.

자료 분석 국회의 의사 진행 원칙은 헌법 제50조 제1항(회의 공개의 원칙), 헌법 제51조(회기 계속의 원칙), 국회법 제92조(일사부재의의 원칙)에 각각 명시되어 있다.

회의 공개의 원칙은 일반 국민들에게 법률안의 심의 과정을 공개함으로써 정책 결정의 정당성과 민주성을 확보하는 데 목적이 있다. 회기 계속의 원칙은 동일한 법률안을 반복해 제출하는 과정에서 발생하는 비효율성을 방지하기 위함이며, 일사부재의의 원칙은 소수파에 의한 의사 진행 방해를 막아 효율적인 국회 운영을 보장하는 것을 목적으로 한다.

자료 분석 포인트

국회 회의의 원칙의 목적을 각각 정리해 보자.

Q2 다음에서 설명하는 국회 회의의 원칙이 무엇인지 쓰시오.

한 회기 중에 의결되지 못한 안건은 다음 회기에 계속하여 심사한다.

자료 3 헌법 개정 절차

제128조 ① 헌법 개정은 국회 재적 의원 과반수 또는 대통령의 발의로 제안된다.
② 대통령의 임기 연장 또는 중임 변경을 위한 헌법 개정은 그 헌법 개정 제안 당시의 대통령에 대하여는 효력이 없다.

제129조 제안된 헌법 개정안은 대통령이 20일 이상의 기간 이를 공고하여야 한다.

제130조 ① 국회는 헌법 개정안이 공고된 날로부터 60일 이내에 의결하여야 하며, 국회의 의결은 재적 의원 3분의 2 이상의 찬성을 얻어야 한다.
② 헌법 개정안은 국회가 의결한 후 30일 이내에 국민 투표에 붙여 국회 의원 선거권자 과반수의 투표와 투표자 과반수의 찬성을 얻어야 한다.
③ 헌법 개정안이 제2항의 찬성을 얻은 때에는 헌법 개정은 확정되며, 대통령은 즉시 이를 공포하여야 한다.

자료 분석 헌법 개정은 매우 중요한 사안이기 때문에 개정 절차에 대한 세부적인 내용이 헌법에 명시되어 있으며, 일반적인 법률 제·개정에 필요한 정족수보다 더욱 엄격한 기준을 충족해야 한다. 또한 국민의 헌법 개정안 제안권은 인정되지 않지만, 국회에서 의결된 개정안을 국민 투표에 부쳐 국회 의원 선거권자 과반수의 투표와 투표자 과반수의 찬성을 얻어야 한다. 이를 통해 국가의 최고 규범인 헌법의 제정 권력이 최종적으로 국민에게 있음을 알 수 있다.

자료 분석 포인트

헌법 개정 절차 각 단계의 요건을 각각 정리해 보자.

Q3 헌법 개정안이 국민 투표에서 의결될 수 있는 조건을 쓰시오.

답 Q1 상임 위원회 / Q2 회기 계속의 원칙 / Q3 국회 의원 선거권자 과반수의 투표와 투표자 과반수의 찬성

(2) 일반 국정에 관한 역할

국가 기관 구성	• 국무총리, 대법원장, 감사원장, 헌법 재판소장 등에 대한 임명 동의권 • 헌법 재판소 재판관(3인), 중앙 선거 관리 위원회 위원(3인) 선출권
국정 감시 및 통제	국정 감사 및 국정 조사권, 대통령 권한 행사에 대한 동의 및 승인권❶, 국무총리 및 국무 위원 해임 건의권, 국무총리 및 국무 위원에 대한 국회 출석 요구 및 질문권, 대통령 등 법률이 정한 공무원에 대한 탄핵 소추 의결권, 대통령의 계엄 선포에 대한 해제 요구권 등

(3) **재정에 관한 역할** 행정부가 제출한 예산안의 심의·확정, 결산 심사권 등

2 대통령과 행정부의 역할

1. 대통령의 지위와 역할

(1) 대통령의 지위

① 지위: 행정부 수반이자 국가 원수

② 선출: 국민의 직접 선거로 선출, 임기 5년, 중임 금지❷

(2) 대통령의 역할 자료 1 , 자료 2

① 행정부 수반으로서의 권한과 국가 원수로서의 권한

행정부 수반으로서의 권한	행정부 조직 구성 및 지휘·감독권, 공무원 임면권, 대통령령 발포권, 국군 통수권, 국무 회의 의장으로서 국가 정책에 관한 심의 주재 및 최종 결정권
국가 원수로서의 권한	• 조약 체결·비준권, 외교 사절 신임·접수·파견권, 선전 포고 및 강화권❸ • 긴급 재정·경제 처분 및 명령권, 긴급 명령권, 계엄 선포권 • 대법원장 및 대법관, 감사원장, 헌법 재판소장 등의 임명권 • 헌법 재판소 재판관과 중앙 선거 관리 위원회 위원 3인에 대한 임명권

② 기타 권한

• 국회에 영향을 미치는 권한: 임시회 소집 요구, 국회 출석 및 발언 또는 서면으로 의견 표시, 법률안 제출·공포·거부권

• 사법부에 영향을 미치는 권한: 법률이 정하는 바에 의한 사면, 감형 또는 복권 명령권

2. 집행 기관인 행정부의 구성과 역할

(1) **행정부의 역할** 국회가 제정한 법률 집행, 국가의 목적이나 공익을 실현하기 위한 정책 수립 및 시행

(2) 주요 행정 기구

국무총리: 대통령 궐위 시에는 행정부의 2인자로서 대통령의 권한을 대행해.

국무총리 자료 3	• 역할: 대통령을 보좌하며 대통령의 명을 받아 행정 각부를 통할 • 권한: 행정 각부의 장 임명 제청권
국무 회의	• 역할: 행정부의 주요 정책을 심의하는 행정부의 최고 심의 기관 • 구성: 대통령(의장), 국무총리(부의장), 15인 이상 30인 이하의 국무 위원❹
행정 각부	• 역할: 법률이 정하는 소관 행정과 정책 집행 • 행정 각부의 장: 국무 위원 중에서 국무총리의 제청을 받아 대통령이 임명, 대통령 또는 국무총리의 지휘를 받아 소관 사무 통할, 소속 공무원 지휘·감독
감사원	• 역할: 대통령에 소속된 행정부의 최고 감사 기관 • 권한: 국가 세입·세출의 결산 확인, 국가 및 법률이 정한 단체의 회계 검사, 공무원에 대한 직무 감찰 등

감사원: 대통령에 소속되어 있지만 업무의 독립성을 보장받아 행정 전반에 대해 감시·감독할 수 있어.

❶ **동의와 승인**
동의와 승인은 모두 다른 사람의 행위를 인정하거나 허가하는 의사 표시인데, 동의는 사전 의사 표시, 승인은 사후 의사 표시라는 차이가 있다.

❷ **대통령의 중임 금지**

헌법 제70조 대통령의 임기는 5년으로 하며, 중임할 수 없다.
헌법 제128조 ② 대통령의 임기 연장 또는 중임 변경을 위한 헌법 개정은 그 헌법 개정 제안 당시의 대통령에 대하여는 효력이 없다.

❸ **강화**
전쟁을 종결하고 평화를 회복하기 위한 교전 국가 사이의 합의를 의미한다.

❹ **국무 위원**
국무 위원은 국정에 관하여 대통령을 보좌하며, 국무 회의의 구성원으로서 국가의 중요 정책을 심의한다. 국무 위원은 국무총리의 제청으로 대통령이 임명한다.

자료 1 대통령의 권한

행정부 지휘·감독권	공무원 임면권, 대통령령 발포권, 국무 회의 주재 등
국가 대표 및 헌법 수호권	조약 체결 및 비준권, 외교 사절 신임·접수·파견권, 선전 포고·강화권, 긴급 재정·경제 처분 및 명령권, 긴급 명령권, 계엄 선포권 등
국정 조정권	법률안 공포·거부권, 사면·감형·복권 명령권, 국민 투표 부의권 등
헌법 기관 구성권	국무총리, 대법원장, 감사원장, 헌법 재판소장 등 임명권

자료 분석 우리나라 대통령의 권한을 내용상의 성격별로 보면, 행정부 수반으로서 행정부를 지휘·감독할 권한, 외국에 대하여 국가를 대표하고 국가의 독립과 영토 보전, 국가의 계속성과 헌법을 수호할 권한을 가진다. 또한 대통령은 국정을 조정할 수 있는 권한을 가지며, 헌법 기관을 구성할 권한을 가진다.

자료 분석 포인트
대통령의 권한을 구분하여 확인해 보자.

Q1 우리나라 대통령의 행정부 지휘·감독권에 해당하는 것은?

① 긴급 명령권
② 공무원 임면권
③ 국민 투표 부의권
④ 조약 체결 및 비준권
⑤ 헌법 재판소장 임명권

자료 2 대통령의 권한에 대한 통제

행정부 내부의 통제	국무 회의 심의, 문서주의와 부서 제도, 자문 기관의 자문 등
법원에 의한 통제	명령·규칙·처분에 대한 위헌 및 위법 심사
헌법 재판소에 의한 통제	탄핵 심판
국회에 의한 통제	탄핵 소추, 국정 감사 및 국정 조사권, 각종 동의 및 승인권 등

자료 분석 우리나라의 대통령은 행정부의 수반이자 국가 원수로서 강력한 권한을 가지고 있어서 권한이 남용될 경우 국민의 기본권이 침해될 가능성이 있다. 그렇기 때문에 행정부 내부에서의 통제뿐만 아니라 법원, 헌법 재판소, 국회 등에 의해서도 대통령의 권한 행사에 대한 통제 장치가 마련되어 있다. 한편, 이와 같은 공식적인 통제 장치뿐만 아니라 국민의 국민 투표나 여론 형성 및 정치 과정에의 참여 등도 대통령의 권한 행사에 대한 통제 및 견제의 기능을 할 수 있다.

자료 분석 포인트
대통령의 권한을 통제할 수 있는 다양한 제도를 구분해 보자.

Q2 국회에 의한 대통령의 통제 수단에 해당하는 것만을 | 보기 |에서 고르시오.

| 보기 |
ㄱ. 탄핵 심판권
ㄴ. 탄핵 소추권
ㄷ. 국무 회의 심의
ㄹ. 각종 동의권 및 승인권

자료 3 국무총리 제도

제86조 ① 국무총리는 국회의 동의를 얻어 대통령이 임명한다.
② 국무총리는 대통령을 보좌하며, 행정에 관하여 대통령의 명을 받아 행정각부를 통할한다.
제87조 ① 국무 위원은 국무총리의 제청으로 대통령이 임명한다.
③ 국무총리는 국무 위원의 해임을 대통령에게 건의할 수 있다.
제88조 ③ 대통령은 국무 회의의 의장이 되고, 국무총리는 부의장이 된다.

자료 분석 일반적인 대통령제 국가에서는 국무총리가 아닌 부통령을 둔다. 우리나라의 국무총리 제도는 의원 내각제적 요소를 가미한 결과인데, 국무총리는 행정각부를 통할하며 대통령 공석 시 권한을 대행한다. 또한 국무 위원의 임명을 제청하고 해임을 건의할 수 있는 권한이 있으며, 정부의 주요 정책을 심의하는 행정부의 최고 심의 기관인 국무 회의의 부의장으로서 지위를 가진다.

자료 분석 포인트
우리나라 정부 형태의 특징을 바탕으로 국무총리의 역할과 권한을 확인해 보자.

Q3 빈칸에 들어갈 알맞은 말을 쓰시오.

우리나라의 국무총리 제도는 대통령제를 기반으로 (　　) 요소를 가미한 결과이다.

답 Q1 ② / Q2 ㄴ, ㄹ / Q3 의원 내각제

3 사법부의 역할

1. 사법 기관인 법원의 역할

(1) **사법(司法)** 분쟁이나 문제에 대해 법을 해석·적용하여 옳고 그름이나 권리관계를 확정하는 것

(2) **사법권의 독립❶**

① 목적: 공정한 재판을 통해 국민의 기본권을 보장하기 위함

② 내용: 법원의 독립, 법관의 독립

(3) **법원의 조직과 역할** 자료 1 → 법원에 급을 두어 여러 번 재판을 받을 수 있는 심급 제도를 통해 국민의 기본권을 실질적으로 보장하고 있어. 우리나라에서는 원칙적으로 3심제를 채택하고 있어.

대법원	하급 법원의 최종심 담당, 행정부의 명령·처분·규칙에 대한 최종 심사권, 위헌 법률 심판 제청권 등
고등 법원	제1심 판결에 대한 항소 사건과 결정·명령에 대한 항고 사건 심판권 등
지방 법원 및 지원	제1심 사건 심판, 지방 법원 단독 판사❷의 판결·결정에 관한 항소·항고심 등
특허 법원❸	고등 법원급으로 지식 재산권 관련 분쟁 전담
가정 법원	가정과 소년에 관한 사건 담당
행정 법원	행정과 관련된 소송 담당
회생 법원	기업 및 개인의 회생이나 파산 사건을 전담

2. 헌법 재판소의 역할

(1) **헌법 재판소의 의의** 헌법 수호 기관이자 기본권 보장 기관

(2) **헌법 재판소의 구성** 법관의 자격을 가진 9인의 재판관으로 구성 → 국회에서 선출한 3명, 대법원장이 지명한 3명, 대통령이 지명한 3명으로 구성되고, 모두 대통령이 임명해.

(3) **헌법 재판소의 역할** 자료 2 → 헌법의 해석이 전제가 되는 분쟁을 해결해.

종류	청구자	내용
위헌 법률 심판	법원	재판의 전제가 되는 법률이 헌법에 위배되는지의 여부를 심판
헌법 소원 심판❹	국민	공권력에 의해 국민의 기본권이 침해된 경우 최종적으로 구제하는 심판 → 위헌 심사형 헌법 소원과 권리 구제형 헌법 소원으로 구분
탄핵 심판	국회	대통령을 비롯한 고위 공무원의 직무 수행이 헌법이나 법률에 위반되는지를 기준으로 파면 여부를 심판
정당 해산 심판❺	정부	정당의 목적이나 활동이 민주적 기본 질서에 위배되는지를 기준으로 해산 여부를 심판
권한 쟁의 심판	기관	국가 기관 상호 간, 국가 기관과 지방 자치 단체 간, 지방 자치 단체 상호 간 등 기관 사이의 권한에 관한 다툼 해결

4 입법부, 행정부, 사법부 간의 상호 관계

1. 권력 분립의 원리

(1) **의미** 국가 권력을 입법권, 행정권, 사법권으로 나누어 상호 견제함

(2) **목적** 권력의 집중과 자의적 행사로부터 국민의 자유와 권리 보호

2. 국가 기관 간 상호 관계
입법부, 행정부, 사법부가 상호 견제할 수 있는 법적·제도적 수단 마련 자료 3

---

❶ 사법권의 독립
법원의 조직을 헌법과 법률에 규정하고 법관의 임명 과정에 다른 국가 기관의 간섭을 배제하여 법원의 독립을 보장하고 있다. 또한 법관의 자격을 법률로 규정하고 헌법으로 법관의 임기와 신분을 보장하여 법관의 독립을 보장하고 있다.

❷ 단독 판사와 합의부
혼자서 재판권을 행사하는 판사를 단독 판사라고 하고, 세 사람 이상의 재판관으로 구성되고 그 재판관들의 합의로 재판을 결정하는 것을 합의부라고 한다.

❸ 특허 재판
특허 법원은 고등 법원급이다. 이에 따라 특허 재판은 3심제의 예외로 2심제로 운영되고 있다.

❹ 헌법 소원 심판의 청구 조건

> **헌법 재판소법 제68조** ① 공권력의 행사 또는 불행사로 인하여 헌법상 보장된 기본권을 침해받은 자는 법원의 재판을 제외하고는 헌법 재판소에 헌법 소원 심판을 청구할 수 있다. 다만, 다른 법률에 구제 절차가 있는 경우에는 그 절차를 모두 거친 후에 청구할 수 있다.

헌법 소원을 청구하기 전에는 법률에 정해진 모든 기본권 구제 절차를 거쳐야 하며, 재판의 결과에 대해서는 청구할 수 없다.

❺ 정당 해산 심판

> **헌법 제8조** ① 정당의 설립은 자유이며, 복수 정당제는 보장된다.
> ④ 정당의 목적이나 활동이 민주적 기본 질서에 위배될 때에는 정부는 헌법 재판소에 그 해산을 제소할 수 있고, 정당은 헌법 재판소의 심판에 의하여 해산된다.

우리나라 헌법에는 정당의 설립과 활동의 자유를 보장하고 있지만, 정당의 목적이나 활동이 민주적 기본 질서에 위배되는 경우에는 해산될 수 있도록 규정하고 있다.

자료 1 법원의 조직 교과서 58쪽

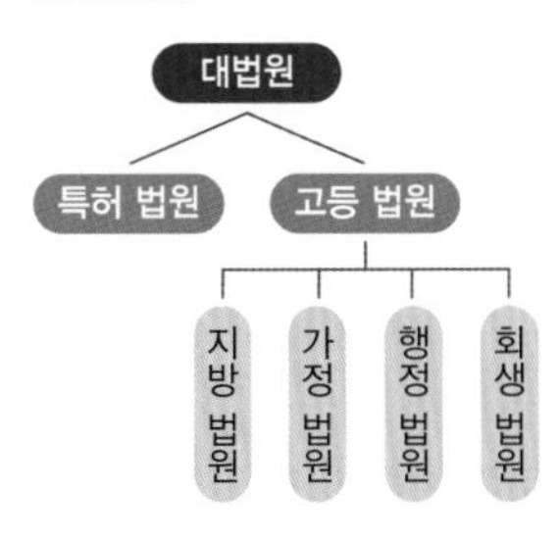

◎ 자료 분석 헌법 제101조 제2항에는 "법원은 최고 법원인 대법원과 각급 법원으로 조직된다."라고 규정되어 있으며, 제102조 제3항에서 "대법원과 각급 법원의 조직은 법률로 정한다."라고 규정하여 법원의 조직에 관한 내용을 법원 조직법에 위임하고 있다. 법원 조직법은 법원을 대법원, 고등 법원, 특허 법원, 지방 법원, 가정 법원, 행정 법원, 회생 법원 7가지로 규정하고 있으며, 헌법 제110조에 특별 법원으로서 군사 법원을 두고 있다. 이처럼 각급 법원을 설치하여 독립적으로 운영하는 이유는 공정한 재판을 통해 국민의 기본권을 실질적으로 보장하려는 것이다.

자료 분석 포인트

법원의 독립을 보장하는 이유를 생각해 보자.

Q1 각급 법원을 설치하여 독립적인 운영을 보장하는 궁극적인 목적을 쓰시오.

자료 2 헌법 심판의 유형 교과서 59쪽

(가) 2016년 12월 국회는 대통령이 헌법과 법률을 위배하여 직무를 수행하였다는 사유로 탄핵 소추를 의결하여 헌법 재판소에 탄핵 심판을 청구하였다. 이에 헌법 재판소는 심판을 통해 대통령이 지위를 이용하여 사인의 이익 추구를 도와 대의 민주주의 원리와 법치주의 정신을 훼손하였음을 인정하여 탄핵 인용 결정을 내렸다.

– 헌법 재판소, 「2017. 3. 10. 2016헌나1」 –

(나) 화장품법 위반 혐의로 함께 기소되어 1심 재판 진행 중 청구인들은 법 조항이 기본권을 침해한다며 법원에 위헌 법률 심판 제청 신청을 하였으나, 법원이 그 신청을 기각하자 헌법 소원 심판을 청구하였다. 이에 대해 헌법 재판소는 심판 대상 조항이 일반적으로 화장품 판매 영업을 제한하는 것이 아니라는 이유로 합헌 결정을 내렸다.

– 헌법 재판소, 「2017. 5. 25. 2016헌바408」 –

◎ 자료 분석 (가)는 탄핵 심판 결정문의 일부이고, (나)는 위헌 심사형 헌법 소원 심판의 결정문이다. 이처럼 헌법 재판소는 헌법 재판을 통해 헌법 가치를 실현하고, 공권력에 의해 침해된 국민의 기본권을 구제하고자 한다.

자료 분석 포인트

헌법 심판의 유형을 구분해 보자.

Q2 빈칸에 들어갈 알맞은 말을 쓰시오.

법원에 위헌 법률 심판 제청을 신청했으나 기각되어 당사자가 직접 헌법 재판소에 법률의 위헌 확인을 구하는 헌법 소원은 (   )이다.

자료 3 국가 기관들 간 주요 상호 견제 교과서 60쪽

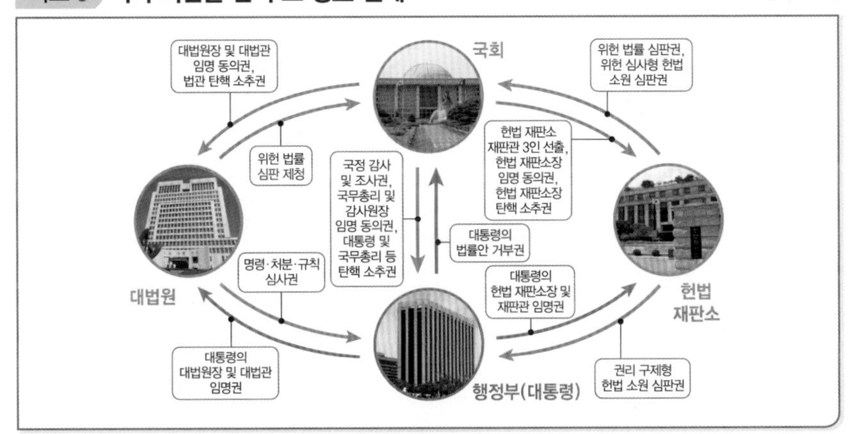

◎ 자료 분석 우리나라는 삼권 분립의 원칙에 입각하여 국가 권력을 입법권, 사법권, 행정권으로 나누어 서로 다른 기관이 맡도록 하고, 각 국가 기관이 상호 견제하여 균형을 이룰 수 있는 제도적 장치를 마련하고 있다. 이를 통해 국가 권력의 남용을 방지하고 궁극적으로 국민의 기본권을 보호하고자 한다.

자료 분석 포인트

국가 권력을 나누어 서로 다른 기관이 맡도록 한 이유를 생각해 보자.

Q3 행정부(대통령)가 국회를 견제할 수 있는 수단을 쓰시오.

답 Q1 국민의 기본권 보장 / Q2 위헌 심사형 헌법 소원 / Q3 법률안 거부권

개념 익히기

정답과 해설 ▸ 9쪽

01 **다음 빈칸에 들어갈 알맞은 말을 쓰시오.**

(1) 우리나라 국회는 각 지역구에서 선거로 선출하는 지역구 의원과 각 정당의 득표율에 비례해 선출하는 (　　　　)(으)로 구성된다.
(2) (　　　　)은/는 대통령에 소속되어 있지만 업무의 독립성을 보장받는 행정부의 최고 감사 기관이다.
(3) 공정한 재판을 통해 국민의 기본권을 실질적으로 보장하기 위해서는 (　　　　)이/가 보장되어야 한다.

02 **다음에서 설명하는 국회 회의의 원칙을 쓰시오.**

> 한 회기 중에 의결하지 못한 의안을 다음 회기에 이어서 심의하는 원칙으로, 이를 통해 다음 회기에 다시 의안을 작성·제출해야 하는 번잡함을 피할 수 있고, 폐회 중에도 의안 심사를 수행할 수 있어서 능률성을 높일 수 있다는 장점이 있다.

03 **다음 설명이 옳으면 ○, 틀리면 ×표 하시오.**

(1) 헌법 개정은 국회 재적 의원 3분의 2 이상의 찬성으로 제안된다. (　　)
(2) 대통령의 임기는 5년이며 1회에 한해 연임이 가능하다. (　　)
(3) 우리나라의 모든 재판은 3심제로 한다. (　　)
(4) 공권력에 의해 국민의 기본권이 침해된 경우 국민이 직접 청구하는 헌법 소원은 권리 구제형 헌법 소원이다. (　　)

04 **빈칸에 공통으로 들어갈 국가 기관을 쓰시오.**

> 법원은 위헌 법률 심판 제청을 통해 (　　　　)을/를 견제할 수 있고, 헌법 재판소는 위헌 법률 심판권과 위헌 심사형 헌법 소원 심판권을 통해 (　　　　)을/를 견제할 수 있다.

05 **다음 괄호 안에 들어갈 알맞은 말에 ○표 하시오.**

(1) 헌법 개정안이 국민 투표에서 가결되면 대통령은 (15일 이내 / 즉시) 공포해야 한다.
(2) 행정부의 주요 정책을 심의하는 국무 회의의 의장은 (국무총리 / 대통령)이다.
(3) 1심 법원의 판결에 불복하여 2심 법원에 재판을 청구하는 것을 (항소 / 항고)라고 한다.

06 **대법원의 권한에 해당하면 '대', 국회의 권한에 해당하면 '국'을 쓰시오.**

(1) 명령·처분·규칙 심사권 (　　)
(2) 헌법 재판소장 임명 동의권 (　　)
(3) 법관 탄핵 소추권 (　　)
(4) 위헌 법률 심판 제청권 (　　)
(5) 국정 감사 및 조사권 (　　)

내신 유형 익히기

정답과 해설 ▸ 9쪽

01 다음은 우리나라 국회 일정의 일부를 가상으로 구성한 것이다. 밑줄 친 ㉠~㉣에 대한 옳은 설명만을 |보기|에서 고른 것은?

> ○월 3일 ㉠ 임시회 개회
> 5일~7일 ㉡ 교섭 단체 대표 연설
> 10일~19일 ○○ 사건 ㉢ 국정 조사
> 22일 △△ ㉣ 법률안 의결

|보기|
ㄱ. ㉠의 회기는 30일 이내로 정해져 있다.
ㄴ. ㉡은 행정부 부처들에 속하는 의안 등을 심사한다.
ㄷ. ㉢은 국정을 통제하는 국회의 권한에 해당한다.
ㄹ. ㉣은 국회 재적 의원 3분의 2 이상의 찬성으로 의결된다.

① ㄱ, ㄴ ② ㄱ, ㄷ ③ ㄱ, ㄹ
④ ㄴ, ㄷ ⑤ ㄷ, ㄹ

02 중요 (가), (나)는 헌법 개정과 법률 제·개정 절차를 나타낸 것이다. 이에 대한 설명으로 옳지 않은 것은?

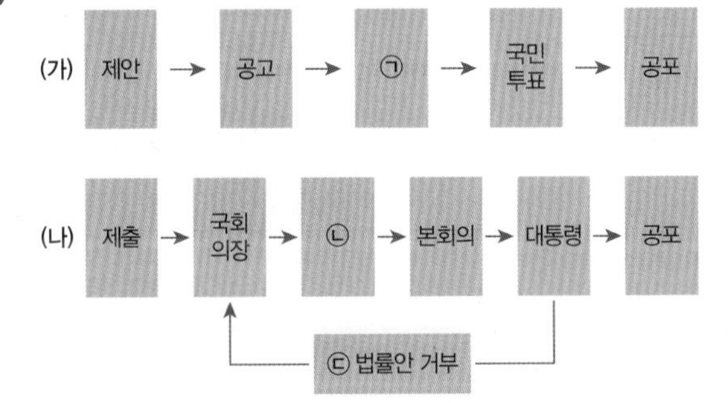

① (가)의 제안은 대통령도 가능하다.
② (나)의 본회의는 재적 의원 5분의 1 이상의 출석으로 개회한다.
③ ㉠은 국회 재적 의원 2분의 1 이상의 찬성을 얻어야 한다.
④ ㉡은 국회의 효율적인 의사 진행을 위한 역할을 담당한다.
⑤ ㉢은 행정부가 입법부를 견제할 수 있는 수단이다.

03 중요 우리나라 헌법 기관 A에 대한 설명으로 옳지 않은 것은?

> • A의 임기는 5년으로 하며 중임할 수 없다.
> • A는 대외적으로 국가를 대표하고 보전하며, 헌법을 수호하는 책임을 진다.

① 국민의 직접 선거로 선출된다.
② 행정부 수반으로서 국군을 통수한다.
③ 국회의 동의 없이도 감사원장을 임명할 수 있다.
④ 국가 원수로서 선전 포고나 강화에 대한 권한을 갖는다.
⑤ 국무 회의의 의장으로서 중요한 국가 정책에 대한 심의를 주재한다.

04 다음 A~D에 대한 옳은 설명만을 |보기|에서 고른 것은?

> • A는 행정부의 최고 책임자이다.
> • B는 A를 보좌하며 A의 명을 받아 행정 각부를 통할한다.
> • C는 A, B와 15인 이상 30인 이하의 국무 위원으로 구성된다.
> • D는 A에 소속된 행정부의 최고 감사 기관이다.

|보기|
ㄱ. A의 임기는 5년이고 중임이 가능하다.
ㄴ. 행정 각부의 장은 국무 위원 중에서 B의 제청으로 A가 임명한다.
ㄷ. C의 의장은 A이고, 부의장은 B이다.
ㄹ. D는 국가의 세입·세출의 결산을 심사한다.

① ㄱ, ㄴ ② ㄱ, ㄷ ③ ㄴ, ㄷ
④ ㄴ, ㄹ ⑤ ㄷ, ㄹ

05 중요 다음은 우리나라의 일반적인 심급 제도를 나타낸 것이다. 이에 대한 옳은 설명만을 |보기|에서 고른 것은?

1심 법원 →㉠ ㉡ 2심 법원 →㉢ 3심 법원

| 보기 |
ㄱ. 결정이나 명령에 대한 ㉠은 항소라고 한다.
ㄴ. 가벼운 민·형사 사건의 ㉡은 고등 법원이다.
ㄷ. ㉡의 판결에 대한 ㉢은 상고라고 한다.
ㄹ. 심급 제도는 법원의 오판 가능성을 전제하고 있다.

① ㄱ, ㄴ ② ㄱ, ㄷ ③ ㄴ, ㄷ
④ ㄴ, ㄹ ⑤ ㄷ, ㄹ

06 다음 교사의 질문에 잘못 진술한 학생은?

교사: 헌법 재판소에 대해 지난 시간에 배운 내용을 이야기해 볼까요?
갑: 헌법 재판소는 국민의 기본권을 보장해 주는 기관입니다.
을: 헌법 재판소의 장은 국회의 동의를 얻어야 임명할 수 있습니다.
병: 헌법 재판소는 9인의 재판관으로 구성되며 모두 대통령이 임명합니다.
정: 위헌 법률 심판은 당사자의 신청 없이도 법원이 직권으로 제청할 수 있습니다.
무: 다른 기본권 구제 절차를 거치지 않아도 바로 헌법 소원을 청구할 수 있습니다.

① 갑 ② 을 ③ 병
④ 정 ⑤ 무

07 중요 표는 헌법 재판소의 권한을 나타낸 것이다. (가)~(다)에 해당하는 것으로 옳은 것은?

권한	청구 주체	내용
위헌 법률 심판	(가)	법률이 헌법에 위반되는지 심판
헌법 소원 심판	국민	국민의 기본권을 국가 기관이 부당하게 침해했는지 심판
탄핵 심판	(나)	탄핵 소추를 받은 자를 파면해야 하는지 심판
정당 해산 심판	(다)	정당의 목적이나 활동이 민주적 기본 질서에 위배되는지 심판
권한 쟁의 심판	기관	국가 기관 상호 간, 국가 기관과 지방 자치 단체 간 및 지방 자치 단체 상호 간의 권한 쟁의에 관한 심판

	(가)	(나)	(다)
①	법원	국민	정부
②	법원	국회	정부
③	국회	정부	국민
④	국회	법원	정부
⑤	정부	국회	국민

08 다음은 국가 기관들 간의 상호 견제를 나타낸 것이다. ㉠~㉤에 해당하는 권한으로 적절하지 않은 것은?

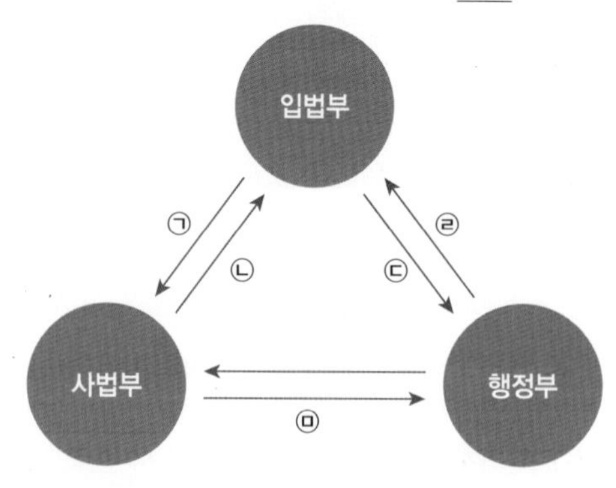

① ㉠ – 법관 탄핵 소추권
② ㉡ – 위헌 법률 심판 제청권
③ ㉢ – 국정 감사 및 국정 조사권
④ ㉣ – 국무총리 임명 동의권
⑤ ㉤ – 명령·처분·규칙 심사권

서술형 문제

09 다음 글을 읽고 밑줄 친 '이 기관'의 위상 세 가지를 서술하시오.

> 이 기관은 국민에 의해 직접 선출된 국민의 대표 기관으로, 다른 국가 기관과는 달리 국민의 의사를 직접 수렴, 집약하여 법률을 만들어 낸다. 이 과정에서 국민들 사이의 갈등과 대립을 조정한다.

서술형 문제

10 다음 신문 기사를 읽고 물음에 답하시오.

> 지난 4일, ○○법 개정안이 대통령이 의장으로서 주재하는 ㉠에서 통과되어 국회에 제출될 예정이다. ○○법 개정안은 ㉠에서 관련 부처 장관들과 함께 논의한 결과 통과되었다.

(1) 위 기사의 ㉠이 무엇인지 쓰시오.

(2) (1)의 역할을 쓰시오.

서술형 문제

11 빈칸에 들어갈 을의 대답으로 알맞은 말을 쓰시오.

> 갑: 우리 헌법은 법원의 독립과 법관의 독립을 보장하고 있어. 이렇게 사법권의 독립을 보장하는 목적이 뭘까?
> 을: 그 이유는 ____________ 이지.

서술형 문제

12 다음 글을 읽고 물음에 답하시오.

> 헌법 재판소는 헌법을 수호하고 국민의 기본권을 보장하는 기관이다. 헌법 재판소의 권한 중 하나인 헌법 소원 심판은 국민이 직접 청구할 수 있는데, 이는 다시 ㉠, ㉡으로 구분할 수 있다. ㉠은 재판 당사자가 위헌 법률 심판을 신청했으나 법원이 이를 받아들이지 않았을 때 당사자가 직접 법률의 위헌 확인을 구할 수 있는 재판이다.

(1) 위 글에서 설명하는 헌법 소원 심판의 종류 ㉠을 쓰시오.

(2) ㉡에 해당하는 헌법 소원 심판의 의미를 쓰시오.

정답과 해설 ▸ 11쪽

01 중요 그림은 우리나라의 법률 제 · 개정 절차를 간략하게 나타낸 것이다. (가)~(라)에 대한 설명으로 옳지 않은 것은?

(가)	→	(나)	→	(다)	→	(라)
법률안 제출		상임 위원회		법률안 의결		법률안 공포

① (가) – 국회의 소관 위원회에서도 법률안을 제출할 수 있다.
② (나) – 위원회에서 법률안을 발의하는 경우에는 해당 상임 위원회 회부는 생략된다.
③ (다) – 본회의에 상정된 법률안은 재적 의원 과반수의 찬성으로 의결된다.
④ (다) – 대통령은 의결된 법률안에 이의가 있을 경우 15일 이내에 국회로 환부하여 재의를 요구할 수 있다.
⑤ (라) – 공포된 법률안은 20일이 지나면 법률의 효력을 갖는다.

문제 접근 방법
법률 제 · 개정 절차에 대한 철저한 이해가 필요한 문제이다. 각 단계에 적용되는 구체적인 원칙들을 이해한다.

내신 전략
법률 제 · 개정 절차뿐만 아니라 헌법 개정 절차도 출제 가능성이 높다. 각 단계에 대한 세부적인 요건들을 자세히 정리하여 학습하도록 한다.

02 다음 자료에 대한 옳은 설명만을 |보기|에서 고른 것은?

〈단심제〉
㉠ 1심 법원

〈3심제〉
㉣ 3심 법원
↑
㉢ 2심 법원
↑
㉡ 1심 법원

|보기|
ㄱ. 대통령, 국회 의원, 광역 자치 단체장의 선거에 대한 재판은 ㉠에서 담당한다.
ㄴ. ㉡이 지방 법원 및 지원 합의부라면 ㉢은 고등 법원이다.
ㄷ. ㉢의 판결에 불복하여 ㉣에 재판을 청구하는 것을 항소라고 한다.
ㄹ. ㉣은 결정이나 명령에 대한 항고심을 담당한다.

① ㄱ, ㄴ　② ㄱ, ㄷ　③ ㄴ, ㄷ
④ ㄴ, ㄹ　⑤ ㄷ, ㄹ

문제 접근 방법
이 문제는 심급 제도에 대한 이해가 필요한 문제이다. 3심제와 3심제의 예외인 단심제와 2심제에 해당하는 재판의 종류를 구분한다.

내신 전략
3심제의 내용 및 단심제와 2심제에 해당하는 재판의 종류를 구분하여 정리하도록 한다.

심화 수능 유형 익히기

정답과 해설 ▸ 11쪽

2020학년도 9월 모의평가

01 우리나라 헌법 기관 A~D에 대한 설명으로 옳은 것은?

> 우리 헌법은 입법 기관인 A에 의한 기본권 침해를 예방 및 구제하기 위해 아래와 같은 제도적 장치를 마련하고 있다.
>
> • 의결된 법률안이 헌법을 위반하거나 기본권을 침해할 우려가 있을 경우 B가 일정 기간 내 재의를 요구할 수 있다.
> • 법률의 위헌 여부가 구체적 사건의 해결을 위한 선결 문제가 된 경우에 당해 사건을 담당하는 C의 제청으로 D가 해당 법률의 위헌 여부를 심판한다.

① A는 국가의 예산안을 심의·확정하고 결산을 검사한다.
② 행정부 내 최고 심의 기관의 모든 구성원은 A의 구성원 지위를 동시에 가질 수 있다.
③ B는 국가 원수의 지위에서 C와 D의 모든 구성원을 임명한다.
④ B는 사면, 감형 등을 명할 수 있는 권한을 행사하여 D를 견제할 수 있다.
⑤ A가 헌법상 입법 의무가 있는 사항에 관하여 입법을 하지 않아 기본권이 침해된 경우 A의 행위는 D의 심판 대상이 될 수 있다.

출제 개념
국가 기관의 권한, 상호 견제 수단

자료 해설
A는 입법 기관이므로 국회임을 알 수 있고, B는 의결된 법률안에 대해 재의를 요구할 수 있는 대통령이며, C는 위헌 법률 심판을 제청할 수 있는 법원, D는 위헌 법률 심판권을 가지고 있는 헌법 재판소이다.

해결 비법
우리나라는 헌법 기관 간에 상호 견제할 수 있는 권한을 부여하고 있다. 각 헌법 기관이 행사할 수 있는 권한이 무엇인지, 그리고 그러한 권한이 어떤 헌법 기관을 견제하기 위한 수단인지를 숙지해야 한다.

2020학년도 수능

02 다음 사례에 대한 법적 판단으로 옳지 않은 것은?

> 미결 수용자로 구치소에 있었던 갑은 구치소의 종교 행사에 참석하고 싶었으나 구치소장이 이를 금지하여 참석할 수 없었다. 갑은 종교의 자유 침해를 주장하면서 참석 불허 조치의 위헌 확인을 구하는 심판을 헌법 재판소에 청구하였다. 이에 대해 헌법 재판소는 이 조치는 시설의 안전과 질서 유지, 공범과 접촉 방지라는 목적을 달성하기 위한 적절한 방법이라고 할 수 있지만, 공범이 없는 경우는 물론이고 공범이 있더라도 다른 시간대에 각각 참석하도록 할 수 있으므로 필요 최소한의 조치였다고 보기 어렵다고 판단했다. 또한 이 조치로 얻어질 공익이 갑의 불이익보다 더 크다고 단정할 수 없다고 보아 인용 결정을 하였다.

① 갑은 권리 구제형 헌법 소원 심판을 청구하였다.
② 구치소장의 적극적인 공권력의 행사가 심판 대상이다.
③ 헌법 재판소는 구치소장의 종교 행사 참석 불허 조치는 적합한 수단이라고 판단하였다.
④ 헌법 재판소는 구치소장의 종교 행사 참석 불허 조치보다 침해가 작은 방법이 없었다고 판단하였다.
⑤ 위 결정에 대해 피청구인인 구치소장은 재항고할 수 없다.

출제 개념
헌법 재판소, 헌법 소원 심판

자료 해설
미결 수용자가 구치소장의 종교 행사 참석 불허 조치에 대해 위헌 확인을 구하는 심판은 공권력에 의해 국민의 기본권이 침해된 경우 침해된 기본권 구제를 청구하는 헌법 소원 심판으로, 권리 구제형 헌법 소원 심판에 해당한다. 이는 헌법 재판소에서 담당한다.

해결 비법
제시된 사례에 나타난 심판이 권리 구제형 헌법 소원 심판임을 파악해야 하는데, 이를 위해서는 헌법 재판소의 역할을 숙지해야 한다. 또한 헌법 재판소의 결정이 가지는 의미를 이해할 수 있어야 한다.

주제 3

지방 자치의 의의와 과제

주제 흐름 읽기

지방 자치		
	의미	지역의 주민이 지방 자치 단체를 구성해 자율적으로 지역의 사무를 처리하는 제도
	의의	지방 분권, 풀뿌리 민주주의
	개선할 점	• 적극적인 지방 분권 추진 • 지방 자치 단체의 자주적인 재정 운용 • 주민의 관심과 참여 확대

지방 자치 단체		
	구성	• 지방 의회: 의결 기관 • 지방 자치 단체의 장: 집행 기관
	구분	• 광역 자치 단체 • 기초 자치 단체
	사무	• 자치 사무 • 위임 사무
	자치권	자치 입법권, 자치 조직권, 자치 재정권

1 지방 자치의 의의

1. 지방 자치의 의미와 의의

(1) **의미** 일정한 지역의 주민이 지방 자치 단체를 구성하여 그 지역의 사무를 자율적으로 처리하는 제도

(2) **의의**

수평적 차원의 삼권 분립과 대비해서 수직적 차원의 권력 분립으로 이해되기도 해.

단체 자치의 측면	국가 또는 중앙 정부의 권력을 지방으로 분할하는 지방 분권을 의미
주민 자치의 측면	주민이 다양한 제도와 수단으로 직접 또는 간접적으로 지방 자치에 참여

지방 자치를 '민주주의의 학교', '풀뿌리 민주주의'라고 부르는 이유야.

2. 지방 자치 단체의 구성 자료 1

(1) **구성** 의결 기관❶인 지방 의회와 집행 기관인 지방 자치 단체의 장으로 구성

의회 의원과 자치 단체장은 주민의 지방 선거로 선출돼.

(2) **구분**

광역 자치 단체	특별시, 광역시, 특별자치시, 도, 특별자치도
기초 자치 단체	시, 군, 구(자치구)

2 지방 자치 단체의 역할과 권한

1. 지방 의회

(1) **성격** 주민의 대의 기관 — 지방 의원은 공익을 우선하며 양심에 따라 직무를 수행해야 해.

(2) **권한** 지방 자치 단체의 예산 심의·의결, 조례❷의 제·개정 및 폐지, 지방 자치 단체의 행정 사무 감사 등

2. 지방 자치 단체의 장

(1) **성격** 지방 자치 단체를 대표하고 행정 사무를 총괄하는 책임

(2) **권한** 소속 직원의 지휘·감독 및 임면❸, 지방 의회의 의결 사항 집행, 규칙 제정 등

3. 지방 자치 단체의 사무와 자치권 자료 2

(1) **지방 자치 단체의 사무** 자치 사무와 위임 사무❹로 구분, 국가의 주권적 사무를 제외한 대부분을 담당

(2) **지방 자치 단체의 자치권**

자치 입법권	조례 및 규칙을 제정할 수 있는 권한
자치 조직권	내부 조직을 재량으로 구성할 수 있는 권한
자치 재정권	필요한 재원을 자주적으로 조달하고 관리할 수 있는 권한

❶ **의결 기관**
단체의 의사를 결정하는 합의제 기관으로, 의결 기관의 의결은 집행 기관을 구속하고 집행 기관은 그 의결을 집행할 의무를 진다.

❷ **조례**

지방 자치법 제22조 지방 자치 단체는 법령의 범위 안에서 그 사무에 관하여 조례를 제정할 수 있다. ……

조례란 지방 자치 단체가 그 권한에 속하는 사무에 관하여 법령의 범위 내에서 지방 의회의 의결을 통해 제정하는 자치 규범이다.

❸ **지방 자치 단체장의 권한**

지방 자치법 제105조 지방 자치 단체의 장은 소속 직원을 지휘·감독하고 법령과 조례·규칙으로 정하는 바에 따라 그 임면·교육 훈련·복무·징계 등에 관한 사항을 처리한다.

지방 자치 단체의 장은 소속 직원을 관리 감독하고, 임명하거나 해임할 수 있는 임면권을 갖는다.

❹ **자치 사무와 위임 사무**
자치 사무는 지방 자치 단체가 자주적으로 결정하여 수행할 수 있는 사무로 주민의 복리에 관한 사무가 이에 속한다. 위임 사무는 국가 또는 다른 공공 단체로부터 위임받아 처리하는 사무를 의미한다.

자료 1 우리나라 지방 자치 단체의 종류

교과서 67쪽

중앙 정부						
	일반 자치					교육 자치
광역 자치 단체	특별시 (서울)	광역시 (부산, 대구, 인천, 광주, 대전, 울산)	특별자치시 (세종)	도 (경기, 강원, 충북, 충남, 전북, 전남, 경북, 경남)	특별자치도 (제주)	교육청
기초 자치 단체	자치구	자치구	–	시 · 군	–	–

자료 분석 우리나라의 지방 자치는 일반 자치와 교육 자치로 구분할 수 있다. 일반 자치는 면적이 넓거나 인구가 많은 지역의 자치 행정을 담당하는 광역 자치 단체와 광역 자치 단체에 비해 상대적으로 좁은 지역의 행정을 담당하는 기초 자치 단체로 구분된다. 이러한 광역 자치 단체에는 특별시 · 광역시 · 특별자치시 · 도 · 특별자치도가 있고, 기초 자치 단체는 자치구 · 시 · 군이 있다. 교육 자치는 교육 행정의 지방 분권을 통해 각 지방의 실정에 적합한 교육 정책을 실시하여 교육에 대한 주민의 참여 의식을 높이고, 교육의 자주성과 전문성, 정치적 중립성을 확보하기 위한 교육 제도로, 광역 자치 단체에 해당하는 교육청에서 행정을 담당한다.

자료 분석 포인트
우리나라의 지방 자치 단체를 구분해 보자.

Q1 빈칸에 들어갈 알맞은 말을 쓰시오.

특별시 · 광역시 · 특별자치시 · 도 · 특별자치도는 (   )에 해당한다.

자료 2 지역 사회의 새로운 문화를 창출하는 지방 자치 단체

교과서 68쪽

○○시는 열차 안 도서관인 '독서 바람 열차'를 개통하여 지역 주민들에게 독서 문화를 확산하고 있다.

전국 최대 규모 공 · 사립 도서관, 출판 사업 단지 등이 있는 ○○시는 지역의 특색을 살려 하루 3회 운행하는 열차 한 량의 내 · 외관을 도서관으로 꾸몄다. 열차 안 도서관 개관이 이색적이어서 호기심으로 책을 읽는 승객들이 늘어나고 있다. 매월 마지막 주 수요일 '문화가 있는 날'에는 유명 인사들을 초청한 북콘서트를 열어 독서 문화를 확산하고 있다.

또한 ○○시는 마을 공동체 협력 사업으로 독서 바람 열차와 연계하여 폐교를 활용한 '별난 독서 캠핑장'도 운영할 예정이다. 시 관계자는 "독서 캠핑장을 이용하고 각종 도서관 등을 관광하는 코스를 개발하여 대국민 독서 바람으로 확산하겠다."라고 밝혔다.

– 경기일보, 2017. 7. 10. –

자료 분석 지방 자치 단체는 단순히 행정 서비스만 제공하는 것이 아니라 정책 집행의 주체로서 다양한 창의적 아이디어를 바탕으로 한 정책을 실시하고 있다. 이는 새로운 문화 창출을 통해 지역 발전을 추구할 수 있다는 목표와 지방 자치 단체가 주민의 참여에 의한 정부라는 인식을 바탕으로 한다. 이처럼 지역의 특색을 담아 집행되는 지방 자치 단체의 다양한 정책은 문화적 다양성을 꽃피우고 새로움이 넘치는 사회를 만들 수 있다는 점에서 주목되고 있다.

자료 분석 포인트
지역 사회의 특징을 살려 문화를 창출하는 지방 자치 단체의 역할에 대해 조사해 보자.

Q2 다음 글에서 설명하는 사무의 종류를 쓰시오.

지방 자치 단체가 자주적으로 결정하여 수행할 수 있는 사무로, 주민의 복리에 관한 사무가 이에 해당한다.

답 Q1 광역 자치 단체 / Q2 자치 사무

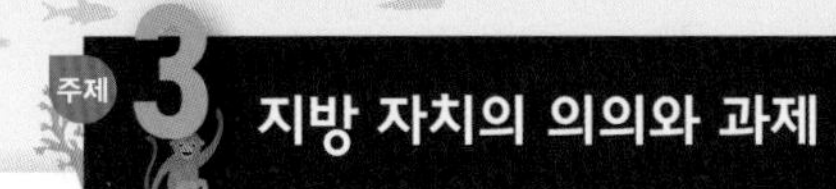

4. 중앙 정부와 지방 자치 단체 간의 관계

(1) **국가 기관과 중앙 정부의 지도와 감독** 지방 자치 단체는 국가 목적에 합당해야 하므로 입법부, 사법부, 행정부의 지도·감독을 받음 — 자치권을 위축·훼손하지 말아야 하고 지방 자치를 지원하는 방향으로 행사되어야 해.

(2) **지방 자치 단체의 지도와 감독** 광역 자치 단체는 소속 기초 자치 단체에 대해 지도·감독, 지방 의회는 해당 자치 단체의 사무에 대해 행정 사무 감사 실시

3 우리나라 지방 자치의 현실과 과제

1. 우리나라 지방 자치❶의 현실 자료 1

(1) **행정 자치 구현** 지방 자치 단체가 지역 여건과 주민의 선호를 반영한 다양한 정책 추진

(2) **주민 참여 제도 도입**

주민 투표	주민에게 중대한 영향을 미치는 주요 사항을 주민이 직접 투표로 결정하는 제도
주민 소환	선거로 선출된 지역 공직자의 직무 수행에 심각한 문제가 있을 때 주민이 투표로 해임할 수 있는 제도
조례 제정 및 개·폐 청구	주민이 정해진 요건을 갖춰 지방 자치 단체장에게 조례의 제정, 개정 및 폐지를 청구하는 제도
주민 참여 예산제	지방 자치 단체의 예산 편성 과정에 주민이 직접 참여하는 제도

(3) **민주주의 발전에 이바지** 다양한 주민 참여 제도를 통해 주민의 자치 의식과 참여 향상

2. 우리나라 지방 자치의 개선할 점 자료 2

(1) **적극적인 지방 분권❷ 추진**

① 지방 자치 단체에 대한 중앙 정부의 행정적·재정적 권한 분할이 미진함 — 중앙 정부의 잦은 지도 감독과 감사로 자치권 행사에도 제약이 있어.

② 지방 자치 단체가 자주적으로 사무를 처리할 수 있도록 중앙 정부의 권한 분할 및 사무 이양이 필요함

(2) **지방 자치 단체의 자주적인 재정 운용**

① 재정 자립도❸가 낮은 지방 자치 단체는 중앙 정부의 재정에 대한 의존도가 높음

② 자치 단체 간 재정 자립도의 격차로 인해 지역별 주민 복리 수준이 불균형함

(3) **주민의 관심과 참여 확대**

① 지방 선거 투표율이 상대적으로 낮음

② 기피 시설이나 선호 시설 유치 과정에서 지역 주민들 간, 지방 자치 단체 간 갈등 발생

3. 지방 자치 발전을 위한 노력

(1) **중앙 정부의 노력** 지방 자치가 국가 발전의 바탕이라는 인식을 가지고 지방 자치 단체의 사무 권한 확대 및 자주적인 재정 확보·운용 제도 마련

(2) **지방 자치 단체의 노력** — 지방 자치 단체 간의 재정 격차를 완화할 수 있도록 재정을 조정하는 제도를 마련할 필요가 있어.

① 지방 의회: 자치 입법이나 집행 기관을 견제하는 의정 활동의 전문성 제고

② 지방 자치 단체의 장: 건전한 재정 운영과 민주적이고 책임 있는 행정 및 정책 시행

(3) **지역 주민의 노력** 주권 의식과 공동체 의식을 바탕으로 능동적이고 책임 있는 참여, 선거에 참여해 역량과 자질을 갖춘 대표 선출

❶ 우리나라 지방 자치의 발전 과정

1948년	헌법 제정을 통해 지방 자치에 관한 규정 마련
1952년	지방 의회 구성
1961년	5·16 군사 정변으로 지방 의회 해산
1988년	지방 자치법 통과
1991년	기초 자치 단체 및 광역 자치 단체의 의회 의원 선거 실시
1995년	지방 자치 단체의 장 선거 실시

❷ 적극적인 지방 분권
2018년 지방 자치 분권 및 지방 행정 체제 개편을 추진하기 위하여 대통령 소속으로 자치 분권 위원회가 설치되었다. 이 기구는 자치 분권 종합 계획 및 연도별 시행 계획 수립에 관한 사항 등을 심의·의결한다.

❸ 재정 자립도
지방 자치 단체가 필요한 자금을 자체적으로 조달하고 있는 정도를 나타내는 지표이다.

자료 1 우리 주변의 지방 자치

교과서 66쪽

▲ 주민 참여 예산 사업 결정을 위한 주민 총회 실시

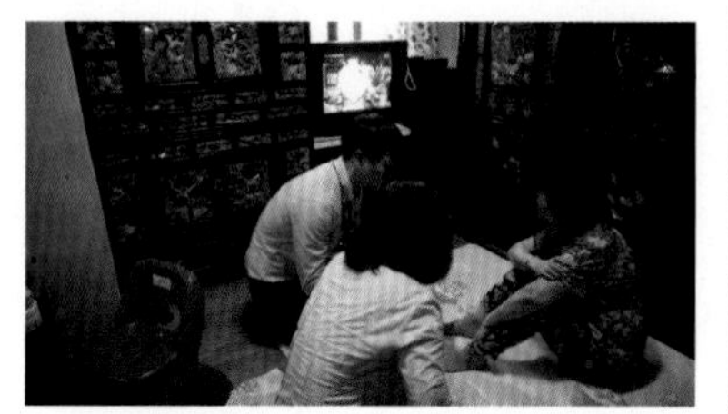

▲ '찾아가는 동 주민 센터'를 통한 복지 서비스 제공

자료 분석 주민 참여 예산제는 지방 자치 단체가 독점적으로 행사해 왔던 예산 편성권을 지역 주민들이 함께 행사하는 제도로 '시민 참여 예산제'라고도 한다. 이는 관료 및 지방 자치 단체가 주도한 예산 편성 방식의 한계를 극복하여 예산 편성의 투명성과 민주성을 확보하고 참여 민주주의 이념을 구현하는 제도이다. 또한 지방 자치 단체는 지역 상황에 맞는 복지 서비스를 제공하고 있다. 이러한 맞춤형 복지 실현은 주민들의 복지 체감도를 높이고 소외받는 이웃이 없도록 복지 사각지대를 해소할 수 있는 장점이 있다.

자료 분석 포인트

중앙 정부와 지방 자치 단체 활동의 공통점과 차이점을 비교해 보자.

Q1 다음에서 설명하는 제도의 명칭은?

> 지방 재정 운영의 투명성과 재원 배분의 공정성 제고를 위하여 예산 편성 과정에 주민이 직접 참여하고 주민의 의견을 수렴, 반영하는 제도이다.

① 주민 소환 제도
② 주민 제안 제도
③ 주민 참여 예산 제도
④ 찾아가는 동 주민 센터
⑤ 조례 제정 및 개·폐 청구 제도

자료 2 우리나라 지방 자치의 현실과 문제점

교과서 70쪽

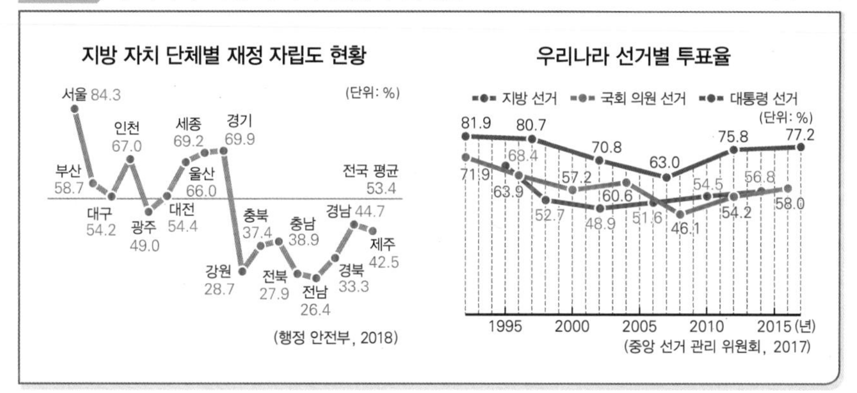

자료 분석 지방 재정 자립도란 지방 자치 단체가 각 재정 활동에 필요한 자금을 어느 정도나 자체적으로 조달하고 있는지를 나타내는 지표이다. 우리나라 지방 자치 단체의 전체 재정 자립도는 53.4%로, 서울 등 대도시를 제외하고는 매우 낮은 편이다. 지방 자치 제도의 원활한 시행을 위해서는 재정 자립이 우선되어야 한다는 점에서 재정 자립도를 높이기 위해 각 지방 자치 단체는 다양한 노력을 하고 있다. 우리나라는 1948년 헌법을 제정하며 지방 자치에 관한 규정을 두었으나 1972년 유신 헌법에서 지방 의회 구성을 유예하며 지방 자치 제도는 명목상으로만 존재했다. 하지만 1991년에 지방 의회 의원 선거를 실시하며 지방 자치가 부활했고, 1995년부터는 지방 자치 단체의 장까지 선출하며 본격적으로 지방 자치제가 실시되었다. 하지만 지방 선거는 전반적으로 낮은 참여율을 보이고 있는데, 이는 지방 자치 제도의 근간을 흔들 수도 있다는 점에서 지역 주민들의 관심과 적극적인 투표 참여가 요구된다.

자료 분석 포인트

우리나라의 지방 자치 제도가 개선해야 할 점을 정리해 보자.

Q2 빈칸에 들어갈 알맞은 말을 쓰시오.

> (　　　)은/는 지방 자치 단체가 지방 행정 운영에 필요한 예산을 얼마나 자체적으로 조달하고 있는지를 나타내는 지표이다.

답 Q1 ③ / Q2 재정 자립도

개념 익히기

정답과 해설 ▸ 11쪽

01 다음 빈칸에 들어갈 알맞은 말을 쓰시오.

(1) 단체 자치의 측면에서 지방 자치란 중앙 정부의 권력을 지방 자치 단체로 분할하는 (   )을/를 의미한다.

(2) 지방 자치 단체는 조례 및 규칙을 제정할 수 있는 권한인 (   )을/를 갖는다.

(3) 국회는 광역 자치 단체의 국가 위임 사무에 대해 (   )을/를 실시할 수 있다.

(4) 주민 참여 제도를 통해 지역 이기주의가 아닌 공동의 이익을 추구하는 (   )을/를 함양해야 한다.

02 다음 괄호 안에 들어갈 알맞은 말에 ○표 하시오.

(1) 지방 자치 단체의 사무 중 주민의 복리에 관한 사무는 (위임 사무 / 자치 사무)에 속한다.

(2) 지방 의회는 (조례 / 명령)을/를 제·개정 및 폐지할 수 있는 권한이 있다.

(3) 선출된 지역 공직자의 직무 수행에 심각한 문제가 있을 때 주민들은 (주민 투표 / 주민 소환)을/를 통해 해임할 수 있다.

03 다음 설명이 옳으면 ○, 틀리면 ×표 하시오.

(1) 지방 자치 단체는 지방 자치의 의결 기관인 지방 의회와 집행 기관인 지방 자치 단체의 장으로 구성된다. (   )

(2) 지방 자치 단체는 운영에 필요한 재원을 자주적으로 조달하고 관리하는 자치 조직권을 갖는다. (   )

(3) 중앙 정부의 지방 자치 단체에 대한 지도와 감독은 통제를 목적으로 실시되어야 한다. (   )

(4) 우리나라의 지방 선거 투표율은 대통령 선거 투표율보다 상대적으로 낮은 편이다. (   )

04 다음 글이 설명하는 용어를 쓰시오.

> 자치 입법권에 따라 지방 의회에서 의결하고 지방 자치 단체의 장이 공포하는 자치 법규이다.

05 지방 자치 단체가 갖는 권한을 알맞게 연결하시오.

(1) 자치 조직권 •	• ㉠ 조례 및 규칙을 제정하는 권한
(2) 자치 입법권 •	• ㉡ 내부 조직을 재량으로 구성하는 권한
(3) 자치 재정권 •	• ㉢ 운영에 필요한 재원을 자주적으로 조달하고 관리하는 권한

06 다음 빈칸에 공통으로 들어갈 알맞은 말을 쓰시오.

> (   )은/는 지방 자치 단체가 필요한 자금을 자체적으로 조달하고 있는 정도를 나타내는 지표로, (   )이/가 낮은 지방 자치 단체는 중앙 정부의 재정에 대한 의존이 심화되어 자주적으로 재정을 운용할 수 없는 문제점이 있다.

내신 유형 익히기

정답과 해설 ▸ 11쪽

01 다음은 지방 자치의 의의에 대한 설명이다. 빈칸 ㉠, ㉡에 각각 들어갈 말을 고른 것은?

> 지방 자치란 주민이 스스로 지역의 사무를 처리하는 과정이며, 여기에는 일정한 지역을 단위로 자치 단체가 설립되어 지방 정부로서의 역할을 한다. (㉠)의 측면에서 지방 자치는 국가 또는 중앙 정부의 권력을 지방으로 분할하는 것을 의미하며, (㉡)의 측면에서는 주민이 다양한 제도와 수단을 통해 직접 또는 간접적으로 지방 자치에 참여하는 기회를 보장하는 것을 의미한다.

	㉠	㉡
①	단체 자치	국민 자치
②	단체 자치	주민 자치
③	주민 자치	지역 자치
④	주민 자치	단체 자치
⑤	지역 자치	주민 자치

02 다음 교사의 질문에 옳은 대답을 한 학생을 고른 것은?

> 교사: 우리나라의 지방 자치 단체의 종류에 대해 이야기해 볼까요?
> 갑: 일반 자치와 교육 자치로 구분할 수 있어요.
> 을: 특별시, 광역시, 특별자치시, 도, 자치구는 광역 자치 단체에 해당해요.
> 병: 교육 자치를 담당하는 교육청은 광역 자치 단체에 해당해요.
> 정: 우리나라에는 두 곳의 특별자치시가 있어요.

① 갑, 을 ② 갑, 병 ③ 을, 병
④ 을, 정 ⑤ 병, 정

03 중요 다음 편지의 갑이 행사할 수 있는 권한에 해당하지 않는 것은?

> 안녕하세요. 이번 지방 선거에서 ○○시장으로 당선된 갑입니다. 저는 지난 네 차례의 지방 선거에서 고배를 마셨지만 포기하지 않았습니다. 주민 여러분의 지지를 받아 당선될 수 있었던 만큼 ○○시 주민의 행복한 삶을 위해 최선을 다해 일하겠습니다. 감사합니다.
>
> 2018. 6. 갑 올림

① 조례의 제정 및 개정
② 소속 직원의 지휘·감독
③ 지방 의회의 의결 사항 집행
④ 지방 자치 단체의 규칙 제정
⑤ 지방 자치 단체의 행정 사무 총괄

04 다음 글에 나타난 A시의 사무와 자치권에 대한 옳은 설명만을 |보기|에서 고른 것은?

> A시는 시민들의 복지 증진과 관광 자원 마련을 위해 박물관을 건축하기로 결정하고, 의회와 관련 조례 제정을 위한 논의에 착수하였다. 박물관 건축에 필요한 예산은 중앙 정부의 지원과 더불어 자체적으로 A시 예산에서 조달하는 계획을 수립하였다.

|보기|
ㄱ. 박물관 건축 결정은 자치 사무에 해당한다.
ㄴ. 예산을 조달하고 관리하는 권한은 자치 재정권이다.
ㄷ. 박물관 운영 조례를 제정하는 권한은 자치 조직권이다.
ㄹ. 중앙 정부의 예산 지원을 받는 것은 위임 사무에 해당한다.

① ㄱ, ㄴ ② ㄱ, ㄷ ③ ㄴ, ㄷ
④ ㄴ, ㄹ ⑤ ㄷ, ㄹ

05 중요 다음은 지방 자치 단체의 자치권을 질문에 따라 구분한 것이다. A~C에 해당하는 권한을 바르게 고른 것은? (단, A~C는 각각 자치 입법권, 자치 조직권, 자치 재정권 중 하나이다.)

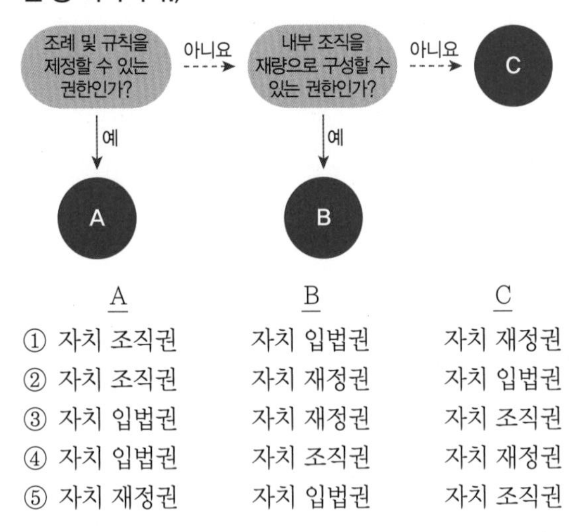

	A	B	C
①	자치 조직권	자치 입법권	자치 재정권
②	자치 조직권	자치 재정권	자치 입법권
③	자치 입법권	자치 재정권	자치 조직권
④	자치 입법권	자치 조직권	자치 재정권
⑤	자치 재정권	자치 입법권	자치 조직권

06 다음 기사의 밑줄 친 ㉠에 대한 옳은 설명만을 |보기|에서 있는 대로 고른 것은?

> ㉠ <u>○○광역시</u>에 대한 국정 감사에서 ○○광역시가 국가 예산을 지원받아 벌인 사업의 결과가 논란이 되었다. 사업이 방만하게 운영되어 예산이 낭비되었다는 국회 의원들의 지적에 ○○광역시 시장인 갑은 문제 될 것이 없다고 밝혔다.

|보기|
ㄱ. ㉠은 국정 감사를 통해 행정부의 지도·감독을 받는다.
ㄴ. ㉠은 소속 기초 자치 단체에 대한 지도·감독권을 가진다.
ㄷ. ㉠의 위임 사무에 대해서는 중앙 정부 주무 부처의 지도·감독을 받는다.
ㄹ. ㉠의 장인 갑은 규칙을 제정할 수 있는 권한을 가진다.

① ㄱ, ㄷ　② ㄱ, ㄹ　③ ㄴ, ㄷ
④ ㄱ, ㄴ, ㄹ　⑤ ㄴ, ㄷ, ㄹ

07 다음 사례에 대한 옳은 설명만을 |보기|에서 고른 것은?

> (가) A시는 예산 편성 과정에 주민이 직접 참여하는 제도를 운영하고 있다.
> (나) B시의 주민들은 시 행정을 졸속으로 운영한 시장을 투표로써 해임하고자 한다.
> (다) C시의 주민들은 기피 시설 건립에 대해 직접 투표로 결정할 수 있는 제도를 활용하고자 한다.

|보기|
ㄱ. (가)는 주민 참여 예산 제도이다.
ㄴ. (나)는 선출직 공직자에 대해서만 가능하다.
ㄷ. (다)는 주민 소환 제도이다.
ㄹ. (나)와 달리 (가), (다)는 주민 참여 제도에 해당한다.

① ㄱ, ㄴ　② ㄱ, ㄷ　③ ㄴ, ㄷ
④ ㄴ, ㄹ　⑤ ㄷ, ㄹ

08 다음 글에서 강조하는 내용으로 옳은 것은?

> 국가 발전의 중심축이 중앙에서 지방으로 이동하고 있는 상황에서 중앙 정부는 지방 정부의 역할을 수용하고 지방 정부 간 갈등을 조정하는 역할을 담당해야 한다. 한편, 지방 정부는 지역의 문제를 자율적으로 해결하는 역할을 담당하여 진정한 자치를 실현하는 방식으로 양자 간 협력 관계를 구축해야 할 필요가 있다.

① 지방 정부의 전문성 제고가 필요하다.
② 지역 주민의 적극적인 참여와 관심이 필요하다.
③ 국가 발전을 위해서는 중앙 정부의 역할이 더욱 중요하다.
④ 중앙 정부와 지방 정부의 사무를 합리적으로 배분해야 한다.
⑤ 지방 정부의 발전을 위해 보다 적극적인 중앙 정부의 재정 지원이 필요하다.

서술형 문제

09 다음 글을 읽고 물음에 답하시오.

> 지방 자치는 (㉠)와/과 (㉡)(이)라는 두 가지 측면을 지니고 있다. 그중 (㉡)은/는 주민이 다양한 제도와 수단으로 직접 또는 간접적으로 지방 자치에 참여할 수 있는 기회를 보장하는 것을 의미한다.

(1) 빈칸 ㉠, ㉡에 각각 들어갈 용어가 무엇인지 쓰시오.

(2) ㉠의 측면에서 지방 자치의 의미를 서술하시오.

서술형 문제

10 다음 기사의 밑줄 친 'A시 의회'가 행사할 수 있는 권한을 세 가지 쓰시오.

> A시 의회 의원들은 지난 금요일, A시 관내 주요 공공 시설물과 주요 정책 사업의 현장을 방문하였다. 방문을 마친 의원들은 A시 의회의 권한을 올바르게 행사해 A시가 안전하고 행복한 도시가 될 수 있도록 만들겠다고 약속했다.

서술형 문제

11 다음 글을 읽고 물음에 답하시오.

> 1995년부터 실질적인 지방 자치 제도가 실시되었지만 지금도 개선의 목소리는 여전하다. 가장 시급한 문제는 지방 자치 단체의 재정이 부족하다는 점이다. 서울과 수도권 등 대도시를 제외하면 (㉠)이/가 50%를 넘지 못하는 등 지방 정부의 재정적인 어려움이 현재의 지방 자치 제도를 어둡게 하고 있다고 해도 과언이 아니다.

(1) 빈칸 ㉠에 들어갈 용어가 무엇인지 쓰시오.

(2) ㉠의 의미를 서술하시오.

서술형 문제

12 다음 글에 나타난 변화에 따라 우리나라 지방 자치 제도가 해결해야 할 과제를 쓰시오.

> 지방 자치 제도의 실시에 따라 중앙 정부에서 정책을 결정해 지시하면 지방 정부에서는 단순히 집행만 담당하던 주인과 대리인의 관계에서 중앙 정부와 지방 정부가 상호 의존하는 관계로 바뀌었다.

01 그림에 대한 옳은 설명만을 |보기|에서 고른 것은? (단, A와 B는 각각 지방 의회와 지방 자치 단체의 장 중 하나이다.)

중요

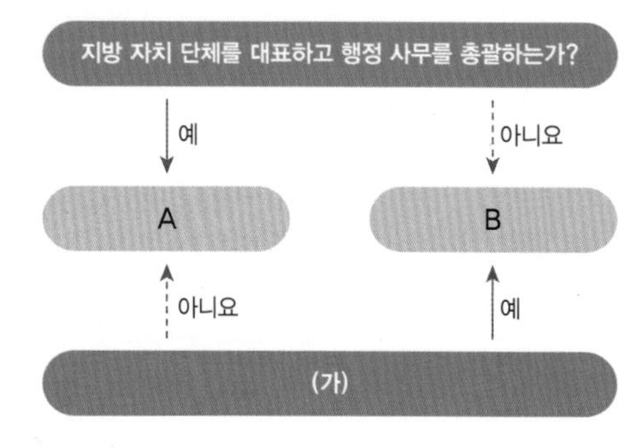

보기

ㄱ. A에는 '지방 자치 단체의 장'이 들어갈 수 있다.
ㄴ. B는 소속 직원을 임면하는 권한을 가진다.
ㄷ. A는 B에서 의결한 사항을 집행한다.
ㄹ. (가)에는 '규칙을 제정할 수 있는 권한을 가지는가?'가 들어갈 수 있다.

① ㄱ, ㄴ　② ㄱ, ㄷ　③ ㄴ, ㄷ
④ ㄴ, ㄹ　⑤ ㄷ, ㄹ

문제 접근 방법
이 문제를 해결하기 위해서는 지방 의회와 지방 자치 단체장의 역할에 대한 이해를 바탕으로 주어진 자료를 분석할 수 있어야 한다.

내신 전략
지방 의회와 지방 자치 단체장의 역할과 권한을 구분하여 이해하도록 한다.

02 다음 인터넷 게시판의 질문에 옳은 댓글을 단 사람만을 있는 대로 고른 것은?

질문: 중앙 정부와 지방 자치 단체 간의 관계에 대해 설명해 주세요.

답변
갑: 지방 자치는 법률의 규율을 따른다는 점에서 입법부인 국회의 규제를 받습니다.
을: 지방 자치 단체의 자치 사무에 대해서는 법무부의 지도·감독을 받아요.
병: 국회는 광역 자치 단체의 국가 예산 지원 사업에 대해 국정 감사를 할 수 있습니다.
정: 지방 자치 단체는 사법부와는 직접적인 관련이 없으므로 사법부의 통제는 받지 않습니다.

① 갑, 병　② 갑, 정　③ 을, 병
④ 갑, 을, 정　⑤ 을, 병, 정

문제 접근 방법
이 문제는 중앙 정부와 지방 자치 단체의 관계를 파악하고 있는지를 묻는 문제이다. 국가 기관과 중앙 정부가 지방 정부를 지도·감독할 수 있는 각각의 제도를 파악한다.

내신 전략
지방 자치 단체와 국가 기관 및 중앙 정부와의 관계뿐만 아니라 지방 자치 단체 간에 지도·감독할 수 있는 제도적 장치에 대해서도 정리하도록 한다.

정답과 해설 ▸ 12쪽

01 다음 글에 나타난 갑~병에 대한 설명으로 옳지 않은 것은?

> 갑은 A광역시의 장으로서 지역의 발전을 위해 주민들의 목소리를 듣고 문제점을 개선하기 위해 노력하고 있다. 갑은 A광역시 의회 의원인 을과 함께 민심을 파악하기 위해 함께 A광역시에 속해 있는 B시를 방문했다. 그 과정에서 B시의 시장인 병으로부터 B시에 들어서는 생활 쓰레기 소각장으로 인해 지역 주민 간의 갈등이 매우 크다는 이야기를 듣고 이를 해결할 수 있는 방법을 고민하고 있다.

① 갑은 규칙을 제정할 수 있는 권한이 있다.
② 을이 속한 의회는 광역 의회에 해당한다.
③ 병은 B시 의회의 의결 사항을 집행한다.
④ 갑과 달리 병은 규칙을 제정할 수 있는 권한이 없다.
⑤ 병과 달리 을은 A광역시 조례 제정 과정에 참여할 수 있다.

출제 개념
지방 자치 단체의 역할과 권한

자료 해설
갑은 광역 자치 단체의 장, 을은 광역 의회 의원, 병은 기초 자치 단체의 장으로 각각의 고유한 권한이 있다.

해결 비법
기초 자치 단체와 광역 자치 단체의 특징을 구분하고, 지방 의회와 지방 자치 단체의 장의 역할과 권한을 각각 파악하고 있어야 한다.

02 다음은 주민 참여 제도를 비교하기 위한 그림이다. (가)~(다)에 들어갈 적절한 질문을 |보기|에서 고른 것은?

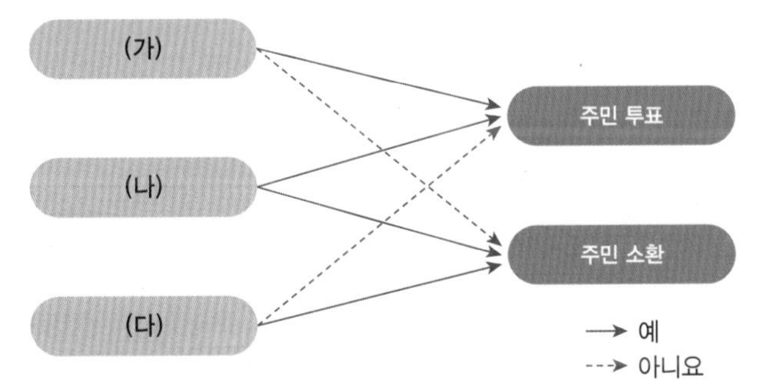

보기

ㄱ. 현재 우리나라에서 주민의 권리로서 보장되고 있는 제도인가?
ㄴ. 기초 자치 단체와 달리 광역 자치 단체에서만 실시할 수 있는 제도인가?
ㄷ. 주민 생활에 중대한 영향을 미치는 사항을 직접 투표로 결정하는 제도인가?
ㄹ. 선출직 공직자의 직무 수행에 문제가 있는 경우 주민이 투표로 해임을 요구하는 제도인가?

	(가)	(나)	(다)
①	ㄱ	ㄴ	ㄷ
②	ㄴ	ㄱ	ㄷ
③	ㄴ	ㄷ	ㄱ
④	ㄷ	ㄱ	ㄹ
⑤	ㄷ	ㄴ	ㄹ

출제 개념
주민 참여 제도의 종류와 의미

자료 해설
(가)에는 '주민 투표'가 답인 질문이, (다)에는 '주민 소환'이 답인 질문이 들어갈 수 있다. (나)에는 주민 투표와 주민 소환 모두에 해당하는 질문이 들어갈 수 있다.

해결 비법
주민 참여 제도의 종류와 각 제도의 의미에 대한 정리가 필요하다. 주민 투표와 주민 소환뿐만 아니라 조례의 제정 및 개·폐 청구, 주민 참여 예산제 등도 알아 두어야 한다.

대단원 2 마무리하기

핵심 개념 정리하기

1 민주 국가와 정부 형태

1 대통령제와 의원 내각제

(1) 대통령제

정부 구성	• 입법부는 국민의 직접 선거로 구성 • 행정부는 국민의 직접 선거로 선출된 대통령이 구성
특징	• 의회와 행정부의 엄격한 권력 분립 • 의원의 각료 겸직 불가능 • 대통령의 법률안 거부권 인정
장점	• 의회 다수당의 횡포 견제 가능 • 대통령의 임기 동안 정국 안정
단점	• 대통령의 강한 권한으로 독재 발생 우려 • 입법부와 행정부 대립 시 혼란 우려

(2) 의원 내각제

정부 구성	• 입법부는 국민의 직접 선거로 구성 • 내각은 일반적으로 의회 다수당의 대표가 총리가 되어 구성
특징	• 의회와 행정부의 권력 융합 • 의원의 각료 겸직 가능 • 의회의 내각 불신임권, 내각의 의회 해산권 인정
장점	• 정치적 책임에 민감 • 의회와 내각 협조 시 효율적인 국정 운영 가능
단점	• 내각의 임기가 보장되지 않으므로 국정 운영의 안정성 저해 • 연립 내각 구성 시 국정 불안정 우려

2 우리나라의 정부 형태

(1) **특징** 대통령제를 기본으로 하여 의원 내각제적 요소를 일부 도입

(2) **우리나라 정부 형태의 의원 내각제적 요소** 행정부의 법률안 제출권, 국무총리제, 국회 의원의 국무총리 및 국무 위원 겸직 가능, 국회의 국무총리 및 국무 위원 해임 건의권 등

2 국가 기관의 역할과 상호 관계

1 국회

(1) **국회의 위상** 국민의 대표 기관, 입법 기관, 국정 통제 기관

(2) **국회의 구성과 운영** 지역구 의원과 비례 대표 의원으로 구성, 정기회와 임시회 운영

(3) **국회의 역할**

입법에 관한 역할	헌법 개정 및 법률 제·개정, 조약 체결·비준에 대한 동의
일반 국정에 관한 역할	국정 감시 및 통제, 국가 기관 구성
재정에 관한 역할	행정부의 예산안 심의·확정, 결산 심사권 등

2 대통령

(1) **선출** 국민의 직접 선거로 선출되며 5년 단임제

(2) **지위 및 권한**

행정부 수반	행정부 조직 구성 및 지휘·감독권, 공무원 임면권, 국무 회의 주재, 대통령령 발포권 등
국가 원수	조약 체결 및 비준권, 외교 사절 신임·접수·파견권, 선전 포고 및 강화권, 대법원장 및 대법관·감사원장·헌법 재판소장 등의 임명권 등

3 행정부

(1) **역할** 법률 집행, 국가 목적과 공익을 실현하기 위해 정책 수립·시행

(2) **주요 기구** 국무총리, 국무 회의, 행정 각부, 감사원

4 사법부

(1) **사법의 의미** 법을 해석·적용하여 옳고 그름이나 권리관계를 확정하는 것

(2) **사법권의 독립** 법원의 독립, 법관의 독립을 규정하여 공정한 재판을 통해 국민의 기본권을 보장함

5 헌법 재판소

(1) **의의** 기본권 보장 기관이자 헌법 수호 기관

(2) **역할** 위헌 법률 심판, 헌법 소원 심판, 탄핵 심판, 정당 해산 심판, 권한 쟁의 심판

3 지방 자치의 의의와 과제

1 지방 자치

(1) **지방 자치의 의미** 지역의 주민이 지방 자치 단체를 구성해 그 지역의 사무를 자율적으로 처리하는 제도

(2) **지방 자치 단체의 구성과 역할**

지방 의회	의결 기관, 주민의 대의 기관, 조례 제·개정
지방 자치 단체의 장	집행 기관, 지방 자치 단체를 대표하고 행정 사무를 총괄, 규칙 제정

(3) **지방 자치 단체의 사무** 자치 사무와 위임 사무

(4) **지방 자치 단체의 자치권**

자치 입법권	조례 및 규칙을 제정할 수 있는 권한
자치 조직권	내부 조직을 재량으로 구성할 수 있는 권한
자치 재정권	재원을 자주적으로 조달·관리할 수 있는 권한

(5) **중앙 정부와 지방 자치 단체 간의 관계** 국가 기관과 중앙 정부는 지방 자치를 지원하는 방향으로 지방 정부를 지도하고 감독함

2 우리나라 지방 자치의 개선할 점과 나아가야 할 방향

(1) **개선할 점** 적극적인 지방 분권 추진 필요, 재정 자립도 제고, 주민의 관심과 참여 확대

(2) **나아가야 할 방향** 중앙 정부, 지방 자치 단체, 지역 주민의 노력이 필요함

핵심 개념 적용하기

●●●

01 그림은 전형적인 정부 형태를 분류한 것이다. A, B에 알맞은 특성을 바르게 짝지은 것은? (단, 정부 형태는 대통령제와 의원 내각제 중 하나이다.)

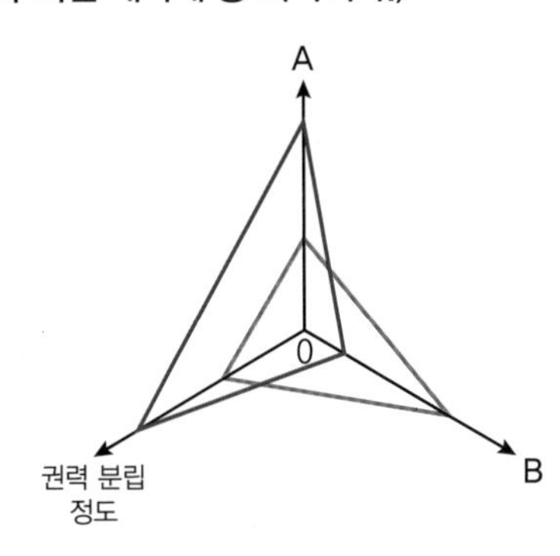

	A	B
①	다수당의 횡포 가능성	정치적 책임의 민감도
②	정치적 책임의 민감도	행정부 수반의 교체 가능성
③	행정부 수반의 독재 가능성	정치적 책임의 민감도
④	행정부 수반의 독재 가능성	행정부 수반의 임기 보장 가능성
⑤	행정부 수반의 교체 가능성	다수당의 횡포 가능성

●○○

02 (가)~(라)는 우리나라 정부 형태의 변화 과정이다. 이를 순서대로 나열한 것은?

(가) 간접 선거로 선출하는 7년 단임의 대통령제를 채택했다.
(나) 의원 내각제를 채택하고, 대통령을 국회에서 간접 선출했다.
(다) 국민들의 적극적인 요구로 대통령의 임기를 5년 단임으로 했으며 국민이 직접 선출했다.
(라) 대통령의 권한이 확대된 강력한 대통령제를 채택하고, 대통령을 통일 주체 국민 회의에서 간접 선출했다.

① (가)-(나)-(다)-(라) ② (가)-(나)-(라)-(다)
③ (나)-(라)-(가)-(다) ④ (다)-(가)-(라)-(나)
⑤ (라)-(다)-(가)-(나)

●○○

03 우리나라의 ㉠에 해당하는 기관에 대한 설명으로 옳지 않은 것은?

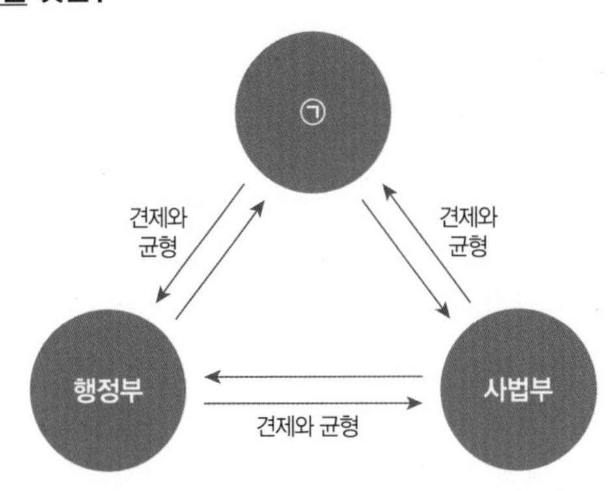

① 지역구 의원과 비례 대표 의원으로 구성된다.
② 정기적으로 국정 전반에 대한 국정 감사를 실시한다.
③ 국가의 세입 및 세출에 대한 결산 검사를 할 수 있다.
④ 본회의는 재적 의원 5분의 1 이상의 출석으로 개회한다.
⑤ 효율적인 의사 진행을 위해 위원회와 교섭 단체를 운영한다.

●●○

04 다음은 대통령의 지위와 역할에 대한 수업 장면이다. 밑줄 친 ㉠에 대한 신문 기사를 바르게 조사한 사람은?

교사: 대통령은 국가 원수로서의 권한과 ㉠ 행정부 수반으로서의 권한을 가지고 있어요. 이에 대한 신문 기사를 각각 조사해 봅시다.
갑: "대통령, 국가 내란 위기로 계엄 선포"
을: "대통령, 외교부 장관에게 임명장 수여"
병: "대통령, 신임 대법원장에게 임명장 수여"
정: "대통령, 영토 무력 점거 시도한 국가에 선전 포고"
무: "대통령, 긴급 사안 해결 위해 국회 임시회 소집 요구"

① 갑 ② 을 ③ 병
④ 정 ⑤ 무

정답과 해설 ▸ 13쪽

05 밑줄 친 ㉠~㉣에 대한 옳은 설명만을 |보기|에서 고른 것은?

> 갑은 도로 교통법 ○○조 위반으로 기소되어 ㉠ 지방 법원의 재판에서 3년의 징역형을 선고받았다. 갑은 1심 결과에 불복하여 ㉡ 고등 법원에서 재판을 받던 중, 해당 법률 조항에 대한 ㉢ 위헌 법률 심판 제청 신청을 하였으나 기각되었다. 이에 갑은 헌법에 위배되는 법률에 따른 재판으로 기본권이 침해당하고 있다며 ㉣ 헌법 소원 심판 청구를 준비하고 있다.

|보기|
ㄱ. ㉠에서는 단독 판사에 의한 재판만 개시된다.
ㄴ. ㉡에서는 상고심이나 재항고심을 담당한다.
ㄷ. ㉢은 법원만 청구할 수 있다.
ㄹ. ㉣을 위해서는 법률에 정해진 모든 구제 절차를 거쳐야 한다.

① ㄱ, ㄴ ② ㄱ, ㄷ ③ ㄴ, ㄷ
④ ㄴ, ㄹ ⑤ ㄷ, ㄹ

06 표는 헌법 재판의 청구 요건을 나타낸 것이다. (가)~(마)에 대한 설명으로 옳은 것은?

종류	청구 요건
(가)	법률이 헌법에 위반되는지의 여부가 재판의 전제가 될 때
(나)	대통령 등 공무원이 직무 집행에 있어서 헌법이나 법률을 위반한 때
(다)	공권력의 행사나 불행사로 기본권이 침해되었을 때
(라)	정당의 목적이나 활동이 민주적 기본 질서에 위배될 때
(마)	법원에 신청한 위헌 법률 심판 제청이 기각되었을 때

① (가)는 위헌 법률 심판으로, 일반 국민도 제청할 수 있다.
② (나)는 탄핵 심판으로, 국회의 소추가 필요하다.
③ (다)는 위헌 심사형 헌법 소원 심판으로, 일반 국민도 청구할 수 있다.
④ (라)는 정당 해산 심판으로, 법원이 제청할 수 있다.
⑤ (마)는 권리 구제형 헌법 소원 심판으로, 재판의 당사자가 청구할 수 있다.

07 밑줄 친 ㉠, ㉡에 대한 옳은 설명만을 |보기|에서 고른 것은?

> ㉠ ○○시장은 최근 언론과의 인터뷰를 통해 "미세먼지, 일자리, 주차장 부족 등 현장에 귀 기울이는 것이 시장의 일상이 되도록 하겠다."라며, 지역 사회의 문제를 해결하기 위해 ㉡ ○○시 의회의 적극적인 협조를 이끌어 낼 수 있도록 노력하겠다고 밝혔다.

|보기|
ㄱ. ㉠은 집행 기관이다.
ㄴ. ㉠은 주민 소환에 의해 해임될 수 없다.
ㄷ. ㉡은 지방 자치 단체의 행정 사무 감사를 할 수 있다.
ㄹ. ㉠은 ㉡과 달리 조례를 제정할 수 있는 권한을 갖는다.

① ㄱ, ㄴ ② ㄱ, ㄷ ③ ㄴ, ㄷ
④ ㄴ, ㄹ ⑤ ㄷ, ㄹ

08 다음 글을 통해 알 수 있는 우리나라 지방 자치가 나아가야 할 방향으로 적합하지 않은 것은?

> 지방 자치의 근간이 되는 자치 사무는 그 영역이 점점 확대되어 왔지만 아직도 국가 전체 사무 대비 30% 수준에 머무르고 있다. 또한 지방 자치 단체의 자율성을 결정하는 재정 자립 수준은 자체 수입으로 공무원의 인건비 해결도 어려운 지방 자치 단체가 다수인 실정이며, 지방 자치 제도의 주인이라고 할 수 있는 주민의 자치 의식과 참여 의식도 여전히 미흡한 단계이다.

① 지방 자치 단체의 재정 자립도를 높여야 한다.
② 지방 자치 단체의 사무 권한을 확대해야 한다.
③ 지방 자치에 대한 주민들의 주인 의식을 제고해야 한다.
④ 지방 선거에 적극적으로 참여해 역량과 자질을 갖춘 대표자를 선출해야 한다.
⑤ 지방 자치 단체가 재정을 자주적으로 확보하고 운용할 수 있도록 중앙 정부의 재정 지원이 확대되어야 한다.

민주 시민 역량 기르기

❖ 다음은 우리나라 정부 형태의 변경에 관한 글이다. 이를 읽고 물음에 답해 보자.

우리나라에서는 1987년 헌법에서 5년 단임제의 대통령제를 시행한 이후 현행 제도를 꾸준히 시행해 왔지만, 최근 대통령 단임제 변경에 대한 논의가 이루어지고 있다. 이에 대해 현행 5년 단임제 유지, 4년 중임제 또는 의원 내각제로의 변경이 제안되고 있다.

(가) 현행 대통령 5년 단임제는 대통령의 독재를 방지하고, 정책에 대한 신뢰성을 제고하며, 여론으로부터 자유로운 정책 결정을 할 수 있다는 장점이 있다. 그러나 대통령에 대한 중간 평가가 불가능하게 되고, 비교적 짧은 재임 기간 때문에 레임덕이 빨라지며, 장기 정책 추진과 정책 연속성에서 문제가 생길 수 있다는 점 등이 비판받고 있다.

(나) 대통령 4년 중임제는 대통령의 직무 수행에 관한 평가를 선거로 할 수 있게 되고, 장기간이 필요한 정책 추진을 하는 데에 용이하다고 볼 수 있다. 그러나 장기 집권과 관권 선거의 유혹을 받을 수 있으며, 세대 교체 등이 원활하지 못할 수도 있다.

(다) 의원 내각제는 국회에 상대적으로 많은 권한이 부여되기 때문에 대통령 1인에게 권력이 과도하게 집중되는 것을 막을 수 있고, 행정부 조직이 특정 권력에 기대는 폐단을 막을 수 있다. 하지만 의회 내 과반수 정당이 없어 연립 내각이 구성될 경우 국정 운영의 안정성을 기대하기가 어려울 수 있다.

더 알아보기

민주 국가의 정부 형태는 입법부와 행정부가 구성되는 방식과 관계에 따라 구분되는데, 어떤 정부 형태를 채택하는가에 따라 국민의 삶에 큰 영향을 미친다. 우리나라에서는 정부 형태 변경에 대한 검토가 필요하다는 논의가 지속되고 있다.

문제 해결 길잡이

대통령제와 의원 내각제에 대한 학습 내용을 바탕으로 우리나라의 정부 형태와 연계하여 생각할 수 있어야 한다. 각각의 제도가 지니는 장점과 단점을 이해한 후, 현행 우리나라의 대통령제에 대해 비판적으로 적용하여 논리를 전개해야 한다.

01 우리나라의 현행 대통령 5년 단임제에 대해 (나), (다)의 측면에서 비판해 보자.

(나)의 측면	
(다)의 측면	

02 (가)~(다) 중 우리나라에 적합한 정부 형태를 선정하고, 우리나라 민주 정치 발전 과정의 사례를 한 가지 들어 자신의 생각을 주장해 보자.

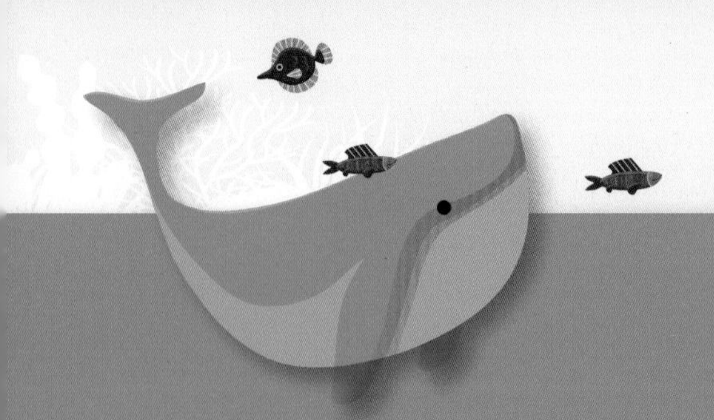

대단원 3

정치 과정과 참여

학습 계획표

- 자신의 일정에 맞게 계획을 세워 보고, 실제 학습한 날짜를 적어 봅시다.
- 학습을 마무리한 후 스스로 얼마나 학습 목표를 달성했는지 점검해 봅시다.

주제 1 정치 과정과 정치 참여	쪽수	계획일	완료일	목표 달성도
Day 01 핵심 정리, 핵심 자료 특강	82 ~ 85쪽	월 일	월 일	☆☆☆☆☆
Day 02 개념 익히기, 내신 유형 익히기	86 ~ 89쪽	월 일	월 일	☆☆☆☆☆
Day 03 내신 만점 도전하기, 수능 유형 익히기	90 ~ 91쪽	월 일	월 일	☆☆☆☆☆

주제 2 민주 정치와 선거 제도	쪽수	계획일	완료일	목표 달성도
Day 04 핵심 정리, 핵심 자료 특강	92 ~ 95쪽	월 일	월 일	☆☆☆☆☆
Day 05 개념 익히기, 내신 유형 익히기	96 ~ 99쪽	월 일	월 일	☆☆☆☆☆
Day 06 내신 만점 도전하기, 수능 유형 익히기	100 ~ 101쪽	월 일	월 일	☆☆☆☆☆

주제 3 다양한 정치 주체의 역할과 참여	쪽수	계획일	완료일	목표 달성도
Day 07 핵심 정리, 핵심 자료 특강	102 ~ 105쪽	월 일	월 일	☆☆☆☆☆
Day 08 개념 익히기, 내신 유형 익히기	106 ~ 109쪽	월 일	월 일	☆☆☆☆☆
Day 09 내신 만점 도전하기, 수능 유형 익히기	110 ~ 111쪽	월 일	월 일	☆☆☆☆☆
Day 10 대단원 마무리하기, 민주 시민 역량 기르기	112 ~ 115쪽	월 일	월 일	☆☆☆☆☆

주제 1 정치 과정과 정치 참여

주제 흐름 읽기

정치 과정

의미	다양한 이해관계를 바탕으로 정책을 만들어 가는 과정
의의	• 다양한 이해관계를 합리적으로 조정 • 다양성 존중, 사회 통합으로 사회 발전

(환경 / 투입 → 요구, 지지 → 정책 결정 기구 → 정책 결정, 정책 집행 → 산출 / 환류)

정치 참여

의의	• 권력 남용 방지, 정책에 정당성 부여 • 국민 주권과 국민 자치의 원리 실현
유형	• 선거를 통한 참여 • 정당, 이익 집단, 시민 단체, 언론을 통한 참여 • 진정, 청원, 집회, 시위 등을 통한 참여
태도	• 공익 고려 • 민주적인 절차 준수 • 다양성 존중

1 정치 과정

1. 정치 과정의 필요성

(1) **사회의 다원화❶** 세계화, 정보화 등의 사회 변화로 인하여 현대 사회의 사람들은 더욱 다원화된 의견을 가지게 됨 자료 1 — 생활 범위도 확장되었고, 사회의 다양한 분야에 관심을 가지게 되었으니 당연한 결과라고 할 수 있어.

(2) **갈등의 발생** 다양한 의견으로 인한 대립과 갈등이 개인, 이웃, 지역 사회, 정부를 대상으로 하는 갈등으로 나타남 — 대립과 갈등을 조정하여 사회 통합을 이루는 정치 과정이 필요해.

2. 정치 과정의 의미와 의의

(1) **의미** 사회 구성원들이 표출하는 다양한 이해관계를 바탕으로 정책❷을 만들어 가는 과정

(2) **의의**

① 사회 구성원들이 제기하는 새로운 요구와 지지를 바탕으로 정책을 결정하고 집행함

② 사회 구성원의 다양성 존중과 사회 통합을 이루어 사회 발전을 이루어 냄

(3) **정치 과정의 단계** 자료 2

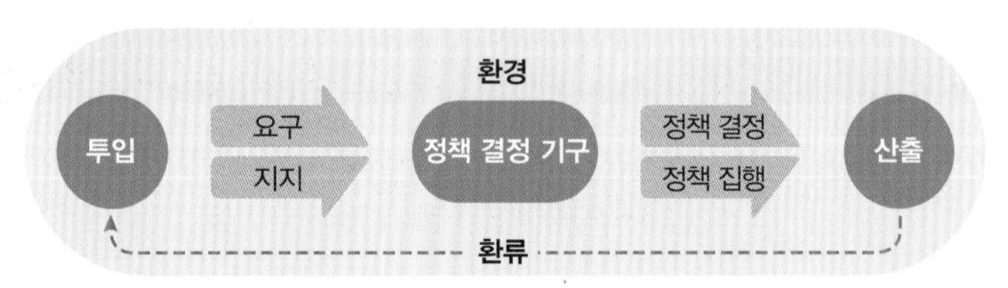

투입	개인이나 집단이 정책 결정 기구인 정부에 대하여 정책을 요구하거나 정부에 대한 지지 또는 불만을 표시하는 것
산출	• 투입된 요구나 지지에 따라 정책 결정 기구❸가 구체적인 정책을 결정하고 집행하는 것 • 행정부, 입법부, 사법부의 결정과 행동
환류❹ 자료 1	정부의 산출, 즉 집행된 정책이 이에 대한 사람들의 반응이나 평가를 통하여 다시 투입에 영향을 미치는 과정
환경	• 정치 과정의 배경으로 경제, 사회, 문화 등의 정치 외적 요소 • 국내적 환경과 국제적 환경 모두 포함

3. 민주적인 정치 과정을 위한 노력

(1) **정부** 시민의 다양한 의견을 수용하여 시민의 지지를 받을 수 있도록 노력

(2) **시민** 자신들의 의견이 정책에 최대한 반영되도록 적극적으로 참여

---

❶ 다원화
사회 구성원의 이해관계와 생활 양식, 가치관 등이 다양해지는 현상으로, 이렇게 사회 구성원이 추구하는 원칙이나 목적 등이 서로 다를 수 있음을 인정하는 태도를 '다원주의'라고 한다.

❷ 정책
공공 목표의 달성이나 공공 문제의 해결을 위한 정부의 공식적인 활동 방향을 말한다. 예를 들어, 최저 임금 인상, 출산 장려, 일과 가정의 양립 지원, 전기 요금 인하 등은 모두 정책에 해당된다고 할 수 있다.

❸ 정책 결정 기구
정책 결정 및 집행은 기본적으로 행정부의 권한으로 보지만, 정책을 뒷받침하는 법률을 입법부가 제정한다는 측면에서 입법부도 정책 결정 기구로 볼 수 있다. 사법부는 직접적으로 정책 결정에 관여하지는 않으나, 행정 재판 등을 통해 정책 결정 및 집행에 간접적으로 영향을 주게 된다.

❹ 환류
어떤 흐름이 진행되다가 다시 원 상태로 되돌아와 흐르는 현상이다. 집행된 정책에 대해 시민들이 시정을 요구하면 정부가 그것을 받아들이게 되는데, 이처럼 산출이 다시 투입되어 반복하는 것을 환류(피드백)라고 한다.

자료 1 최저 임금 인상에 관한 다양한 의견

교과서 79쪽

2018년도 최저 임금이 7,530원으로 인상되었다는 소식에 아르바이트 학생들과 자영업자들의 의견이 나뉘고 있다. 우선 자영업자들은 최저 임금 인상 소식에 인건비 부담을 우려하면서 크게 반발하고 있다. 한 아르바이트 전문 포털 사이트가 고용주 352명을 대상으로 설문한 결과, 약 80%가 고용 감축을 계획하고 있다고 응답하였다. 일부 점주들은 순수익을 따져 보면 아르바이트 학생들보다 자신의 인건비가 도리어 낮을 수도 있겠다며 불만을 토로하고 있다.

반면 최저 임금 인상이 '만족스럽다'고 응답한 아르바이트 학생들은 75.8%에 달하였지만, 동시에 고용 불안에 대한 우려도 커지고 있다. 아르바이트를 하고 있는 대학생 한 모 씨는 내년도 최저 임금이 인상되었다는 소식을 듣고 자신의 임금도 오를 것이라는 기대감에 부풀었다. 그러나 "최저 임금이 인상되면 인건비 지출에 부담을 가진 점주들이 아르바이트 학생의 수를 감축할 수도 있다."라는 말을 듣고 불안함을 느끼고 있다. 특히 직원을 다수로 고용해야 하는 음식점, 24시간 영업으로 인건비 부담이 큰 편의점, 피시방 등에서는 아르바이트 학생들에 대한 고용 감축이 더욱 클 전망이다.

– 헤럴드경제, 2017. 7. 20. –

자료 분석 최저 임금 인상에 대해서 자영업자들은 크게 반발하지만, 아르바이트 학생들은 만족스러워하고 있다. 이는 이해관계의 차이로 인해 발생하는 것으로, 이렇게 한 정책에 대한 입장이 다양하게 나타나는 것을 통해 사회의 다원화 현상을 볼 수 있다. 또한 이 사례는 최저 임금 인상 정책에 대한 사람들의 의견이라는 점에서 환류의 과정 중 하나로 볼 수 있다.

자료 분석 포인트

사례에서 정책에 관한 의견이 사람마다 어떻게 다른지 확인해 보자.

Q1 다음 빈칸에 들어갈 알맞은 말을 쓰시오.

> 최저 임금 인상에 대해 자영업자들은 크게 반발하는 데 반해 아르바이트 학생들은 만족스러워하고 있다. 이렇게 하나의 정책에 대해 다양한 입장이 나타나는 것을 통해 사회의 (　　　) 현상을 볼 수 있다.

자료 2 정치 과정을 통한 최저 임금 결정

교과서 80쪽

자료 분석 개인이나 집단들은 자신들이 원하는 결정이 내려지도록 정책 결정 과정에 영향력을 행사하는데, 시민 단체의 집회가 여기에 해당한다. 정책 결정자들은 이들의 요구를 반영하여 정책을 만들어 시행하는데, 국무 회의를 거쳐 최저 임금 수준을 결정하는 것이 여기에 해당한다. 그리고 시행된 정책에 대한 평가가 다시 투입에 영향을 미치는 과정을 '환류'라고 하는데, 정책 토론회 시행이 여기에 해당한다.

자료 분석 포인트

각 그림이 정치 과정의 흐름 중 어느 단계에 해당하는지 파악해 보자.

Q2 사례의 각 장면이 정치 과정의 단계 중 어디에 해당하는지 쓰시오.

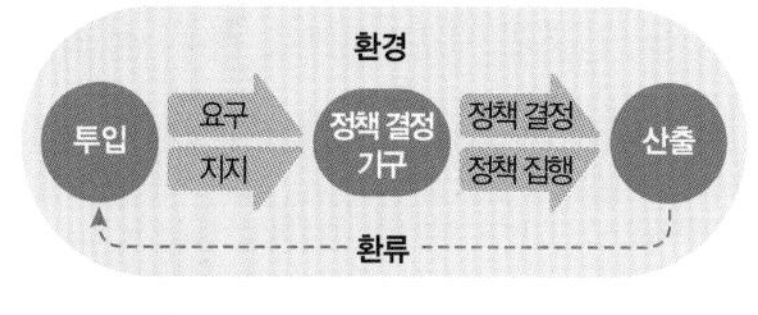

시민 단체의 집회	
국무 회의	
최저 임금 수준 결정	
정책 토론회	

답 Q1 다원화 / Q2 (순서대로) 투입, 산출, 산출, 환류

2 정치 참여

1. 정치 참여의 의의와 유형

(1) 정치 참여의 필요성

① 영토 확장과 인구 증가, 정책 결정의 전문성 필요 등으로 인해 오늘날 대부분의 국가들이 대의제 채택

② 국민 다수 의견에 배치되는 정책 결정이 이루어져 민주주의의 위기를 초래하기도 함 └ 이러한 상황에서 민주 정치의 발전을 위해서는 시민의 정치 참여가 꼭 필요해.

(2) 정치 참여의 의의

① 권력 남용 방지 및 시민의 권리와 이익 보호: 시민이 정치에 무관심하면 특정 집단이 정부의 정책을 좌우하고 소수의 이익만을 보장하는 정책을 결정할 수 있음

② 정책에 정당성 부여: 시민의 정치 참여는 정부의 정책에 정당성을 부여하여 안정적인 정책 집행을 가능하게 함 ― 시민의 의견이 반영되지 않은 정책은 집행 과정에서 갈등과 혼란을 유발할 수 있어.

③ 국민 주권과 국민 자치의 원리❶ 실현: 시민이 공공 문제의 해결에 능동적인 주체로 참여할 때 '국민에 의한 정치'라는 민주주의 원리가 실현되고 주권자로서의 시민 의식을 갖게 됨

(3) 정치 참여의 유형 자료 1

① 선거❷를 통한 참여 ― 우리나라는 대통령, 국회 의원, 지방 자치 단체의 장, 지방 의회 의원 선거에 참여할 수 있어.

- 시민의 정치 참여 방법 중에서 가장 기본적인 방법임
- 기존 대표자의 활동을 평가할 뿐만 아니라, 새로운 대표자의 정책 방향성에도 영향력을 행사함

② 정치에 영향력을 미치는 집단❸을 통한 참여

정당	정치적 견해를 같이하는 사람들이 정권 획득을 위해 모인 정당에 가입하여 활동
이익 집단	이해관계가 같은 사람들이 자신들의 특수한 이익을 실현하고자 이익 집단을 만들어 정치 과정에 영향력 행사
시민 단체	특정 개인이나 집단의 이익이 아니라 사회의 공익을 위하여 시민들이 자발적으로 결성한 시민 단체에 가입하여 시민운동 전개

③ 언론을 통한 참여: 정부 정책에 대한 지지나 비판을 신문, 잡지, 인터넷 등의 언론을 통해 제시 ― 누리 소통망(SNS)과 같은 뉴미디어의 기술적 발달로 정치 참여의 수단이 확장되고 있어.

④ 그 외의 참여 방법

- 국가 기관에 진정이나 청원❹
- 집회, 시위❺ 등에 참여

2. 바람직한 정치 참여의 태도 자료 2

(1) 공익을 고려하는 태도 개인이나 집단의 이익은 공동체의 이익과 조화를 이루어야 함

(2) 민주적인 절차에 따른 의사 표출 시민의 정치 참여는 합법적인 절차에 따라 이루어져야 함 ― 정부는 시민의 정치 참여가 합리적이고 민주적으로 이루어질 수 있도록 공청회, 청원, 옴부즈맨 제도, 주민 감사 청구 제도 등 다양한 참여 방법을 강구해야 해.

(3) 다양성을 존중하는 태도 자신과 가치관이 다르거나 이해관계가 상충하는 사람들을 존중하는 자세를 가져야 함

---

❶ 국민 주권과 국민 자치의 원리
국민 주권의 원리는 국가의 의사를 최종적으로 결정하는 최고 권력인 주권이 국민에게 있다는 것이고, 국민 자치의 원리는 국민이 스스로 국가를 다스려야 한다는 것이다. 국민 자치의 원리를 실현하는 방법으로는 직접 민주제와 간접 민주제(대의제)가 있으며, 오늘날 대부분의 국가들이 대의제를 채택하고 있다.

❷ 선거의 기능
민주 정치에서 선거는 다음과 같은 기능을 수행한다.
- 대표자 선출
- 정치권력에 정당성 부여
- 정치권력 통제
- 국민의 의사를 정치 과정에 투입
- 국민의 주권 의식 향상

❸ 정치에 영향력을 미치는 집단

구분	정당	이익 집단	시민 단체
추구하는 이익	공익	사익	공익
정치적 책임	있음	없음	없음

❹ 진정과 청원
진정과 청원은 국가 기관에 자신의 의견이나 희망을 전달하는 것이다. 청원은 법률에 정한 절차에 따라 일정한 형식을 지켜 문서로 하는 것이고, 국가는 그 처리 결과를 청원인에게 통지해야 할 의무를 진다. 그러나 진정은 이러한 형식이나 제한이 없는 대신 국가가 진정인에게 답변할 의무가 없다.

❺ 집회와 시위
집회와 시위는 여러 사람이 공동의 목적을 가지고 모여 집단의 의사를 표현하는 것이다. 집회는 기본적으로 한 장소에 국한되어 집단의 의사를 표현하지만, 시위는 행진을 하는 등 장소를 이동하며 집단의 의사를 표현한다.

자료 1 **다양한 방법의 정치 참여** 교과서 82쪽

(가) '꿀꿀이 상'은 미국의 예산 감시 시민 단체가 최악의 예산 낭비 사례를 매달 선정하여 주는 상이다. 정부 예산으로 자신의 선거구에만 혜택이 돌아가게 하는 사업을 벌이는 '특혜성 예산(pork barrel)'을 가리키는 영어 속어가 그 어원이다. '포크(pork)'가 원래 '돼지고기'를 뜻하여 이를 상징적으로 표현한 것이다. 이 단체는 해마다 한 차례씩 예산 낭비 사례를 모아 돼지 장부(pig book)를 발표한다.

(나) ○○구는 청소년들이 원하는 사업을 직접 행정에 반영할 수 있도록 '청소년 참여 위원회'를 운영하고 있다. 청소년들이 사업 아이디어 제안부터 예산 확보, 집행, 운영까지 모두 스스로 추진하고 있다. 소속 학생들은 예산 현황 및 기본 정책 방향을 공부하고, 이를 바탕으로 다양한 사업을 제안한다. 이후 토론회와 현장 조사, 청소년 의회 심의·의결 등을 거쳐 청소년 전용 카페 설치를 위한 예산을 확보하였다.

– 동아일보, 2017. 9. 18. –

자료 분석 (가)의 경우, 미국의 시민들은 예산을 감시하는 시민 단체를 통해 예산을 낭비한 사업을 비판하는 방식으로 정치에 참여하고 있다. (나)의 경우, 청소년들은 청소년 참여 위원회를 통해 직접 공공사업 제안, 예산 확보, 집행, 운영의 과정에 참여하고 있다. 이 밖에도 시민은 정당이나 시민 단체 활동, 캠페인, 정책 모니터링 등 다양한 방법을 통해 정치에 참여할 수 있다.

자료 분석 포인트

사례에서 시민들이 각각 어떤 방식으로 정치에 참여하고 있는지 정리해 보자.

Q1 정치 참여의 유형이 아닌 것은?

① 선거에 참여한다.
② 시민 단체에 가입하여 공익을 위한 활동에 참가한다.
③ 개인적 일과를 기록하여 누리 소통망(SNS)에 공유한다.
④ 정치적 견해가 같은 사람들끼리 정당에 가입하여 활동한다.
⑤ 주민의 직접 참여를 유도하는 지방 자치 단체의 프로그램에 참가한다.

자료 2 **시민의 정치 참여에 관한 논쟁** 교과서 84쪽

알몬드(Almond, G.), 버바(Verba, S.)	립셋(Lipset, S.)	샤츠슈나이더(Schattschneider, E.)	페이트만(Pateman, C.)
" 지나친 참여를 하는 것보다 일정한 수준까지만 참여하고, 그 후에는 뒤로 물러나 정부가 알아서 일을 처리할 것으로 믿는 것이 가장 이상적인 시민의 태도이지. "	" 맞네. 시민이 많이 참여하는 것이 꼭 좋은 결과만을 가져오지는 않지. 1932년과 1933년 독일 선거에서 높은 투표율이 히틀러의 승리에 크게 이바지하였다는 사실만 봐도 알 수 있네. "	" 우리는 모든 사람의 의견에 귀를 기울여야 하네. 따라서 가능하면 많은 사람이 정치에 참여할 수 있는 방법을 찾도록 노력해야 하네. "	" 동의하네. 참여의 주요 목적 중의 하나는 사람들이 스스로 판단하고, 어떤 일이 벌어지고 있는지 인식함으로써 결국 자신을 향상하는 데 일조하는 것이야. 따라서 더 많은 참여는 그 자체로서 좋은 것이지. "

자료 분석 시민의 정치 참여 수준에 대해서도 학자들 간에 논쟁이 있다. 알몬드와 버바, 립셋은 시민이 일정한 수준까지만 정치에 참여하고 뒤로 물러나 있는 것이 바람직하다고 보는 반면, 샤츠슈나이더와 페이트만은 시민이 더 많이 참여할수록 민주 사회에 가까워진다고 보고 있다.

자료 분석 포인트

정치 참여 수준에 대한 학자들의 입장을 두 가지로 분류하고, 주장과 근거를 찾아보자.

Q2 정치 참여 수준에 대한 의견과 관련 있는 학자들을 |보기|에서 골라 쓰시오.

| 보기 |
ㄱ. 립셋 ㄴ. 페이트만
ㄷ. 샤츠슈나이더 ㄹ. 알몬드와 버바

(1) 시민의 정치 참여는 많을수록 좋다.
(2) 시민은 일정한 수준까지만 정치에 참여하는 것이 좋다.

답 Q1 ③ / Q2 (1) ㄴ, ㄷ (2) ㄱ, ㄹ

개념 익히기

정답과 해설 ▸ 14쪽

01 다음 빈칸에 들어갈 알맞은 말을 쓰시오.

> 세계화, 정보화 등의 사회 변화로 인하여 사람들은 생활 범위가 확장되고 사회의 다양한 분야에 관심을 가지게 되었다. 이로 인해 현대 사회의 사람들은 다양한 직업, 가치관, 이해관계 등을 가지게 되었으며 이에 따라 자신의 가치와 이익을 실현하기 위해 노력하며 다양한 정치적 요구를 표출하게 되는데, 이를 사회의 (   )(이)라고 한다.

02 다음 정치 과정의 단계와 그 사례를 바르게 연결하시오.

(1) 투입 •
(2) 산출 •
(3) 환류 •

• ㉠ 정부가 최저 임금 수준을 결정하고 이를 공표하였다.
• ㉡ 노동조합 등이 최저 임금 인상을 요구하는 집회를 열었다.
• ㉢ 공청회 등을 통해 이미 집행되고 있는 최저 임금 제도에 대해 논의를 하였다.

03 다음 설명이 옳으면 ○, 틀리면 ×표 하시오.

(1) 정치 과정은 시민들의 다양한 의견을 바탕으로 정책을 만들어 가는 일련의 과정이다. (   )
(2) 정치 과정에 영향을 미치는 환경으로는 국내적 환경과 국제적 환경이 있다. (   )
(3) 시민은 항상 공익을 위해 자신의 의견 표출을 자제해야 한다. (   )

04 다음 빈칸에 들어갈 알맞은 말을 쓰시오.

(1) 오늘날 대부분의 국가에서는 국가의 의사 결정을 대표자에게 위임하고 있는데, 이를 (   )(이)라고 한다.
(2) 시민의 정치 참여는 (   )의 남용을 방지하여 시민의 권리와 이익을 보호할 수 있다.
(3) 시민의 정치 참여는 정부의 정책에 (   )을/를 부여하여 안정적인 정책 집행을 가능하게 한다.

05 다음 괄호 안에 들어갈 알맞은 말에 ○표 하시오.

(1) 시민의 정치 참여 방법 중에서 가장 기본적인 것은 대표자를 선출하는 (선거 / 공청회)에 참여하는 것이다.
(2) 시민들은 사회의 공익을 위하여 시민들이 자발적으로 결성한 (이익 집단 / 시민 단체)에 가입하여 활동할 수 있다.
(3) 시민들은 자신의 의견을 법률에 정한 절차에 따라 일정한 형식의 문서로 (청원 / 진정)할 수 있다.

06 바람직한 정치 참여 태도를 |보기|에서 있는 대로 고르시오.

> **보기**
> ㄱ. 합법적인 절차를 따른다.
> ㄴ. 사익과 공익의 조화를 위해 노력한다.
> ㄷ. 자신과 이해관계가 다른 사람들을 존중한다.
> ㄹ. 언제나 공익보다는 개인의 이익을 중시한다.
> ㅁ. 사회 구성원들이 모두 단일한 가치관을 갖도록 노력한다.

내신 유형 익히기

정답과 해설 ▸ 14쪽

01 다음과 같은 전통 사회와 비교할 때 현대 사회의 특징으로 옳은 것은?

> 산업화 이전 전통 사회에서는 교통이 발달하지 않아 태어나서 죽을 때까지 생활 반경이 그리 넓지 않았다. 또한 통신이 발달하지 않았기 때문에 작은 마을의 소식 외에 다른 소식을 접하기는 어려웠다. 사람들이 사는 모습은 대개 비슷했으며, 작은 마을 공동체에 소속되는 것이 중요했기 때문에 공동체의 지배적인 생각과 반대되는 이야기를 하기는 어려웠다.

① 사람들 간의 관계가 더 끈끈하고 두터워졌다.
② 사람들의 이해관계, 가치관 등이 매우 다양해졌다.
③ 전통 사회에 비해 정치 과정의 중요성이 감소하였다.
④ 사람들의 문화나 가치관 등이 이전보다 획일화되었다.
⑤ 사람들이 인공 지능이나 로봇 등의 지배를 받게 되었다.

02 (중요) 다음 그림과 관련한 옳은 설명만을 |보기|에서 있는 대로 고른 것은?

|보기|
ㄱ. 산출의 주체는 다양한 개인이나 집단들이다.
ㄴ. 투입은 정부 관료들이 구체적인 정책을 결정하는 것이다.
ㄷ. 정책 결정 기구에는 입법부, 행정부 등이 포함된다.
ㄹ. 미국의 정치학자 이스턴이 제시한 정치 과정 모델이다.
ㅁ. 환경에는 국내적 환경과 국제적 환경이 모두 포함된다.

① ㄱ, ㄴ ② ㄱ, ㄷ ③ ㄱ, ㄷ, ㄹ
④ ㄴ, ㄷ, ㄹ ⑤ ㄷ, ㄹ, ㅁ

03 자료에 나타난 정치 과정의 단계를 바르게 연결한 것만을 |보기|에서 고른 것은?

> 최저 임금을 시간당 1만 원으로 올리겠다는 공약을 내세운 대통령 후보가 2017년에 높은 지지를 얻고 당선되었다. 이후 최저 임금을 결정하기 위한 최저 임금 위원회에서 공익 위원, 노동자 위원, 사용자 위원들이 치열한 토론을 한 끝에 2018년 최저 임금은 전년 대비 16.4% 오른 7,530원으로 결정되었다. 최저 임금은 법적 의무 사항이기 때문에 최저 임금보다 낮게 임금을 지급하는 사업주는 적발될 경우 징역이나 벌금형을 받을 수 있다. 이에 대해 최저 임금의 직접적인 영향을 받는 아르바이트생들은 환영했지만, 대부분의 자영업자들은 최저 임금 인상에 반대하는 집회를 여는 등 크게 반발했다.

|보기|
ㄱ. 투입 – 최저 임금을 위반하는 사업주에 대한 형사 처벌
ㄴ. 산출 – 2018년 최저 임금을 7,530원으로 결정
ㄷ. 산출 – 최저 임금 공약을 내세운 대통령을 시민들이 지지
ㄹ. 환류 – 자영업자들이 최저 임금 인상 반대 집회 개최

① ㄱ, ㄴ ② ㄱ, ㄷ ③ ㄴ, ㄷ
④ ㄴ, ㄹ ⑤ ㄷ, ㄹ

04 다음에 나타난 정치 과정에 대한 설명으로 옳지 않은 것은?

① 시민이 자신들의 의견을 정책에 반영하고자 참여하는 방법이다.
② 시민의 다양한 의견을 수용하기 위한 정부의 노력 중 하나이다.
③ 시민의 다양성을 존중하면서 사회 통합을 이루기 위한 노력이다.
④ 결정된 정책을 시행 전에 시민에게 알리는 산출 과정에 해당한다.
⑤ 정부와 시민 간 상호 작용으로 민주적인 정치 과정이 이루어지고 있다.

05 다음 격언의 의미로 가장 적절한 것은?

> 정치를 외면한 가장 큰 대가는 가장 저질스러운 인간들에게 지배당하는 것이다.

① 시민이 적극적으로 정치에 참여하면 권력이 남용된다.
② 직접 민주 정치만이 바람직한 민주 정치라고 할 수 있다.
③ 시민의 정치 참여는 안정적인 정책 집행을 가능하게 한다.
④ 시민의 적극적인 정치 참여를 통해 민주 정치가 유지된다.
⑤ 대표자들은 항상 시민 다수의 의견에 배치되는 정책을 결정하는 경향이 있다.

06 정치 참여의 유형을 다음 표와 같이 분류했을 때, 이에 대한 옳은 서술을 |보기|에서 고른 것은?

구분	정치 참여의 유형
개별적	㉠
집단적	㉡

|보기|

ㄱ. 선거, 진정이나 청원 등이 ㉠에 해당한다.
ㄴ. 정당, 이익 집단, 시민 단체 등을 통한 참여가 ㉡에 해당한다.
ㄷ. 일반적으로 ㉡보다는 ㉠이 정치 과정에 미치는 영향력이 강하다.
ㄹ. ㉠보다는 ㉡이 공동체적이라는 측면에서 더 민주적인 정치 참여라고 할 수 있다.

① ㄱ, ㄴ ② ㄱ, ㄷ ③ ㄴ, ㄷ
④ ㄴ, ㄹ ⑤ ㄷ, ㄹ

07 다음 글에 대한 설명으로 옳은 것은?

중요

> 현대 사회에는 정치 과정에 영향을 미치는 집단들이 있다. 이 중 A는 이해관계가 비슷한 사람들끼리 모여 자신들의 특수한 이익을 실현하고자 하는 집단이다. 반면, B는 특정 개인이나 집단의 이익이 아니라 사회의 공익을 위하여 시민들이 자발적으로 결성한 것으로, 이들의 노력으로 인해 대다수의 사회 구성원들이 이익을 누리게 되는 경우가 많다.

① A는 정당이다.
② B는 이익 집단이다.
③ B의 목적은 정권 획득이다.
④ A와 B는 국회나 언론 등 다른 기관과 상호 작용하지 않는다.
⑤ 시민은 A나 B에 소속되어 정치 과정에 영향을 미칠 수 있다.

08 다음 글에서 철수의 행동에 대한 설명으로 옳지 않은 것은?

> 어느 날 철수는 운전을 하다가 크게 사고가 날 뻔했다. 도로 한쪽이 깊이 패여 있었는데 그것을 보지 못하고 지나갔기 때문이다. 철수는 구청 홈페이지에 들어가서 도로 복구를 해 달라는 내용의 민원 신청서를 작성하였다. 일주일 안에 구청으로부터 답변을 받았고 도로는 복구되었으며 그로 인한 이익은 해당 도로를 지나는 모든 운전자들이 누리게 되었다.

① 공익을 고려한 행동을 하였다.
② 개별적으로 공적인 일에 참여하였다.
③ 개인 또는 개별 집단의 이익만을 중시하였다.
④ 합법적인 절차에 따라 자신의 의사를 표현하였다.
⑤ 공동체의 발전에 도움이 되는 정치 참여를 하였다.

서술형 문제

09 다음 글을 읽고 현대 민주 사회에서는 정치가 어떠한 방식으로 이루어지는지 서술하시오.

> 전통 사회의 정치 과정은 지도자의 결정을 백성이 따르는 일방적인 과정이었다. 그러나 몇 차례의 시민 혁명을 거치면서 이러한 정치 과정은 매우 달라졌다.

서술형 문제

10 다음 그림을 보고 물음에 답하시오.

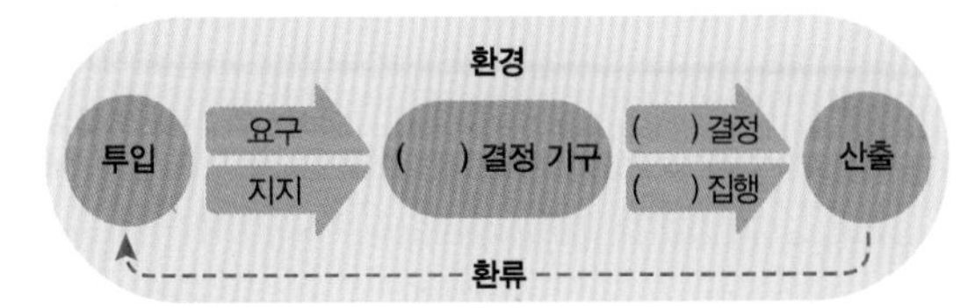

(1) 빈칸에 공통으로 들어갈 용어를 쓰시오.

(2) 위 정치 과정을 세 단계로 나누어 설명하시오.

서술형 문제

11 다음 글을 읽고 물음에 답하시오.

> 고대 그리스 아테네에서는 직접 민주 정치가 이루어졌던 것으로 알려져 있다. 아테네의 시민이라면 누구나 민회에 참석해 자유롭게 자신의 정치 의사를 밝히고 공적인 의사 결정 과정에 참여할 수 있었다. 그러나 영토가 넓고 인구가 많은 오늘날 대부분의 국가에서는 이와 같은 직접 민주 정치를 찾아보기 어렵고, 대표자를 선출하여 국가의 의사 결정을 그에게 위임하는 (　　　　)이/가 시행되고 있다. 이로 인해 대표자가 국민 다수 의견에 배치되는 결정을 할 수도 있기 때문에 시민의 적극적인 정치 참여가 더욱 중요해졌다.

(1) 빈칸에 들어갈 용어를 쓰시오.

(2) 위 글을 참고하여 정치 참여의 의의를 <u>두 가지</u> 이상 서술하시오.

서술형 문제

12 다음 글을 읽고 물음에 답하시오.

> 현대 사회에서 시민은 다양한 방법으로 정치에 참여한다. 정치 참여는 선거에 참여하거나, 진정이나 청원을 넣는 등의 방법으로 개별적으로 이루어지기도 하고, 개인들이 모여 집단적으로 이루어지기도 한다.

(1) 시민의 정치 참여에 활용되는 집단을 <u>두 가지</u> 이상 쓰시오.

(2) 정치 참여가 민주 정치에 긍정적인 영향을 미치기 위해 시민들이 갖춰야 할 태도를 <u>두 가지</u> 이상 서술하시오.

정답과 해설 ▸ 15쪽

01 다음 정치 과정에 대한 설명으로 옳지 않은 것은?

중요

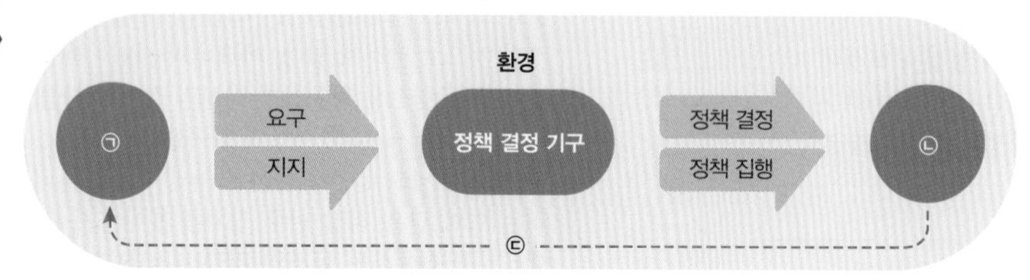

① 정치 과정의 '투입–산출' 모델이다.
② ㉠이 활발히 일어나야 민주 정치 발전이 이루어진다.
③ 권위주의나 전체주의 국가의 정치 과정을 잘 설명해 준다.
④ ㉠은 개별적으로 이루어질 수도 있고, 집단적으로 이루어질 수도 있다.
⑤ ㉢은 ㉡에 대한 사람들의 반응이나 평가로, 피드백(feedback)이라고도 한다.

문제 접근 방법
제시된 정치 과정 모델이 무엇인지 파악하고, 각 단계가 의미하는 바를 떠올린다.

내신 전략
정치 과정의 단계를 짚어 가며 여러 번 보아 눈에 익히고, 모델 전체의 특징 및 각 단계의 특징을 정리하도록 한다.

02 다음은 어떤 토론회에서 나온 주장들이다. 이에 대한 설명으로 옳은 것만을 |보기|에서 있는 대로 고른 것은?

> 갑: 지나친 참여를 하는 것보다 일정한 수준까지만 참여하고, 그 후에는 뒤로 물러나 정부가 알아서 일을 처리할 것으로 믿는 것이 가장 이상적인 시민의 태도입니다.
> 을: 그렇지 않습니다. 우리는 모든 사람의 의견에 귀를 기울여야 합니다. 따라서 가능하면 많은 사람이 정치에 참여할 수 있는 방법을 찾도록 노력해야 합니다.
> 갑: 시민이 많이 참여하는 것이 꼭 좋은 결과만을 가져오지는 않습니다. 1932년과 1933년 독일 선거에서 높은 투표율이 히틀러의 승리에 크게 기여한 사실만 봐도 알 수 있습니다.
> 을: 참여의 주요 목적 중 하나는 사람들이 스스로 판단하고, 어떤 일이 벌어지고 있는지 인식함으로써 결국 자신을 향상하는 데 일조하는 것입니다. 따라서 더 많은 참여는 그 자체로 좋은 것입니다.

보기

ㄱ. 토론회의 쟁점은 시민의 정치 참여 수준에 대한 것이다.
ㄴ. 갑은 시민의 지나친 정치 참여에 대해 불신을 가지고 있을 것이다.
ㄷ. 을은 시민의 정치 참여는 많을수록 좋다고 볼 것이다.
ㄹ. 을은 모든 사람이 정치에 참여해야 하므로 대의제는 비민주적이라고 볼 것이다.

① ㄱ, ㄴ　② ㄱ, ㄷ　③ ㄴ, ㄹ
④ ㄱ, ㄴ, ㄷ　⑤ ㄴ, ㄷ, ㄹ

문제 접근 방법
제시된 토론 내용을 토대로 시민의 정치 참여에 대한 서로 다른 주장을 파악하는 문제이다.

내신 전략
제시된 주장을 통해 토론회의 쟁점이 무엇인지를 추론하고, 각 입장의 주장과 그 근거를 분석하여 이를 각 선택지에 적용해 보아야 한다.

심화 수능 유형 익히기

정답과 해설 ▸ 15쪽

2017학년도 9월 모의평가

01 다음 대화에서 갑, 을의 의견에 대한 추론으로 가장 적절한 것은?

① 갑은 선거가 기존 정책에 대한 평가의 성격을 가진다고 본다.
② 을은 투표율과 정당 간 정책 차별성 사이의 상관성이 낮다고 본다.
③ 갑은 을과 달리 선거가 국민 의사를 집약하는 기능을 한다고 본다.
④ 을은 갑과 달리 선거가 정당에 대한 통제적 성격을 가진다고 본다.
⑤ 갑, 을 모두 정당 간 경쟁이 국민의 주권 의식을 높이는 데 부정적 영향을 미친다고 본다.

출제 개념
선거의 기능

자료 해설
제시된 대화에서 갑은 선거가 기존 집권당의 정책에 대한 평가의 기능을 수행한다고 생각한다. 반면 을은 유권자들이 선거를 통해 자신이 지지하는 정책에 정당성을 부여한다고 생각한다.

해결 비법
선거의 기능에 대한 내용을 염두에 두고 대화를 읽은 뒤 갑과 을의 입장 차이를 파악한다. 그리고 선택지를 읽으면서 논리적으로 적합한 추론을 찾아낸다.

2020학년도 9월 모의평가

02 정치 참여 집단 A~C에 대한 설명으로 옳은 것은? (단, A~C는 각각 정당, 이익 집단, 시민 단체 중 하나이다.)

> 정치 참여 집단 A~C의 특성을 비교하면 A와 B는 '공익을 추구한다.'라는 공통점이, B와 C는 '정치적 책임을 지지 않는다.'라는 공통점이 있다.

① A는 정권 획득을 목표로 정치적 중립성을 추구한다.
② B는 정치 과정에서 산출 기능을 담당한다.
③ C는 정부와 의회를 매개한다.
④ B, C는 모두 대의제의 한계를 보완한다.
⑤ C와 달리 A, B는 정치 사회화 기능을 수행한다.

출제 개념
정치에 영향력을 미치는 집단

자료 해설
정치에 영향력을 미치는 집단 중 공익을 추구하는 것은 정당과 시민 단체이고, 정치적 책임을 지는 집단은 정당이다.

해결 비법
제시문에 나타난 각각의 집단이 무엇에 해당하는지를 파악해야 한다. 또한 각 집단의 특징을 염두에 두고 선택지를 읽으면서 각 집단에 대한 서술이 정확한지 파악해야 한다. 이를 위해서는 정치에 영향력을 미치는 각 집단의 특징을 비교하여 이해하고 있어야 한다.

주제 2 민주 정치와 선거 제도

주제 흐름 읽기

선거		
	의미	투표를 통해 국민의 대표자를 선출하는 것
	기능	대표자 선출, 정치권력에 정당성 부여 및 통제, 국가와 국민 연결 등
	선거구제	소선거구제, 중 · 대선거구제
	대표 선출 방식	다수 대표제, 비례 대표제, 혼합 대표제

우리나라의 선거		
	제도	• 다수 대표제 • 소선거구제(일부 중 · 대선거구제) • 정당 명부식 비례 대표제
	문제점	• 지역주의, 연고주의 • 금권 선거, 흑색 선전
	개선 방향	선거에 적극적, 합리적 참여 등

1 선거

1. 선거의 기능과 중요성

(1) **선거의 의미** 투표를 통해 국가를 운영할 국민의 대표자를 선출하는 것

(2) **선거의 의의** 대의제에서 국민이 정치적 의사를 표현하는 가장 기본적인 수단

(3) **선거의 원칙** 공정한 선거를 위해 보통 · 평등 · 직접 · 비밀 선거의 원칙을 따름 자료 1

(4) **선거의 기능**

① 대표자 선출 자료 2

② 정치권력에 정당성 부여 — 대표자가 선거를 통해 합법적으로 선출되었으니 정당성이 있다고 말할 수 있어.

③ 정치권력의 통제 — 현재의 대표자가 국정 운영을 잘못하면 다음 선거에서 책임을 물어 교체할 수 있어.

④ 국가와 국민을 연결하는 통로 역할[1]

2. 선거 제도

(1) **선거구[2]제의 종류** — 하나의 선거구에서 몇 명의 대표자를 선출하는지와 관련된 제도야.

① 소선거구제

의미	한 선거구에서 한 명의 대표자를 선출하는 제도
장점	선거 관리가 쉽고 선거 비용이 적게 듦, 유권자들이 후보자를 파악하기 쉬움, 다수당 후보자가 당선될 가능성이 커서 정국 안정에 도움이 됨
단점	선거 운동이 과열되고 사표[3]가 많이 발생할 수 있음

② 중 · 대선거구제

의미	한 선거구에서 2명 이상의 대표자를 선출하는 제도
장점	정해진 순위에 든 후보자 모두가 대표자로 선출될 수 있어 소수 정당에 유리함, 선거 운동의 과열 현상이 줄어듦, 사표를 줄일 수 있음
단점	정국 혼란이 우려됨, 선거 관리가 복잡하고 어려움

군소 정당이 난립할 가능성이 크기 때문이야. / 선거 구역이 넓어서야.

(2) **선거구 법정주의 채택** 우리나라는 게리맨더링을 방지하고 공정한 선거를 위해 선거구 획정을 국회에서 제정한 법률로 정하도록 함 자료 3

(3) **대표 선출 방식의 종류** — 선거의 당선자를 결정하는 방식이야.

① 다수 대표제

의미	선거구 내에서 가장 많은 표를 얻은 한 사람을 대표자로 선출하는 방식
단순 다수 대표제	한 표라도 많이 얻는 최고 득표자가 당선되는 방식
절대다수 대표제[4]	일정 비율 이상의 득표를 해야 당선되는 방식 — 결선 투표제를 예로 들 수 있어.

[1] **정치 과정에서 선거의 역할**
선거는 국민의 다양한 의사나 요구를 정치 과정에 투입하고, 이를 정책 결정에 이르게 함으로써 국가와 국민을 연결하는 통로 역할을 한다.

[2] **선거구**
선거구는 대표자를 선출하는 지역적 단위를 말한다. 선거구의 인구수 차이가 많이 나면 한 표의 가치가 달라지기 때문에 우리나라에서는 '인구수가 최대인 선거구'와 '인구수가 최소인 선거구'의 인구 차이가 2배가 넘지 않도록 하고 있다.

[3] **사표(死票)**
선거에서 당선된 후보자를 선택하지 않은 표, 즉 선거 때 낙선한 후보자를 선택한 표를 뜻한다. 대의제에서는 선거를 통해 모든 국민의 의사를 국정에 반영하는 것을 이상으로 삼고 있는데 당선자를 제외한 다른 후보자를 지지한 유권자의 의사가 반영되지 못하므로 사표가 많이 발생하는 것은 문제가 된다.

[4] **절대다수 대표제**
절대다수 대표제의 한 유형인 결선 투표제의 경우, 선거에서 일정 비율 이상의 득표가 나오지 않으면 득표수 순서로 상위 후보자 몇 명만을 대상으로 다시 투표를 실시하여 당선자를 결정한다. 가장 일반적으로는 유효 표의 과반수 득표가 나오지 않으면 상위 후보자 2명을 대상으로 재투표를 한다.

자료 1 선거의 4대 원칙

교과서 87쪽

보통 선거	일정한 나이에 달한 모든 국민에게 선거권을 부여하는 원칙
평등 선거	누구에게나 똑같은 한 표를 주어 투표 가치를 동등하게 부여하는 원칙
직접 선거	선거인이 대리인을 거치지 않고 직접 투표소에 가서 대표자를 선출하는 원칙
비밀 선거	선거인이 누구에게 투표했는지 다른 사람이 알지 못하도록 비밀을 보장하는 원칙

자료 분석 대의제를 채택하고 있는 대부분의 현대 민주 국가들에 있어 대표자를 선출하는 선거는 매우 중요하며, 선거는 민주적이고 공정하게 이루어져야 한다. 선거의 4대 원칙은 공정한 선거를 위한 원칙으로, 대부분의 국가들은 이 원칙을 따르고 있다.

자료 분석 포인트
각각의 원칙이 공정한 선거를 위해 필요한 이유를 생각해 보자.

Q1 다음 사례는 선거의 4대 원칙 중 어떤 것을 위반한 것인지 쓰시오.

2015년 이전까지 사우디아라비아에서는 남성은 선거에 참여할 수 있었지만, 여성은 참여할 수 없었다.

자료 2 대의제에서 대표자의 역할

교과서 87쪽

- 대표자를 선출한다는 것은 우리의 대리인을 선택함을 뜻합니다. 대표자는 그를 뽑아 준 대중의 대리인으로서 대중을 위해 봉사해야 합니다. 따라서 자신의 판단에 따라 의사 결정을 하는 것이 아니라 대중의 이해관계를 위한 의사 결정을 해야 합니다.
- 대표자를 선출한다는 것은 우리를 대표하여 일할 수 있도록 모든 것을 맡긴다는 것입니다. 대중은 자신에게 가장 유리한 결정을 알지 못하므로 능력이 뛰어난 사람을 대표자로 선출합니다. 따라서 대표자는 전적으로 자신의 판단에 따라 의사 결정을 해야 합니다.

– 헤이우드, 『정치학: 현대 정치의 이론과 실천』 –

자료 분석 대의제에서 선출된 대표자가 어떠한 역할을 수행해야 하는지에 대한 논쟁에 관한 것이다. 어떤 사람들은 대표자가 자신을 뽑아 준 사람들이 원하는 대로 공적인 의사 결정을 해야 한다고 생각한다. 그러나 또 다른 사람들은 대표자를 선출하는 것을 주권의 위임으로 여기며, 능력이 뛰어난 대표자가 스스로 판단해서 공적인 의사 결정을 해야 한다고 생각한다.

자료 분석 포인트
두 의견이 갈라지는 지점을 확인하고 나의 생각을 점검해 보자.

Q2 다음 빈칸에 들어갈 알맞은 말을 쓰시오.

선출된 (　　　)이/가 자신의 판단에 따라 의사 결정을 해야 하는지, 대중의 이해관계에 따라 의사 결정을 해야 하는지에 대한 논쟁이 존재한다.

자료 3 게리맨더링

교과서 88쪽

게리맨더링이 무슨 의미일까?

게리(Gerry, E.)라는 미국 정치인이 자기 정당에 유리하도록 선거구를 조작하였는데, 그 모습이 괴물 '샐러맨더'와 비슷한 데서 비롯된 말이야. 이후 특정 정당이나 후보자에게 유리하도록 선거구를 인위적으로 조정하는 것을 게리맨더링이라고 해.

▲ 게리맨더링에 의한 선거구

자료 분석 선거구를 어떻게 결정하느냐에 따라 특정 정당이나 후보자에게 유리하거나 불리할 수 있기 때문에 게리맨더링과 같은 문제가 발생할 수 있다. 이러한 문제를 방지하기 위해 우리나라는 선거구 획정을 법률로 정하는 선거구 법정주의를 채택하고 있다.

자료 분석 포인트
게리맨더링의 의미와 이를 방지하기 위한 제도를 파악해 보자.

Q3 다음 빈칸에 들어갈 알맞은 말을 쓰시오.

국회 의원 선거구가 새로 획정되었는데, 5개 시·군이 하나의 선거구로 합쳐지는 등 무리하게 자치구·시·군 내 경계를 허문 경우가 적지 않아서 이와 관련한 (　　　) 논란이 일고 있다.

답 Q1 보통 선거 / Q2 대표자 / Q3 게리맨더링

② 비례 대표제

의미	각 정당이 획득한 득표율에 비례하여 당선자를 배분하는 방식
장점	소수 정당에도 득표율에 따른 의석을 부여하여 사표를 줄임
단점	의석 배분 방식이 복잡함, 비례 대표 후보자를 결정하는 데 유권자의 의사를 반영하기 어려움

③ 혼합 대표제: 다수 대표제와 비례 대표제를 혼용하는 제도

2 우리나라의 선거

1. 우리나라의 선거 제도

(1) 공정한 선거를 위한 제도

① 공직 선거법❶ 제정 · 시행: 국민의 의사에 따른 공정한 선거, 선거와 관련된 부정 방지를 목적으로 함

② 선거 관리 위원회❷ 운영: 선거의 공정한 관리와 정당에 관한 사무 처리

③ 선거 공영제: 선거 과열과 과도한 비용 지출 방지, 선거 운동의 기회균등을 보장하기 위해 국가가 선거 관리 및 선거 비용을 부담하는 제도 자료 1

(2) 우리나라 선거의 종류 자료 2 — 우리나라의 선거는 대부분 다수 대표제로 이루어지는데, 국회 의원 선거 및 지방 의회 의원 선거에서는 비례 대표제를 병행하고 있어.

① 대통령 선거: 전국 단위, 다수 대표제

② 국회 의원 선거❸

지역구 의원	소선거구제, 다수 대표제 (최다 득표자 1명이 대표자로 선출돼.)
비례 대표 의원	전국 단위 정당 명부식 비례 대표제 — 득표율에 따라 정당별 의석수가 결정되면 각 당이 선거 전에 제출한 비례 대표 의원 명부의 순번에 따라 당선자를 결정하는 방식이야.

③ 지방 자치 단체의 장 선거: 소선거구제, 다수 대표제

④ 지방 의회 의원 선거❸

지역구 의원	광역 의회 의원	소선거구제, 다수 대표제
	기초 의회 의원	중 · 대선거구제, 선거구별로 2명 이상의 대표자 선출
비례 대표 의원		선거구 단위 정당 명부식 비례 대표제

2. 우리나라 선거의 문제점과 개선 방향

(1) 우리나라 선거의 문제점

① 지역주의, 연고주의: 후보자의 공약이 아니라 후보자의 출신 지역이나 학교 등을 기준으로 후보자 선택

② 금권 선거: 후보자나 정당들이 당선을 위해 유권자에게 불법적인 금품 제공

③ 흑색선전❹: 상대 후보자를 무분별하게 비방 — 후보자에 대한 가짜 뉴스 등이 이에 해당돼.

(2) 선거 문화 개선의 필요성 정치인과 정당에 대한 불신, 정치에 대한 혐오와 무관심 초래

(3) 선거의 개선 방향

① 적극적인 선거 참여, 후보자들의 공약에 근거한 합리적 투표

② 정치인들과 정당의 책임 있는 공약 제시

③ 선거 관련 법률과 제도에 대한 지속적인 평가와 보완 — 특히 선거구 제도를 개편하자는 주장과 논의는 끊임없이 이루어지고 있어.

❶ 공직 선거법
공무원 중 선출직 공무원을 뽑기 위한 선거 방식을 규율하는 법률로, 후보자들의 민주적이고 공정한 경쟁을 통해 민주 정치의 발전에 기여함을 목적으로 하고 있다. 교육감 선거는 지방 교육 자치에 관한 법률 제6장이 규율하고 있으나, 교육감 선거에도 공직 선거법 규정이 많이 준용된다.

❷ 선거 관리 위원회
선거 관리 위원회는 국가 및 지방 자치 단체의 선거에 관한 사무, 국민 투표에 관한 사무, 정당에 관한 사무, 공공 단체 등 위탁 선거에 관한 법률에 따른 위탁 선거에 관한 사무, 기타 법령으로 정하는 사무를 한다.

❸ 우리나라의 국회 의원 및 지방 의회 의원 선거
우리나라는 국회 의원 및 지방 의회 의원 선거에서 1인 2표제의 정당 명부식 비례 대표제를 병행하고 있다. 1인 2표제는 유권자가 선거를 할 때 자신이 지지하는 지역구 의원 후보자에게 한 표, 그리고 지지하는 정당에 한 표를 각각 행사하는 방식이다.

❹ 흑색선전
사실이 아닌 내용으로 상대 후보자를 비방하는 것을 말한다. 반면 네거티브는 있는 사실을 가지고 상대 후보자를 공격하는 것을 의미한다.

자료 1 공정한 선거를 위한 제도, 선거 공영제

교과서 91쪽

선거 공영제는 무제한적인 선거 운동으로 생길 수 있는 선거 과열과 과도한 비용 지출을 막고, 후보자 간 선거 운동의 기회 균등을 보장하기 위해 국가가 선거를 관리하고 그에 소요되는 비용 또한 국가가 부담하는 제도이다. 선거 공영제는 선거 관리 위원회의 관리를 원칙으로 하는 '관리 공영제'와 선거 비용에 대한 국가 부담을 원칙으로 하는 '비용 공영제'로 나뉜다.

관리 공영제는 선거 관리 위원회가 정당 또는 후보자의 선거 운동을 직접 관리함으로써 선거 운동의 공정성을 기하려는 제도이다. 선거 관리 위원회에 의한 선전 벽보 게시, 선거 홍보물 발송, 후보자 토론회 주관 등이 관리 공영제의 대표적 사례이다.

비용 공영제는 정당 또는 후보자의 선거 비용 중 일정 부분을 국가가 직접 부담하거나 보전해 줌으로써 경제력의 차이에 의한 선거 운동 기회의 불균형을 바로잡기 위한 제도이다. 가장 기본적인 선거 비용은 국가가 부담하고 있으며, 이외에 후보자가 지출한 선거 비용에 대해서는 득표 비율에 따라 선거 비용 총액 중 일정 비율을 보전하고 있다.

자료 분석 공직 선거법은 선거 비용 보전에 대한 내용을 규정하고 있다. 득표율이 10% 이상~15% 미만이면 선거 비용의 절반인 50%를 보전해 주고, 득표율이 15% 이상이면 선거 비용을 100% 보전해 준다. 이는 능력이 있지만 돈이 없어 출마하지 못하는 경우를 방지하기 위한 것이다.

자료 분석 포인트

선거 공영제를 실시하는 목적을 확인하고, 선거 공영제의 두 종류를 정리해 보자.

Q1 선거 공영제의 종류와 그 내용을 바르게 연결하시오.

(1) 관리 공영제 •
(2) 비용 공영제 •

• ㉠ 선거 비용 보전
• ㉡ 선전 벽보 게시
• ㉢ 후보자 토론회 주관
• ㉣ 기본적인 선거 비용 국가 부담

자료 2 우리나라의 선거 제도와 미국의 선거 제도

교과서 90쪽

(가) 우리나라 대통령과 국회 의원 선거 제도

구분	선거구제 및 대표제	임기	피선거권	* 기탁금
대통령	전국 단위, 다수 대표제	5년	40세	3억 원
국회 의원	소선거구, 다수 대표제	4년	25세	1,500만 원
	전국 단위, 정당 명부식 비례 대표제			

* **기탁금** 선거 후보자가 선거 관리 위원회에 일정한 금액을 기탁하는 제도

(나) 미국의 대통령 선거 제도

연방제 국가인 미국은 주별 선거인단을 통한 간접 선거로 대통령을 선출한다. 유권자들은 대통령 후보에게 직접 투표하는 것이 아닌 각 주의 선거인단을 선출하기 위한 투표를 한다. 이때 '승자 독식제' 방식에 따라 다수 득표한 정당이 그 주에 배당된 선거인단을 전부 차지하고, 미국 전체 선거인단의 과반수를 확보한 대통령 후보가 당선된다. 선거인단을 통해 간접적으로 선출하는 독특한 방식 때문에 2000년 선거에서는 민주당 후보가 공화당 후보보다 54만 표 이상을 더 얻고도 선거인단 수에 밀려 패배하였다.

– 메이젤, 『미국인도 잘 모르는 미국 선거 이야기』 –

자료 분석 우리나라는 대부분의 선거에서 다수 대표제를 채택하고 있으나, 국회 의원 및 지방 의회 의원 선거에서는 소수 의견을 존중하고 사표를 줄이기 위해 1인 2표제의 정당 명부식 비례 대표제를 병행하고 있다. 모든 선거는 직접 선거로 이루어진다. 반면 미국은 유권자들이 선거인단을 선출하고, 선거인단이 대통령을 선출하는 간접 선거 방식을 사용한다. 선거인단이 미리 자신이 대통령 후보 중 누구를 지지할 것인지를 밝히고, 유권자가 선거인단을 선출하는 것이다.

자료 분석 포인트

우리나라의 선거 제도와 미국의 선거 제도를 비교해 보고 장점과 단점을 생각해 보자.

Q2 빈칸에 들어갈 말을 쓰시오.

우리나라와 달리 미국은 유권자가 선거인단을 선출하고, 선출된 선거인단이 대통령을 선출하는 (   )의 방식으로 대통령 선거가 이루어진다.

답 Q1 (1) – ㉡, ㉢ (2) – ㉠, ㉣ / Q2 간접 선거

개념 익히기

정답과 해설 ▸ 16쪽

01 선거의 4대 원칙과 그 의미를 바르게 연결하시오.

(1) 보통 선거 •
(2) 평등 선거 •
(3) 직접 선거 •
(4) 비밀 선거 •

• ㉠ 누구나 똑같이 한 표씩 투표할 수 있도록 규정한 것
• ㉡ 유권자가 누구에게 투표를 했는지에 대한 비밀을 보장하는 것
• ㉢ 대리인을 거치지 않고 유권자가 직접 선거권을 행사하는 것
• ㉣ 일정한 연령 이상에 달한 국민이라면 누구나 선거권을 부여받는 것

02 다음 빈칸에 들어갈 알맞은 말을 쓰시오.

(1) 대표자가 선거를 통해 합법적으로 선출되었다는 측면에서 선거는 정치권력에 (   )을/를 부여한다고 할 수 있다.
(2) 현재의 대표자가 국정 운영을 잘못할 경우, 다음 선거에서 (   )을/를 물어 교체할 수 있다.
(3) 선거는 국민의 다양한 의사나 요구를 정치 과정에 (   )하고, 이를 정책 결정에 이르게 함으로써 국가와 국민을 연결하는 통로 역할을 한다.

03 다음 설명이 옳으면 ○, 틀리면 ×표 하시오.

(1) 소선거구제는 한 선거구에서 한 명의 대표자를 선출하는 선거 제도이다. (   )
(2) 비례 대표제는 소수 정당에도 득표율에 따른 의석을 부여하기 때문에 사표를 줄이는 효과가 있다. (   )
(3) 우리나라는 게리맨더링을 확산하기 위해 선거구 획정을 법률로 정하는 선거구 법정주의를 채택하고 있다. (   )

04 다음 괄호 안에 들어갈 알맞은 말에 ○표 하시오.

(1) (소선거구제 / 중·대선거구제)에서는 한 명만 대표자가 될 수 있으므로 선거 운동이 과열될 수 있다는 문제점이 있다.
(2) (단순 다수 대표제 / 절대다수 대표제)는 일정 비율 이상의 득표가 나올 때까지 반복적으로 투표하게 함으로써 대표성을 확보하는 방식이다.
(3) (혼합 대표제 / 소수 대표제)는 다수 대표제와 비례 대표제를 혼용하는 제도로, 우리나라의 현행 국회 의원 선거 제도가 대표적이다.

05 다음 글의 밑줄 친 부분에서 설명하는 우리나라의 선거 제도를 쓰시오.

> 우리나라의 국회 의원 선거는 두 가지 방식으로 이루어진다. 지역구 의원은 소선거구제와 다수 대표제의 방식으로 이루어진다. 반면 비례 대표 의원은 <u>득표율에 따라 정당별 의석수가 결정되면 각 정당이 선거 전에 선거 관리 위원회에 제출한 비례 대표 의원 명부의 순번에 따라 당선자를 결정하는 방식으로 이루어진다</u>. 이를 위해 유권자는 투표를 할 때 1인당 2표를 받는다.

06 우리나라 선거의 문제점을 개선하려는 노력으로 옳은 것을 |보기|에서 있는 대로 고르시오.

> **보기**
> ㄱ. 지역주의와 연고주의를 따른다.
> ㄴ. 선거 제도의 보완점을 생각한다.
> ㄷ. 당선되기 위해 수단과 방법을 가리지 않는다.
> ㄹ. 후보자의 공약을 합리적으로 비교하여 선택한다.

내신 유형 익히기

정답과 해설 ▸ 16쪽

01 다음 사례의 갑국과 을국의 국민들이 보장받지 못하는 선거의 4대 원칙을 바르게 연결한 것은?

갑국	을국
"우리나라에서는 어느 정도의 돈이 은행에 예치되어 있지 않으면 선거권을 부여받지 못해요."	"우리나라에서는 선거 때마다 동장에게 신분증을 주도록 해요. 동장이 제 투표를 대신 하거든요."

	갑국	을국
①	보통 선거	평등 선거
②	보통 선거	직접 선거
③	평등 선거	직접 선거
④	평등 선거	보통 선거
⑤	비밀 선거	평등 선거

02 다음 사례가 보여주는 선거의 기능으로 가장 적절한 것은?

> 갑국의 여당인 A당은 총선이 얼마 남지 않은 상황에서 내부적으로 다툼이 있었다. 그 이유는 A당의 국회 의원 후보자를 결정하는 공천 방식에 대한 생각 차이 때문이었다. A당의 일부는 기존 방식 대로 당 지도부가 후보자를 결정하자고 주장했고, 또 다른 사람들은 일반 당원이나 국민들의 투표에 의한 경선을 통해 후보자를 결정하자고 주장했다. 이 과정에서 서로 간에 비방과 욕설이 난무하고 당 대표는 직인을 거부하는 등 여러 사건이 벌어졌으며 국민들은 이러한 광경에 눈살을 찌푸렸다. 그 이후 치러진 총선 결과, 기존의 예상을 뒤엎고 다수의 지역에서 A당의 국회 의원 후보자들이 낙선하였다.

① 사회 통합을 이룬다.
② 정치권력을 통제한다.
③ 국가와 국민을 연결해 준다.
④ 정치권력에 정당성을 부여한다.
⑤ 국민들에게 민주주의에 대한 학습의 기회를 제공한다.

03 중요 국회 의원 선거 방식을 다음과 같이 바꿀 경우 나타날 변화로 적절한 것은?

> [기존 방식] 선거구를 지역별로 많이 나누고, 한 선거구에서 가장 많은 표를 얻은 한 사람을 당선자로 결정한다.
>
> ⇩
>
> [새로운 방식] 전국을 단위로 정당에 투표를 하도록 하여 득표율에 따라 정당별 의석수를 결정한 후 각 정당이 선거 전에 선거 관리 위원회에 제출한 의원 명부의 순번에 따라 당선자를 결정한다.

① 사표가 많이 발생한다.
② 선거 관리가 쉽고 단순해진다.
③ 선거 운동 과열 현상이 심화된다.
④ 소수 정당의 후보자들이 의회에 진출할 가능성이 커진다.
⑤ 다수당 후보자가 당선될 가능성이 커져 정국 안정에 도움이 된다.

04 다음 표를 통해 알 수 있는 단순 다수 대표제의 문제점으로 옳은 것은?

〈선거구별 득표율과 당선자 수〉

(단위: %)

정당 \ 선거구	갑	을	병	정	무	평균	당선자수 (명)
A 정당	40	30	40	20	40	34	3
B 정당	30	40	20	40	30	32	2
C 정당	20	10	30	10	20	18	0
D 정당	10	20	10	30	10	16	0

① 소수 정당에 유리하다.
② 의석 배분 방식이 복잡하다.
③ 선거 관리가 어렵고, 선거 비용이 많이 든다.
④ 각 정당의 후보자 결정에 유권자의 의사를 반영하기 어렵다.
⑤ 사표가 많이 발생하여 유권자의 의사가 제대로 반영되지 못한다.

05 다음 글의 'A'에 대한 옳은 설명만을 |보기|에서 고른 것은?

> 2014년 헌법 재판소에서는 선거구 획정 시 '인구수가 최대인 선거구'와 '인구수가 최소인 선거구'의 인구 차이가 2배를 넘지 않도록 해야 한다는 결정을 내렸다. 이에 따라 2016년에 국회 의원 선거구 획정안이 새롭게 제출되었다. 그런데 국회 본회의 표결 과정에서 ○○구 선거구가 이전 총선에서 특정 후보가 승리한 지역만을 묶어 선거구 획정선이 그어졌다며 A 논란이 제기되었다.

| 보기 |
ㄱ. 소선거구제보다 비례 대표제에서 더 문제가 된다.
ㄴ. 이를 방지하기 위해 선거구 법정주의를 채택하고 있다.
ㄷ. 인구수와 관계없이 행정 구역을 기준으로 선거구를 획정하는 것을 의미한다.
ㄹ. 특정 정당이나 후보자에게 유리하도록 선거구를 인위적으로 조정하는 것을 의미한다.

① ㄱ, ㄴ　② ㄱ, ㄷ　③ ㄴ, ㄷ
④ ㄴ, ㄹ　⑤ ㄷ, ㄹ

06 중요 (가)~(다)는 선거의 당선자를 결정하는 대표 선출 방식에 대한 설명이다. 이에 관한 서술로 옳은 것은?

> (가) 선거구 내에서 가장 많은 표를 얻은 한 사람을 대표자로 선출한다. 한 표라도 많이 얻으면 대표자가 된다.
> (나) 1차 투표에서 후보자가 50% 초과 득표를 하면 대표자로 선출한다. 그렇지 않으면 상위 2명을 놓고 2차 투표를 하여 대표자를 결정한다.
> (다) 득표율에 따라 정당별 의석수가 결정되면 각 정당이 선거 전에 선거 관리 위원회에 제출한 의원 명부의 순번에 따라 당선자를 결정한다.

① (가)는 절대다수 대표제를 의미한다.
② (가)를 채택할 경우, 소수 정당 후보자의 당선 가능성이 높아진다.
③ (나)는 가장 사표가 많이 발생하는 방식이다.
④ (나)는 선거에 시간과 비용이 많이 든다는 문제점을 갖고 있다.
⑤ 현재 우리나라 국회 의원은 모두 (다) 방식으로 선출하고 있다.

07 다음은 우리나라 국회 의원의 구성 및 선거 방식을 보여 주고 있다. 이에 대한 설명으로 옳지 않은 것은?

> • 국회 의원 수(2018년 9월 현재): 총 300명(지역구 의원 253명+비례 대표 의원 47명)
> • 국회 의원 선거 방식
> – 지역구 의원: 소선거구제, 다수 대표제
> – 비례 대표 의원: 정당 명부식 비례 대표제

① 지역구 국회 의원이 비례 대표 국회 의원보다 많다.
② 지역구 국회 의원의 경우, 한 선거구에서 가장 많은 표를 얻은 1인이 당선자가 된다.
③ 각 정당은 선거 전에 선거 관리 위원회에 비례 대표 국회 의원 명부를 제출해야 한다.
④ 소선거구제는 유권자들이 선거인단에 투표하고, 선거인단이 후보자에 투표하는 방식이다.
⑤ 국회 의원 선거에 참여하는 국민은 2개의 표를 받아 하나는 지역구 의원 후보자에, 하나는 정당에 투표하게 된다.

08 다음 인터뷰를 통해 알 수 있는 우리나라 선거의 문제점으로 가장 적절한 것은?

> 기자: 지난 총선 때 누구 뽑았는지 혹시 기억나세요?
> 주민: 저요? 저는 ○○당 밖에 안 뽑아요.
> 기자: 잘 뽑은 것 같으세요?
> 주민: 잘 뽑았죠. 나는 나라 다 팔아먹어도 ○○당이에요.
> 기자: 왜요?
> 주민: 우리 고향이 △△시니까요.

① 정당과 정치인에 대한 불신이 심각하다.
② 공익보다는 사익에 근거하여 투표를 한다.
③ 유권자들이 지역주의에 따른 투표를 한다.
④ 후보자들이 유권자들에게 불법적인 금품을 제공한다.
⑤ 후보자들이 자신의 공약을 내세우기보다 상대 후보자를 깎아내리려고 노력한다.

서술형 문제

09 다음 사례가 보여 주는 선거의 기능을 서술하시오.

> 국가의 중요한 일들이 사실상 사법부를 통해 결정되는 현상에 대해서 우려하는 목소리들이 있다. 법관은 시험으로 뽑아서 관료제로 운영되기 때문이다. 그러나 대통령과 국회 의원은 국민의 선거를 통해 선출된 권력 기관이다.

서술형 문제

10 다음 글을 읽고 물음에 답하시오.

> 갑국의 국회 의원 선거는 지역구 단위로 치러지며, 전국에 약 200여 개의 지역구가 있다. 한 선거구에서 가장 많은 표를 얻은 한 사람이 해당 지역구의 국회 의원으로 당선된다.

(1) 갑국의 선거구제가 무엇인지 쓰시오.

(2) 갑국의 국회 의원 선거 제도의 단점을 두 가지 이상 서술하시오.

서술형 문제

11 다음 글을 읽고 물음에 답하시오.

> 결선 투표제는 (   )의 한 유형이다. 결선 투표제는 선거에서 당선에 필요한 일정한 수의 표를 얻은 자가 없을 경우, 당선인을 결정하기 위하여 상위 득표자 일부에 대해서만 다시 투표를 실시하는 방식을 말한다. 현재 프랑스의 대통령 선거는 결선 투표제의 방식을 따르고 있다. 1차 투표에서 50% 초과 득표한 후보자가 있으면 그가 당선되지만, 그런 후보자가 없을 경우 1차 투표의 상위 2명을 대상으로 2차 투표가 이루어진다.

(1) 빈칸에 들어갈 선거 제도를 쓰시오.

(2) 위와 같은 대표 선출 방식의 장점을 두 가지 이상 서술하시오.

서술형 문제

12 다음 글을 읽고 물음에 답하시오.

> 우리나라의 국회 의원 선거는 두 가지 방식으로 이루어진다. 80% 이상은 지역구에서 가장 많은 표를 얻은 한 사람이 당선되지만, 나머지는 다른 방식으로 선출된다.

(1) 밑줄 친 '나머지'에 해당하는 우리나라 국회 의원 선거 방식의 명칭을 쓰시오.

(2) (1)에 의한 선거는 어떻게 이루어지는 것인지 간략히 서술하시오.

정답과 해설 ▸ 17쪽

01 다음은 갑국의 국회 의원 선거 방식에 관한 내용이다. 이에 대한 설명으로 가장 적절한 것은?

중요

- 국회 의원 구성: 총 288명(지역구 국회 의원 223명+비례 대표 국회 의원 65명)
- 지역구 국회 의원: 전국에 있는 총 223개의 지역구를 단위로 선거가 치러지며, 1차 투표 시 유효 표의 50% 초과 지지를 받은 후보자가 없을 경우, 상위 2명의 후보자가 2차 투표를 치러 가장 많은 표를 얻은 한 사람을 당선자로 정한다.
- 비례 대표 국회 의원: 전국을 단위로 선거가 치러지며, 유권자가 정당을 선택하면 득표율에 따라 정당별 의석수가 결정된다. 각 정당은 선거 전에 선거 관리 위원회에 비례 대표 의원 명부를 제출해야 하며, 순번에 따라 당선자를 정한다.

① 군소 정당이 난립하여 정국의 혼란이 우려된다.
② 유권자는 국회 의원 선거에서 3장의 투표용지를 받는다.
③ 정당 명부식 비례 대표제를 통해 소수 정당도 의회에 진출할 수 있다.
④ 지역구 국회 의원의 당선자는 2차 투표에서 유효 표의 60% 초과 지지를 얻어야만 한다.
⑤ 지역구 국회 의원 선거 방식은 비례 대표 국회 의원 선거 방식에 비해 사표를 적게 발생시킨다.

문제 접근 방법
제시된 국회 의원 선거 방식이 선거구와 대표 선출의 측면에서 어떠한 제도에 해당하는지 파악한다.

내신 전략
선거구제와 대표 선출 방식을 학습하고, 각각의 장점과 단점, 현실 정치에 적용되었을 때의 모습 등을 정리하도록 한다.

02 밑줄 친 부분에 들어갈 수 있는 상황으로 가장 적절한 것은?

일반적으로 소선거구제하에서는 다수당 후보자가 당선될 가능성이 커서 정국 안정에 도움이 되고, 중·대선거구제하에서는 군소 정당이 난립할 가능성이 커서 정국의 혼란이 우려된다고 말한다. 의원 내각제하에서는 이것이 옳은 서술이다. 그러나 우리나라와 같은 대통령제하에서는 언제나 그렇지는 않다. 우리나라는 국회 의원 선거에서 80%가 넘는 지역구 국회 의원의 경우 소선거구제를 채택하고 있다. 그렇지만 ________________ 경우에는 행정부와 입법부의 협치가 이루어지지 않고 갈등이 일어나 어려움을 겪었다.

① 비례 대표 국회 의원 수가 줄어드는
② 대통령이 의회 다수당에 속하지 않는
③ 군소 정당끼리 연립 내각을 구성하는
④ 의회 다수당의 대표가 내각을 구성하는
⑤ 대통령이 행정부의 주요 공직자를 결정하는

문제 접근 방법
일반적인 소선거구제의 장점의 예외에 관한 문제이다. 소선거구제하에서도 정국이 안정되지 않는 예외적인 사례를 선택지에서 고른다.

내신 전략
소선거구제와 중·대선거구제의 특징 및 장점과 단점을 정리해 두고, 이를 실제 정치 상황과 관련지어 생각해 본다.

정답과 해설 ▸ 17쪽

2018학년도 9월 모의평가

01 다음 자료에 대한 옳은 분석을 |보기|에서 고른 것은?

갑국은 현재 5개 선거구에서 선거구마다 최다 득표자 1인을 의회 의원으로 선출한다. 갑국은 차기 선거를 앞두고 현행 제도를 변경할 예정이며, 다음과 같은 두 가지 안을 검토하고 있다.

- 〈1안〉 선거구 1~3, 선거구 4~5를 통합하여 두 개의 선거구를 만들며 의원 정수는 각각 3석과 2석으로 함
- 〈2안〉 선거구 모두를 통합하여 한 개의 선거구로 만들며 의원 정수는 5석으로 함

두 안 모두 의석 할당 정당의 득표 비율에 선거구별 의원 정수를 곱하여 산출된 수의 정수(整數)만큼 정당의 의석으로 배분한다. 이후 잔여 의석은 소수점 이하 수가 큰 순서대로 각 의석 할당 정당에 1석씩 배분한다. 단, 의석 할당 정당은 1안의 경우 선거구별로 유효 투표 총수의 20% 이상을 득표하여야 하고, 2안의 경우 전체 유효 투표 총수의 5% 이상을 득표하여야 한다. 표는 최근 갑국 선거에서의 정당별 득표수를 나타낸다.

구분	A당	B당	C당	D당	E당	유효 투표 총수
선거구 1	100	200	0	100	0	400
선거구 2	400	100	0	0	0	500
선거구 3	100	100	200	100	100	600
선거구 4	200	0	100	0	0	300
선거구 5	0	0	200	0	0	200
합계	800	400	500	200	100	2,000

* 의석 할당 정당의 득표 비율은 각 의석 할당 정당의 득표수를 모든 의석 할당 정당의 득표수 합계로 나누어 산출함
** 위의 표를 기준으로 차기 선거 결과를 판단함

보기

ㄱ. A당의 경우 1안은 현행보다 유리하다.
ㄴ. B당의 경우 2안은 현행보다 불리하다.
ㄷ. C당의 경우 1안과 2안 모두 현행보다 불리하다.
ㄹ. D당의 경우 1안이 2안보다 유리하고, E당의 경우 선거 제도 변경에 따른 유불리는 없다.

① ㄱ, ㄴ　② ㄱ, ㄷ　③ ㄴ, ㄷ
④ ㄴ, ㄹ　⑤ ㄷ, ㄹ

출제 개념

선거 제도

자료 해설

현재 갑국은 소선거구제, 다수 대표제를 시행하고 있는데, 〈1안〉은 중선거구제로 변경하자는 것이고, 〈2안〉은 비례 대표제로 변경하자는 것이다. 이에 따라 각 정당이 얻는 의석수가 달라진다.

해결 비법

현행, 1안, 2안으로 나누어 선거 결과가 어떻게 나타날지 분석한다. 그리고 선택지를 읽으면서 옳은 추론을 찾아낸다.

주제 3 다양한 정치 주체의 역할과 참여

주제 흐름 읽기

다양한 정치 주체

구분	내용
정당	정치권력의 획득을 목적으로 정치적 견해를 같이하는 사람들이 만든 단체
이익 집단	이해관계가 같은 사람들이 이익 실현을 위해 만든 집단
시민 단체	공익 실현을 목적으로 시민들이 자발적으로 결성한 단체
언론	신문, 방송, 인터넷 등을 통해 사실을 알리거나 여론을 형성하는 활동

참여 방법

구분	내용
정당	정당 가입, 공청회, 토론회, 국민 경선제 참여 등
이익 집단	로비 활동, 선거 자금 후원, 전문 지식 활용, 시위 및 집회 등
시민 단체	시민 단체 조직 및 가입 등
언론	독자 투고, 토론 참여, 비판적 평가 등

1 정당의 기능과 참여 방법

1. 정당의 의미와 특징 자료 1

(1) **의미** 정치권력의 획득과 유지를 목적으로 정치적 견해를 같이하는 사람들이 만든 단체❶

자신들이 추구하는 기본 정책이나 이념을 정강으로 만들어 실현하기 위해 노력해.

(2) **특징**

① 사회 모든 분야에 관심을 두며 공익 추구

② 정권 획득을 목적으로 선거에 후보자 추천

③ 선거를 통해 국민의 심판을 받음으로써 정치적 책임❷을 짐

(3) **참여 방법** 정당 가입, 공청회나 토론회 및 정책 설명회 참가, 국민 경선제 참여 등

2. 정당의 기능

기능	내용
국민의 의사 반영	국민의 다양한 기대와 이익 등을 조직화하고 수렴하여 정부 정책에 반영
정치적 충원	공직 선거에 출마할 후보자를 추천하여 국민을 대신할 대표자 배출
정치 사회화❸	정치에 관한 지식과 관심을 증진하여 국민의 정치 참여 유도
정부 통제	여당은 정부와 의회의 정책을 조율하고, 야당은 정부 정책을 비판하고 대안을 제시하며 권력을 견제함

여당과 정부는 당정 협의회를 통해 의견을 조율해.

2 이익 집단의 기능과 참여 방법

1. 이익 집단의 의미와 특징 자료 2

(1) **의미** 이해관계가 같은 사람들끼리 모여 자신의 이익을 실현하기 위해 만든 단체

(2) **등장 배경** 이해관계가 다원화되고 사회가 세분화되면서 정당 제도나 지역 대표제만으로는 다양한 의견을 반영하기 어려워짐

(3) **특징** 자기 집단의 특수한 이익 추구, 정부의 정책 결정 과정에 압력을 행사하지만 정치적 책임을 지지 않음

압력 단체라고 부르기도 해.

(4) **참여 방법** 로비 활동, 선거 자금 후원, 전문 지식 활용, 시위 및 집회 등

집단적으로 이루어지는 활동은 시민이 개인적으로 활동할 때보다 더 효과적이야.

2. 이익 집단의 기능

순기능	역기능
• 정부 정책 감시·통제 • 시민의 다양한 이익 표출 • 특정 분야의 전문성을 토대로 정당의 한계 보완	• 특수 이익 추구로 공익 훼손 우려 • 정치권력과의 야합 발생 가능성

❶ 정당의 정의와 정당 설립의 자유

정당법 제2조 이 법에서 "정당"이라 함은 국민의 이익을 위하여 책임 있는 정치적 주장이나 정책을 추진하고 공직 선거의 후보자를 추천 또는 지지함으로써 국민의 정치적 의사 형성에 참여함을 목적으로 하는 국민의 자발적 조직을 말한다.

헌법 제8조 ① 정당의 설립은 자유이며, 복수 정당제는 보장된다.

❷ 정치적 책임

집권 정당이나 정치 지도자가 자신의 언행과 관계있는 정치적 결과에 대하여 지는 책임으로, 직위에서 물러나는 직접적인 책임에서부터 선거를 통해 심판을 받는 간접적인 책임 등이 있다.

❸ 정치 사회화

특정 사회 집단의 구성원이 정치에 대해서 공통적으로 갖는 태도·신념·가치관·규범·행동 양식 등의 정치 문화를 습득해 나가는 과정이다.

자료 1 정당 제도의 유형

교과서 95쪽

구분	특징	예
일당제	오직 하나의 정당에게만 활동이 허용되는 경우로 단일 정당이 정부 기구를 통제하기 때문에 정당을 통한 정치 참여 기능이 제대로 수행될 수 없다.	중국의 공산당
일당 우위제	하나의 정당이 항상 권력을 장악하지만, 다른 정당들도 어느 정도 효과적으로 기능하도록 허용된다.	멕시코의 제도 혁명당
양당제	어떤 정당도 항상 권력을 장악한다고 보장할 수 없으며, 보통 두 개의 정당이 권력을 획득할 실질적 가능성을 가진다.	미국의 공화당과 민주당
다당제	두 개 이상의 주요 정당이 존재하며, 어느 정당도 독자적으로 통치하기에 충분한 의석을 갖지 못하기 때문에 정당 간에 연합하는 경향이 있다.	캐나다의 보수당, 신민주당, 자유당, 블록 퀘벡당, 녹색당 등

– 쉬블리, 『정치학 개론: 권력과 선택』 –

자료 분석 국민의 정치적 결사에 대한 자유가 인정되고 널리 참정권이 인정되는 현대 민주주의 국가에서는 자유로운 정당의 설립이 보장되어야 한다. '정당은 현대 정치의 생명이다.'라는 말처럼, 정당은 건강한 민주주의의 발전에 토대가 된다. 이렇게 형성되는 정당 제도는 정당의 수와 정당의 상대적 규모에 따라 크게 네 가지로 구분할 수 있다. 일당제는 오직 하나의 정당만이 활동하며, 단일 정책을 국민에게 강요하여 정권 교체가 불가능해 독재의 가능성이 크다. 일당 우위제는 한 나라에 두 개 이상의 정당이 있어서 합법적으로는 정권 교체가 가능하지만 특정 정당이 압도적으로 집권하는 실질적 일당제를 말한다. 양당제는 정권 획득을 위해 경쟁할 수 있는 대표적인 두 개의 정당이 중심이 되는 체제이며, 다당제는 경쟁할 수 있는 정당이 세 개 이상인 정당 정치 체제이다.

자료 분석 포인트

다양한 정당 제도를 구분하고 특징을 각각 정리해 보자.

Q1 빈칸에 들어갈 알맞은 말을 쓰시오.

(   )은/는 정권 교체가 가능한 대표적인 두 개의 정당이 정권 획득을 위해 경쟁하는 정당 제도이다.

자료 2 이익 집단의 정치 참여

교과서 97쪽

사례 1	사례 2
미국 식품 의약국(FDA)은 피자의 영양 성분 표시를 조각 단위가 아닌 한 판을 기준으로 적시하라는 규정을 만들고자 하였다. 이에 대해 피자 업계는 적극적인 로비 활동을 진행하였고, 결국 식품 의약국은 조각 단위로 영양 성분 표시를 하도록 규정을 완화하였다. – 한겨레, 2015. 3. 15. –	○○ 시장 노점 상인회 500여 명이 노점 영업 시장 확대와 시장 발전을 위한 상생 위원회 개최를 촉구하였다. 이들은 "○○ 시장 상인들의 규제로 노점은 오후 5시 이후에나 장사할 수 있다. 오후 7시가 되면 찾는 사람이 없어 실제 영업 시간은 2시간에 불과하다."라고 밝혔다. 한편 ○○ 시장 상인회 측은 "노점들이 불법으로 시장의 도로를 점유하고 있다."라며 맞서고 있다. – 뉴스1, 2016. 9. 8. –

자료 분석 사례 1의 피자 업계는 한 판 기준으로 영양 성분을 표시했을 경우 피자 판매에 부정적인 영향을 끼칠 것을 고려하여 정부에 각종 로비 활동을 하였다. 그 결과 자신들이 원하는 방식으로 영양 성분을 표시할 수 있도록 규정이 완화되었다. 사례 2에는 이익 집단 사이의 갈등이 나타나고 있다. '○○ 시장 노점 상인회'와 '○○ 시장 상인회'는 자신들의 이익을 주장하며 대립하고 있다. 이익 집단이 추구하는 이익은 사회 보편적 이익과 충돌할 우려가 있으며, 이 과정에서 이익 집단이 경쟁적으로 압력을 행사할 경우 사회적 혼란이 초래될 수 있다.

자료 분석 포인트

이익 집단의 순기능과 역기능을 정리해 보자.

Q2 이익 집단에 대한 설명으로 옳지 않은 것은?

① 특수 이익과 보편적 이익이 충돌할 우려가 있다.
② 현대 사회의 다원화된 이해관계로 인해 등장하였다.
③ 자신들의 이익을 추구하여 정권 획득을 목적으로 한다.
④ 정부 정책 결정 과정에 압력을 행사하므로 압력 단체라고도 한다.
⑤ 특정 분야의 전문성을 바탕으로 지역 대표제의 한계점을 보완한다.

답 Q1 양당제 / Q2 ③

3 시민 단체의 기능과 참여 방법

1. 시민 단체의 의미와 기능

(1) **의미** 공익 추구를 목적으로 하여 시민들이 자발적으로 참여하여 구성한 단체[1]

(2) **등장 배경** 대의 민주주의가 발달하면서 국민의 의사가 정치 과정에 반영되지 못하여 시민들의 자발적인 정치 참여의 필요성이 증대됨

시민 단체는 시민이 주체가 되어 활동하기 때문에 풀뿌리 민주주의 실현에 이바지하고 있어.

(3) **기능**

① 정치권력에 대한 감시와 견제

② 사회적 소수자[2]의 복지와 권익을 위해 각종 서비스 제공

③ 사회 문제 등을 비판하고 해결책 제안 자료 1

④ 정부, 이익 집단, 개인들 간의 갈등과 분쟁 조정

⑤ 공공선과 공익을 추구하여 교육적 기능 및 사회의 건전한 발전 주도

2. 시민 단체를 통한 참여

(1) **참여 방법** 시민 단체 조직 및 가입, 집회 등

(2) **시민 단체의 활동 영역** 정치 개혁 분야가 주된 활동 영역이었으나 오늘날에는 경제, 환경 등 인류 보편적 가치를 추구하는 활동으로 영역이 확장됨

(3) **우리나라 시민 단체의 과제**

① 시민의 저조한 참여율과 회원 부족

② 자체적인 운영 비용 마련이 어려워 정부 지원금이나 기업 후원금에 의존

4 언론의 기능과 참여 방법

1. 언론의 의미와 기능

(1) **의미** 신문, 방송, 인터넷, 라디오 등과 같은 매체를 통해 어떤 사실을 밝혀 알리거나 여론을 형성하는 활동

(2) **기능**

① 대중에게 다양한 정보를 빠르고 정확하게 전달

② 시민의 의견을 표출하는 통로

③ 국가 권력 감시 및 견제

④ 의제 설정[3]을 통해 특정 여론 형성 및 주도

2. 언론을 통한 정치 참여

(1) **참여 방법**

독자 투고, 토론 프로그램에 참여, 누리 소통망(SNS)이나 언론사를 통한 제보 등의 방법이 있어.

① 적극적 방법: 언론 매체를 통해 자신의 정치적 견해 표출 자료 2

② 소극적 방법: 언론 보도 내용을 비판적으로 평가하고 잘못된 보도 행위 감시

(2) **언론을 통한 정치 참여 활성화의 조건**

① 표현의 자유[4] 보장

② 특정 세력의 간섭에서 벗어난 진실하고 객관적인 보도

③ 지나친 상업주의 지양

---

❶ 비정부 기구 (NGO, Non Governmental Organization)
시민 단체는 비정부 기구라고도 하는데, 그 활동 범위와 영향력으로 인해 입법 – 행정 – 사법 – 언론 다음의 '제5부'라고 부르기도 한다.

❷ 사회적 소수자
신체적 또는 문화적 특징으로 인해 사회의 다수 구성원들로부터 구분되어 불평등한 처우를 받는 사람들을 의미하며, 성, 연령, 국적, 민족, 종교, 사상 등 다양한 기준에 의해 사회적 소수자로 규정될 수 있다. 이들은 교육이나 사회적 관계에서 배제되어 적응에 어려움을 겪고 취업 기회 부족과 업무 능력에 대한 편견 등으로 경제적 어려움을 겪는다.

❸ 의제 설정
의제란 논의할 주제라는 뜻으로, 언론은 특정 사회적 주제를 선정하고 그것을 중점적으로 다루며 정보를 제공함으로써 문제에 대한 책임 소재를 밝히고 대중의 정치적 태도에 영향력을 발휘한다.

❹ 표현의 자유

> 헌법 제21조 ① 모든 국민은 언론·출판의 자유와 집회·결사의 자유를 가진다.
> ② 언론·출판에 대한 허가나 검열과 집회·결사에 대한 허가는 인정되지 아니한다.

우리 헌법은 언론·출판의 자유를 보장하고 있으며, 허가나 검열에 대해서도 인정하지 않아 자유로운 언론 활동을 헌법상 권리로 보장하고 있다.

자료 1 시민 단체의 정책 제안 활동

교과서 98쪽

인간과 동물의 지속 가능한 삶을 위해 국가가 직접 동물 복지에 앞장서야 한다는 의견을 밝히기 위한 시민 공청회가 국회에서 열렸다. 동물 복지 국회 포럼과 동물 보호 단체 연합은 공청회에서 동물 보호 정책 과제의 필요성을 강조하였다.

우리나라의 동물 보호 복지 현실은 '동물 전염병'을 통해 확인할 수 있다. 정부는 2003년부터 발병한 조류 인플루엔자(AI)로 닭, 오리 등 조류 수천만 마리를 살처분하였고, 2010년부터 발병한 구제역으로 수백만 마리의 소·돼지를 땅에 묻었다. 이와 같은 동물 전염병이 반복되는 이유는 열악한 사육 환경 때문이라고 전문가들은 지적한다. 동물 보호 단체 연합은 감금 틀 사육을 단계적으로 금지해야 한다고 제안하였다. 이외에도 반려동물, 실험동물, 야생 동물, 일반, 종합으로 분야를 나누어 총 10개의 정책을 제안하고, 이를 실현하기 위해 '동물 복지 위원회'를 설립해야 한다고 요구하였다.

– 뉴스한국, 2017. 3. 16. –

자료 분석 시민 단체는 공익 추구를 목적으로 시민이 자발적으로 조직하여 활동하는 단체이다. 위의 동물 보호 단체는 공청회를 통해 동물 보호 정책 과제의 필요성을 강조하며 총 10개의 정책과 '동물 복지 위원회'의 설립을 제안하고 있다. 이처럼 다양한 시민 단체가 연합하여 정책을 제안하기도 하며, 선거에 출마하는 후보자에게 정책을 제안하고 협약을 통해 공약에 반영하는 등 공익과 공공선의 실현을 위해 노력하고 있다.

자료 분석 포인트
시민 단체의 목적과 다양한 활동에 대해 정리해 보자.

Q1 시민 단체의 활동에 해당하지 않는 것은?

① 시민 교육
② 각종 캠페인 활동
③ 선거에 후보자 추천
④ 국제 단체와의 연대
⑤ 정치권력의 감시와 견제

자료 2 누리 소통망(SNS)을 통한 정치 참여의 명과 암

교과서 99쪽

(가) 누리 소통망(SNS)은 정치인 또는 정치 단체가 유권자를 설득하여 투표, 정책 지지, 선거 캠페인 등의 정치적 참여를 유도하는 기능을 한다. 또한 유권자가 정부나 정치인들에 대한 청원, 법안의 지지 혹은 반대 의사 표현, 정치 집회 참여 등의 수단으로도 활용한다. 특히 휴대용 기기를 이용한 연결의 편의성은 일반 시민이 정치적 의사 표현을 쉽고 편하게 할 수 있도록 도와준다.

(나) 한 조사 기관의 2016년 조사 결과, 미국 성인의 62%가 누리 소통망(SNS)에서 뉴스를 얻는다. 그런데 2016년 미국 대통령 선거에서 가짜 뉴스가 주목을 받았다. '교황이 ○○○를 지지한다', '○○○가 특정 집단에 무기를 팔았다' 등 근거 없는 소문이 누리 소통망(SNS)을 통해 확산된 것이다. 이러한 허위 정보는 시민의 정치적 행동을 유발하기도 하며, 정치에 대한 불신과 냉소주의를 만들어 내기도 한다.

– 황용석 외, 「언론과 법 제16권 제1호」 –

자료 분석 누리 소통망(SNS, Social Network Service)은 국가 기관과 정치인들이 계정을 개설하여 국민들과 활발히 소통하는 등 정보 사회에서의 주요한 정치 참여 수단으로 자리 잡고 있다. 하지만 이러한 누리 소통망(SNS)을 통한 정치 참여에는 장단점이 있다. 누리 소통망(SNS)을 통해 정치인들이 국민의 의견을 수렴해 정책에 반영할 수 있고 국민들이 정치에 대한 관심을 높일 수 있다는 장점이 있지만, 개인 정보의 무분별한 노출과 사실 관계의 확인 절차를 거치지 않은 정보가 공개적으로 활용되는 등 '가짜 뉴스'가 사회 문제를 야기하기도 한다. 또한 일부 정치인들은 특정 개인의 의견을 국민의 의견으로 확대해 대의제의 원칙을 훼손하는 경우도 있다. 이처럼 누리 소통망(SNS)을 통한 정치 참여는 장점도 크지만 악용되면 사회 분열을 조장하고 국민 의사를 왜곡하는 수단이 될 수 있다는 점에서 신중한 활용이 필요하다.

자료 분석 포인트
현대 사회의 다양한 정치 참여 수단에 대해 파악해 보자.

Q2 다음에서 설명하는 정치 참여 수단이 무엇인지 쓰시오.

> 인터넷상에서 특정한 관심이나 활동을 공유하는 사람들 사이의 관계망을 구축해 주는 서비스이다.

답 Q1 ③ / Q2 누리 소통망(SNS)

개념 익히기

정답과 해설 ▸ 17쪽

01 다음 빈칸에 들어갈 알맞은 말을 쓰시오.

(1) 정당은 각종 선거에 후보자를 추천하고 국민을 대신할 대표자를 배출하는 (　　　) 기능을 담당한다.
(2) 풀뿌리 민주주의란 (　　　) 활동과 같은 시민들의 자발적인 참여를 통해 지역 사회의 문제를 해결하려는 민주주의의 한 형태이다.
(3) 이익 집단은 정부의 정책 결정 과정에 자신의 이익을 반영하기 위해 압력을 가하므로 (　　　)(이)라고도 한다.
(4) 언론은 (　　　) 기능을 통해 특정 여론을 형성 및 주도하여 정치적 영향력을 행사한다.

02 다음 괄호 안에 들어갈 알맞은 말에 ○표 하시오.

(1) (여당 / 야당)은 정부 정책을 비판하고 대안을 제시하면서 권력을 견제한다.
(2) 이익 집단은 정당이나 시민 단체와 달리 (사익 / 공익)을 추구한다.
(3) 최근에는 경제적 이익 추구를 위해 언론이 지나친 (상업주의 / 정치주의)로 흘러가고 있어 경계가 필요하다.

03 다음 설명이 옳으면 ○, 틀리면 ×표 하시오.

(1) 양당제보다 다당제하에서 정당 간에 연합하는 경향이 더 높다. (　　)
(2) 정당과 이익 집단은 정책 결정에 영향력을 미치므로 정치적 책임을 진다. (　　)
(3) 언론을 통한 정치 참여가 활발하게 이루어지기 위해서는 표현의 자유가 보장되어야 한다. (　　)
(4) 정당이나 시민 단체와 달리 이익 집단은 정치 사회화 기능을 수행하지 않는다. (　　)

04 다음 정당제의 유형과 그 설명을 바르게 연결하시오.

(1) 일당제 • 　　• ㉠ 경쟁할 수 있는 정당이 세 개 이상 존재
(2) 양당제 • 　　• ㉡ 정권 교체가 가능한 대표적인 두 정당이 존재
(3) 다당제 • 　　• ㉢ 정권 획득 가능성이 있는 정당이 한 개만 존재

05 다음 글이 설명하는 용어를 쓰시오.

> 의회의 대기실이나 면회실에서 이익 집단들이 의회 의원들에게 입법을 촉진하거나 저지하기 위한 압력을 행사하는 행위를 말한다.

06 다음에서 설명하고 있는 정치 주체를 쓰시오.

> 공익 추구를 목표로 하여 시민이 자발적으로 조직한 비영리 단체이다. 이익 집단과 달리 누구나 회원으로 활동할 수 있는 개방된 조직이며, 주로 자원봉사를 통해 활동을 수행한다.

내신 유형 익히기

정답과 해설 ▸ 18쪽

01 갑과 을의 대화에서 공통으로 나타난 정당의 기능으로 가장 적절한 것은?

> 갑: 나는 내일 ○○당에서 주최하는 '정부의 보건 정책 공청회'에 가서 내 의견을 이야기할 생각이야.
> 을: 나는 어제 △△당의 대통령 선거 후보자를 선출하는 국민 경선에 참여했어. 후보자들이 제시한 정책을 꼼꼼히 살펴보고 투표했지.

① 정치 사회화
② 정치적 충원
③ 정치 권력의 획득
④ 의회와 정부의 매개
⑤ 정부 정책에 대한 감시와 통제

02 중요 다음은 두 정당의 공천 방식을 나타낸 표이다. A당과 비교한 B당 공천 방식의 특징만을 |보기|에서 있는 대로 고른 것은?

구분	A당	B당
공천 신청 자격	피선거권이 있는 국민	6개월 이상 당비를 납부한 당원
후보자 결정 방식	당원 투표(50%) + 일반 국민 투표(50%)	당 대표가 구성한 공천 심사 위원회의 결정

보기
ㄱ. 공천 과정의 투명성을 높일 수 있다.
ㄴ. 정당의 정체성을 유지하는 데 유리하다.
ㄷ. 유능한 외부 인사의 공천 가능성이 높아진다.
ㄹ. 상향식 의사 결정 방식으로 공천이 이루어진다.

① ㄱ ② ㄴ ③ ㄱ, ㄴ
④ ㄴ, ㄷ ⑤ ㄷ, ㄹ

03 중요 그림은 정당 제도의 유형을 나타낸 것이다. 이에 대한 옳은 설명을 |보기|에서 고른 것은? (단, A~C는 각각 일당제, 양당제, 다당제 중 하나이다.)

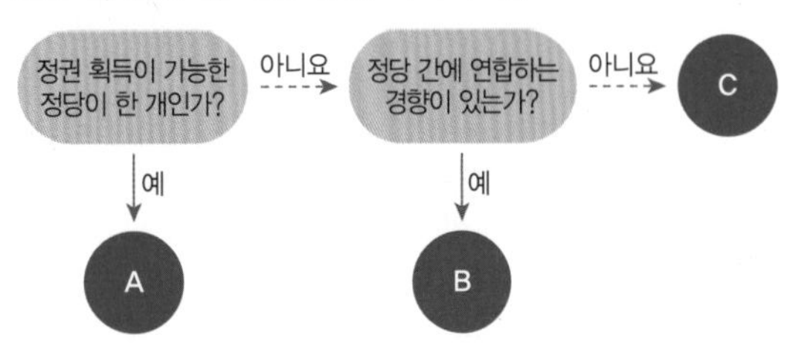

보기
ㄱ. A의 예로 중국의 공산당을 들 수 있다.
ㄴ. B는 A보다 강력한 정책 추진이 용이하다.
ㄷ. B는 C보다 소수의 이익이 보호될 가능성이 낮다.
ㄹ. C는 B보다 유권자의 정당 선택이 용이하다.

① ㄱ, ㄴ ② ㄱ, ㄹ ③ ㄴ, ㄷ
④ ㄴ, ㄹ ⑤ ㄷ, ㄹ

04 다음 글에 나타난 단체와 같은 정치 참여 집단의 일반적 특징을 |보기|에서 고른 것은?

> 제4조(목적과 사업) ○○노총은 다음과 같은 목적을 가지며 이를 실현하기 위한 사업을 추진한다.
> 1. 노동자의 인간다운 생활과 향유할 수 있는 권리를 비롯한 제 인권과 노동 3권을 토대로 한 노동 기본권의 확보
> 2. 임금, 노동 조건의 유지·개선과 노동자의 경제적·사회적·정치적 지위 향상 ……

보기
ㄱ. 정부 정책에 대한 감시와 비판의 기능을 수행한다.
ㄴ. 특정 분야의 이익을 추구하며 정치적 책임을 진다.
ㄷ. 공공선을 추구하여 풀뿌리 민주주의 실현에 이바지한다.
ㄹ. 직업 전문성을 바탕으로 지역 대표제의 한계를 보완한다.

① ㄱ, ㄴ ② ㄱ, ㄷ ③ ㄱ, ㄹ
④ ㄴ, ㄹ ⑤ ㄷ, ㄹ

05 밑줄 친 ㉠, ㉡과 그 내용을 연결한 것으로 옳지 않은 것은?

> 갑: 정당, 이익 집단, 시민 단체 등 다양한 정치 참여 주체들이 활발한 정치 참여 활동을 하고 있어.
> 을: 맞아, 나는 시민 단체의 활동이 가장 중요하다고 생각해. 풀뿌리 민주주의를 실현하는 데 큰 역할을 하기 때문이야. 하지만 ㉠ 시민 단체의 문제점도 존재하지.
> 갑: 우리가 이를 ㉡ 해결할 수 있는 방법은 무엇일까?

	㉠	㉡
①	전문성 부족	실무자의 전문성 향상
②	열악한 재정 자립도	회원 확충을 통한 재정 충당
③	조직의 과두제적 운영	일반 시민의 적극적 참여
④	시민 단체의 이익 집단화	도덕성과 순수성 유지 노력
⑤	일부 지도층 중심의 운영	하향식 의사 결정 구조 확립

06 중요 다음 대화에 나타난 정치 참여 집단 ㉠, ㉡의 공통점은?

> 갑: 이번 여름 방학 때 뭐할 거야?
> 을: 이모가 근무하시는 ㉠ 의사 협회에 가서 아르바이트를 하려고 생각 중이야.
> 갑: 우아! 그런 아르바이트가 있었어? 같이 할걸!
> 을: 다음에 같이 하자. 그런데 너는 뭐할 거야?
> 갑: 난 평소 관심 있었던 ㉡ 동물 보호 단체에서 길고양이 보호 캠페인을 할 거야.

① 여론을 집약하여 법안을 발의한다.
② 대의 민주주의의 한계를 보완하는 기능을 한다.
③ 특수 이익을 추구하며, 정부에 압력을 행사한다.
④ 선거에 후보자를 공천하여 정치 지도자를 충원한다.
⑤ 공공 정책 결정 과정에서 공식적 참여자에 해당한다.

07 중요 그림은 정치 참여 주체를 구분한 것이다. 이에 대한 옳은 설명을 |보기|에서 고른 것은? (단, A~C는 각각 정당, 이익 집단, 시민 단체 중 하나이다.)

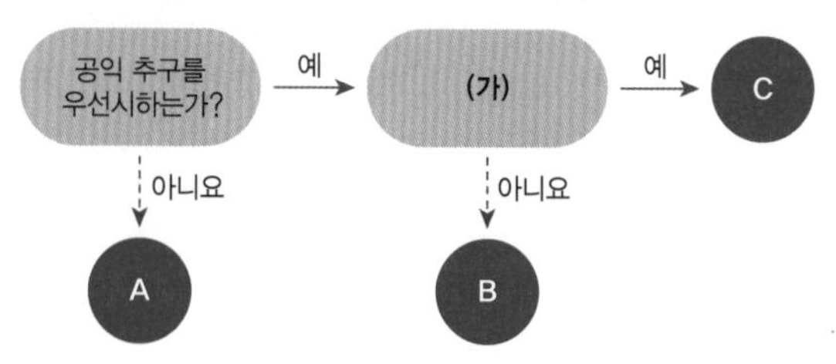

> **보기**
> ㄱ. A가 추구하는 가치는 B, C가 추구하는 가치와 충돌할 우려가 있다.
> ㄴ. A와 달리 B, C는 시민의 자발적 참여를 바탕으로 하는 조직이다.
> ㄷ. (가)에 '선거에 후보자를 추천하는가?'가 들어간다면 C는 정당이다.
> ㄹ. B가 정당이라면, (가)에는 '의회와 정부를 매개하는가?'가 들어갈 수 있다.

① ㄱ, ㄴ　② ㄱ, ㄷ　③ ㄴ, ㄷ
④ ㄴ, ㄹ　⑤ ㄷ, ㄹ

08 다음 글이 강조하고 있는 언론의 기능으로 가장 적절한 것은?

> 언론은 거울과 같다. 거울은 좋은 것, 안 좋은 것뿐만 아니라 잘된 것과 잘못된 것을 구별 없이 비춰 준다. 또한 단순히 겉모습만이 아니라 내면 깊은 곳까지 비추며 어떤 문제가 있는지 사람들이 모두 들여다볼 수 있게 해 준다. 이처럼 언론은 있는 그대로를 비춤으로써 사람들이 그것을 보고 스스로 깨닫고 행동하도록 만든다.

① 여론 형성
② 사회적 쟁점 분석
③ 공정한 사실 보도
④ 시민의 의견 표출 통로
⑤ 정치권력에 대한 비판과 감시

서술형 문제

09 다음 글을 읽고 갑국에서 재편된 정당 제도의 유형을 쓰고, 이 정당 제도의 장점을 두 가지 쓰시오.

> 지난주 치러진 갑국 총선에서 신생 정당들의 약진으로 30년 넘게 이어진 양당제가 4당 체제로 재편됐다. 최종 개표 결과, 집권당인 A당이 제1당이 됐으나 과반(151석)에 훨씬 못 미치는 122석을 얻는 데 그쳤고 제1야당인 B당은 85석, 신생 진보 정당 C당과 신생 보수 정당인 D당이 각각 52석과 41석을 얻었다.

서술형 문제

10 다음은 정치 참여 주체에 대한 설명이다. 글을 읽고 물음에 답하시오.

> (가) △△조합은 건설 노동자의 단결과 노동 조건 향상, 정치·경제·사회적 지위 향상을 도모하는 단체이다.
> (나) ○○연합은 지역 하천 환경 보전, 녹색 자치 실현, 생태 습지 보호, 철새 살리기를 목적으로 모인 단체이다.

(1) (가), (나)에 해당하는 정치 참여 주체의 명칭을 각각 쓰시오.

(2) (가), (나) 집단의 차이점을 한 가지 쓰시오.

서술형 문제

11 표는 정치 참여 주체를 구분한 것이다. 빈칸 ㉠에 들어갈 수 있는 적절한 질문을 두 개 쓰시오. (단, A~C는 각각 정당, 이익 집단, 시민 단체 중 하나이다.)

구분	A	B	C
선거에 후보자를 공천하는가?	×	×	○
공익을 추구하는가?	×	○	○
㉠	×	×	○

서술형 문제

12 밑줄 친 부분을 통해 알 수 있는 언론의 기능과 그 의미를 쓰시오.

> A 신문사는 사건을 취재하는 과정에서 정치권력과 경제 권력 간의 긴밀한 유착 관계를 밝혀냈다. 이러한 사실이 보도된 뒤, 국민들은 크게 분노하며 공정한 수사를 촉구하고, 정의로운 나라를 만들기 위한 발전 방향을 논의하기 시작했다.

3단계 내신 만점 도전하기

정답과 해설 ▸ 19쪽

01 중요 표는 민주 국가에서 일반적으로 나타나는 정당 제도를 비교한 것이다. 이와 관련한 설명으로 옳지 않은 것은? (단, A와 B는 각각 양당제와 다당제 중 하나이다.)

기준 \ 정당 제도	A	B
정당 선택 폭	+	−
다양한 민의 반영 정도	+	−
정치적 책임 소재의 명확성	−	+

* +는 상대적 정도가 큼, −는 상대적 정도가 작음을 의미한다.

① A는 정당 간에 서로 연합하는 경향이 있다.
② A는 소수의 이익을 보호할 수 있다는 장점이 있다.
③ B는 다수당의 횡포 발생 가능성이 높다.
④ A보다 B에서 정책이 강력하게 추진될 가능성이 높다.
⑤ B보다 A에서 정국이 안정될 가능성이 높다.

문제 접근 방법
이 문제를 해결하기 위해서는 양당제와 다당제의 의미, 장점과 단점에 대한 이해가 필요하다. 이를 바탕으로 기준에 따라 해당하는 정당 제도를 찾고 특징을 구분할 수 있어야 한다.

내신 전략
정당 제도의 특징을 묻는 문제는 자주 출제되는 유형이다. 대표적인 정당 제도의 종류와 특징을 비교하여 정리하도록 한다.

02 정치 참여 집단 A, B에 대한 옳은 설명만을 |보기|에서 고른 것은? (단, A와 B는 정당, 이익 집단, 시민 단체 중 하나이다.)

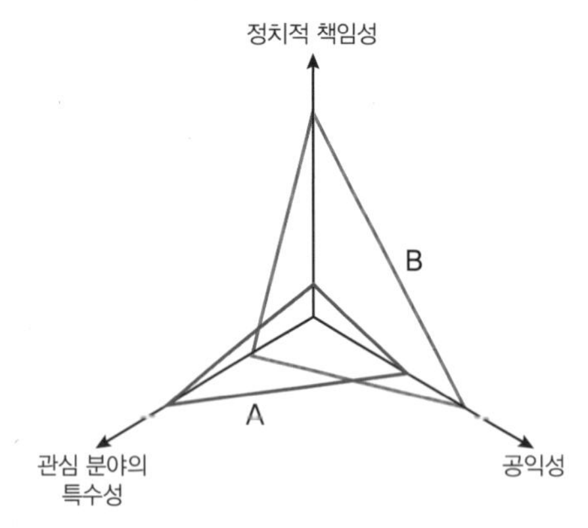

| 보기 |
ㄱ. A는 의회와 정부를 매개하는 역할을 한다.
ㄴ. A의 활동은 다양한 직업적 이익을 반영할 수 있다.
ㄷ. B는 헌법 재판소의 심판에 의해 해산될 수 있다.
ㄹ. B와 달리 A는 시민들의 정치 사회화 기능을 담당한다.

① ㄱ, ㄴ ② ㄱ, ㄷ ③ ㄴ, ㄷ
④ ㄴ, ㄹ ⑤ ㄷ, ㄹ

문제 접근 방법
이 문제를 해결하기 위해서는 세 가지 기준을 각각 분석하여 정당, 이익 집단, 시민 단체를 분류할 수 있어야 한다.

내신 전략
정치 참여 집단에 대한 특징과 공통점 및 차이점을 구분하여 이해하도록 한다.

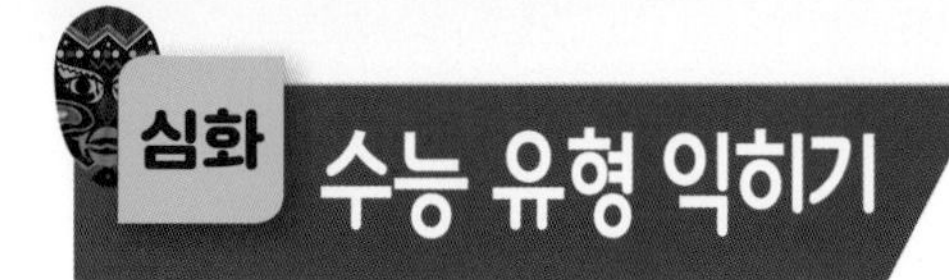

정답과 해설 ▸ 19쪽

2020학년도 수능

01 정치 참여 집단 A~C에 대한 설명으로 옳은 것은? (단, A~C는 각각 정당, 이익 집단, 시민 단체 중 하나에 해당하는 집단이다.)

> A는 기자 회견을 열어 다가오는 의회 의원 선거에서 B가 공천하지 말아야 할 낙천 대상 명단을 발표했다. A는 낙천 대상자들이 △△지역에 휴양 시설을 조성하려는 □□ 기업을 위해 해당 지역을 개발 제한 구역에서 해제하는 데 찬성하였고, 결과적으로 지역의 자연환경과 생태계가 파괴되어 공익을 해쳤다고 주장했다. 한편 △△지역에서는 지역 소상공인들로 구성된 C가 집회를 열어 휴양 시설 조성은 지역 경제를 활성화하고 소득 증진에 기여할 수 있기 때문에 △△지역을 개발해야 한다고 주장했다.

① A는 정부와 의회를 매개하는 역할을 수행한다.
② B는 정권 획득을 목표로 정치적 중립성을 추구한다.
③ C의 활동은 사회 전체의 보편적 이익과 충돌할 수 있다.
④ B는 C와 달리 대의 정치의 한계를 보완하는 기능을 수행한다.
⑤ C는 A와 달리 정책 결정 및 집행 과정에 영향력을 행사한다.

출제 개념
정당, 시민 단체, 이익 집단

자료 해설
제시문에서 A는 공익을 위해 낙천 대상자 명단을 발표하였으므로 시민 단체에 해당한다. B는 선거에서 공천을 하는 정당에 해당하며, C는 지역 소상공인들로 구성된 이익 집단에 해당한다.

해결 비법
제시문에 나타난 각각의 집단이 무엇에 해당하는지를 파악해야 한다. 또한 각 집단이 정치 과정에서 어떤 역할을 하는지를 염두에 두고 선택지를 살펴보아야 한다.

2020학년도 9월 모의평가

02 그림은 정당 제도 A와 B를 상대적 특성에 따라 분류한 것이다. 이에 대한 옳은 설명만을 |보기|에서 있는 대로 고른 것은? (단, A와 B는 각각 양당제와 다당제 중 하나이다.)

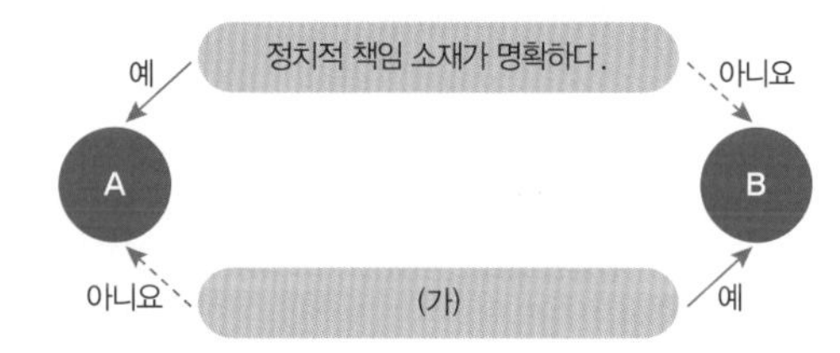

|보기|
ㄱ. A보다 B에서는 다양한 민의를 국정에 반영하기가 용이하다.
ㄴ. B보다 A에서는 국가 정책을 강력하게 추진하기가 용이하다.
ㄷ. (가)에는 '의원 내각제에서 단독 정부가 구성된다.'가 들어갈 수 있다.
ㄹ. (가)에는 '민주주의의 원리에 부합하는 정당 제도이다.'가 들어갈 수 있다.

① ㄱ, ㄴ ② ㄱ, ㄷ ③ ㄷ, ㄹ
④ ㄱ, ㄴ, ㄹ ⑤ ㄴ, ㄷ, ㄹ

출제 개념
정당, 양당제, 다당제

자료 해설
정당 제도를 나타낸 그림에서 정치적 책임 소재가 명확한 A는 양당제이고, B는 다당제에 해당한다.

해결 비법
정당 제도를 구분하고 각각의 특징을 파악해야 한다. 양당제는 정권 획득을 위해 경쟁할 수 있는 대표적인 두 개의 정당이 중심이 되는 체제이며, 다당제는 경쟁할 수 있는 정당이 세 개 이상인 체제임을 이해하고, 이에 따른 정치 상황을 파악할 수 있어야 한다.

핵심 개념 정리하기

1 정치 과정과 정치 참여

1 정치 과정을 통한 갈등 해결

(1) **정치 과정** 사회 구성원들이 표출하는 다양한 이해관계를 바탕으로 정책을 만들어 가는 과정

투입	개인이나 집단이 정책 결정 기구에 정책을 요구하거나 지지 또는 불만을 표시하는 것
산출	투입된 요구나 지지에 따라 정책 결정 기구가 정책을 결정하고 집행하는 것
환류	집행된 정책에 대한 반응이나 평가를 통해 다시 투입에 영향을 미치는 과정

(2) 민주적인 정치 과정을 위한 노력

정부	시민의 다양한 의견 수용
시민	자신의 의견이 반영되도록 적극적으로 참여

2 정치 참여의 의의와 유형

의의	권력 남용 방지, 시민의 권리와 이익 보호, 정부 정책에 정당성 부여, 국민 주권과 국민 자치의 원리 실현
유형	선거 참여, 정당·이익 집단·시민 단체·언론 등을 통한 참여 등
바람직한 정치 참여	사익과 공동체의 이익 조화, 민주적인 절차에 따른 의사 표출, 다양성을 존중하는 태도

2 민주 정치와 선거 제도

1 선거의 의의와 기능

의의	대의제에서 국민이 정치적 의사를 표현하는 기본적인 수단
원칙	보통 선거, 평등 선거, 직접 선거, 비밀 선거
기능	대표자 선출, 정치권력에 정당성 부여, 정치권력 통제, 국가와 국민을 연결

2 선거 제도

(1) 선거구제

소선거구제	• 의미: 한 선거구에서 한 명의 대표자 선출 • 장점: 선거 관리 용이, 적은 선거 비용, 유권자의 후보자 파악 용이, 정국 안정 • 단점: 선거 운동 과열, 많은 사표 발생
중·대선거구제	• 의미: 한 선거구에서 2명 이상의 대표자 선출 • 장점: 소수 정당 유리, 선거 운동 과열 감소, 사표 감소 • 단점: 군소 정당 난립으로 정국 혼란, 선거 관리 어려움

(2) 대표 선출 방식

다수 대표제	• 의미: 선거구 내의 최다 득표자 선출(소선거구제) • 종류: 단순 다수 대표제, 절대다수 대표제 • 장점: 의회 다수파의 안정적 의석 확보 • 단점: 많은 사표 발생, 소수 의견 무시 우려
비례 대표제	• 의미: 각 정당별 득표율에 비례하여 당선자 배분 • 장점: 소수 정당에 의석을 배분하여 사표 감소 • 단점: 의석 배분 방식 복잡, 군소 정당 난립 우려
혼합 대표제	다수 대표제와 비례 대표제 혼용

(3) 우리나라의 선거 제도

다수 대표제	대통령, 국회 의원, 지방 자치 단체의 장 등의 선거
중·대선거구제	기초 의회 의원 선거
정당 명부식 비례 대표제	국회 의원 및 지방 의회 의원 선거

3 다양한 정치 주체의 역할과 참여

1 정당의 기능과 참여 방법

의미	정치권력의 획득과 유지를 위해 정치적 견해를 같이하는 사람들이 모여 만든 단체
기능	국민 의사 반영, 정치적 충원, 정치 사회화, 정부 통제 등
참여 방법	정당 가입, 공청회·토론회·정책 설명회 등에 참가

2 이익 집단의 기능과 참여 방법

의미	이해관계가 같은 사람들이 자신의 이익을 실현하기 위해 만든 단체
기능	정책 감시·통제, 전문성을 토대로 정당의 한계점 보완 등
참여 방법	로비 활동, 선거 자금 후원, 전문 지식 활용, 시위 및 집회

3 시민 단체의 기능과 참여 방법

의미	공익 추구를 목적으로 시민들이 자발적으로 결성한 단체
기능	정치권력 감시 및 견제, 사회 문제 비판 및 해결책 제시, 건전한 사회 발전 주도 등
참여 방법	시민 단체 조직, 기존 시민 단체에 가입

4 언론의 기능과 참여 방법

의미	매체를 통해 사실을 밝혀 알리거나 여론을 형성하는 활동
기능	정보 전달, 시민 의견 표출, 국가 권력 감시 및 견제, 의제 설정 등
참여 방법	언론에 직접 투고, 보도 내용 비판적 평가 등

핵심 개념 적용하기

●●●
01 그림은 정치 과정을 나타낸 것이다. 이에 대한 옳은 설명만을 |보기|에서 고른 것은?

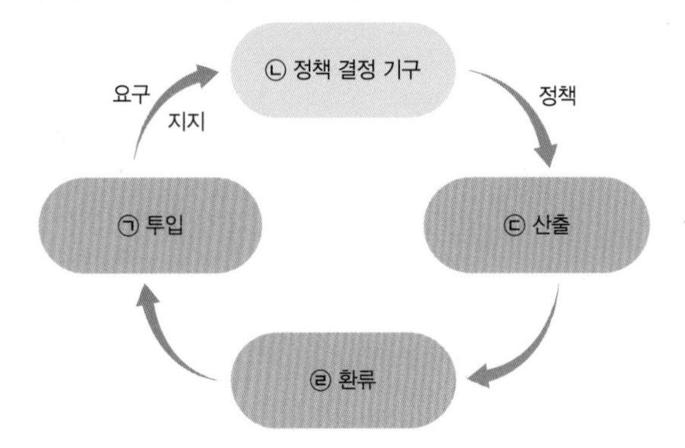

| 보기 |
ㄱ. ㉠에는 정당의 정책 제안도 포함할 수 있다.
ㄴ. 시민 단체는 ㉡에서 활동하면서 정책 결정을 주도한다.
ㄷ. 의회의 법률 제정은 ㉢에 해당한다.
ㄹ. 사법부의 판결은 ㉣의 과정으로 설명할 수 있다.

① ㄱ, ㄴ ② ㄱ, ㄷ ③ ㄴ, ㄷ
④ ㄴ, ㄹ ⑤ ㄷ, ㄹ

●●●
02 밑줄 친 '이것'에 대한 설명으로 옳지 않은 것은?

'이것'은 국민들이 정책 결정 과정에 자신의 의사를 반영하여 영향을 미치려고 하는 모든 활동을 의미한다. '이것'을 통해 국가와 사회는 구성원 다수의 의견과 일치하는 방향으로 나아가며, 적극적인 '이것'은 민주 정치를 유지하고 발전시키는 데 중요한 의의가 있다.

① 절차적 민주성보다는 그 양이 중요하다.
② 국민 주권과 국민 자치의 원리를 실현할 수 있다.
③ 권력 남용을 방지하여 시민의 권리를 보호할 수 있다.
④ 현대 사회에서는 대의제를 취하고 있어 그 중요성이 더욱 크다.
⑤ 정부 정책에 정당성을 부여하여 안정적인 정책 집행을 가능하게 한다.

●●●
03 다음은 어느 국가의 국회 의원 선거 결과이다. 이를 통해 알 수 있는 이 국가의 선거구 제도에 대한 특징으로 옳은 것은?

구분	후보자의 소속 정당			
	갑당	을당	병당	무소속
A 선거구	×	○	×	○
B 선거구	○	×	○	×
C 선거구	○	×	×	○

* 선거 결과: 당선 ○, 낙선 ×

① 선거 관리가 쉽다.
② 사표가 많이 발생할 우려가 있다.
③ 유권자의 후보자 파악이 용이하다.
④ 양당제를 촉진해 다수당에 유리하다.
⑤ 군소 정당 난립 시 정국이 불안정해질 수 있다.

●●●
04 다음은 갑국의 국회 의원 선거 의석수에 대한 기사이다. 빈칸 ㉠, ㉡에 들어갈 말을 바르게 연결한 것은?

인구 30만 명인 A시 선거구의 의석수는 2석으로, 인구가 10만 명 적은 B시보다 2석 적고, 20만 명 적은 C시와 같다. A시의 시민들은 현재의 의석수 배정은 (㉠) 원칙을 심각하게 위배한다고 판단하여 A시의 의석수 (㉡)를 요구하고 있다.

	㉠	㉡
①	보통 선거	축소
②	보통 선거	확대
③	평등 선거	축소
④	평등 선거	확대
⑤	직접 선거	축소

05 갑국은 국회 의원 선출 방식을 A 제도에서 B 제도로 변경하는 논의를 진행하고 있다. 제도 변경의 취지로 가장 적절한 것은?

구분	대표자 결정 방식
A 제도	총 유효 투표 중 가장 많은 표를 획득한 후보자가 당선된다.
B 제도	1차 선거에서 유효 표의 과반수 득표자가 나오지 않았다면, 1차 선거의 상위 2명의 후보자를 대상으로 2차 선거를 실시하여 가장 많은 표를 획득한 후보자가 당선된다.

① 선거 비용을 절감하고자 한다.
② 당선자의 대표성을 강화하고자 한다.
③ 국민들의 다양한 의견을 반영하고자 한다.
④ 직업별 이해관계를 정책에 반영하고자 한다.
⑤ 소수파의 의회 진출을 적극적으로 보장하고자 한다.

06 그림을 통해 알 수 있는 대표 선출 방식의 단점만을 |보기|에서 고른 것은?

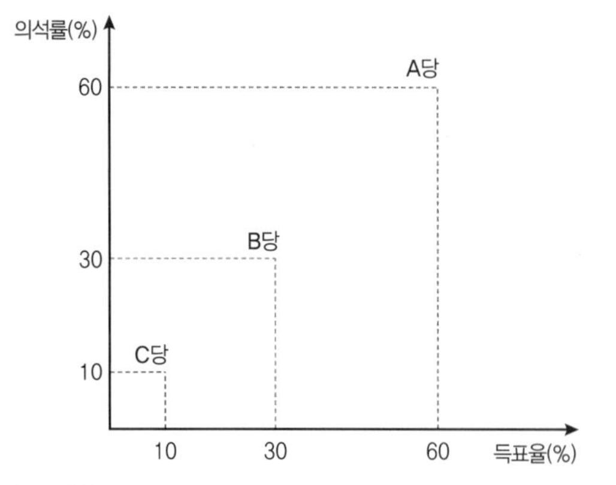

|보기|
ㄱ. 사표가 많이 발생한다.
ㄴ. 의석 배분 방식이 복잡하다.
ㄷ. 후보자의 선거 비용이 많이 소요된다.
ㄹ. 군소 정당 난립 시 정국 불안정이 우려된다.

① ㄱ, ㄴ ② ㄱ, ㄷ ③ ㄴ, ㄷ
④ ㄴ, ㄹ ⑤ ㄷ, ㄹ

07 표는 갑국의 국회 의원 선거 결과 변화를 나타낸 것이다. 결과에 대한 분석으로 옳지 않은 것은? (단, 갑국은 전형적인 의원 내각제 국가이다.)

종류	t 시기	t + 1 시기
A당	40%	24%
B당	52%	29%
C당	6%	25%
D당	2%	22%

① t 시기보다 t+1 시기에는 정치적 책임 소재가 명확할 것이다.
② t 시기보다 t+1 시기에는 강력한 정책 추진이 어려울 것이다.
③ t+1 시기보다 t 시기에는 다양한 민의 반영이 곤란할 것이다.
④ t 시기와 달리 t+1 시기에는 연립 내각 구성이 필요할 것이다.
⑤ t+1 시기와 달리 t 시기에는 주요 정당 간 대립 시 중재가 어려울 것이다.

08 표는 정치 참여 주체를 비교한 것이다. 이에 대한 옳은 설명만을 |보기|에서 고른 것은? (단, A, B, C는 각각 정당, 이익 집단, 시민 단체 중 하나이다.)

구분	A	B	C
정치권력을 추구하는가?	예	아니요	아니요
자신들의 이익을 실현하고자 하는가?	아니요	예	㉠
㉡	예	아니요	예

|보기|
ㄱ. A는 '압력 단체'라고도 한다.
ㄴ. B는 직업적 이익을 반영하는 기능을 수행하기도 한다.
ㄷ. ㉠에는 '아니요'가 들어갈 수 있다.
ㄹ. ㉡에는 '정치 사회화 기능을 수행하는가?'가 들어갈 수 있다.

① ㄱ, ㄴ ② ㄱ, ㄷ ③ ㄴ, ㄷ
④ ㄴ, ㄹ ⑤ ㄷ, ㄹ

민주 시민 역량 기르기

정답과 해설 ▸ 20쪽

❖ 다음은 선거 제도와 투표율에 관한 글이다. 이를 읽고 물음에 답해 보자.

선거 제도는 자유 투표제(free voting)과 의무 투표제(compulsory voting)로 구분할 수 있다. 자유 투표제는 투표권의 행사를 투표자의 자유의사에 맡기고 기권에 대해 법적인 제재를 가하지 않지만 의무 투표제는 투표권의 행사를 의무로 보고 정당한 이유 없는 기권에 대해서는 법적 제재를 가하는 제도이다. 2011년 OECD 국가의 투표율을 보면 의무 투표제를 시행하는 오스트레일리아, 룩셈부르크, 벨기에 등은 투표율이 90%를 넘었으나, 의무 투표제를 시행하지 않는 스위스와 미국 등은 40%대에 불과하였다. 우리나라의 국회 의원 선거와 지방 선거의 투표율도 전반적으로 50~60% 수준인 것을 본다면 국민 절반의 의사는 반영되지 않는 상황인 것이다. 이처럼 시민들의 정치적 무관심에서 비롯되는 낮은 투표율은 민주주의 발전에 위협이 될 수 있기 때문에 의무 투표제를 도입해야 한다.

더 알아보기

현대 사회에서 시민은 다양한 방법으로 정치에 참여할 수 있다. 가장 기본적인 수단은 선거를 통한 참여이며 선거를 통해 시민의 영향력을 행사하고 정치권력을 통제할 수 있다. 하지만 각종 선거에서의 낮은 투표율은 우리나라의 민주 정치 발전을 위한 과제로 지적되고 있다.

문제 해결 길잡이

이 문제를 해결하기 위해서는 선거의 의미와 중요성, 국민의 권리와 의무에 대한 이해가 선행되어야 한다. 또한 의무 투표제를 실시하는 각국의 현황을 파악하고, 이를 우리나라의 상황에 적용하여 의무 투표 제도에 대한 각각의 입장을 논리적으로 정리하여 서술해야 한다.

01 위 글에서 설명하는 의무 투표제에 대해 찬성과 반대의 입장에서 각각 정리해 보자.

찬성 입장	
반대 입장	

02 의무 투표제 도입에 대한 자신의 생각을 적어 보자.

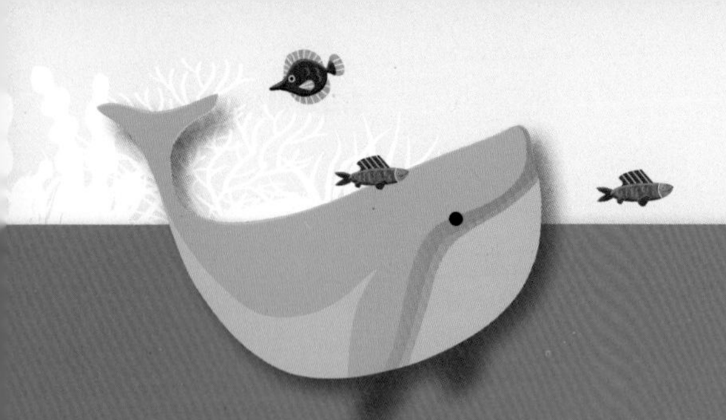

대단원 4

개인 생활과 법

학습 계획표

- 자신의 일정에 맞게 계획을 세워 보고, 실제 학습한 날짜를 적어 봅시다.
- 학습을 마무리한 후 스스로 얼마나 학습 목표를 달성했는지 점검해 봅시다.

주제 1 민법의 이해	쪽수	계획일	완료일	목표 달성도
Day 01 핵심 정리, 핵심 자료 특강	118 ~ 121쪽	월 일	월 일	☆☆☆☆☆
Day 02 개념 익히기, 내신 유형 익히기	122 ~ 125쪽	월 일	월 일	☆☆☆☆☆
Day 03 내신 만점 도전하기, 수능 유형 익히기	126 ~ 127쪽	월 일	월 일	☆☆☆☆☆

주제 2 재산 관계와 법	쪽수	계획일	완료일	목표 달성도
Day 04 핵심 정리, 핵심 자료 특강	128 ~ 131쪽	월 일	월 일	☆☆☆☆☆
Day 05 개념 익히기, 내신 유형 익히기	132 ~ 135쪽	월 일	월 일	☆☆☆☆☆
Day 06 내신 만점 도전하기, 수능 유형 익히기	136 ~ 137쪽	월 일	월 일	☆☆☆☆☆

주제 3 가족 관계와 법	쪽수	계획일	완료일	목표 달성도
Day 07 핵심 정리, 핵심 자료 특강	138 ~ 141쪽	월 일	월 일	☆☆☆☆☆
Day 08 개념 익히기, 내신 유형 익히기	142 ~ 145쪽	월 일	월 일	☆☆☆☆☆
Day 09 내신 만점 도전하기, 수능 유형 익히기	146 ~ 147쪽	월 일	월 일	☆☆☆☆☆
Day 10 대단원 마무리하기, 민주 시민 역량 기르기	148 ~ 151쪽	월 일	월 일	☆☆☆☆☆

주제 1 민법의 이해

주제 흐름 읽기

민법	의의	재산 관계나 가족 관계에 대해 규율하는 대표적 사법
	기능	• 재산 관계 규율: 재산권과 계약, 채무 불이행, 불법 행위를 규정 • 가족 관계 규율: 가족의 형성 및 가족 간의 권리와 의무 규정, 양성평등 구현

민법의 기본 원리	민법의 기본 원리	• 사유 재산권 존중의 원칙(= 소유권 절대의 원칙) • 사적 자치의 원칙(= 계약 자유의 원칙) • 과실 책임의 원칙
	민법의 기본 원리의 변화	• 소유권 공공복리의 원칙 • 계약 공정의 원칙 • 무과실 책임의 원칙

1 민법의 의의와 기능

1. 규율하는 생활 관계에 따른 법의 분류

구분	공법	사법
의미	국가 기관 상호 간 또는 국가와 개인 간의 공적 생활 관계를 규율하는 법	개인과 개인 간의 대등한 사적 생활 관계를 규율하는 법
종류	헌법, 형법, 각종 소송법 등	민법❶, 상법❷ 등

민법은 신의 성실의 원칙과 권리 남용 금지의 원칙이 적용돼.

2. 민법의 의의

(1) **일상생활 속 법률관계** 결혼을 통한 가족 형성, 다른 사람에게 돈을 빌리는 것, 물건의 매매에 따른 소유관계 변화 등

(2) **민법** 재산 관계나 가족 관계를 규율하는 대표적인 사법(私法) 자료 1

(3) **주요 내용**

① 재산과 관련된 권리와 의무: 재산권의 종류, 계약의 종류와 내용, 계약을 위반했을 때의 문제, 다른 사람에게 손해를 입혔을 때의 배상 문제 등

② 가족과 관련된 권리와 의무: 약혼과 혼인, 부모와 자식을 비롯한 가족 관계, 유언과 상속 등

3. 민법의 기능

(1) **재산 관계와 관련된 기본적인 법률 내용 규율**

① 개인이 가지고 있는 재산권의 유무와 범위 규정

② 계약할 때의 조건과 내용, 한계 등 규정

③ 개인의 재산권 보호: 계약이 제대로 이행되지 않거나 개인이 다른 사람에게 고의나 과실로 손해를 입혔을 경우 손해 배상❸ 등을 통해 책임을 지도록 규정 자료 2

(2) **가족 관계와 관련된 기본적인 법률 내용 규율**

① 부부 관계와 부모와 자녀 관계 등 가족의 형성과 역할, 가족 간의 권리와 의무 등 규정

② 가족 내에서 양성평등을 구현하는 데 기여❹: 자녀의 성별과 관계없이 상속분을 같게 한 것, 남녀 모두 혼인이 가능한 나이를 같게 한 것, 호주제를 폐지하고 가족 관계 등록부를 시행한 것 등

❶ 민법의 대원칙

신의 성실의 원칙	권리를 행사하거나 의무를 이행할 때 사회 공동생활의 일원으로서 서로 상대방의 신뢰에 어긋나지 않도록 성실하게 행동해야 한다는 원칙
권리 남용 금지의 원칙	겉으로 보기에는 권리의 행사인 것처럼 보이지만 실질적으로는 권리의 공공성에 반하기 때문에 정당한 권리 행사로 보기 어려운 행위를 금하는 원칙

❷ 상법
기업을 중심으로 전개되는 생활 관계를 규율하는 법을 말한다.

❸ 손해 배상
위법한 행위로 발생한 손해를 보전해 주는 것을 말한다.

❹ 가족 내 양성평등의 구현
우리나라 민법은 처음 만들어진 이래로 지금까지 여러 차례 개정을 거치면서 가족 내에서 양성평등을 구현하는 데 기여해 왔다.

자료 1 민법의 구조

교과서 109쪽

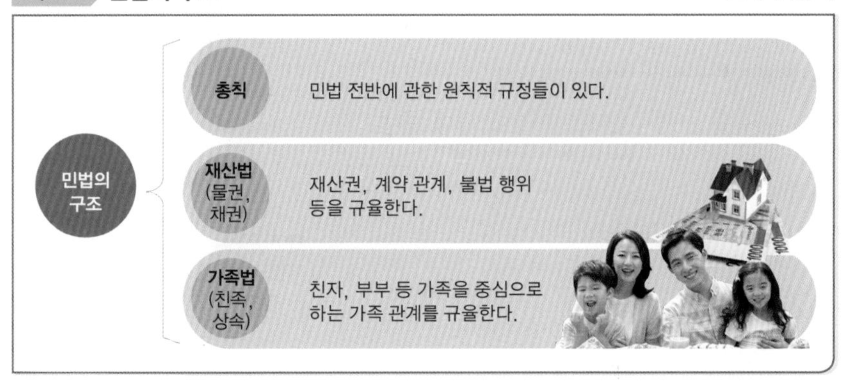

자료 분석 우리나라의 민법은 1958년 2월 22일에 공포되어 1960년 1월 1일부터 시행되었고 그 후 여러 차례 개정되어 오늘에 이르고 있다. 우리나라 민법은 제1편 총칙, 제2편 물권, 제3편 채권, 제4편 친족, 제5편 상속, 부칙으로 이루어져 있는데 이를 판덱텐 체계라고 부른다. 이 중 제1편 총칙은 민법 전반에 관한 원칙적 규정을 포함하고 있는 것으로 본다. 또한 제2편 물권과 제3편 채권을 묶어 재산과 관련된 것으로, 제4편 친족과 제5편 상속을 묶어 가족과 관련된 것으로 구분하고 있다.

자료 분석 포인트

민법의 의미와 의의, 구조에 대해 파악해 보자.

Q1 빈칸에 들어갈 알맞은 말을 쓰시오.

> (　　　)은/는 개인 간의 사적 생활 관계를 규율하는 대표적인 사법으로, 크게 총칙과 재산법, 가족법으로 구성되어 있다.

자료 2 고의와 과실

교과서 109쪽

고의와 과실은 어떤 차이가 있을까?

고의는 자신의 행위가 어떤 결과를 가져올 것을 인식하면서 행동하는 것이고, 과실은 부주의로 자신의 행동이 가져올 결과를 인식하지 못하는 것을 의미해.

자료 분석 우리나라 민법 제750조에서는 "고의 또는 과실로 인한 위법 행위로 타인에게 손해를 가한 자는 그 손해를 배상할 책임이 있다."라고 규정하고 있다. 여기서 고의란 자신의 행위가 어떤 결과를 가져올 것인지 인식하면서 행동하는 것을 말하고, 과실은 부주의로 자신의 행동이 가져올 결과를 인식하지 못하는 것을 일컫는 것으로 그 의미가 서로 다르지만 민법에서는 고의와 과실을 크게 구분하지 않는다. 한편, 고의와 과실을 구분하지 않는 민법과 달리 형법에서는 고의로 저지른 범죄를 처벌하는 것을 원칙으로 하기 때문에 고의와 과실을 엄격하게 구분한다. 형법 제14조에서 "정상의 주의를 태만함으로 인하여 죄의 성립 요소인 사실을 인식하지 못한 행위는 법률에 특별한 규정이 있는 경우에 한하여 처벌한다."라고 규정한 것은 고의와는 달리 과실의 경우 법률에 규정이 있는 경우에만 처벌한다는 것을 잘 보여 준다.

자료 분석 포인트

민법의 기능을 파악해 보자.

Q2 민법에 관한 설명으로 옳지 않은 것은?

① 가족 간의 권리와 의무에 대해 규정한다.
② 계약할 때의 조건, 내용, 한계 등을 규정한다.
③ 가족 내에서 양성평등을 구현하는 방향으로 변화해 왔다.
④ 고의가 아닌 과실에 대해서는 손해 배상의 책임을 묻지 않는다.
⑤ 계약이 제대로 이행되지 않을 경우 손해 배상을 하도록 규정한다.

답 Q1 민법 / Q2 ④

2 민법의 기본 원리

1. 민법의 등장

(1) **등장 배경** 근대 시민 사회의 개인주의❶와 자유주의❷에 대한 열망 속에서 등장

(2) **민법의 기본 원리 확립** 인간은 태어날 때부터 자유롭고 평등하다는 사상이 근대 민법의 세 가지 원칙으로 자리 잡음

2. 내용

(1) **사유 재산권❸ 존중의 원칙** 자료 1

① 개인은 자신이 소유한 재산에 대해 절대적인 지배권을 가지고, 국가나 다른 개인이 간섭하거나 제한할 수 없다는 것

② '소유권 절대의 원칙'이라고도 함 → 사유 재산권 중 가장 대표적인 것이 소유권이기 때문이야.

(2) **사적 자치의 원칙**

① 누구나 자신의 의사에 따라 상대방과 평등한 위치에서 자유롭게 법률관계를 맺을 수 있다는 것

② 계약에서 중요성을 가지므로 '계약 자유의 원칙'이라고도 함

③ 계약의 자유, 유언의 자유, 권리 행사의 자유 등

(3) **과실 책임의 원칙**

① 자기의 고의 또는 과실로 타인의 권리를 침해하여 손해가 발생한 경우에만 책임을 진다는 것

② 위법 행위를 한 사람이 필요한 주의를 기울이지 않았을 때에 한하여 손해 배상 책임을 지울 수 있다는 것 → 개인의 행동에 자유를 보장해 주기 위한 원칙이야.

3 민법의 기본 원리의 변화

1. 민법의 기본 원리의 변화

(1) **변화 배경** 자본주의가 발전하는 과정에서 나타난 빈부 격차, 환경 오염, 독과점❹ 등의 부작용을 해결할 필요성이 생김

(2) **변화 방향** 개인의 사회적 책임을 강조하는 방향으로 일부 변화함

2. 내용 → 근대 민법의 세 가지 원칙이 폐기된 것이 아니라, 오늘날에도 여전히 기본 원리로 작용하고 있는 가운데 예외적 상황에서 수정된 민법 원리가 적용되는 거야.

(1) **소유권 공공복리의 원칙❺**

① 소유권 절대의 원칙을 소유권 공공복리의 원칙으로 보완

② 개인의 재산권은 법으로 보장되지만, 공공복리에 적합하도록 행사되어야 한다는 것

(2) **계약 공정의 원칙**

① 계약 자유의 원칙이 계약 공정의 원칙으로 수정

② 계약이 자유롭게 이루어져야 하는 것은 맞지만, 그 내용이 사회 질서에 반하지 않고 공정해야 한다는 것 → 서로 평등하지 못한 계약 당사자들이 부당한 계약을 맺는 것을 막기 위한 것이야.

(3) **무과실 책임❻의 원칙** 자료 2

① 과실 책임의 원칙이 무과실 책임의 원칙을 일부 인정하는 것으로 변화

② 손해의 발생에 관하여 고의나 과실이 없더라도 일정한 요건에 따라 관계되는 자가 배상 책임을 짐 → 제조물 책임이나 근로자 재해 보상 등의 경우 해당 기업에 고의나 과실이 없더라도 책임을 지도록 할 수 있어.

---

❶ 개인주의
국가나 사회보다 개인이 우선한다는 사상으로 개인의 독립성과 자유에 높은 가치를 둔다.

❷ 자유주의
개인의 자유를 가장 중요한 가치로 여기고 존중하며, 사유 재산권을 강조한다.

❸ 사유 재산권
재산 소유주의 자유의사에 따라 재산의 관리·사용·처분을 할 수 있는 권리를 말한다.

❹ 독과점
자본주의 경제하에서 하나 또는 소수의 기업이 시장을 지배하여 경쟁이 결여된 상태를 말한다.

❺ 소유권 공공복리의 원칙

> **헌법 제23조** ② 재산권의 행사는 공공복리에 적합하도록 하여야 한다.

우리 헌법에서는 재산권 행사가 공공복리에 적합해야 한다는 것을 규정하고 있다.

❻ 무과실 책임
근대 산업의 발전으로 많은 위험이나 공해를 수반하는 기업이 큰 이윤을 취하는 반면, 그로 인하여 손해를 입는 자가 있어도 과실 책임주의로는 그 손해 배상을 청구할 수 없는 사회적 불공평이 생기자 이를 해결하기 위하여 무과실 책임주의가 등장하였다.

자료 1 민법의 기본 원리

교과서 110쪽

(가) 프랑스 인권 선언(인간과 시민의 권리 선언)

제17조 소유권은 신성불가침의 권리이므로 법에서 규정한 공공의 필요성에 의해 명백히 요구되는 경우 이외에는 누구도 소유권을 박탈할 수 없다. 또한 그러한 경우라고 해도 소유자가 사전에 정당하게 보상을 받는다는 조건을 갖추어야 한다.

(나) 우리나라의 민법

제211조 소유자는 법률의 범위 내에서 그 소유물을 사용, 수익, 처분할 권리가 있다.

자료 분석 (가) 프랑스 인권 선언은 1789년 8월 26일 프랑스 국민 의회가 국민으로서 누려야 할 권리에 대해 '인간과 시민의 권리 선언'이라는 명칭으로 선포한 선언이다. 이 선언의 제17조에서는 시민의 소유권이 불가침의 권리임을 밝히고 있으며, 공공의 필요에 의해 제한이 되더라도 정당한 보상이 필요하다는 것을 언급하고 있다. (나) 우리나라 민법 제211조에서는 소유자가 자신의 소유물을 사용, 수익, 처분할 권리가 있다는 것을 규정하고 있다. 이러한 조항들은 근대 시민 사회에서 개인의 재산권이 존중된다는 기본 원칙을 반영하고 있다.

자료 분석 포인트

프랑스 인권 선언과 우리 민법의 내용을 민법의 기본 원리와 연관시켜 보고, 이러한 원칙이 중요한 이유를 생각해 보자.

Q1 제시된 자료에서 공통으로 언급되는 민법의 기본 원리를 쓰시오.

자료 2 소비자 보호를 강화하는 「제조물 책임법」 개정

교과서 111쪽

2017년 3월 30일, 「제조물 책임법」 개정안이 의결되었다. 개정된 법에서는 제조물 대부분이 고도의 기술을 바탕으로 제조되고, 제조물에 관한 정보를 제조업자만 갖고 있어 피해자가 제조물의 결함 여부 등을 과학적·기술적으로 입증한다는 것은 지극히 어려운 일임을 고려하였다.

이에 따라 피해자가 '제조물이 정상적으로 사용되는 상태에서 손해가 발생하였다는 사실' 등 일정 사실을 증명하면, 공급 당시 존재한 제조물의 결함으로 인하여 손해가 발생한 것으로 추정하도록 함으로써 소비자의 입증 책임을 경감할 수 있도록 하였다. 또한 제조업자가 제조물의 결함을 알면서도 필요한 조치를 취하지 아니한 결과로 생명 또는 신체에 중대한 손해를 입은 자가 있는 경우 제조업자에게 그 손해의 3배를 넘지 아니하는 범위에서 손해 배상 책임을 지도록 하는 징벌적 손해 배상제를 도입함으로써 국민 생활의 안전 향상과 국민 경제의 건전한 발전에 이바지하도록 하였다.

– 국회, 「국회보」 –

자료 분석 「제조물 책임법」은 제조업자가 제조물의 결함으로 인해 생명, 신체, 재산상의 손해를 입은 사람에 대하여 고의나 과실에 관계없이 손해 배상 책임을 지도록 하기 위해 마련된 법이다. 이에 따라 제조물에 결함이 있다는 것과 그 제조물이 손해를 유발하였다는 점만 증명하면 손해를 배상받을 수 있었다. 그러나 피해자가 제조물 결함 여부를 입증하기는 현실적으로 어렵고, 손해 배상액이 일반 상식에 비추어 적정한 수준에 미치지 못하는 경우가 많았다. 또한 악의적인 불법 행위에 따른 제조업자의 이익은 크고 개별 소비자의 피해는 소액일 때 불법 행위가 계속되는 등 도덕적 해이가 발생한다는 문제점도 제기되었다. 그래서 이를 보완하기 위해 피해자의 입증 책임을 완화하고 징벌적 손해 배상제를 도입하는 등의 내용을 포함하여 「제조물 책임법」을 개정하였다.

자료 분석 포인트

자료를 바탕으로 오늘날 무과실 책임의 원칙이 강조되는 이유가 무엇인지 확인해 보자.

Q2 제시된 자료와 가장 관련된 민법의 기본 원리와 그 변화를 바르게 짝지은 것은?

① 계약 자유의 원칙 – 계약 공정의 원칙
② 계약 자유의 원칙 – 무과실 책임의 원칙
③ 과실 책임의 원칙 – 무과실 책임의 원칙
④ 과실 책임의 원칙 – 소유권 공공복리의 원칙
⑤ 사유 재산권 존중의 원칙 – 소유권 공공복리의 원칙

답 Q1 사유 재산권 존중의 원칙 / Q2 ③

1단계 개념 익히기

정답과 해설 ▸ 21쪽

01 다음 빈칸에 들어갈 알맞은 말을 쓰시오.

(1) 재산 관계나 가족 관계를 규율하는 대표적인 사법(私法)을 (　　　　)(이)라고 한다.

(2) 고의 또는 과실로 다른 사람의 권리를 침해하여 손해가 발생한 경우에만 배상 책임을 진다는 민법의 기본 원칙을 (　　　　)(이)라고 한다.

(3) (　　　　)(이)란 개인의 재산권은 법에 따라 보장되지만, 공공복리에 적합하도록 행사되어야 한다는 것이다.

02 다음에서 설명하는 민법의 기본 원칙을 쓰시오.

> 누구나 자신의 의사에 따라 상대방과 평등한 위치에서 자유롭게 법률관계를 맺을 수 있다는 원칙이다. 이 원칙은 특히 계약에서 중요성을 가진다.

03 다음 설명이 옳으면 ○, 틀리면 ×표 하시오.

(1) 민법은 가족 관계와 관련된 기본적인 법률 내용을 규율한다. (　　)

(2) 민법은 재산 관계와 관련된 기본적인 법률 내용을 규율하지 않는다. (　　)

(3) 근대 민법은 시민 사회의 개인주의와 자유주의에 대한 열망 속에서 등장하였다. (　　)

04 다음 빈칸에 들어갈 알맞은 말을 쓰시오.

> 복잡해진 현대 사회에서는 고의나 과실이 없더라도 다른 사람에게 피해를 주는 경우가 있다. 따라서 과실 책임의 원칙은 (　　　　)을/를 일부 인정하는 것으로 변화하였다.

05 다음 괄호 안에 들어갈 알맞은 말에 ○표 하시오.

(1) 자신의 행위가 어떤 결과를 가져올 것을 인식하면서 행동하는 것을 (고의 / 과실)(이)라고 한다.

(2) 사유 재산권 존중의 원칙에 의해 개인은 자신이 소유하고 있는 재산에 대해 (상대적인 / 절대적인) 지배권을 갖는다.

(3) 계약 공정의 원칙은 계약의 내용이 사회 질서에 반하지 않고 (공정해야 / 자유로워야) 한다는 것이다.

06 다음 |보기|를 근대 민법의 기본 원리와 변화된 민법의 기본 원리로 구분하시오.

> **보기**
> ㄱ. 사적 자치의 원칙
> ㄴ. 계약 공정의 원칙
> ㄷ. 과실 책임의 원칙
> ㄹ. 무과실 책임의 원칙
> ㅁ. 소유권 공공복리의 원칙
> ㅂ. 사유 재산권 존중의 원칙

(1) 근대 민법의 기본 원리:

(2) 변화된 민법의 기본 원리:

내신 유형 익히기

정답과 해설 ▸ 21쪽

01 밑줄 친 '이 법'에 대한 설명으로 가장 적절한 것은?

> 이 법은 사람들의 재산과 관련된 권리와 의무, 부부나 자녀 등의 가족과 관련된 권리와 의무 등을 규정하고 있다. 구체적 재산 관계와 관련된 내용으로는 재산권의 종류, 계약의 종류와 내용, 계약을 위반하였을 때의 문제 등을 다룬다. 가족 관계와 관련된 내용에서는 약혼과 혼인, 부모와 자식을 비롯한 가족 관계, 유언과 상속 등을 다룬다.

① 사회 구성원의 관습으로만 만들어진 법이다.
② 개인과 집단 간의 관계만을 규율하는 법이다.
③ 공공 단체 상호 간의 관계를 규율하는 법이다.
④ 재산 관계나 가족 관계를 규율하는 대표적인 사법(私法)이다.
⑤ 재산 관계나 가족 관계를 규율하는 대표적인 공법(公法)이다.

02 다음의 민법 개정이 가져온 결과로 가장 적절한 것은?

개정 전		개정 후
제807조(혼인 적령) 남자 만 18세, 여자 만 16세에 달한 때에는 혼인할 수 있다.	⇒	제807조(혼인 적령) 만 18세가 된 사람은 혼인할 수 있다.

① 민법은 재산권의 종류를 다룬다.
② 민법은 계약의 종류와 내용을 다룬다.
③ 민법은 가족 간의 권리와 의무를 규정하는 법으로 변화하였다.
④ 민법은 개정을 거치면서 양성평등을 구현하는 데 기여하였다.
⑤ 민법은 다른 사람에게 손해를 입혔을 때의 배상 문제를 다룬다.

03 중요 다음 (가), (나)의 밑줄 친 부분에서 공통으로 언급되는 민법의 기본 원칙에 대한 설명으로 옳은 것은?

> (가) 우리나라 민법
> 제211조 소유자는 법률의 범위 내에서 그 소유물을 사용, 수익, 처분할 권리가 있다.
> (나) 프랑스 인간과 시민의 권리 선언
> 제17조 소유권은 신성불가침의 권리이므로 법에서 규정한 공공의 필요성에 의해 명백히 요구되는 경우 이외에는 누구도 소유권을 박탈할 수 없다. 또한 그러한 경우라고 해도 소유자가 사전에 정당하게 보상을 받는다는 조건을 갖추어야 한다.

① 계약 자유의 원칙이라고도 한다.
② 소유권 절대의 원칙이라고도 한다.
③ 계약 내용이 사회 질서에 반하지 않고 공정해야 한다는 것이다.
④ 개인의 재산권이 공공복리에 적합하게 행사되어야 한다는 것이다.
⑤ 고의 또는 과실로 다른 사람의 권리를 침해하여 손해가 발생한 경우에만 배상 책임을 진다는 것이다.

04 중요 다음 A와 B 사상은 민법의 기본 원칙이 등장하게 된 배경이다. 이에 대한 옳은 설명만을 |보기|에서 있는 대로 고른 것은?

A	국가나 사회보다 개인이 우선한다는 사상으로 개인의 독립성과 자유에 높은 가치를 둔다.
B	개인의 자유를 가장 중요한 가치로 여기고 존중하며, 사유 재산권을 강조한다.

> **보기**
> ㄱ. 현대 민법의 기본 원칙의 등장 배경이다.
> ㄴ. A는 개인주의를 의미한다.
> ㄷ. B는 자유주의를 의미한다.
> ㄹ. A와 B에 대한 열망 속에서 사적 자치의 원칙이 등장하였다.

① ㄱ, ㄴ ② ㄴ, ㄷ ③ ㄴ, ㄹ
④ ㄱ, ㄷ, ㄹ ⑤ ㄴ, ㄷ, ㄹ

05 중요 다음 「제조물 책임법」에 대한 설명으로 옳은 것은?

> 개정된 「제조물 책임법」에서는 피해자가 '제조물이 정상적으로 사용되는 상태에서 손해가 발생하였다는 사실' 등 일정 사실을 증명하면, 공급 당시 존재한 제조물의 결함으로 인하여 손해가 발생한 것으로 추정하도록 함으로써 소비자의 입증 책임을 경감할 수 있도록 하였다.

① 근대 민법의 기본 원칙을 전면 부인한다.
② 제조물에 관한 정보가 투명하게 공개되는 배경에서 개정된 것이다.
③ 과실 책임의 원칙이 무과실 책임의 원칙을 일부 인정하는 것으로 변화한 것이다.
④ 개인은 자신이 소유하고 있는 재산에 대해 절대적인 지배권을 가진다는 것을 강조한다.
⑤ 제조물의 결함 여부를 소비자가 과학적 · 기술적으로 입증할 수 있다는 것을 고려한다.

06 중요 다음 자료에 대한 옳은 분석 및 평가만을 |보기|에서 고른 것은?

> 대형 연예 기획사들이 연예인을 꿈꾸는 연습생들에게 불공정한 노예 계약을 강요한 것으로 드러났다. 연습생은 연예인으로 데뷔하는 데 기획사가 영향력을 미치기 때문에 불공정한 계약서에 서명할 수밖에 없다. 일부 기획사들은 품위 손상이나 신용 훼손과 같은 자의적이고 불분명한 계약서 약관을 들어 연습생들을 내쫓았다. 또한 계약 해지 원인이 연습생에게 있다며 위약금을 물리기도 하였다.

보기
ㄱ. 과실 책임의 원칙을 지나치게 강조한 결과이다.
ㄴ. 사적 자치의 원칙을 지나치게 강조한 결과이다.
ㄷ. 재산권은 법에 따라 보장되지만, 공공복리에 적합하도록 행사해야 한다.
ㄹ. 서로 평등하지 못한 계약 당사자들이 부당한 계약을 맺는 것을 막아야 한다.

① ㄱ, ㄴ ② ㄱ, ㄷ ③ ㄴ, ㄷ
④ ㄴ, ㄹ ⑤ ㄷ, ㄹ

07 다음과 같은 문제를 해결하기 위한 노력에 대한 설명으로 옳은 것은?

> 자유방임주의의 원칙 아래 발전해 오던 자본주의는 19세기 말 새로운 국면에 부딪혔다. 하나 또는 소수의 기업이 일정한 시장 지배력을 행사하는 시장이 등장한 것이다. 상당한 시장 지배력을 갖는 이 시장의 기업은 공급량을 적게 유지하여 가격을 올림으로써 이윤을 극대화하였고, 이에 따라 소비자들의 만족은 크게 감소하였다. 또한 이 시장의 기업은 새로운 기업의 시장 진입을 방해하여 시장을 통한 효율적인 자원 배분을 저하시키는 문제를 초래하였다.

① 사유 재산권 존중의 원칙을 더욱 강화하였다.
② 개인의 재산권과 계약의 자유를 인정하지 않게 되었다.
③ 개인의 행동에 자유를 더욱 폭넓게 보장해 주는 방향으로 변화가 나타났다.
④ 누구나 자신의 자유의사에 따라 상대방과 법률관계를 맺는 것을 더욱 강화하였다.
⑤ 개인의 사회적 책임을 강조하는 방향으로 민법의 기본 원칙에 일부 변화가 나타났다.

08 밑줄 친 '이 원칙'에 대한 설명으로 가장 적절한 것은?

> <u>이 원칙</u>이란 "자신의 법률관계를 스스로의 자유로운 의사에 따라 형성할 수 있다."는 것이 핵심이다. 이 원칙의 근거는 헌법 제119조 제1항의 자본주의적 경제 질서에서 찾을 수 있다. 우리 헌법은 제23조 제1항의 재산권 보장의 원칙 내지 사유 재산 제도와 제119조의 경제 활동에 관한 이 원칙을 양대 기초로 하는 자본주의 시장 경제 질서를 기본으로 하고 있음을 선언하고 있다.

① 계약 자유의 원칙이라고도 한다.
② 소유권 공공복리의 원칙이라고도 한다.
③ 무과실 책임의 원칙을 인정하는 것이다.
④ 전체주의와 자유주의의 배경하에서 등장하였다.
⑤ 자본주의가 발전하는 과정에서 부작용이 나타나자 등장하였다.

서술형 문제

09 다음은 민법의 구성을 나타낸 것이다. 빈칸 (가)에 들어갈 내용을 서술하시오.

서술형 문제

10 다음은 민법의 기본 원칙과 관련된 신문 기사이다. 이를 읽고 물음에 답하시오.

> 대법원은 난개발 및 투기 방지를 위해 지방 자치 단체가 개별 개발 행위를 제한하는 것은 정당한 조치라는 판결을 내렸다. 대법원은 판결문을 통해 "○○시의 중산간 일대는 자연환경에 직접적 영향을 끼치는 지역으로 공공복리에 적합하게 체계적으로 관리되어야 하며, 한정된 자원인 토지도 투기 대상이 되어서는 안 된다."라며 무분별한 개인의 개발 행위는 제한함이 정당하다고 밝혔다.

(1) 법원이 강조하는 민법의 기본 원칙을 쓰시오.

(2) (1)과 같은 민법의 기본 원칙이 등장하게 된 배경을 서술하시오.

서술형 문제

11 다음을 읽고 물음에 답하시오.

> 민법 제758조(공작물 등의 점유자, 소유자의 책임)
> ① 공작물의 설치 또는 보존의 하자로 인하여 타인에게 손해를 가한 때에는 공작물 점유자가 손해를 배상할 책임이 있다. 그러나 점유자가 손해의 방지에 필요한 주의를 해태하지* 아니한 때에는 그 소유자가 손해를 배상할 책임이 있다.
>
> * 해태하다: 게을리하다.

(1) 밑줄 친 부분에 반영되어 있는 민법의 기본 원칙을 쓰시오.

(2) (1)은 관련된 근대 민법의 기본 원칙과 어떠한 관계가 있는지 서술하시오.

서술형 문제

12 다음은 민법의 기본 원칙과 관련된 법 조항이다. 이를 읽고 물음에 답하시오.

> 헌법 제23조 ① 모든 국민의 재산권은 보장된다.
> ……
>
> 민법 제211조 소유자는 법률의 범위 내에서 그 소유물을 사용, 수익, 처분할 권리가 있다.

(1) 위 법 조항에서 공통으로 언급되는 민법의 기본 원칙을 쓰시오.

(2) (1)의 의미를 서술하시오.

3단계 내신 만점 도전하기

정답과 해설 ▸ 22쪽

01 다음 민법 조항에 대한 옳은 설명만을 |보기|에서 있는 대로 고른 것은?

> 제390조(채무 불이행과 손해 배상) 채무자가 채무의 내용에 좇은 이행을 하지 아니한 때에는 채권자는 손해 배상을 청구할 수 있다. 그러나 채무자의 고의나 과실 없이 이행할 수 없게 된 때에는 그러하지 아니하다.
> 제750조(불법 행위의 내용) 고의 또는 과실로 인한 위법 행위로 타인에게 손해를 가한 자는 그 손해를 배상할 책임이 있다.

|보기|

ㄱ. 개인의 재산권 보호에 기여한다.
ㄴ. 국가 또는 국가 기관 상호 간 또는 국가와 개인 간의 공적인 생활 관계를 규율하는 법이다.
ㄷ. 부부 관계와 부모와 자녀 관계 등 가족의 형성과 역할, 가족 간의 권리와 의무 등을 규정한다.
ㄹ. 개인이 다른 사람에게 고의나 과실로 손해를 입혔을 경우 손해 배상을 해야 하는 근거가 된다.

① ㄱ, ㄴ ② ㄱ, ㄹ ③ ㄴ, ㄹ
④ ㄱ, ㄴ, ㄹ ⑤ ㄴ, ㄷ, ㄹ

문제 접근 방법
이 문제는 민법 조항을 분석하여 민법의 기능을 이해하는 문제이다.

내신 전략
공법과 비교하여 민법의 의의를 정리하고, 민법의 기능을 파악해 둔다.

02 다음 사례와 관련한 현대 민법의 기본 원칙에 대한 설명으로 옳은 것은?

중요

> 김철수 씨와 이영수 씨는 나란히 땅을 가지고 있는 이웃사촌이다. 김철수 씨의 땅은 이영수 씨 상가 건물의 출입구와 연결되어 있었고, 상가를 이용하는 사람들은 대부분 그 출입구로 드나들었다. 어느 날 이영수 씨와 크게 다툰 김철수 씨는 상가 건물 출입구와 닿아 있는 자신의 땅에 출입구를 가리는 담장을 쌓았다. 결국 상가를 이용하는 사람들은 통행이 불편한 다른 문을 사용할 수밖에 없었다. 상가를 이용하는 사람들이 불편을 겪자 이영수 씨는 김철수 씨를 상대로 담장을 철거해 달라는 소송을 제기하였다.

① 개인의 사회적 책임을 줄이는 것을 추구한다.
② 인간이 태어날 때부터 자유롭고 평등하다는 사상에 직접적 영향을 받아 등장하였다.
③ 개인의 재산권 행사가 사회 구성원 전체에 공통되는 이익에 적합하도록 이루어져야 한다는 원칙이다.
④ 누구나 자신의 의사에 따라 상대방과 평등한 위치에서 자유롭게 법률관계를 맺을 수 있다는 원칙이다.
⑤ 복잡해진 현대 사회에서는 고의나 과실이 없더라도 다른 사람에게 피해를 주는 경우가 있기 때문에 등장하였다.

문제 접근 방법
제시된 사례를 분석하여 관련된 현대 민법의 기본 원칙을 파악하고, 이 원칙의 의미와 특징을 도출한다.

내신 전략
민법의 기본 원칙 각각의 의미와 특징을 정리하고 근대에서 현대로 오면서 달라진 민법의 기본 원칙의 내용을 파악하도록 한다.

심화 수능 유형 익히기

정답과 해설 ▸ 22쪽

2019학년도 4월 학력평가

01 표는 근대 민법의 수정 원칙과 적용 사례를 나타낸다. 이에 대한 옳은 설명만을 |보기|에서 고른 것은?

구분	적용 사례
A	정부는 집값 안정을 위해 일부 아파트의 매매를 제한하였다.
B	제조물 결함으로 발생한 손해를 제조물 책임법에 따라 제조업자가 배상하였다.
계약 공정의 원칙	(가)

보기

ㄱ. A는 무과실 책임의 원칙, B는 소유권 공공복리의 원칙이다.
ㄴ. A에 의하면 사유 재산에 대한 개인의 지배권은 절대적이다.
ㄷ. B에 의하면 개인은 자기의 고의 또는 과실이 없는 경우에도 일정한 요건에 따라 손해 배상 책임을 질 수 있다.
ㄹ. (가)에는 '공정 거래 위원회는 연예인 전속 계약 기간을 과도하게 설정한 기획사의 계약을 규제하였다.'가 들어갈 수 있다.

① ㄱ, ㄴ ② ㄱ, ㄷ ③ ㄴ, ㄷ
④ ㄴ, ㄹ ⑤ ㄷ, ㄹ

출제 개념
근대 민법의 수정 원칙, 소유권 공공복리의 원칙, 무과실 책임의 원칙, 계약 공정의 원칙

자료 해설
집값 안정을 위해 일부 아파트의 매매를 제한하는 것은 소유권 공공복리의 원칙이 적용된 사례이고, 제조물 결함에 따른 손해를 제조물 책임법에 따라 제조업자가 배상하는 것은 무과실 책임의 원칙이 적용된 사례이다.

해결 비법
민법의 기본 원칙과 관련된 문제는 그에 해당하는 사례나 법률 조항을 제시하고 원칙과 연결해 보는 형태로 출제되므로 각 원칙의 개념을 정확히 정리하고, 관련 사례나 법률 조항을 연관 지을 수 있는 능력을 기른다.

2017학년도 6월 모의평가

02 밑줄 친 ㉠~㉤에 대한 설명으로 옳은 것은?

> 근대 민법의 세 가지 기본 원칙에는 사유 재산권 존중의 원칙, ㉠ 계약 자유의 원칙, ㉡ 과실 책임의 원칙이 있다. 이러한 근대 민법의 원칙들은 독과점, 빈부 격차 등 자본주의의 문제점을 경험하면서 각각 ㉢ 소유권 공공복리의 원칙, ㉣ 계약 공정의 원칙, ㉤ 무과실 책임의 원칙으로 수정되었다.

① ㉠은 개인의 자율적 의사에 기초하여 체결된 계약의 부작용을 강조한다.
② ㉡은 새로운 원칙으로 대체되면서 현재 우리나라 민법에서는 폐기되었다.
③ ㉢에 따르면 소유권은 공공복리의 차원에서 제한될 수 없는 절대적 권리이다.
④ ㉣에 따르면 노예 계약도 적법한 것으로 인정된다.
⑤ ㉤을 적용한 예로 우리나라의 제조물 책임법을 들 수 있다.

출제 개념
민법의 기본 원리

자료 해설
근대 민법의 기본 원리는 자본주의 발전 과정에서 부작용이 나타나면서 현대 민법에서는 개인의 사회적 책임을 강조하는 방향으로 기본 원리에 일부 변화가 나타났다.

해결 비법
근대 민법의 기본 원리가 수정된 배경을 알아 두고, 각 원리의 개념과 특징의 내용을 정리하여 해당 사례에 적용할 수 있는 능력을 기른다.

주제 2 재산 관계와 법

주제 흐름 읽기

계약		
의미	두 사람 이상 사이에 체결되는 법률적인 합의 또는 약속
체결 과정	• 성립: 당사자 간의 합의 • 효력: 법률 효과(권리와 의무) 발생 • 이행: 계약 내용을 성실하게 이행해야 함 • 불이행: 강제 이행 또는 손해 배상을 요구할 수 있음
효력 발생	• 효력 발생 요건: 의사 능력과 행위 능력, 적법한 계약 내용, 하자 없는 의사 표시 • 무효와 취소

불법 행위	
의미	고의 또는 과실로 인한 위법 행위로 다른 사람에게 손해를 끼치는 행위
성립 요건	• 고의 또는 과실 • 위법성 • 책임 능력 • 손해의 발생 • 인과 관계
손해 배상	• 위법한 행위로 인해 발생한 손해를 보전해 주는 것 • 재산적 손해와 정신적 손해 모두 배상

1 계약과 관련된 법률 내용

1. 계약의 의미와 성립

(1) 계약[1]

① 두 사람 이상 사이에 체결되는 법률적인 합의 또는 약속 예 버스를 이용한 등교, 문구점에서 학용품 구매, 인터넷 강의 듣기 등

② 계약 자유의 원칙에 따라 법적 문제가 없는 한 자유롭게 계약 체결

(2) 계약의 성립

① 두 명 이상의 당사자 간에 의사 표시의 합치, 즉 합의가 있어야 함

• 청약: 계약을 체결하고 싶다는 의사 표시

• 승낙: 청약을 받아들이겠다는 의사 표시 — 청약과 승낙의 내용이 일치하면 계약이 성립해.

② 계약이 반드시 문서로 이루어져야 하는 것은 아니지만, 중요한 계약일수록 계약서를 작성하는 것이 중요함 자료 1 — 구두로 맺은 계약도 효력이 있지만 계약서를 작성하면 분쟁이 생겼을 때 합의 내용을 명확하게 확인할 수 있어.

(3) 계약의 효력 계약이 성립되면 당사자 간에 일정한 법률 효과(계약에 따른 권리와 의무)가 발생함 — 물건의 매매 계약이 성립하면 판매자에게는 물건 값을 받을 권리와 그 물건을 줄 의무가 생기고 구매자는 흠 없는 물건을 받을 권리와 물건 값을 지급할 의무가 생겨.

(4) 계약의 이행과 불이행

① 계약의 이행: 계약의 효력이 발생하면, 당사자들은 계약 내용을 성실하게 이행해야 함

② 채무 불이행[2]

• 의미: 계약에 따른 의무를 제대로 이행하지 않아 다른 사람에게 손해를 입히는 것

• 채무 불이행 발생 시 법률에 따라 상대방에게 계약의 강제 이행이나 채무 불이행으로 발생한 손해에 대한 배상을 청구할 수 있음

2. 계약의 효력 발생 요건

(1) 계약의 효력 발생을 위한 요건 자료 2

① 당사자의 의사 능력[3]과 행위 능력[4]

② 계약 내용이 적법해야 함

③ 의사 표시에 하자가 없어야 함

❶ 계약의 종류
계약에는 물건을 사고파는 '매매', 물건을 빌려 사용하는 대가로 차임을 지급하는 '임대차', 다른 사람에게 재산을 무상으로 주는 '증여', 서로 물건과 물건을 맞바꾸는 '교환' 등이 있다.

❷ 채무 불이행
채무자가 계약에 따른 의무 이행을 하지 않은 상태를 말한다.

❸ 의사 능력
자신의 행위가 어떤 의미를 가지는지 판단할 수 있는 정신적 능력을 말한다.

❹ 행위 능력
단독으로 완전하고 유효한 법률 행위를 할 수 있는 능력을 말한다.

자료 1 계약서 작성 시 유의 사항

교과서 115쪽

일반적으로 계약서에는 계약 내용뿐만 아니라 계약한 사람과 계약한 날짜, 계약한 당사자들의 서명이나 날인이 들어간다. 계약서를 작성할 때에는 계약 내용을 최대한 상세하게 적는 것이 좋다.

계약서를 작성하는 대표적인 계약으로는 부동산 매매나 임대차 계약, 소비 대차 계약 등이 있다. 부동산을 신중하고 안전하게 거래하기 위해서는 계약서로 내용을 명확하게 작성하는 것이 필요하다. 돈을 빌려주고 빌리는 소비 대차의 경우에도 주고받는 금액이나 방법, 시기, 이율 등을 구체적으로 적어야 추후의 분쟁을 예방할 수 있다.

자료 분석 계약이 반드시 문서로 이루어져야 하는 것은 아니지만, 부동산 매매나 부동산 임대차, 소비 대차 계약과 같이 큰돈이 오고 가는 계약은 계약서를 작성하는 것이 중요하다. 계약의 당사자와 계약의 대상, 계약 당사자들이 합의한 계약의 내용, 손해 발생 시의 책임 등에 대해 문서로 남겨야 추후 분쟁을 예방하고 분쟁이 발생할 경우 쉽게 해결할 수 있기 때문이다.

자료 분석 포인트

계약의 성립과 계약서의 필요성을 파악해 보자.

Q1 계약에 대한 옳은 설명만을 |보기|에서 있는 대로 고르시오.

| 보기 |
ㄱ. 계약이 성립하려면 두 명 이상의 당사자 간에 합의가 있어야 한다.
ㄴ. 계약서 작성 시 최대한 간략하게 적는 것이 분쟁 예방에 도움이 된다.
ㄷ. 부동산 매매나 부동산 임대차 계약은 계약서를 작성해야 효력이 발생한다.
ㄹ. 계약이 성립되면 당사자 간에 권리와 의무 등의 일정한 법률 효과가 발생한다.

자료 2 미성년자의 계약

교과서 117쪽

우리나라 민법에서는 19세 미만인 사람을 미성년자로 규정하고, 미성년자는 단독으로 유효한 법률 행위를 할 수 있는 능력인 '행위 능력'이 제한된다고 본다. 따라서 민법에서는 미성년자가 법률 행위를 할 때는 법정 대리인의 동의를 얻어야 한다고 규정하고 있다. 하지만 미성년자가 하는 모든 행동에 법정 대리인의 동의가 필요한 것은 아니다. 법정 대리인이 범위를 정하여 처분을 허락한 재산은 미성년자가 임의로 처분할 수 있다. 예를 들어 용돈으로 받은 5만 원으로 미성년자가 옷을 사거나 책을 사는 것은 부모님의 동의가 필요하지 않다.

만약 미성년자가 법정 대리인의 동의가 필요한 사안임에도 동의를 얻지 않고 계약을 맺었다면 어떻게 될까? 그러한 계약은 미성년자 본인이나 법정 대리인이 취소할 수 있다. 다만, 계약으로 인해 받은 이익을 현존하는 한도에서 상환할 책임이 있다. 예를 들어 고가의 물품을 부모님 허락 없이 사서 상자를 뜯어 일부를 사용하였다면, 남아 있는 상품 그대로 반환하면 된다.

하지만 미성년자라는 이유로 마음대로 계약을 취소한다면 미성년자와 거래한 상대방에게 큰 손해가 생길 수도 있다. 이러한 문제를 막기 위하여 미성년자와 거래한 상대방은 거래 당시 미성년자임을 몰랐을 경우 먼저 계약을 철회하거나 미성년자의 법정 대리인에게 계약을 취소할 것인지 아닌지를 확정하도록 요구할 수 있는 권리를 가진다. 또한 미성년자가 성인인 것처럼 속여서 계약을 하였거나 법정 대리인의 허락이 있었던 것처럼 꾸며서 계약을 한 때에는 계약을 취소할 수 없다.

자료 분석 우리나라 민법 제5조 제1항에서는 "미성년자가 법률 행위를 함에는 법정 대리인의 동의를 얻어야 한다. 그러나 권리만을 얻거나 의무만을 면하는 행위는 그러하지 아니하다."라고 규정하여 미성년자가 행위 무능력자임을 밝히고 있고, 제2조에서는 "전항의 규정에 위반한 행위는 취소할 수 있다."라고 하여 미성년자가 법정 대리인의 동의 없이 한 법률 행위는 취소할 수 있도록 하고 있다. 또한 민법 제141조에서 "취소된 법률 행위는 처음부터 무효인 것으로 본다. 다만, 제한 능력자는 그 행위로 인하여 받은 이익이 현존하는 한도에서 상환할 책임이 있다."라고 규정하고 있다.

자료 분석 포인트

사례에서 행위 능력의 의미와 미성년자의 계약에 대한 내용을 파악해 보자.

Q2 미성년자의 계약에 관한 설명으로 옳지 않은 것은?

① 미성년자는 행위 능력이 제한되어 있다.
② 미성년자가 하는 모든 법률 행위에는 법정 대리인의 동의가 필요하다.
③ 미성년자가 법정 대리인의 동의 없이 맺은 계약은 원칙적으로 법정 대리인이 취소할 수 있다.
④ 미성년자가 법정 대리인의 허락이 있었던 것처럼 속여 계약을 한 경우에는 미성년자 측에서 계약을 취소할 수 없다.
⑤ 미성년자와 거래한 상대방은 거래 당시 미성년자임을 몰랐을 경우 법정 대리인에게 계약을 취소할 것인지 여부를 확정하도록 요구할 수 있다.

답 Q1 ㄱ, ㄹ / Q2 ②

(2) 계약의 무효 — 무효는 굳이 주장하지 않아도 당연히 무효이지만, 취소는 일정 기간 내에 취소권을 행사해야 소급하여 무효가 된다는 점에 차이가 있어.

① 의미: 법률 행위에 어떤 흠이 있어서 법률 행위의 효력이 처음부터 발생하지 않는 것

② 선량한 풍속 또는 사회 질서에 반하는 계약, 지나치게 불공정한 계약은 효력을 인정하지 않음 ㉠ 도박으로 생긴 채무 부담 — 사회 질서에 위반되므로 무효가 돼.

(3) 계약의 취소

① 의미: 일단 법적 효력이 있는 법률 행위에 대해 일정한 사유를 근거로 하여 소급하여 무효로 하는 것

② 예: 미성년자가 법정 대리인❶의 동의 없이 한 법률 행위나 착오, 사기 등에 의해서 한 법률 행위

2 불법 행위와 관련한 법률 내용

1. 불법 행위의 의미와 성립 요건

(1) 불법 행위

① 의미: 고의 또는 과실로 위법하게 다른 사람에게 손해를 끼치는 행위

② 예: 다른 사람의 물건을 훼손하는 행위, 생명이나 신체에 위험을 가하는 행위, 정신적 고통을 초래하는 행위, 명예를 훼손하는 행위, 사생활을 침해하는 행위 등

(2) 불법 행위에 대한 책임 불법 행위를 저지른 가해자는 자신의 행위 때문에 발생한 피해의 정도에 따라 피해자에게 손해를 배상할 책임을 짐

(3) 불법 행위의 성립 요건 자료 1 — 불법 행위의 성립 요건 5가지를 모두 갖춰야 불법 행위가 되며, 불법 행위임을 증명하는 책임은 원칙적으로 피해자에게 있어.

① 고의 또는 과실: 가해자가 일부러 또는 부주의한 행동으로 상대방에게 피해를 입힌 경우

② 위법성❷: 가해자의 행위에 위법성이 있어야 함, 정당방위❸나 긴급 피난❹은 위법성이 조각되어 불법 행위가 되지 않음

③ 가해자의 책임 능력❺: 가해자가 자신의 행위가 일반적인 위험이나 손해를 가져오고, 법적으로 문제가 될 만한 것임을 인식할 수 있어야 함

④ 손해의 발생: 가해자의 행위 때문에 피해자에게 손해가 발생해야 함 — 손해에는 재산적인 손해뿐 아니라 정신적인 손해도 포함돼.

⑤ 위법 행위와 손해 사이의 인과 관계: 가해자의 위법 행위와 피해자의 손해 사이에 인과 관계가 있어야 함 — 가해자의 위법 행위가 없었다면 피해자의 손해가 발생하지 않았을지 따져 봐야 해.

2. 불법 행위에 따른 손해 배상 자료 2

(1) 손해 배상의 의미와 방법

① 의미: 위법한 행위로 발생한 손해를 보전해 주는 것

② 방법: 우리나라 민법에서는 손해에 대해 금전으로 배상하는 것을 원칙으로 함❻ — 손해가 발생하기 전의 상태로 원상회복하는 것이 현실적으로 어렵기 때문이지.

(2) 손해 배상의 범위

① 불법 행위와 손해 사이의 인과 관계를 바탕으로 정함❼

② 재산적 손해와 정신적 손해 모두 배상받을 수 있음 ㉠ 교통사고 상해 시 치료비, 치료 기간의 임금, 앞으로 감소할 것으로 예상되는 수입을 고려해 배상금 산정, 정신적 고통에 대한 위자료도 배상 가능

❶ **법정 대리인**
법률의 규정에 따라 당사자의 행위를 대리할 권한을 지닌 사람을 말한다.

❷ **위법성**
법률이 보호할 가치가 있는 이익을 위법하게 침해하는 것을 말한다.

❸ **정당방위**
타인의 불법 행위로부터 자기 또는 제삼자의 이익을 방위하기 위하여 부득이 그 타인에게 손해를 가한 경우를 말한다.

❹ **긴급 피난**
자기 또는 제삼자에게 닥친 급박한 위난을 피하기 위하여 부득이 타인에게 손해를 가한 경우를 말한다.

❺ **책임 능력**
일반적으로 유아, 소아, 심신 상실자 등은 책임 능력이 없는 것으로 본다.

❻ **손해 배상의 방법**
우리나라 민법에서는 금전 배상을 원칙으로 하고 있으나, 명예 훼손의 경우 금전 배상을 대신하거나 금전 배상과 함께 명예를 회복하는 적당한 처분(㉠ 정정 보도문 게재)으로 배상받을 수 있다.

❼ **징벌적 손해 배상**
가해자의 행위가 악의적이고 반사회적일 때 그런 행위를 다시 못하도록 실제 손해보다 훨씬 많은 손해 배상을 부과하는 처벌적 성격의 제도이다.

자료 1 다른 사람이 끼친 손해에 대해서도 책임을 져야 할까?

교과서 118쪽

불법 행위는 일반적으로 불법 행위를 저지른 사람이 자신의 행위에 대해 책임을 지는 것이 원칙이다. 하지만 상황에 따라서 타인의 행위에 대해서도 책임을 지도록 하기도 한다. 이러한 경우를 '특수 불법 행위'라고 부른다.

우리나라 민법에서는 특수 불법 행위로 책임 무능력자를 감독하는 사람의 책임, 피고용자의 행위에 대한 사용자의 책임, 동물 점유자의 책임 등을 규정하고 있다. 예를 들어 자신의 행위가 문제가 된다는 것을 알기 어려운 어린아이가 다른 사람의 물건을 망가뜨려 손해를 입혔을 경우 부모가 대신 책임을 지고, 배달 종업원이 일하는 중에 교통사고를 낸 경우 사용자는 배상할 책임이 있다. 공원을 산책하던 강아지가 지나가던 사람을 물어서 다치게 했다면 강아지를 데리고 있던 사람이 책임을 져야 한다.

자료 분석 기본적으로 불법 행위는 자신의 행위에 대해 책임을 지는 것이지만 상황에 따라서는 타인의 행위에 대하여 책임을 인정하고 있는데, 이를 특수 불법 행위라고 한다. 민법에서는 책임 무능력자를 감독하는 사람의 책임, 피용자의 행위에 대한 사용자의 책임, 공작물 등을 점유 또는 소유한 자의 책임, 동물 점유자의 책임, 공동 불법 행위자의 책임 등을 특수 불법 행위로 규정하고 있다.

자료 분석 포인트

불법 행위의 개념과 성립 요건에 대한 이해를 바탕으로 특수 불법 행위를 인정하는 이유를 생각해 보자.

Q1 빈칸에 들어갈 알맞은 말을 쓰시오.

불법 행위는 자신이 저지른 행위에 대해 책임을 지는 것을 원칙으로 하지만, 상황에 따라서 타인의 행위에 대해서도 일정한 경우 책임을 지도록 하는데, 이를 (　　　)(이)라고 부른다.

자료 2 무인 자동차가 사고를 내면 누구의 책임일까?

교과서 119쪽

2016년 2월 미국 캘리포니아주 마운틴뷰시에 있는 A사 본사에서 시험 주행 중이던 무인 자동차가 시내버스와 가벼운 접촉 사고를 내는 '인공 지능(AI)의 실수'가 벌어졌다.

A사는 이 사고와 관련해 "우리에게 일부 책임이 있는 것은 명확하다."라며 과실을 인정하였다. 무인 자동차는 버스가 속도를 줄이거나 길을 양보할 것으로 판단하였지만, 버스가 예상대로 움직이지 않아 발생한 사고이기 때문이다.

만약 우리나라에서 이런 사고가 벌어진다면 누가 어떤 법적 책임을 지게 될까? 인간 운전자가 교통사고를 냈을 경우 양측의 과실 여부를 가려 인간 운전자에게 손해 배상 책임을 지울 수 있다. 하지만 '운전자'가 없는 무인 자동차의 경우 무인 자동차를 만든 회사에 제조물의 하자에 따른 책임을 지워야 한다.

그런데 피해를 입은 소비자가 인공 지능(AI)을 만든 무인 자동차 개발사 측에 하자 책임을 물을 수 있는지 의문이다. 민사법 특성상 인공 지능에게 잘못이 있다는 것을 피해자가 입증해야 하는데, 일반인으로서는 정교한 프로그램에 오류가 있다는 것을 입증하기가 쉽지 않기 때문이다. 또 인공 지능이 계산된 대로 행동하였는데도 사고가 발생하였을 경우 어디까지를 '잘못'으로 보아야 할지도 판단하기가 어렵다.

– 뉴스1, 2016. 3. 13. –

자료 분석 과학 기술이 급격하게 발달하면서 인공 지능(AI)이 우리 삶에 다양하게 활용되고 있고, 앞으로 그 범위가 더욱 확대될 전망이다. 이와 함께 인공 지능과 관련하여 발생하는 문제를 어떻게 바라보고, 어떻게 해결해야 할 것인지가 중요한 문제로 떠올랐다. 무인 자동차로 인한 교통사고는 이와 관련된 대표적인 사례이다. 무인 자동차의 운행 중 발생하는 사고에 대해 누구에게 책임을 물을 수 있을 것인가에 대한 판단은 현재 명확한 답을 찾지 못한 상태이고 앞으로 많은 논란을 가져올 것으로 보인다.

자료 분석 포인트

손해 배상의 의미를 이해하고, 손해 배상의 범위를 확인해 보자.

Q2 손해 배상에 관한 설명으로 옳지 않은 것은?

① 위법한 행위로 인해 발생한 손해를 보전해 주는 것이다.
② 손해에 대해서는 금전으로 배상하는 것을 원칙으로 한다.
③ 재산적 손해와 정신적 손해 중 더 큰 손해에 대해서만 배상받을 수 있다.
④ 손해 배상의 범위는 불법 행위와 손해 사이의 인과 관계를 바탕으로 정한다.
⑤ 명예 훼손의 경우 정정 보도문 게재와 같은 방식으로 손해를 배상받을 수 있다.

답 Q1 특수 불법 행위 / Q2 ③

1단계 개념 익히기

정답과 해설 ▸ 22쪽

01 다음 빈칸에 들어갈 알맞은 말을 쓰시오.

(1) (　　　　)(이)란 두 사람 이상 사이에 체결되는 법률적인 합의 또는 약속을 말한다.

(2) 일단 법적 효력이 있는 법률 행위에 대해 일정한 사유를 근거로 소급하여 무효로 하는 것을 계약의 (　　　　)(이)라고 한다.

(3) (　　　　)(이)란 어떤 사람이 고의 또는 과실로 위법하게 다른 사람에게 손해를 끼치는 행위를 의미한다.

02 다음에서 설명하는 법적 개념을 쓰시오.

> 계약에 따른 의무를 제대로 이행하지 않아 다른 사람에게 손해를 입히는 것을 의미한다. 만약 이것이 발생하였다면 법률에 따라 상대방이 강제적으로 계약을 이행하게 하거나 불이행으로 인해 발생한 손해를 배상해 달라고 청구할 수도 있다.

03 다음 설명이 옳으면 ○, 틀리면 ×표 하시오.

(1) 계약은 보통 당사자의 합의만으로 성립하며, 구두로 계약을 맺었더라도 효력이 있다. (　　)

(2) 계약의 무효란 법률 행위에 어떤 흠이 있어서 법률 행위의 효력이 처음부터 발생하지 않는 것을 의미한다. (　　)

(3) 정당방위나 긴급 피난은 위법성이 조각되어 불법 행위가 된다. (　　)

04 다음 빈칸에 공통으로 들어갈 말을 쓰시오.

> 자신의 행위가 일반적인 위험이나 손해를 가져오고, 법적으로 문제가 될 만한 것임을 인식할 수 있는 능력을 (　　　　)(이)라고 한다. 일반적으로 유아, 소아, 심신 상실자 등은 (　　　　)이/가 없는 것으로 본다.

05 다음 괄호 안에 들어갈 알맞은 말에 ○표 하시오.

(1) 당사자 간의 합의에 따라 계약이 성립되면 당사자 간에 계약에 따른 (배상 / 권리)와/과 의무가 발생한다.

(2) 자기 또는 제삼자에게 닥친 급박한 위난을 피하기 위하여 부득이 타인에게 손해를 가한 경우를 (정당방위 / 긴급 피난)(이)라고 한다.

(3) 타인의 불법 행위로부터 자기 또는 제삼자의 이익을 방위하기 위하여 부득이 그 타인에게 손해를 가한 경우를 (정당방위 / 긴급 피난)(이)라고 한다.

06 불법 행위의 성립 요건만을 |보기|에서 있는 대로 고르시오.

> **보기**
>
> ㄱ. 위법성　　　　ㄴ. 인과 관계
> ㄷ. 긴급 피난　　　ㄹ. 위법성의 조각
> ㅁ. 고의 또는 과실　ㅂ. 피해자 보호 행위

01 다음 사례에 대한 설명으로 가장 적절한 것은?

> (가) 김갑돌 씨는 이을순 씨에게 1,000만 원을 빌려주고 일 년 뒤에 이자까지 포함해서 1,100만 원을 받기로 하였다.
> (나) 박철수 씨는 최영희 씨 편의점에서 오전 9시부터 오후 6시까지 시간당 9,000원을 받고 일하기로 하였다.

① (가)에서 청약은 나타나지 않았을 것이다.
② (나)에서 승낙은 나타나지 않았을 것이다.
③ (가)와 달리 (나)에서는 당사자가 권리와 의무를 각각 가진다.
④ (가), (나) 모두 법적으로 문제가 되더라도 계약 자유의 원칙에 따라 자유롭게 이루어진다.
⑤ (가), (나) 모두 두 사람 이상 사이에 체결되는 법률적인 합의 또는 약속인 계약이 나타난다.

02 다음 자료에 대한 설명으로 옳은 것은?

금전 소비 대차 계약서

○○○을 갑, △△△을 을로 하여, 당사자 간에 다음과 같이 금전 소비 대차 계약을 체결한다. ……

20○○년 ○월 ○일

채권자	주소					
	성명	(인)	주민 등록 번호	-	전화 번호	
채무자	주소					
	성명	(인)	주민 등록 번호	-	전화 번호	

① 구두 계약은 효력이 없다.
② 계약은 반드시 문서로 이루어져야 한다.
③ 보통 당사자의 합의만으로 성립하지 않는다.
④ 서면으로 작성해 두면 나중에 분쟁이 생겼을 때 합의 내용을 명확히 확인할 수 있다.
⑤ 서면으로 작성해 두더라도 선언적인 의미만 담기기 때문에 작성할 필요성이 전혀 없다.

03 법적 개념 A, B에 대한 설명으로 옳은 것은?

> A는 일단 법적으로 효력이 있는 법률 행위에 대해 일정한 사유를 근거로 소급하여 무효로 하는 것을 말한다. 반면 B는 법률 행위에 어떤 흠이 있어서 법률 행위의 효력이 처음부터 발생하지 않는 것을 말한다.

① A는 무효를 의미한다.
② B는 채무 불이행을 의미한다.
③ 당사자 간에 지나치게 불공정한 계약은 A에 해당한다.
④ 착오, 사기 등에 의해서 한 법률 행위는 B에 해당한다.
⑤ 선량한 풍속 또는 사회 질서에 반하는 내용의 계약은 B에 해당한다.

04 다음 질문에 대한 옳은 답변만을 |보기|에서 있는 대로 고른 것은?

> Q. 저는 열일곱 살 고등학생입니다. 하굣길에 설문 조사를 해 달라는 판매원을 따라 승합차에 탔다가 30만 원이나 하는 고가의 다이어트 의약품을 샀어요. 호기심에 몇 개를 뜯어서 먹었는데, 부모님께서 아시고 당장 취소하라고 하십니다. 판매처에서는 이미 개봉한 물건은 취소가 안 된다고 합니다. 저는 어떻게 해야 할까요?
> A. ____________________

|보기|
ㄱ. 취소할 수 없는 법률 행위예요.
ㄴ. 취소할 경우 현재 먹고 남은 물건을 반환해야 할 책임이 있어요.
ㄷ. 법정 대리인의 허락이 있었던 것처럼 꾸며서 계약을 하였기에 취소할 수 없어요.
ㄹ. 법정 대리인의 동의 없이 한 법률 행위이므로 당사자나 법정 대리인이 취소할 수 있어요.

① ㄱ, ㄴ ② ㄱ, ㄷ ③ ㄴ, ㄹ
④ ㄱ, ㄴ, ㄹ ⑤ ㄴ, ㄷ, ㄹ

05 다음 민법 조항에 나타난 불법 행위의 성립 요건에 대한 설명으로 옳지 않은 것은?

> 제750조(불법 행위의 내용) 고의 또는 과실로 인한 위법 행위로 타인에게 손해를 가한 자는 그 손해를 배상할 책임이 있다.

① 가해자의 행위 때문에 피해자에게 손해가 발생해야 한다.
② 법이 보호할 가치가 있는 이익을 위법하게 침해해야 한다.
③ 가해 행위와 관련하여 가해자에게 고의 또는 과실이 있어야 한다.
④ 가해자의 위법 행위와 피해자의 손해가 각각 발생하기만 하면 된다.
⑤ 자신의 행위로 인해 법률상 책임이 발생한다는 것을 인식할 수 있는 능력이 있어야 한다.

06 중요 다음 사례에 대한 옳은 분석만을 |보기|에서 고른 것은?

> A는 산사태로 쏟아져 내리는 흙더미를 피하기 위해 어쩔 수 없이 B의 집으로 뛰어들면서 담장을 무너뜨렸다. 이에 B는 A에게 그로 인한 손해 배상을 청구하고자 한다.

| 보기 |
ㄱ. A의 행위는 정당방위에 해당한다.
ㄴ. A의 행위는 긴급 피난에 해당한다.
ㄷ. A의 행위는 위법성 조각 사유에 해당되어 위법성이 인정되지 않는다.
ㄹ. A는 B에게 불법 행위로 인한 손해 배상 책임을 져야 한다.

① ㄱ, ㄴ ② ㄱ, ㄷ ③ ㄴ, ㄷ
④ ㄴ, ㄹ ⑤ ㄷ, ㄹ

07 중요 다음 사례에 대한 법적 판단으로 옳은 것은?

> 7, 8세의 초등학교 1, 2학년 아이들이 불장난을 하다가 불이 창고용 가건물에 옮겨 붙어 그 가건물이 전소(全燒)되었다. 이에 법원은 초등학교 1, 2학년 아이들의 중과실로 발생한 화재로 인한 손해에 대하여 아이들의 부모가 특수 불법 행위 책임을 져야 한다고 판단하였다.

① 법원은 아이들의 가해 행위가 없다고 판단하였다.
② 법원은 아이들 부모의 배상 책임을 인정하지 않았다.
③ 법원은 아이들이 부주의한 행동을 하지 않았다고 판단하였다.
④ 법원은 아이들 부모에게 책임 무능력자의 감독자 책임이 있다고 판단하였다.
⑤ 법원은 아이들 부모가 피용자의 행위에 대한 사용자의 배상 책임이 있다고 판단하였다.

08 다음 사례에 대한 법적 판단으로 옳은 것은?

> 오랜만에 축구를 해서 신난 고등학생 갑돌 군은, 힘을 조절하지 못하고 공을 세게 찼다. 그 공은 걸어가던 고등학생 을순 양에게 날아갔다. 그 결과 을순 양은 팔을 다쳤고, 휴대 전화도 망가졌다.

① 을순 양은 명예 훼손을 당했다.
② 을순 양은 손해 배상을 받을 수 없다.
③ 을순 양은 휴대 전화 수리비를 자신이 부담해야 한다.
④ 을순 양은 정신적 고통에 대한 손해 배상인 위자료도 청구할 수 있다.
⑤ 을순 양은 원칙적으로 손해 발생 전의 상태로 원상회복을 청구해야 한다.

서술형 문제

09 다음과 같은 계약서를 작성하고, 당사자가 계약에 따른 의무를 제대로 이행하지 않을 경우 상대방이 할 수 있는 조치를 서술하시오. (단, 일반적인 계약에서의 조치를 서술해야 한다.)

> 연소 근로자(18세 미만인 자) 표준 근로 계약서
>
> ________(이하 "사업주"라 함)와/과 ________(이하 "근로자"라 함)은/는 다음과 같이 근로 계약을 체결한다.
>
> 1. 근로 개시일:　　년　　월　　일부터
>
> ※ 근로 계약 기간을 정하는 경우에는 "　　년　　월　　일부터　　년　　월　　일까지" 등으로 기재
>
> ……
>
> 년　　월　　일
>
> (사업주) 사업체명:　　　　(전화:　　　　)
> 주　　소:
> 대 표 자:　　　　(서명)
> (근로자) 주　　소 :
> 연 락 처:
> 성　　명:　　　　(서명)

서술형 문제

10 다음 사례를 읽고 물음에 답하시오.

> 평소 비염과 기관지염으로 불편을 겪던 고등학교 1학년 갑(17세)은 하굣길에 전자 제품 가게로 가서 80만 원 상당의 공기 청정기를 구입하였다. <u>그런데 막상 집으로 돌아오니 부모님(법정 대리인) 허락도 없이 제대로 알아보지 않고 값비싼 물건을 구매한 것 같아 후회가 밀려왔다.</u>

(1) 갑의 행위 능력에 대해 서술하시오.

(2) 밑줄 친 문제를 해결하기 위한 방안을 서술하시오.

서술형 문제

11 다음은 민법 조항 중 일부이다. 이를 읽고 물음에 답하시오.

> 제761조 ① 타인의 불법 행위에 대하여 자기 또는 제삼자의 이익을 방위하기 위하여 부득이 타인에게 손해를 가한 자는 배상할 책임이 없다. ……

(1) 위 법률 조항에 나타나는 법적 개념을 쓰시오.

(2) (1)이 불법 행위가 되지 않는 이유를 서술하시오.

서술형 문제

12 다음 사례를 읽고 물음에 답하시오.

> 뇌병변 1급 장애인으로서 전동 휠체어를 이용하는 대학생 갑이 을 주식회사가 운영하는 버스에 승차하려다가 버스 기사들로부터 휠체어 승강 설비 고장, 휠체어 승강 설비 사용법 부지, 무정차 통과 등의 이유로 승차 거부를 당하거나 휠체어 승강 설비를 이용하지 못한 채 승차하게 되자, 을 회사를 상대로 손해 배상을 청구하였다.

(1) 위 사례에서 을 회사가 손해 배상 책임을 질 수 있는 법적 근거에 대해 쓰시오.

(2) 위 사례에서 을 회사가 손해 배상 책임을 지지 않는 조건을 서술하시오.

내신 만점 도전하기

정답과 해설 ▸ 23쪽

01 다음 민법 조항을 토대로 할 때 미성년자의 법률 행위에 대한 옳은 설명만을 |보기|에서 있는 대로 고른 것은?

> 민법 제5조(미성년자의 능력) ① 미성년자가 법률 행위를 함에는 법정 대리인의 동의를 얻어야 한다. 그러나 권리만을 얻거나 의무만을 면하는 행위는 그러하지 아니하다.
> ② 전항의 규정에 위반한 행위는 취소할 수 있다.
> 민법 제6조(처분을 허락한 재산) 법정 대리인이 범위를 정하여 처분을 허락한 재산은 미성년자가 임의로 처분할 수 있다.

보기

ㄱ. 미성년자는 의사 능력이 없다.
ㄴ. 미성년자가 친척이 쓰던 스피커를 무상으로 받을 때는 법정 대리인의 동의가 필요 없다.
ㄷ. 미성년자가 법정 대리인에게서 받은 용돈 5만 원으로 책을 살 때는 법정 대리인의 동의가 필요하지 않다.
ㄹ. 미성년자가 고가의 물품을 법정 대리인의 허락 없이 샀을 때는 미성년자 본인이나 법정 대리인이 계약을 취소할 수 있다.

① ㄱ, ㄴ ② ㄱ, ㄷ ③ ㄷ, ㄹ
④ ㄱ, ㄴ, ㄹ ⑤ ㄴ, ㄷ, ㄹ

문제 접근 방법
이 문제는 민법 조항을 분석하여 미성년자의 법률 행위를 이해하는 문제이다.

내신 전략
의사 능력과 행위 능력을 비교하여 계약의 무효와 취소를 정리하고, 미성년자의 법률 행위를 파악해 둔다.

02 다음 사례에 대한 법적 설명으로 옳은 것은?

> 갑(25세)이 을 소유의 애완견을 데리고 공원에서 휴식을 취하던 중 애완견의 목줄을 놓치는 바람에 애완견이 부근에 있던 병(4세)을 물어 상해를 입혔다. 이에 법원은, 갑이 애완견이 주변 사람들에게 위해를 가하지 못하도록 목줄을 단단히 잡고 있을 의무를 위반한 과실로 병이 상해를 입게 하였으므로 병이 입은 손해를 배상할 의무가 있다고 판단하였다.

① 갑은 책임 능력이 없다.
② 갑의 행위는 긴급 피난에 해당한다.
③ 갑은 특수 불법 행위로 인한 책임을 진다.
④ 병 측은 손해에 대해 금전으로 배상을 청구할 수 없다.
⑤ 병 측은 정신적 손해와 달리 재산적 손해는 청구할 수 없다.

문제 접근 방법
제시된 사례를 분석하여 관련된 특수 불법 행위의 유형을 파악하고, 이 유형의 내용을 도출한다.

내신 전략
불법 행위 관련 민법 조항을 여러 번 읽어 눈에 익히고, 일반 불법 행위와 특수 불법 행위 각각의 요건 및 유형을 정리하도록 한다.

정답과 해설 ▸ 23쪽

2018학년도 수능

01 다음 사례에 대한 옳은 법적 판단만을 |보기|에서 고른 것은?

갑(15세)이 부모로부터 학습용으로 받은 노트북을 부모의 동의 없이 단독으로 중고 판매업자 을(30세)에게 팔기로 약속하였다.

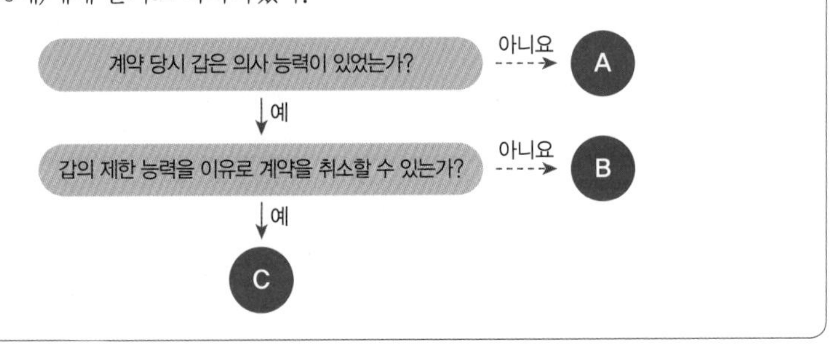

|보기|

ㄱ. A의 경우에 갑의 부모가 갑의 행위를 동의했더라도 계약의 효력은 없다.
ㄴ. 계약 당시 의사 능력을 가진 갑이 문서로 을과 계약을 하였다면 B의 경우에 해당한다.
ㄷ. C의 경우에 을은 갑에게 계약의 취소 여부에 대한 확답을 요구할 수 없다.
ㄹ. C의 경우에 갑의 부모가 계약을 취소하면 을은 손해 배상을 청구할 수 있다.

① ㄱ, ㄴ ② ㄱ, ㄷ ③ ㄴ, ㄷ ④ ㄴ, ㄹ ⑤ ㄷ, ㄹ

출제 개념
계약의 효력 발생 요건, 미성년자, 미성년자의 법률 행위

자료 해설
미성년자인 갑은 단독으로 유효한 법률 행위를 할 수 있는 행위 능력이 제한되므로 갑이 을과 체결한 계약은 갑 본인이나 법정 대리인인 갑의 부모가 취소할 수 있다.

해결 비법
계약의 효력에 관한 문제는 사례 또는 법률 조항을 주고 추론해 내는 방향으로 출제되므로 기본 개념과 특징을 명확히 학습하고, 다양한 사례 및 법률 조항에 적용시킬 수 있는 능력을 기른다.

2020학년도 수능

02 (가)~(다) 사례에 대한 법적 판단으로 옳은 것은?

(가) 갑(38세)의 아들 을(8세)이 골목에서 자전거를 타고 놀다가 지나가던 아이(5세)를 치어 다치게 했다.
(나) 미술품 판매점을 운영하는 병은 A에게 유명 화가의 그림을 판매하면서 집에 배달해 주기로 하는 내용의 계약을 A와 체결하였다. 그런데 병의 직원이 배달 과정에서 실수로 그 그림을 B에게 떨어뜨려 B는 부상을 입고 그림은 찢어져 버렸다.
(다) 정 소유의 광고탑이 설치상의 하자로 인하여 무너져 지나가던 행인이 다쳤다. 그런데 광고탑은 무가 점유 및 관리하던 것이었다.

① (가)에서 을은 책임 능력이 없어 손해 배상 책임을 지지 않으므로 갑이 무과실 책임을 진다.
② (나)에서 B는 병의 직원의 실수로 부상을 입은 것이므로 병이 B에 대하여 손해 배상 책임을 지는 경우는 없다.
③ (나)에서 병의 직원은 A에게 계약에 따른 채무를 불이행한 책임을 진다.
④ (다)에서 무는 손해의 방지에 필요한 주의를 다하였음을 증명하더라도 손해 배상 책임을 진다.
⑤ (다)에서 무에게 손해 배상 책임이 인정되지 않는 경우 정은 무과실 책임을 진다.

출제 개념
불법 행위의 의미와 성립 요건, 일반 불법 행위, 특수 불법 행위, 사용자 배상 책임

자료 해설
(가)는 책임 무능력자를 감독하는 사람의 책임, (나)는 피용자의 행위에 대한 사용자의 배상 책임, (다)는 공작물 등의 점유자, 소유자의 책임에 관한 내용이다.

해결 비법
불법 행위에 관한 문제는 사례 또는 법률 조항을 주고 추론해 내는 방향으로 출제되므로 일반 불법 행위와 특수 불법 행위의 기본 개념과 특징을 명확히 학습하고, 다양한 사례 및 법률 조항에 적용시킬 수 있는 능력을 기른다.

주제 3 가족 관계와 법

주제 흐름 읽기

부부와 관련된 법률 내용		
	혼인	남녀가 부부가 되는 일 → 당사자 사이의 혼인 의사의 합치, 혼인 신고로 성립
	가정 생활	• 부부간에 동거, 부양, 협조의 의무 • 부부 별산제 • 일상 가사 대리
	이혼	• 부부가 혼인 관계를 해소하는 일 • 협의 이혼, 재판상 이혼

부모와 자녀 간 법률 내용		
	친자 관계	• 부모와 자식 사이의 법률관계 • 친생자, 양자, 친양자
	친권	부모가 미성년인 자녀에 대해 갖는 신분, 재산상의 권리와 의무

1 부부와 관련된 법률 내용

1. 혼인

(1) **의미** 남녀가 부부가 되는 일 — 혼인도 두 남녀가 부부가 되겠다는 의사의 합치를 이루어야 성립하는 일종의 계약이라고 볼 수 있어.

(2) **성립 요건**

① 혼인 의사의 합치: 혼인도 일종의 계약이라고 볼 수 있으므로 당사자 사이에 혼인할 의사의 합치가 있어야 함

② 혼인 신고: 혼인 신고를 한 경우에만 법적 부부로 인정하는 법률혼주의 채택 — 혼인 신고를 하지 않은 상태에서 부부처럼 함께 사는 사실혼은 제한적인 범위에서 법적 보호를 받아.

(3) **제한**

① 남녀 모두 법에서 규정하는 혼인할 수 있는 나이가 되어야 함 자료 1

② 법에서 제한하고 있는 혼인할 수 없는 친족 관계❶가 아니어야 함

③ 다른 사람과 이미 혼인되어 있는 중혼(重婚)이 아니어야 함

2. 가정생활

(1) **동거, 부양, 협조의 의무 발생**

① 부부가 공동생활하는 데 드는 비용은 함께 부담하는 것을 원칙으로 함

② 배우자, 자녀, 부모, 생계를 같이하는 친족 등 생활력이 없는 다른 가족에 대한 부양 의무 발생

(2) **부부 별산제** 결혼 전부터 가진 고유 재산과 결혼 생활 중 자신의 명의로 취득한 재산은 부부 각자가 관리하도록 함 — 각자의 재산을 따로 보아 한쪽의 사치에 따른 빚이나 노름빚을 다른 배우자가 갚을 의무는 없어.

(3) **일상 가사 대리** 부부가 공동생활을 하는 데 필요한 통상적 거래 행위에 대해서 편의를 위해 어느 한쪽이 대신할 수 있도록 함, 일상생활에 필요한 지출로 빚을 진 경우 연대 책임을 짐 자료 2 — 일상 가사 연대 책임이라고 해.

— 생활필수품 구매와 같은 일상생활에 필요한 지출에 적용돼.

3. 이혼

(1) **의미** 부부가 혼인 관계를 해소하는 일

(2) **종류**

① 협의 이혼: 이혼 의사의 합치가 있을 때 이루어짐, 이혼 사유에 제한 없음, 신중한 결정을 위해 이혼 숙려 기간❷을 갖도록 함 — 가정 법원에서 이혼 의사를 확인받은 후 이혼 신고를 함으로써 이혼의 효력이 발생해.

② 재판상 이혼: 이혼 의사의 합치가 이루어지지 않았을 때 법원의 판결로써 강제로 이혼하는 것, 법이 정한 정당한 사유❸가 있을 때에만 허용됨

---

❶ 혼인할 수 없는 친족 관계
우리나라 민법 제809조에서는 일정한 친족 관계 사이에서는 혼인하지 못한다고 규정하고 있다.
- 8촌 이내의 혈족(친양자의 입양 전의 혈족을 포함)인 경우
- 6촌 이내의 혈족의 배우자, 배우자의 6촌 이내의 혈족, 배우자의 4촌 이내의 혈족의 배우자인 인척이거나 이러한 인척이었던 경우
- 6촌 이내의 양부모계의 혈족이었던 경우와 4촌 이내의 양부모계의 인척이었던 경우

❷ 이혼 숙려 기간
이혼이 부부로서의 결합을 영구적으로 해소하는 중요한 일이므로 협의 이혼을 할 때에는 신중한 결정을 돕기 위하여 일정한 숙려 기간이 지난 후 이혼이 허가되도록 하고 있다. 이를 이혼 숙려 제도라고 한다. 이혼 숙려 기간은 양육할 자녀가 있는지에 따라 1~3개월간으로 정해지며, 가정 폭력 등의 사유가 있으면 단축되거나 면제된다.

❸ 재판상 이혼을 할 수 있는 사유
배우자가 부정한 행위를 한 때, 배우자를 악의로 유기한 때, 배우자 또는 그 직계 존속으로부터 심히 부당한 대우를 받은 때, 배우자가 자신의 직계 존속을 심히 부당하게 대우한 때, 배우자가 3년 이상 행방불명이 된 때, 기타 혼인을 계속하기 어려운 중대한 사유가 있는 때의 경우 재판상 이혼을 할 수 있다.

자료 1 미성년자의 혼인 교과서 125쪽

문학 작품 속 로미오와 줄리엣, 이몽룡과 성춘향이 현재 대한민국 국민이라면, 미성년자인 이들은 혼인할 수 있을까? 우리 민법에서는 18세 이상의 미성년자는 부모나 미성년 후견인의 동의하에 혼인할 수 있도록 허용하고 있다.

만약 이들이 18세 이상인 미성년자이고, 양가 부모의 동의를 받아서 혼인하게 된다면 어떤 변화가 생길까? 원칙적으로 미성년자는 법정 대리인의 동의 없이 단독으로 법률 행위를 할 수 없다. 하지만 혼인을 한 경우에는 독립된 가정을 꾸려 생활할 수 있도록 성년으로 보는데, 이를 '성년 의제'라고 한다.

결혼을 한 미성년자는 성년자와 동일하게 법정 대리인의 동의 없이 단독으로 법률 행위를 할 수 있고, 자식에 대해 친권을 행사할 수도 있다. 하지만 모든 부분에서 성년자와 같은 취급을 받는 것은 아니다. 민법 이외의 청소년 보호법, 근로 기준법 등에서는 여전히 미성년자로 취급된다.

그렇다면 이들이 이혼하게 되면 성년 의제의 효과는 사라지는 것일까? 그렇지는 않다. 한번 성년으로 의제가 되고 나면 이혼을 하더라도 다시 미성년자로 환원되지 않는다.

자료 분석 우리나라 민법에 따르면 미성년자가 혼인하면 성년자로 보아(제826조의 2) 성년자와 동일하게 행위 능력을 갖게 되는데, 이를 성년 의제라고 한다. 즉, 혼인한 미성년자는 후견인, 유언의 증인, 유언 집행자가 될 수 있으며, 친권과 소송 능력도 인정된다. 하지만 이러한 행위 능력의 인정은 민법에 국한되고, 청소년 보호법, 근로 기준법 등에서는 여전히 미성년자로 취급된다.

자료 분석 포인트
사례에서 성년 의제의 개념을 파악해 보자.

Q1 빈칸에 들어갈 알맞은 말을 쓰시오.

우리나라 민법에서는 18세 이상의 미성년자는 부모나 미성년 후견인의 동의하에 혼인할 수 있도록 허용하고 있다. 미성년자가 혼인을 한 경우 독립된 가정을 꾸려 생활할 수 있도록 법정 대리인의 동의 없이 단독으로 법률 행위를 할 수 있도록 하는데 이를 (   )(이)라고 한다.

자료 2 사례로 알아보는 가정생활 교과서 126쪽

(가) 이아내는 김남편이 준 생활비가 부족하여 장을 볼 때마다 친구에게 돈을 빌렸다. 이아내가 돈을 제때 갚지 못하자 돈을 빌려준 친구는 김남편에게 돈을 대신 갚으라고 요구하고 있다. 김남편은 돈을 갚을 책임이 있을까?

(나) 박신랑은 값비싼 외제 차와 명품 옷을 사는 등 사치스러운 생활을 일삼다가 사채까지 쓰게 되었다. 사채업자들은 박신랑의 빚을 갚으라고 최신부를 찾아와 매일 독촉하고 있다. 최신부에게도 빚을 갚을 책임이 있을까?

자료 분석 일상 가사란 부부의 공동생활에 필요한 통상의 사무를 말하는데, 일반적으로 식료품이나 생활용품의 구입, 주택의 월세 지급, 자녀의 양육비 지출 등이 포함된다. 따라서 (가)는 일상 가사 대리에 해당하여 김남편이 돈을 갚을 책임이 있는 반면, (나)는 일상 가사 대리에 해당하지 않아 최신부가 빚을 갚을 책임이 없다.

자료 분석 포인트
일상 가사 대리의 개념과 사례에 대해 파악해 보자.

Q2 (가), (나)의 내용이 일상 가사 대리에 해당하면 ○, 해당하지 않으면 ×표 하시오.

(가) (   ) (나) (   )

답 Q1 성년 의제 / Q2 (가) ○ (나) ×

(3) **효과**

① 재산 관련: 결혼 생활 중 취득한 재산에 대한 분할 청구 가능(재산 분할 청구권), 이혼에 관한 책임이 있는 배우자는 상대방에게 위자료를 지급할 책임이 있음

② 자녀 양육 관련: 자녀 양육을 맡은 사람은 양육에 필요한 비용 청구 가능, 양육을 맡지 않는 부모의 일방과 자녀 간에 면접 교섭권 발생

2 부모와 자녀 간 법률 내용

1. 친자 관계

(1) **의미** 부모와 자식 사이의 법률관계 자료 1

(2) **친생자** 부모와 혈연관계로 연결

① 혼인 중의 출생자: 혼인한 부모 사이에 태어난 경우 → 부부 사이의 자녀로 추정❶

② 혼인 외의 출생자: 혼인하지 않은 남녀 사이에 태어난 경우 → 자녀로 인지❷되는 별도의 절차 필요

양자는 친생부모의 성과 본을 유지하고 친생부모와의 관계도 유지되지만, 친양자는 양부모의 성과 본으로 변경되고 기존 친생부모와의 관계도 종료된다는 점에서 차이가 있어.

(3) **양자, 친양자** 혈연관계는 없으나 입양❸ 과정을 거쳐 법률상 자녀로 인정

① 양자 입양: 당사자의 합의 등을 비롯한 입양의 성립 요건을 갖춘 후 입양 신고, 미성년자 입양의 경우 가정 법원의 허가가 필요함

② 친양자 입양: 미성년자에 대하여 가정 법원에 친양자 입양을 청구하여 받아들여진 후 입양 신고

(4) **법적 효과**

① 재산 상속 및 부양의 권리와 의무 발생

② 부모에게 친권과 자녀의 혼인, 입양에 대한 동의권 등 법적 효과 발생

2. 친권❹

(1) **의미** 부모가 미성년인 자녀에 대해 갖는 신분, 재산상의 여러 권리와 의무

과거에는 자녀에 관한 가장의 권리 성격이 강했지만, 오늘날에는 주로 자녀 양육을 위한 부모의 의무 측면이 강조되고 있어.

(2) **내용**

① 자녀에 대한 보호와 양육의 권리와 의무

② 자녀가 거주할 장소를 지정할 수 있는 거소 지정권

③ 자녀의 보호와 양육에 필요한 징계를 하고 법원의 허가를 받아 감화 또는 교정 기관에 위탁할 수 있는 징계권

④ 자녀가 자녀의 명의로 취득한 재산에 대한 관리권

⑤ 자녀의 재산에 대한 법률 행위의 동의·대리권

(3) **친권의 행사**

① 부모가 공동으로 행사하는 것이 원칙

② 부모 중 한쪽이 친권을 행사할 수 없을 때에는 다른 한쪽이 행사함

③ 부모가 이혼한 경우 부모의 협의로 친권을 행사할 사람 결정, 협의가 안 될 경우 가정 법원이 결정

(4) **친권의 상실** 부모가 자녀 학대, 교육 거부 등 친권을 남용하거나 현저한 비행이 있는 경우, 또는 그 밖에 친권을 행사할 수 없는 중대한 사유가 있을 때 일정한 자의 청구에 의해 가정 법원이 친권의 상실 선고❺ 자료 2

가정 법원이 중대한 사유가 있을 때 친권의 상실을 선고할 수 있도록 한 것은 자녀를 보호하기 위한 것이야.

❶ 추정
명확하지 않은 사실을 일단 있는 것으로 정하여 법률 효과를 발생시키는 일이다.

❷ 인지
혼인 외 출생자에 대해 생부 또는 생모가 자신의 자녀임을 인정함으로써 법률상 친자 관계를 형성하는 것을 말한다.

❸ 입양
혈연적으로 친자 관계가 없는 사람 사이에 법률적으로 친자 관계를 맺는 것을 말한다.

❹ 친권과 양육권
친권이 미성년인 자녀의 신분과 재산에 관한 사항을 결정할 수 있는 권리라면, 양육권은 미성년인 자녀를 부모의 보호하에서 양육하고 교양할 권리를 의미한다. 따라서 양육권보다는 친권이 좀 더 포괄적인 개념이라고 할 수 있다.

❺ 친권 상실 선고

민법 제924조(친권 상실 또는 일시 정지의 선고) ① 가정 법원은 부 또는 모가 친권을 남용하여 자녀의 복리를 현저히 해치거나 해칠 우려가 있는 경우에는 자녀, 자녀의 친족, 검사 또는 지방 자치 단체의 장의 청구에 의하여 그 친권의 상실 또는 일시 정지를 선고할 수 있다.

자녀의 친권자가 친권을 남용하거나 현저한 비행이 있거나 그 밖에 친권을 행사할 수 없는 중대한 사유가 있는 경우에는 법원의 선고에 의해 친권이 상실될 수 있다.

자료 1 부부 동의하에 제3자 정자로 인공 수정한 자녀는 친자일까?

교과서 128쪽

아버지 A 씨는 1992년 자신이 무정자증이라는 사실을 알고 아내와 합의하여 제3자로부터 정자를 제공받아 시험관 시술을 하였다. 이듬해 자녀 B 씨가 태어났다. 이후 부부 갈등이 시작되었고 A 씨 부부는 2013년 8월 이혼 절차를 시작하였다. 이 과정에서 A 씨는 B 씨가 친자가 아니라며 소송을 냈다. 민법상 제3자에게서 정자를 제공받아 인공 수정으로 자녀를 출산하였을 경우 아버지가 동의하였다면 그 자녀는 친자로 인정된다. 이와 관련하여 A 씨는 "인공 수정에 동의한 적이 없고 묵인하였을 뿐"이라고 주장하였다.

하지만 재판부는 A 씨 주장을 받아들이지 않았다. 재판부는 "배우자가 있는 자가 제3자의 정자로 인공 수정을 할 경우 배우자의 협력과 동의가 반드시 필요하다." 또한 "A 씨는 B 씨의 출생에 아무런 문제도 제기하지 않은 채 친자로 출생 신고를 마쳤다. 따라서 B 씨는 민법에 따라 A 씨의 친생자로 추정된다."라고 판단하였다.

– 머니투데이, 2016. 10. 1. –

자료 분석 우리나라 민법 제844조 제1항은 '아내가 혼인 중에 임신한 자녀는 남편의 자녀로 추정한다.'라고 규정하고 있다. 친생자 추정을 받는 기간에 출산했으나 예외적으로 남편의 자녀가 아닌 것이 명백한 경우 친생자로 추정하기 어려우나, 법원은 제3자 정자를 사용한 인공 수정의 경우 남편이 동의했을 뿐 아니라 자녀의 출생에도 아무런 문제 제기를 하지 않았으므로 친생자로 추정된다고 판단하였다.

자료 분석 포인트

친자 관계에 대한 이해를 바탕으로 제시된 자료에 등장하는 친생자의 개념을 파악해 보자.

Q1 빈칸에 들어갈 알맞은 말을 쓰시오.

친자 관계란 부모와 자식 사이의 법률관계를 말하는데, 크게 부모와 혈연관계로 연결된 (　　　)와/과 혈연관계는 없으나 입양 과정을 거쳐 법률상 자녀로 인정되는 양자, 친양자로 구분할 수 있다.

자료 2 친권, 인정해야 할까?

교과서 129쪽

(가) 부모가 미취학 초등학생을 부적절하게 학교에 보내지 않는 교육적 방임 사례가 확인되었다. A 씨는 딸(8세)이 초등학교에 입학해야 했지만 가정에서 교육하겠다는 이유로 단 하루만 학교에 보냈다.

경찰 조사에서 A 씨는 집에서 딸이 학습지를 풀도록 놓아두기만 하는 등 정상적인 가정 교육도 이루어지지 않은 것으로 드러났다. 경찰이 딸을 학교에 보내도록 하였으나 A 씨는 이를 거부하였다.

– 연합뉴스, 2016. 4. 25.–

(나) 한 온라인 카페가 자연 치유를 표방하며 백신 접종이나 항생제 사용을 지양하고 아이가 자연스럽게 병을 앓도록 두어야 한다고 주장하여 논란이 되고 있다. 이 카페에서는 화상을 입었을 때 병원 치료 대신 40도 정도의 물로 찜질할 것을 치료법으로 제시하였다. 이 치료법을 맹신한 부모가 화상을 입은 아이를 40도 정도의 물에 찜질한 사진을 공개하였다. 사람들은 살갗이 모두 벗겨져 힘겨워하는 아이의 모습을 보고 경악하였다.

– 경향신문, 2017. 5. 19.–

자료 분석 우리나라 민법 제924조 제1항은 '가정 법원은 부 또는 모가 친권을 남용하여 자녀의 복리를 현저히 해치거나 해칠 우려가 있는 경우에는 자녀, 자녀의 친족, 검사 또는 지방 자치 단체의 장의 청구에 의하여 그 친권의 상실 또는 일시 정지를 선고할 수 있다.'라고 규정하고 있다. (가)에서는 부모가 자녀의 교육을 거부하고 있고, (나)에서는 부모가 자녀에게 제대로 된 의료 서비스를 제공하지 않고 있다. 이처럼 부모가 자녀를 보호하고 양육해야 하는 의무를 충실히 하지 않는다면 친권을 인정하기 어려울 것이다.

자료 분석 포인트

친권의 개념과 주요 내용을 이해하고 친권이 상실되는 사유에 대해 생각해 보자.

Q2 친권에 관한 설명으로 옳지 않은 것은?

① 친권은 부모가 공동으로 행사하는 것이 원칙이다.
② 부모가 미성년인 자녀에 대해 갖는 신분, 재산상의 권리와 의무를 말한다.
③ 부모는 자녀에 대한 보호와 양육의 권리, 자녀가 거주할 장소를 지정할 수 있는 거소 지정권 등을 갖는다.
④ 가장의 권리 성격이 강했던 과거와 달리 오늘날에는 자녀 양육을 위한 부모의 의무 측면이 강조되고 있다.
⑤ 부모가 자녀를 학대하거나 교육을 거부하는 등 사유가 있을 때에는 행정 법원이 친권의 상실을 선고할 수 있다.

답 Q1 친생자 / Q2 ⑤

개념 익히기

정답과 해설 ▸ 24쪽

01 다음 빈칸에 들어갈 알맞은 말을 쓰시오.

(1) 혼인이 성립하기 위해서는 당사자 사이에 혼인할 의사의 합치가 있어야 하며, (　　　　)을/를 해야 한다.
(2) (　　　　)은/는 결혼하기 전부터 가지고 있던 재산과 결혼 생활 중 자신의 명의로 취득한 재산은 부부 각자가 관리하도록 하는 것을 의미한다.
(3) 부모가 미성년인 자녀에 대해 갖는 신분, 재산상의 여러 권리와 의무를 (　　　　)(이)라고 한다.

02 다음 빈칸에 들어갈 법적 용어를 쓰시오.

> 원칙적으로 미성년자는 법정 대리인의 동의 없이 단독으로 법률 행위를 할 수 없다. 하지만 혼인을 한 경우에는 독립된 가정을 꾸려 생활할 수 있도록 성년으로 보는데, 이를 (　　　　)(이)라고 한다.

03 다음 설명이 옳으면 ○, 틀리면 ×표 하시오.

(1) 전업주부의 경우에는 생활비를 벌지는 않지만 가사 노동, 육아 등을 담당하므로 생활비를 공동으로 부담하는 것으로 인정된다. (　　)
(2) 이혼이 성립되면 결혼 생활 중 취득한 재산에 대해 분할을 청구할 수 있다. (　　)
(3) 부모가 친권을 남용하거나 현저한 비행이 있는 경우라도 친권은 상실될 수 없다. (　　)

04 다음 밑줄 친 '이 제도'를 쓰시오.

> 이 제도에 의해 입양이 되면 양부모와의 사이에 법정 친자 관계가 생기고, 친생자와 동일한 권리 및 의무가 인정된다. 또한 양부모의 성과 본으로 변경되고, 원칙적으로 기존의 친생부모와의 관계도 종료된다.

05 다음 괄호 안에 들어갈 알맞은 말에 ○표 하시오.

(1) 이혼에 대한 합의가 이루어지지 않았을 때 법원의 판결로써 강제로 이혼하는 것은 (협의 / 재판상) 이혼이다.
(2) 혈연관계는 없으나 입양 과정을 거쳐 법률상 자녀로 인정되는 (양자 / 친생자)가 있다.
(3) 친권은 부모가 (공동 / 나누어)(으로) 행사하는 것이 원칙이다.

06 친권의 내용만을 |보기|에서 있는 대로 고르시오.

보기	
ㄱ. 징계권	ㄴ. 재산권
ㄷ. 비행권	ㄹ. 교육 거부권
ㅁ. 거소 지정권	ㅂ. 재산에 대한 관리권

정답과 해설 ▸ 24쪽

01 중요 다음 사례에 대한 설명으로 옳지 않은 것은?

① A는 혼인 신고이다.
② 당사자 간 혼인의 의사가 합치되어 있다.
③ 당사자는 혼인할 수 있는 나이가 되어야 한다.
④ 당사자 간에는 법에서 제한하고 있는 혼인할 수 없는 친족 관계가 아니어야 한다.
⑤ A를 하지 않은 상태에서 부부처럼 함께 사는 사실혼은 법적으로 법률혼과 동일한 보호를 받는다.

02 다음 질문에 대한 답변으로 옳은 것은?

> 우리 민법에서는 18세 이상의 미성년자는 부모나 미성년 후견인의 동의하에 혼인할 수 있도록 허용하고 있다. 만약 18세 이상인 미성년자이고, 양가 부모의 동의를 받아서 혼인하게 된다면 어떤 변화가 생길까?

① 성년 의제를 적용받지 못한다.
② 자녀에 대한 친권을 행사할 수 없다.
③ 이혼을 하게 된다면 다시 미성년자로 환원된다.
④ 법정 대리인의 동의 없이 단독으로 법률 행위를 할 수 있다.
⑤ 민법 이외에 청소년 보호법, 근로 기준법 등에서도 성년으로 취급된다.

03 중요 다음 사례에 대한 법적 판단으로 옳은 것은?

> 이아내는 김남편이 준 생활비가 부족하여 장을 볼 때마다 친구에게 돈을 빌렸다. 이아내가 돈을 제때 갚지 못하자 돈을 빌려준 친구는 김남편에게 돈을 대신 갚으라고 요구하고 있다. 김남편은 돈을 갚을 책임이 있을까?

① 부부 별산제가 나타난다.
② 일상 가사 대리는 사치품의 지출에 적용된다.
③ 일상 가사에 해당하므로 김남편은 연대 책임이 있다.
④ 결혼하기 전부터 가지고 있던 고유 재산은 부부가 공동 관리해야 한다.
⑤ 부부와 그 자녀가 공동생활을 하는 데 필요한 통상적인 거래 행위에 대해서는 부부가 공동으로 해야만 한다.

04 다음에서 설명하는 법적 개념에 대한 옳은 설명만을 |보기|에서 있는 대로 고른 것은?

> 부부가 혼인 관계를 해소하는 일을 이혼이라고 한다. 이혼은 두 사람 모두 이혼에 동의하는 협의 이혼과 어느 한쪽만이 이혼을 원해 법원의 판결에 따라 이혼을 하는 재판상 이혼으로 나뉜다.

|보기|
ㄱ. 협의 이혼은 이혼 사유에 제한이 없다.
ㄴ. 배우자가 부정한 행위를 했을 경우 재판상 이혼을 할 수 있다.
ㄷ. 이혼이 성립되면 결혼 생활 중 취득한 재산에 대해 분할을 청구할 수 없다.
ㄹ. 이혼에 관한 책임이 있는 배우자는 상대방에게 위자료를 지급할 책임을 진다.

① ㄱ, ㄴ ② ㄱ, ㄷ ③ ㄷ, ㄹ
④ ㄱ, ㄴ, ㄹ ⑤ ㄴ, ㄷ, ㄹ

2단계 내신 유형 익히기

05 다음 민법 조항에 대한 설명으로 옳지 않은 것은?

> 제844조(남편의 친생자의 추정) ① 아내가 혼인 중에 임신한 자녀는 남편의 자녀로 추정한다.
> ② 혼인이 성립한 날부터 200일 후에 출생한 자녀는 혼인 중에 임신한 것으로 추정한다.

① 친생자 관계가 형성되면 재산 상속 및 부양의 권리와 의무가 생긴다.
② 혼인하지 않은 부모 사이에서 태어난 자녀를 혼인 외의 출생자라고 한다.
③ 혼인 중의 출생자는 부부 사이의 자녀로 인지되어 친생자 관계가 성립한다.
④ 친생자 관계가 형성되면 부모는 친권과 자녀의 혼인, 입양에 대한 동의권이 생긴다.
⑤ 혼인하지 않은 남녀 사이에서 태어난 아이의 경우에는 자녀로 인지되는 절차가 필요하다.

06 중요 다음 A, B 입양에 대한 옳은 설명만을 |보기|에서 고른 것은?

구분	A 입양	B 입양
성과 본	양부모의 것으로 변경	친생부모의 것을 유지

보기
ㄱ. A 입양은 법률적으로 친자 관계를 맺는 것이다.
ㄴ. A 입양은 기존 친생부모와의 관계가 종료되는 것이 원칙이다.
ㄷ. B 입양은 기존 친생부모와의 관계가 종료된다.
ㄹ. B 입양을 하기 위해서 입양 신고를 할 필요가 없다.

① ㄱ, ㄴ ② ㄱ, ㄷ ③ ㄴ, ㄷ
④ ㄴ, ㄹ ⑤ ㄷ, ㄹ

07 다음 법적 개념에 대한 설명으로 옳은 것은?

> 부모가 미성년인 자녀에 대해 갖는 신분, 재산상의 여러 권리와 의무를 친권이라고 한다.

① 부모 중 일방이 행사하는 것이 원칙이다.
② 자녀가 거주할 장소는 자녀 스스로 정하며 부모가 지정할 수 없다.
③ 자녀의 재산에 대한 법률 행위에 대해 동의권은 있으나 대리권은 없다.
④ 오늘날에는 주로 자녀를 양육하기 위한 부모의 의무라는 측면이 강조되고 있다.
⑤ 자녀의 보호와 양육에 필요한 징계를 하고 법원의 허가를 받아 감화 또는 교정 기관에 위탁할 수 있는 관리권이 내용이다.

08  다음 사례에 대한 추론으로 옳은 것은?

> 한 온라인 카페가 자연 치유를 표방하며 백신 접종이나 항생제 사용을 지양하고 아이가 자연스럽게 병을 앓도록 두어야 한다고 주장하여 논란이 되고 있다. 이 카페에서는 화상을 입었을 때 병원 치료 대신 40도 정도의 물로 찜질할 것을 치료법으로 제시하였다. 이 치료법을 맹신한 부모가 화상을 입은 아이를 40도 정도의 물에 찜질한 사진을 공개하였다. 사람들은 살갗이 모두 벗겨져 힘겨워하는 아이의 모습을 보고 경악하였다.

① 의무가 아닌 권리만 갖는 것이 친권이다.
② 부모가 자녀를 학대할 경우 친권이 상실될 수 있다.
③ 지방 자치 단체장의 명령으로 친권은 상실될 수 있다.
④ 부모는 성년이 된 자녀도 보호하고 양육할 권리를 갖는다.
⑤ 부모가 친권을 행사할 수 없는 중대한 사유가 있을 경우라도 국가는 간섭할 수 없다.

서술형 문제

09 **다음은 우리 민법 조항 중 일부이다. 일상 가사의 지출을 위해 부부 일방이 빚을 진 경우 부부는 어떤 책임을 지게 되는지 서술하시오.**

> 제827조(부부간의 가사 대리권) ① 부부는 일상의 가사에 관하여 서로 대리권이 있다.
> ② 전항의 대리권에 가한 제한은 선의의 제삼자에게 대항하지 못한다.

서술형 문제

10 **다음은 우리 민법 조항 중 일부이다. 이를 읽고 물음에 답하시오.**

> 제836조의 2(이혼의 절차) …… ② 가정 법원에 이혼 의사의 확인을 신청한 당사자는 제1항의 안내를 받은 날부터 다음 각호의 기간이 지난 후에 이혼 의사의 확인을 받을 수 있다.
> 1. 양육하여야 할 자(포태 중인 자를 포함한다. 이하 이 조에서 같다)가 있는 경우에는 3개월
> 2. 제1호에 해당하지 아니하는 경우에는 1개월

(1) 이혼과 관련하여 위 조항에 나타나는 법적 제도를 쓰시오.

(2) (1)의 취지를 서술하시오.

서술형 문제

11 **다음 판례를 읽고 물음에 답하시오.**

> 갑과 사실혼 관계에 있던 을은 갑에게 출산·양육 등과 관련한 일체의 책임을 묻지 않기로 하는 각서를 작성하고 갑에게서 정자를 공여받아 인공 수정을 통하여 병, 정을 출산하였다. 이 사안에서, 법원은 갑이 을에게 정자를 제공하면서 각서를 받은 사실만으로는 갑을 불특정 다수를 위해 정자를 정자은행에 기증한 사람과 동일하게 보기 어렵다고 하며 병, 정의 인지 청구를 인정하였다.

(1) 갑과 병, 정 간의 친자 관계가 성립하는지 여부를 쓰시오.

(2) 밑줄 친 '인지'의 의미를 서술하시오.

서술형 문제

12 **다음은 가족 관계와 관련된 상황이다. 물음에 답하시오.**

> 옆집에서 아동 학대를 하는 것 같아요. 경찰에 신고해서 아이를 보호 기관으로 데려갔는데, 다시 부모에게 돌려보내는 것은 아닌지 걱정이에요.

(1) 부모가 아이에 대해 갖는 신분, 재산상의 여러 권리와 의무를 의미하는 법적 용어를 쓰시오.

(2) 위 상황에서 가정 법원이 할 수 있는 조치를 서술하시오.

정답과 해설 ▸ 25쪽

01 다음 사례에 대한 법적 판단으로 옳은 것은?

중요

> 부인이 교회에의 건축 헌금, 가게의 인수 대금, 장남의 교회 및 주택 임대차 보증금의 보조금, 거액의 대출금에 대한 이자 지급 등의 명목으로 금원을 차용한 행위는 일상 가사에 속한다고 볼 수는 없으며, 주택 및 아파트 구입 비용 명목으로 차용한 경우 그와 같은 비용의 지출이 부부 공동체를 유지하기 위하여 필수적인 주거 공간을 마련하기 위한 것이라면 일상의 가사에 속한다고 볼 여지가 있을 수 있으나 그 주택 및 아파트의 매매 대금이 거액에 이르는 대규모의 주택이나 아파트라면 그 구입 또한 일상의 가사에 속하는 것이라고 보기는 어렵다고 법원은 판단하였다.

① 부인의 행동은 협의 이혼 사유가 될 수 없다.
② 남편은 부인의 채무에 대해 연대 책임을 지지 않는다.
③ 부인이 미성년자일 경우 법정 대리인의 동의하에 법률 행위를 해야 한다.
④ 결혼 생활 중 자신의 명의로 취득한 재산은 부부가 공동으로 관리해야 한다.
⑤ 이혼할 경우 혼인 중 부부가 공동으로 협력하여 취득한 주택 및 아파트는 재산 분할의 대상이 되지 않는다.

문제 접근 방법
제시된 판례를 분석하여 부부와 관련된 법률 내용을 파악한다.

내신 전략
부부와 관련된 민법 조항을 여러 번 읽어 눈에 익히고, 혼인과 혼인의 법적 효과 및 이혼과 이혼의 법적 효과에 관한 각각의 내용을 정리하도록 한다.

02 다음은 우리 민법 조항 중 일부이다. 이에 대한 옳은 설명만을 |보기|에서 있는 대로 고른 것은?

> 제908조의 3 ① (A)은/는 부부의 혼인 중 출생자로 본다.
> ② (A)의 입양 전의 친족 관계는 제908조의 2 제1항의 청구에 의한 (A) 입양이 확정된 때에 종료한다. 다만, 부부의 일방이 그 배우자의 친생자를 단독으로 입양한 경우에 있어서의 배우자 및 그 친족과 친생자 간의 친족 관계는 그러하지 아니하다.

|보기|
ㄱ. A에는 '친양자'가 들어갈 수 있다.
ㄴ. 미성년자를 A 입양하려는 경우에는 가정 법원의 허가가 필요 없다.
ㄷ. 부부가 미성년자를 A 입양할 경우 친권은 부부 일방만이 행사할 수 있다.
ㄹ. A 입양이 이루어지면 당사자 간 재산 상속 및 부양의 권리와 의무가 생긴다.

① ㄱ, ㄴ　② ㄱ, ㄹ　③ ㄷ, ㄹ
④ ㄱ, ㄴ, ㄹ　⑤ ㄴ, ㄷ, ㄹ

문제 접근 방법
제시된 민법 조항을 분석하여 친자 관계와 관련된 법률 내용을 파악한다.

내신 전략
친자 관계와 관련된 민법 조항을 여러 번 읽어 눈에 익히고, 양자와 친양자 및 친권 등에 관한 각각의 내용을 정리하도록 한다.

정답과 해설 ▸ 25쪽

2018학년도 4월 학력평가

01 다음 자료에 대한 법적 판단으로 옳은 것은?

소장

원고: 갑 / 피고: 을
사건 본인(미성년 자녀): 병

청구 취지

1. 원고와 피고는 이혼한다.

청구 원인

1. 원고와 피고는 2005년 3월 2일 혼인 신고를 마쳤으나, 피고의 부정한 행위로 혼인을 계속하기 어려운 중대한 사유가 있습니다.
2. 원고는 병의 주된 양육자로서 병에 대한 친권자 및 양육권자로 지정이 필요합니다.

① 갑이 청구한 이혼은 미성년 자녀가 있으므로 이혼 숙려 기간을 거쳐야 한다.
② 갑이 청구한 이혼은 법원에서 이혼 의사 확인서를 발급받아 해당 관청에 신고를 해야 효력이 발생한다.
③ 갑의 청구가 받아들여지면, 병은 을의 사망 시 법정 상속인이 될 수 없다.
④ 갑의 청구가 받아들여지면, 갑은 을에게 병에 대한 양육비를 청구할 수 없다.
⑤ 갑, 을은 모두 혼인 중 공동으로 마련한 재산에 대해 재산 분할을 청구할 수 있다.

출제 개념

재판상 이혼과 친자 관계

자료 해설

갑이 청구한 이혼은 재판상 이혼이다. 재판상 이혼은 이혼에 대한 합의가 이루어지지 않았을 때 법원의 판결로써 강제로 이혼하는 것으로, 법이 정한 일정한 사유가 있을 때만 허용된다. 친자 관계가 형성되면 재산 상속 및 부양의 권리와 의무가 생긴다.

해결 비법

이혼과 친자 관계 관련 문제는 특정 사례나 판례를 주고 추론해 내는 방향으로 출제되므로 기본 개념과 특징을 명확히 학습하고, 다양한 사례에 적용시킬 수 있는 능력을 기른다.

2020학년도 9월 모의평가

02 다음 자료에 대한 옳은 법적 판단만을 |보기|에서 고른 것은?

2014년 5월: 갑과 을은 이혼하면서 두 자녀 A(3세)와 B(13세) 모두에 대한 양육권은 갑이, 친권은 을이 가지기로 함
2015년 1월: 갑은 병과 재혼함
2016년 2월: 병은 A를 친양자로 입양함
2019년 7월: 병이 갑을 상대로 법원에 재판상 이혼을 청구함
병은 전 재산을 ○○대학에 기부한다는 유언장을 작성함
2019년 8월: 병이 사망함

| 보기 |

ㄱ. 병의 사망 당시 을은 A에 대한 면접 교섭권을 가지지 않는다.
ㄴ. 병의 유언이 유효한 경우, 갑은 ○○대학을 상대로 유류분 반환을 청구할 수 없다.
ㄷ. 18세가 된 B가 갑과 을의 동의를 얻어 혼인하면, B에 대한 을의 친권은 소멸된다.
ㄹ. 을이 사망하면, A와 B가 을에 대한 법정 상속인이 된다.

① ㄱ, ㄴ ② ㄱ, ㄷ ③ ㄴ, ㄷ
④ ㄴ, ㄹ ⑤ ㄷ, ㄹ

출제 개념

친자 관계, 양자와 친양자

자료 해설

갑과 병이 재혼하여 병이 A를 친양자로 입양하였으므로 A는 병과 갑의 혼인 중의 출생자로 본다. 갑과 병의 이혼이 확정되지 않았으므로 갑은 병에 대한 법정 상속인이 된다.

해결 비법

친자 관계, 양자와 친양자 관련 문제는 특정 사례나 판례를 주고 추론해 내는 방향으로 출제되므로 기본 개념과 특징을 정리해 두고, 다양한 사례에 적용시킬 수 있는 능력을 기른다.

대단원 4 마무리하기

핵심 개념 정리하기

1 민법의 이해

1 민법의 의의와 기능

구분	내용
의의	재산 관계나 가족 관계를 규율하는 대표적인 사법(私法)
내용	재산과 관련된 권리와 의무, 부부나 자녀 등의 가족과 관련된 권리와 의무 등
기능	• 재산 관계와 관련된 기본적인 법률 내용 규율 • 가족 관계와 관련된 기본적인 법률 내용 규율

2 민법의 기본 원리

사유 재산권 존중의 원칙 (소유권 절대의 원칙)	⇨	소유권 공공복리의 원칙
사적 자치의 원칙 (계약 자유의 원칙)	⇨	계약 공정의 원칙
과실 책임의 원칙	⇨	무과실 책임의 원칙

2 재산 관계와 법

1 계약과 관련된 법률 내용

(1) 계약의 의미와 효력

구분	내용
의미	두 사람 이상 사이에 체결되는 법률적인 합의 또는 약속
성립	• 청약과 승낙 내용의 합치 • 중요한 계약은 계약서 작성
효력	• 당사자 간에 권리와 의무 발생 • 계약의 효력이 발생하면 계약 내용을 성실하게 이행해야 함 • 채무 불이행 시 계약의 강제 이행이나 손해 배상 청구 가능
효력 발생 요건	• 의사 능력과 행위 능력 • 적법한 계약 내용 • 하자 없는 의사 표시

(2) 계약의 무효와 취소

구분	내용
무효	법률 행위에 흠이 있어서 법률 행위의 효력이 처음부터 발생하지 않는 것
취소	일단 법적 효력이 있는 법률 행위에 대해 일정한 사유를 근거로 소급하여 무효로 하는 것

2 불법 행위

(1) 불법 행위의 의미와 성립 요건

구분	내용
의미	고의 또는 과실로 위법하게 다른 사람에게 손해를 끼치는 행위
성립 요건	• 가해자의 고의 또는 과실 • 위법성 • 가해자의 책임 능력 • 피해자의 손해 발생 • 위법 행위와 손해 사이의 인과 관계

(2) 불법 행위에 따른 손해 배상

구분	내용
방법	금전 배상이 원칙
범위	• 불법 행위와 손해 사이의 인과 관계를 바탕으로 정함 • 재산적 손해와 정신적 손해 모두 배상받을 수 있음

3 가족 관계와 법

1 부부 관계

(1) 혼인 남녀가 부부가 되는 일

구분	내용
성립 요건	• 당사자 간 혼인 의사의 합치 • 혼인 신고 → 법률혼주의 • 기타: 혼인 가능 연령 도달, 근친혼 및 중혼(重婚) 금지
가정생활	• 부부간 동거, 부양, 협조의 의무 발생 • 부부 별산제 • 일상 가사 대리

(2) 이혼 부부가 혼인 관계를 해소하는 일

구분	내용
협의 이혼	• 이혼 의사의 합치 • 이혼 숙려 제도
재판상 이혼	• 이혼 의사의 합치가 이루어지지 않았을 때 법원의 판결로써 강제로 이혼 • 법이 정한 일정한 사유가 있을 때만 허용
법적 효과	• 재산 분할 청구권 • 위자료 지급 책임

2 친자 관계

구분	내용
형성	• 친생자: 혼인 중의 출생자는 부부 사이의 자녀로 추정 • 양자: 입양 과정을 거쳐 법률상 자녀로 인정(양자 입양, 친양자 입양)
법적 효과	재산 상속 및 부양의 권리와 의무, 친권, 자녀의 혼인 및 입양에 대한 동의권 등
친권	부모가 미성년인 자녀에 대해 갖는 신분·재산상의 권리와 의무 → 거소 지정권, 징계권, 관리권, 동의·대리권 등
친권의 상실	부모가 친권을 남용하거나 현저한 비행이 있는 등의 경우 일정한 자의 청구에 의해 가정 법원이 선고 가능

핵심 개념 적용하기

●○○
01 표는 규율하는 생활 관계에 따라 법을 분류한 것이다. 이에 대한 설명으로 옳은 것은?

구분	(가)	(나)
종류	㉠ 헌법, 형법, 각종 소송법 등	㉡ 민법, 상법 등

① (가)는 개인 간의 사적 생활 관계를 규율하는 법이다.
② (나)는 국가와 개인 간의 공적인 생활 관계를 규율하는 법이다.
③ ㉠은 재산 관계나 가족 관계를 규율하는 대표적인 사법(私法)이다.
④ ㉡은 계약할 때의 조건과 내용, 한계 등을 규정하여 계약 성립이 원활하게 이루어지는 데 방해 요소가 된다.
⑤ ㉡은 개인이 다른 사람에게 고의나 과실로 손해를 입혔을 경우 손해 배상 책임을 지도록 규정하여 개인의 재산권을 보호한다.

●●○
02 다음 민법 조항에서 나타나는 근대 민법의 기본 원칙에 대한 설명으로 옳은 것은?

> 제105조 법률 행위의 당사자가 법령 중의 선량한 풍속 기타 사회 질서에 관계없는 규정과 다른 의사를 표시한 때에는 그 의사에 의한다.

① 계약 공정의 원칙이라고도 부른다.
② 소유권 절대의 원칙이라고도 부른다.
③ 개인의 재산권은 공공복리에 적합하도록 행사되어야 한다는 것이다.
④ 계약의 자유뿐만 아니라 유언의 자유, 권리 행사의 자유 등이 포함된다.
⑤ 위법 행위를 한 사람이 필요한 주의를 기울이지 않았을 때에 한하여 손해 배상 책임을 질 수 있다는 것이다.

●●●
03 다음 법 조항에 공통으로 적용되는 민법의 기본 원리에 대한 설명으로 옳은 것은?

> **「제조물 책임법」**
> 제3조 ① 제조업자는 제조물의 결함으로 생명 · 신체 또는 재산에 손해(그 제조물에 대하여만 발생한 손해는 제외한다)를 입은 자에게 그 손해를 배상하여야 한다.
> **「환경 오염 피해 배상 책임 및 구제에 관한 법률」**
> 제6조 ① 시설의 설치 · 운영과 관련하여 환경 오염 피해가 발생한 때에는 해당 시설의 사업자가 그 피해를 배상하여야 한다. 다만, 그 피해가 전쟁 · 내란 · 폭동 또는 천재지변, 그 밖의 불가항력으로 인한 경우에는 그러하지 아니하다.

① 계약 공정의 원칙이다.
② 개인의 사회적 책임을 강조하는 배경하에 나타났다.
③ 계약 당사자들이 부당한 계약을 맺는 것을 막기 위한 것이다.
④ 누구나 자신의 의사에 따라 상대방과 자유롭게 법률 관계를 맺을 수 있다는 것이다.
⑤ 고의 또는 과실로 다른 사람의 권리를 침해하여 손해가 발생한 경우에만 책임을 진다는 것이다.

●●○
04 다음 글의 밑줄 친 '이것'에 대한 옳은 설명만을 |보기|에서 있는 대로 고른 것은?

> 이것은 두 사람 이상 사이에 체결되는 법률적인 합의 또는 약속을 말한다. 이것이 성립하려면 두 명 이상의 당사자 간에 의사 표시의 합치, 즉 합의가 있어야 하는데, 이러한 합의는 청약과 승낙을 통해 이루어진다.

| 보기 |
ㄱ. 구두로 성립되기도 한다.
ㄴ. 미성년자가 하면 효력이 처음부터 발생하지 않는다.
ㄷ. '이것'이 성립되면 그에 따른 권리와 의무가 발생한다.
ㄹ. 채무 불이행이 발생하면 상대방이 강제적으로 '이것'을 이행하게 할 수 있다.

① ㄱ, ㄴ ② ㄱ, ㄷ ③ ㄴ, ㄹ
④ ㄱ, ㄷ, ㄹ ⑤ ㄴ, ㄷ, ㄹ

05 다음 판례에 대한 법적 판단으로 가장 적절한 것은?

> 갑 학교 법인이 운영하는 을 대학교의 재학생 병 등이 을 대학교의 교육 시설 및 설비 미비 등을 이유로 갑 법인, 갑 법인의 이사장, 을 대학교의 총장을 상대로 손해 배상을 청구한 사안에서, 법원은 갑 법인 등이 병 등이 입은 정신적 손해에 대하여 불법 행위 책임을 부담한다고 판단하였다.

① 법원은 갑 법인 등의 위법성이 없다고 판단하였다.
② 법원은 갑 법인 등의 책임 능력이 없다고 판단하였다.
③ 법원은 병 등이 위자료를 받아야 한다고 판단하였다.
④ 법원은 갑 법인 등의 고의 또는 과실이 없다고 판단하였다.
⑤ 법원은 갑 법인 등의 행위와 병 등의 손해 사이에 인과 관계가 없다고 판단하였다.

06 다음 판례에 대한 법적 판단으로 가장 적절한 것은?

> 건물 일부의 임차인이 외벽에 설치한 간판이 추락하여 행인이 부상한 사안에서, 법원은 사건이 일어날 당시에는 임차인의 임대 기간이 만료되어 건물의 소유자가 건물 외벽에 설치된 간판을 직접 점유하고 있었으므로 건물의 소유자가 손해 배상 책임을 져야 한다고 판단하였다.

① 공작물의 설치 또는 보존의 하자가 발생하지 않았다.
② 법원은 피고용자의 행위에 대한 사용자의 책임을 인정하였다.
③ 법원은 공작물 점유자가 손해를 배상할 책임이 있다고 판단하였다.
④ 공작물 점유자가 손해의 방지에 필요한 주의를 충분히 하였음을 입증하였다.
⑤ 법원은 건물의 소유자가 일반 불법 행위에 따른 손해를 배상할 책임이 있다고 판단하였다.

07 다음 사례에 대한 옳은 법적 분석만을 |보기|에서 고른 것은?

> 박신랑은 값비싼 외제 차와 명품 옷을 사는 등 사치스러운 생활을 일삼다가 사채까지 쓰게 되었다. 사채업자들은 박신랑의 빚을 갚으라고 최신부를 찾아와 매일 독촉하고 있다. 최신부에게도 빚을 갚을 책임이 있을까?

보기

ㄱ. 최신부는 박신랑의 빚을 갚을 의무가 없다.
ㄴ. 민법에 따르면 박신랑이 취득한 명품 옷은 스스로 관리해야 하는 것이다.
ㄷ. 위 사례를 이유로 부부가 이혼을 하였다면 최신부는 박신랑에게 위자료를 청구할 수 없다.
ㄹ. 위 사례를 이유로 부부가 이혼을 하여 자녀를 최신부가 양육한다면 박신랑은 자녀에 대한 면접교섭권을 주장할 수 없다.

① ㄱ, ㄴ　② ㄱ, ㄷ　③ ㄴ, ㄷ　④ ㄴ, ㄹ　⑤ ㄷ, ㄹ

08 다음 사례에 대한 추론으로 옳은 것은?

> 부모가 미취학 초등학생을 부적절하게 학교에 보내지 않는 교육적 방임 사례가 확인되었다. A 씨는 딸(8세)이 초등학교에 입학해야 했지만 가정에서 교육하겠다는 이유로 단 하루만 학교에 보냈다. 경찰 조사에서 A 씨는 집에서 딸이 학습지를 풀도록 놓아두기만 하는 등 정상적인 가정 교육도 이루어지지 않은 것으로 드러났다. 경찰이 딸을 학교에 보내도록 하였으나 A 씨는 이를 거부하였다.

① 친권에 대한 국가적 개입은 불가능하다.
② 부모는 친권의 내용 중 징계권을 행사하였다.
③ 부모는 자녀를 양육해야 할 의무를 충실히 수행하였다.
④ 부모는 자녀의 교육을 거부하여 친권이 상실될 수 있다.
⑤ 부모가 자녀를 학대한 것은 아니므로 친권 상실의 사유에는 해당하지 않는다.

❖ 다음은 사유 재산권 존중의 원칙과 소유권 공공복리의 원칙에 관한 현행 법 조항이다. 이를 읽고 물음에 답해 보자.

(가) 헌법

제23조 ① 모든 국민의 재산권은 보장된다. 그 내용과 한계는 법률로 정한다.
② 재산권의 행사는 공공복리에 적합하도록 하여야 한다.
제37조 …… ② 국민의 모든 자유와 권리는 국가 안전 보장 · 질서 유지 또는 공공복리를 위하여 필요한 경우에 한하여 법률로써 제한할 수 있으며, 제한하는 경우에도 자유와 권리의 본질적인 내용을 침해할 수 없다.

(나) 민법

제211조(소유권의 내용) 소유자는 법률의 범위 내에서 그 소유물을 사용, 수익, 처분할 권리가 있다.

더 알아보기

사유 재산권 존중의 원칙은 개인 소유의 재산에 대한 사적 지배를 인정하고, 국가나 다른 개인은 함부로 이를 간섭하거나 제한하지 못한다는 원칙이다. 소유권 공공복리의 원칙은 소유권을 행사함에 있어서 공공복리에의 적합 의무를 강조하는 것이다.

문제 해결 길잡이

개인주의와 자유주의에 대한 열망 속에서 등장한 민법의 기본 원칙은 19세기 말 자본주의의 문제점이 나타나며 변화되었다. 민법의 기본 원칙은 법이 추구하는 목적인 국민의 자유와 권리 보장, 정의 등을 추구하는 방향으로 변화한 것이다. 소유권 공공복리의 원칙의 등장 배경을 바탕으로 현재 우리 법이 추구하는 두 원칙의 관계를 추론하여 전개해야 한다.

01 소유권 공공복리의 원칙의 등장 배경을 정리하고, (가), (나)에서 추구하는 사유 재산권 존중의 원칙과 소유권 공공복리의 원칙의 관계를 서술해 보자.

등장 배경	
두 원칙의 관계	

02 개인의 재산권은 절대적으로 인정되어야 하는지에 관한 자신의 생각을 적어 보자.

대단원 5

사회생활과 법

학습 계획표

- 자신의 일정에 맞게 계획을 세워 보고, 실제 학습한 날짜를 적어 봅시다.
- 학습을 마무리한 후 스스로 얼마나 학습 목표를 달성했는지 점검해 봅시다.

주제 1 형법의 이해	쪽수	계획일	완료일	목표 달성도
Day 01 핵심 정리, 핵심 자료 특강	154 ~ 157쪽	월 일	월 일	☆☆☆☆☆
Day 02 개념 익히기, 내신 유형 익히기	158 ~ 161쪽	월 일	월 일	☆☆☆☆☆
Day 03 내신 만점 도전하기, 수능 유형 익히기	162 ~ 163쪽	월 일	월 일	☆☆☆☆☆

주제 2 형사 절차와 인권 보장	쪽수	계획일	완료일	목표 달성도
Day 04 핵심 정리, 핵심 자료 특강	164 ~ 167쪽	월 일	월 일	☆☆☆☆☆
Day 05 개념 익히기, 내신 유형 익히기	168 ~ 171쪽	월 일	월 일	☆☆☆☆☆
Day 06 내신 만점 도전하기, 수능 유형 익히기	172 ~ 173쪽	월 일	월 일	☆☆☆☆☆

주제 3 근로자의 권리와 법	쪽수	계획일	완료일	목표 달성도
Day 07 핵심 정리, 핵심 자료 특강	174 ~ 177쪽	월 일	월 일	☆☆☆☆☆
Day 08 개념 익히기, 내신 유형 익히기	178 ~ 181쪽	월 일	월 일	☆☆☆☆☆
Day 09 내신 만점 도전하기, 수능 유형 익히기	182 ~ 183쪽	월 일	월 일	☆☆☆☆☆
Day 10 대단원 마무리하기, 민주 시민 역량 기르기	184 ~ 187쪽	월 일	월 일	☆☆☆☆☆

주제 1 형법의 이해

주제 흐름 읽기

죄형 법정주의		
	의미	범죄와 형벌을 미리 성문의 법률로 정해야 함
	파생 원칙	• 성문 법률주의(관습 형법 금지의 원칙) • 명확성의 원칙 • 소급효 금지의 원칙 • 유추 해석 금지의 원칙 • 적정성의 원칙

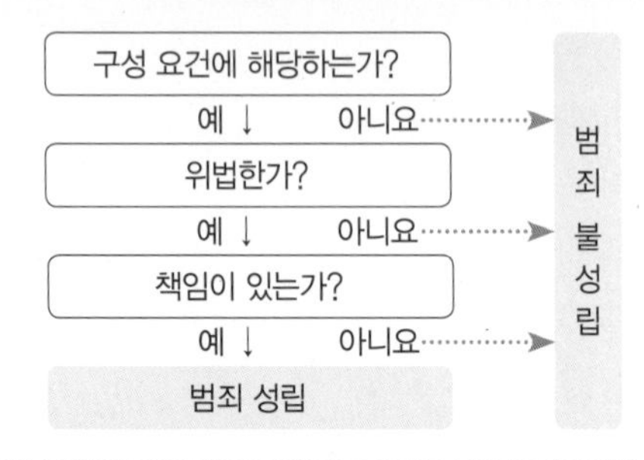

형벌	• 사형 • 징역, 금고, 구류 • 자격 정지, 자격 상실 • 벌금, 과료, 몰수

보안 처분

1 형법

— 형법은 어떠한 행위가 범죄이고, 이에 대하여 어떠한 형벌을 부과할 것인가를 규정한 법 규범으로 범죄와 형벌의 관계를 규정한 법률이야.

1. 형법의 의의와 기능

(1) 범죄와 형벌 자료 1

① 범죄: 국가가 보호하는 이익과 가치를 침해하는 중대한 반사회적 행위로 법 규범에 따라 형벌이 부과되는 행위 — 범죄는 법률로 정해진, 공권력을 동원해서라도 금지해야 하는 행동이야.

② 형벌: 국가가 범죄를 저지른 행위자에게 공권력❶을 행사하여 부과하는 처벌 — 형벌은 형법에 의해 행해져.

(2) 형법의 의미

① 일반적 의미: 범죄와 형벌을 규정하고 있는 법

② 형식적 의미: '형법'이라는 명칭을 갖고 있는 법률

③ 실질적 의미: 법의 명칭과 상관없이 범죄와 형벌, 기타 형사 제재를 정한 법 규범❷

(3) 형법의 기능

규제적 기능	범죄 행위에 형벌이 부과된다는 것을 사전에 알려 범죄 행위를 하지 않도록 함
보호적 기능	개인의 생명, 신체, 자유, 안전, 재산 등과 사회의 근본 가치를 보호함 — 일반 국민을 범죄로부터 보호하는 기능이야.
보장적 기능	국가가 행사할 형벌권의 내용과 한계를 분명히 정하여 자의적인 형벌권 행사로부터 국민의 자유와 권리를 보장함

2. 죄형 법정주의❸ 자료 2

(1) 의미 어떤 행위를 범죄로 처벌하려면 범죄와 형벌이 미리 성문의 법률로 정해져 있어야 한다는 근대 형법의 기본 원리

— 성문의 법률: 제도상 입법권을 가진 자에 의해 만들어지고, 그 내용이 문서로 작성되어 일정한 형식과 절차를 거쳐서 공포된 법률을 말해.

(2) 목적 국가의 자의적인 형벌권 남용을 방지하여 국민의 자유와 권리를 보장

(3) 내용(파생 원칙) 자료 3

— 관습 형법은 명문의 규정은 없으나 장기간에 걸쳐 일반인들에게 법으로 인식된 것으로 그 내용이 형사와 관련된 것을 말해.

성문 법률주의 (관습 형법 금지의 원칙)	범죄와 형벌은 의회가 제정한 성문의 법률에 규정되어 있어야 함, 관습에 의한 처벌이 허용되지 않음
명확성의 원칙	범죄의 내용과 그에 따른 형벌이 명확하여 누구나 알 수 있어야 함
소급효 금지의 원칙❹	형법의 효력을 그 형법이 제정 또는 개정되기 이전의 행위에 대해 소급하여 적용해서는 안 됨
유추 해석 금지의 원칙	법률에 규정이 없는 사항에 그것과 유사한 규정을 적용해서는 안 됨
적정성의 원칙	범죄와 형벌 간에 적정한 균형이 이루어져야 함

❶ **공권력**
국가나 공공 단체가 우월한 의사의 주체로서 국민에 대하여 명령하거나 강제하는 권력을 의미한다.

❷ **실질적 의미의 형법**

> **도로 교통법 제151조** 차 또는 노면 전차의 운전자가 업무상 필요한 주의를 게을리하거나 중대한 과실로 다른 사람의 건조물이나 그 밖의 재물을 손괴한 경우에는 2년 이하의 금고나 500만 원 이하의 벌금에 처한다.

도로 교통법은 '형법'이라는 명칭은 사용하지 않았으나 형벌을 규정하고 있으므로 실질적 의미의 형법에 해당한다.

❸ **죄형 법정주의**
근대의 죄형 법정주의는 형식적 법률만 있으면 그 내용은 문제 삼지 않으므로 입법자의 자의에 의한 형벌권의 남용까지 방지하기는 어려웠다. 그러나 오늘날 죄형 법정주의는 법률의 내용까지도 정의로워야 한다는 의미에서 실질적 법치주의의 원칙으로 이해한다.

❹ **소급효 금지의 원칙의 예외**
소급 입법이 오히려 정의에 부합하는 경우나 심히 중대한 공익상의 사유가 있는 경우에는 예외가 적용된다.

자료 1 **국가의 제재를 받게 되는 사람은 누구일까?** 교과서 136쪽

(가) 이웃 어른을 보고도 인사를 하지 않는 사람
(나) 지하철 임산부 배려석에 앉아 있는 사람
(다) 편의점에서 몰래 물건을 훔친 사람
(라) 버스에 탑승하기 위해 새치기하는 사람

자료 분석 (가)~(라) 행위 모두 도덕적으로 옳지 않은 행동으로 사회적 비난을 받을 수 있지만, 국가의 제재를 받는 행위는 (다)와 (라)이다. 국가는 사회적으로 바람직하지 않은 행위에 대해 형법을 기준으로 처벌 여부를 결정한다. 형법은 일정한 행위를 범죄로 규정하고 그 범죄에 대하여 형벌, 기타 형사 제재를 부과한다. 따라서 형법에 범죄로 규정되어 있으면 국가는 이를 처벌할 수 있고, 규정되어 있지 않으면 이를 처벌할 수 없다.

자료 분석 포인트
사례를 통해 범죄란 무엇인지 파악해 보자.

Q1 빈칸에 들어갈 알맞은 말을 쓰시오.

국가가 보호하는 이익과 가치를 침해하는 중대한 반사회적 행위로 법 규범에 따라 형벌이 부과되는 행위를 (   )(이)라고 한다.

자료 2 **죄형 법정주의** 교과서 138쪽

헌법 제12조 ① 모든 국민은 신체의 자유를 가진다. 누구든지 법률에 의하지 아니하고는 체포·구속·압수·수색 또는 심문을 받지 아니하며, 법률과 적법한 절차에 의하지 아니하고는 처벌·보안 처분 또는 강제 노역을 받지 아니한다.
헌법 제13조 ① 모든 국민은 행위 시의 법률에 의하여 범죄를 구성하지 아니하는 행위로 소추되지 아니하며, 동일한 범죄에 대하여 거듭 처벌받지 아니한다.
형법 제1조(범죄의 성립과 처벌) ① 범죄의 성립과 처벌은 행위 시의 법률에 의한다.

자료 분석 죄형 법정주의는 범죄와 형벌을 미리 법률로써 규정해 놓아야 한다는 원리로 "법률이 없으면 범죄도 없고, 법률 없이는 형벌도 없다."라는 명제로 표현된다. 우리 헌법과 형법에 위와 같은 규정을 둔 이유는 국가 형벌권의 한계를 명확하게 하여 국가의 형벌권 남용을 방지하고, 국민의 자유와 권리를 보장하기 위함이다.

자료 분석 포인트
자료를 통해 죄형 법정주의의 의미를 파악해 보자.

Q2 빈칸에 들어갈 알맞은 말을 쓰시오.

죄형 법정주의란 범죄와 형벌을 미리 성문의 (   )로써 규정해 놓아야 한다는 원리로 국가의 형벌권 남용을 방지하고, 국민의 자유와 권리를 보장하기 위한 것이다.

자료 3 **공공장소에서의 '과다 노출'은 어느 정도를 의미하는 것일까?** 교과서 139쪽

2015년 8월, 자신의 아파트 앞 공원에서 일광욕을 하던 안노출 씨는 공공장소에서 과다 노출한 죄로 범칙금을 내게 되었다.

> **경범죄 처벌법 제3조**(경범죄의 종류) ① 다음 각호의 어느 하나에 해당하는 사람은 10만 원 이하의 벌금, 구류 또는 과료(科料)의 형으로 처벌한다.
> 33. (과다 노출) 여러 사람의 눈에 뜨이는 곳에서 공공연하게 알몸을 지나치게 내놓거나 가려야 할 곳을 내놓아 다른 사람에게 부끄러운 느낌이나 불쾌감을 준 사람

이에 대해 안노출 씨는 법원에 정식 재판을 청구하였다. 법원은 재판을 진행하던 중 「경범죄 처벌법」 조항이 명확하지 않다며 헌법 재판소에 위헌 법률 심판을 제청하였고, 이에 헌법 재판소는 「경범죄 처벌법」 제3조 일부를 위헌 결정하였다.

자료 분석 헌법 재판소는 「경범죄 처벌법」 제3조 제1항 제33호에서 알몸을 '지나치게 내놓는' 것이 무엇인지 판단하기 쉽지 않고, '가려야 할 곳'의 의미도 파악하기 어렵다고 보아 위헌이라고 결정하였다. 이처럼 형사 처벌을 규정하는 법 조항의 뜻이 모호하거나 주관적으로 해석이 될 수 있다면 죄형 법정주의의 원칙에 위배된다.

자료 분석 포인트
헌법 재판소의 판례를 통해 죄형 법정주의의 원칙이 어떻게 적용되는지 파악해 보자.

Q3 경범죄 처벌법 제3조 제1항 제33호 조항이 위반하고 있는 죄형 법정주의의 원칙은 무엇인지 쓰시오.

답 Q1 범죄 / Q2 법률 / Q3 명확성의 원칙

2 범죄의 성립 요건과 형벌의 종류

1. 범죄의 의미와 성립 요건

(1) **범죄의 의미** 형법에 의해 금지되어 형벌의 부과 대상이 되는 행위 — 민사상 책임을 지는 불법 행위와 달리 형사상 책임을 지게 되는 행위야.

(2) **범죄의 성립 요건** 자료 1 — 어느 한 요소라도 미비한 경우 범죄가 성립되지 않아.

① 구성 요건 해당성: 법률로 정해 놓은 범죄 행위의 유형이어야 함 — 구성 요건에 해당하는 행위는 일반적으로 위법성도 갖고 있어.

② 위법성

- 어떤 행위가 법질서 전체의 관점에서 위법하다는 가치 판단이 있어야 함
- 위법성 조각❶ 사유: 위법성이 인정되지 않는 사유로, 범죄가 성립되지 않음

정당 행위	법령이나 업무로 인한 행위, 사회 상규에 위배되지 않는 행위
정당방위	자신 또는 다른 사람의 법익에 대한 현재의 부당한 침해를 방위하기 위한 행위로서 상당한 이유가 있는 행위
긴급 피난	자신 또는 다른 사람의 법익에 대한 현재의 위난을 피하기 위한 행위로서 상당한 이유가 있는 행위
자구 행위	자신의 청구권을 보전하기 위하여 법적 절차를 기다릴 수 없는 긴급한 상황에서 권리를 구제·실현하는 행위
피해자의 승낙	피해자가 자신에게 미칠 피해를 허락하는 경우(단, 법률이 특별한 규정이 없는 경우)

군인이 전쟁에서 적군을 죽이는 것은 업무에 의한 행위이기 때문에 위법성이 조각돼.

③ 책임

- 위법하다는 평가를 받은 행위를 한 행위자에게 법적으로 비난받을 만한 책임이 있어야 함
- 책임 조각 및 감경 사유

책임 조각 사유	형사 미성년자(14세 미만), 심신 상실자의 행위, 강요된 행위 등 → 범죄가 성립되지 않음
책임 감경 사유	심신 미약자, 청각 및 언어 장애인의 행위 등 → 범죄는 성립되나 형을 감경함

2. 형벌과 보안 처분

(1) **형벌의 종류** 자료 2 — 생명을 박탈하는 형벌이야.

생명형	사형
자유형 (신체의 자유를 박탈하는 형벌이야.)	• 징역: 30일 이상 교도소 등에 수감, 정역 부과 • 금고: 30일 이상 교도소 등에 수감, 정역 부과하지 않음 • 구류: 1일 이상 30일 미만 교도소 등에 수감, 정역 부과하지 않음
명예형	자격 정지, 자격 상실❷
재산형❸	벌금, 과료, 몰수

(2) **보안 처분**

① 의미: 재범의 위험을 막고, 범죄로부터 일반인을 보호하기 위해 이루어지는 범죄자에 대한 개선 교육이나 보호 등의 처분 — 보안 처분은 형벌의 대안적 제재 수단으로, 범죄자의 사회 복귀와 사회 질서의 보호가 목적이야.

② 종류: 보호 관찰, 치료 감호 등❹

---

❶ 위법성 조각

違	法	性	阻	却
어길	법	성품	막힐	물리칠
위	법	성	조	각

법(法)을 어긴(違) 성질(性)을 없는 것으로 막고(阻) 물리침(却), 즉 위법성이 없어지는 경우를 말한다.

❷ 자격 상실

사형, 무기 징역 또는 무기 금고의 판결을 받은 자에 대하여 법률로써 일정한 자격을 박탈하는 형벌의 하나로, 일정한 형벌, 즉 사형, 무기 징역 또는 무기 금고가 선고되면 그 효력으로 당연히 일정한 자격이 상실되는 것이 특징이다.

❸ 재산형의 종류

벌금	5만 원 이상
과료	2천 원 이상 5만 원 미만
몰수	범죄 행위에 관련되었거나 범죄 행위의 대가로 획득한 것을 국가에 귀속시킴

❹ 보안 처분의 종류

보호 관찰	선고 유예, 집행 유예, 가석방 처분 등을 받은 경우 범죄인을 교도소나 기타의 시설에 수용하지 않고 사회생활을 영위하면서 보호 관찰관의 지도·감독을 받도록 함
치료 감호	금고 이상의 형에 해당하는 죄를 범한 사람 중에 심신 장애가 있거나 마약·알코올 등의 중독 증세가 있는 사람 등에 대해 치료 감호 시설에서 치료를 받도록 함

자료 1 범죄일까? 아닐까?

교과서 140쪽

(가) 편의점 종업원인 갑은 편의점에서 물건을 훔치고 있는 남자를 붙잡았다.
(나) 을은 집에 들어온 강도에게 폭행을 당하고 있는 아버지를 구하기 위해 강도를 때려 상해를 입혔다.
(다) 병은 자신에게 돌진하는 맹견을 피하기 위해 근처에 있는 가정집으로 뛰어들었다.
(라) 정은 거액의 빚을 갚지 않고 이민을 가려는 채무자가 비행기에 탑승하지 못하도록 붙잡았다.
(마) 무는 음식점에서 저녁 식사를 하던 중 화재가 발생하여 생명이 위급한 상황에 처하자 2층에서 뛰어내려 주차되어 있던 남의 차를 부득이하게 파손하였다.

자료 분석 법률에서 범죄로 정해 놓은 일정한 행위를 했더라도 위법성 조각 사유로 인정되면 범죄가 성립되지 않는다. (가)는 정당 행위, (나)는 정당방위, (다)는 긴급 피난, (라)는 자구 행위, (마)는 긴급 피난에 해당하여 모두 범죄가 성립되지 않는다.

자료 분석 포인트

구성 요건에 해당하는 행위의 위법성이 배제되는 사유를 '위법성 조각 사유'와 연관하여 정리해 보자.

Q1 위법성 조각 사유만을 | 보기 |에서 있는 대로 고르시오.

| 보기 |
ㄱ. 정당방위
ㄴ. 긴급 피난
ㄷ. 정당 행위
ㄹ. 자구 행위
ㅁ. 형사 미성년자의 행위

자료 2 범죄의 성립 요건과 형벌의 종류

교과서 142쪽

(가) 10세인 갑은 편의점에서 빵과 우유를 훔쳤다.
(나) 을은 학교에서 실수로 다른 친구의 우산을 가져왔다.
(다) 비 오는 날 새벽, 과속 운전으로 병은 술에 취해 횡단보도를 건너던 행인을 치어 다치게 하였다.
(라) 정은 총을 들고 협박하는 은행 강도로부터 자신을 방어하기 위하여 그 강도를 밀쳐 넘어뜨려 상해를 입혔다.
(마) 변호사인 무는 어린 딸의 생명을 해치겠다는 협박을 받아 불가피하게 의뢰인의 비밀을 상대측에게 알려 주었다.

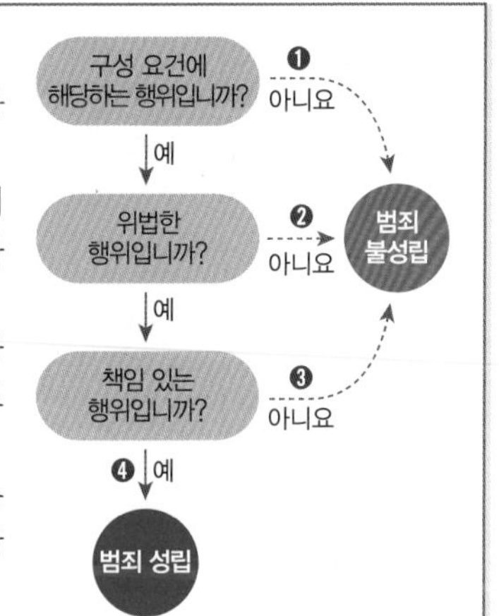

형법 제257조(상해) ① 사람의 신체를 상해한 자는 7년 이하의 징역, 10년 이하의 자격정지 또는 1천만 원 이하의 벌금에 처한다.
제268조(업무상 과실·중과실 치사상) 업무상 과실 또는 중대한 과실로 인하여 사람을 사상에 이르게 한 자는 5년 이하의 금고 또는 2천만 원 이하의 벌금에 처한다.

자료 분석 (가)에서 갑은 10세이다. 우리 형법은 '14세 미만인 자의 행위는 벌하지 아니한다.'라고 규정하고 있어 갑에게 형법상 책임을 묻기 어렵다(❸). (나)의 사례는 ❶에 해당한다. (다)의 병의 행위는 범죄의 구성 요건에 해당하고 위법성을 조각할 만한 사유가 없다. 또한 병에게 책임을 물을 수 없는 특별한 사유가 없으므로 범죄의 성립 요건을 모두 충족한다(❹). 형벌의 정도는 형법 제268조의 '중과실 치사상'에 해당되어 5년 이하의 금고 또는 2천만 원 이하의 벌금에 처할 수 있다. (라)의 경우 정이 강도를 넘어뜨려 상해를 입힌 행위는 구성 요건에 해당하지만 자신의 현재의 부당한 침해를 방위하기 위한 상당한 이유가 있는 행위로 정당방위에 해당하여 범죄가 성립하지 않는다(❷). (마)에서 무의 행위는 구성 요건에 해당하며, 위법성 또한 충족한다. 하지만 강요된 행위 등에 대해서는 책임이 조각되기 때문에 범죄가 성립되지 않는다(❸).

자료 분석 포인트

범죄의 성립 요건을 이해하고, 범죄 성립에 따른 형벌과 보안 처분의 종류를 확인해 보자.

Q2 형법 조항을 참고하여 (다)의 병에게 어떤 형벌이 부과될 수 있는지 쓰시오.

답 Q1 ㄱ, ㄴ, ㄷ, ㄹ / Q2 5년 이하의 금고 또는 2천만 원 이하의 벌금

개념 익히기

정답과 해설 ▸ 27쪽

01 다음 빈칸에 들어갈 알맞은 말을 쓰시오.

(1) (　　　　)은/는 국가가 보호하는 이익과 가치를 침해하는 중대한 반사회적 행위로 법 규범에 따라 형벌이 부과되는 행위이다.

(2) 국가가 범죄를 저지른 행위자에게 공권력을 행사하여 부과하는 처벌을 (　　　　)(이)라고 한다.

(3) 범죄가 성립하기 위해 필요한 요건에는 (　　　　), 위법성, 책임이 있다.

(4) 위법성 조각 사유 중 법령에 의한 행위 기타 사회 상규에 위배되지 않는 행위를 (　　　　)(이)라고 한다.

02 다음 헌법 조항과 관련이 있는 형법의 기본 원칙을 쓰시오.

> 제12조 ① 모든 국민은 신체의 자유를 가진다. 누구든지 법률에 의하지 아니하고는 체포·구속·압수·수색 또는 심문을 받지 아니하며, 법률과 적법한 절차에 의하지 아니하고는 처벌·보안 처분 또는 강제 노역을 받지 아니한다.

03 다음 설명이 옳으면 ○, 틀리면 ×표 하시오.

(1) 도덕적으로 옳지 않은 행동이나 사회적으로 비난받을 만한 행동은 반드시 범죄가 된다. (　　)

(2) 죄형 법정주의의 목적은 자의적 국가 권력의 행사를 방지하여 인권을 보장하는 것이다. (　　)

(3) 위법성 조각 사유가 있으면 범죄가 성립하지 않는다. (　　)

04 다음 빈칸에 공통으로 들어갈 말을 쓰시오.

> 죄형 법정주의란 어떤 행위를 범죄로 처벌하려면 범죄와 형벌을 미리 성문의 (　　　　)(으)로써 규정해 놓아야 한다는 원리로 "(　　　　)이/가 없으면 범죄도 없고, (　　　　) 없이는 형벌도 없다."라는 명제로 표현된다.

05 다음 괄호 안에 들어갈 알맞은 말에 ○표 하시오.

(1) (14 / 17)세 미만인 자와 심신 상실자의 위법한 행위는 책임을 조각시켜 범죄가 성립하지 않는다.

(2) 형벌의 종류 중 징역, 금고, 구류는 (자유형 / 명예형)에 해당한다.

(3) 범죄자의 사회 복귀와 사회 질서의 보호라는 목적을 달성하기 위한 대안적 제재 수단을 (형벌 / 보안 처분)이라고 한다.

06 죄형 법정주의의 파생 원칙만을 |보기|에서 있는 대로 고르시오.

> **보기**
> ㄱ. 불명확성의 원칙
> ㄴ. 소급효 금지의 원칙
> ㄷ. 관습 형법 금지의 원칙
> ㄹ. 유추 해석 금지의 원칙
> ㅁ. 이중 처벌 금지의 원칙

01 빈칸 ㉠에 들어갈 법에 대한 설명으로 옳은 것은?

> 우리나라 (㉠)은/는 크게 제1편 총칙과 제2편 각칙으로 구성된다. 제1편 총칙에는 모든 범죄와 형벌에 적용되는 일반 원리가 규정되어 있는데, 구체적으로 제1장 (㉠)의 적용 범위, 제2장 죄, 제3장 형, 제4장 기간으로 구성되어 있다. 제2편 각칙에는 개별적 범죄와 그에 대한 형벌이 규정되어 있다. 각칙의 내용은 크게 국가적 법익에 관한 죄, 사회적 법익에 관한 죄, 개인적 법익에 관한 죄로 구분할 수 있다.

① 국가의 최고법으로 다른 법률들의 근거가 된다.
② 범죄 행위에 대해 개인적인 응징과 보복을 허용한다.
③ 국민의 권리와 의무 및 국가의 통치 구조를 정해 놓고 있다.
④ 범죄를 저지르면 형벌이 부과됨을 알려 범죄를 줄이는 보장적 기능을 한다.
⑤ 어떠한 행위가 범죄이고, 이에 대하여 어떠한 형벌을 부과할 것인가를 규정한 법 규범이다.

02 밑줄 친 ㉠~㉢에 대한 설명으로 옳은 것은?

> 형법 제258조 ① 사람의 신체를 상해하여 생명에 대한 위험을 발생하게 한 자는 ㉠ 1년 이상 10년 이하의 징역에 처한다.
> 공직 선거법 제249조 ① 투표를 위조하거나 그 수를 증감한 자는 ㉡ 1년 이상 7년 이하의 징역에 처한다.
> 도로 교통법 제160조 ② 다음 각호의 어느 하나에 해당하는 사람에게는 ㉢ 20만 원 이하의 과태료를 부과한다. …… 3. 제50조 제3항을 위반하여 동승자에게 인명 보호 장구를 착용하도록 하지 아니한 운전자

① ㉠은 ㉡과 달리 범죄에 대한 벌칙에 해당한다.
② ㉡에는 ㉠보다 과중한 형벌이 규정되어 있다.
③ ㉡의 근거 법률은 형식적 의미의 형법에 해당한다.
④ ㉢은 형벌에 해당하는 제재 수단이다.
⑤ ㉢은 ㉠과 달리 행정 단속 법규 위반에 대한 제재에 해당한다.

03 중요 그림에서 교사의 질문에 대한 학생의 답변으로 옳지 않은 것은?

"적정한 법률이 없으면 범죄도 없고, 형벌도 없다."라는 명제는 A 원칙을 말해요. A 원칙에 대해 발표해 볼까요?

① 갑: 범죄에 대한 형벌은 적정하게 규정되어야 해요.
② 을: 형법 규정에 대한 유추 해석은 원칙적으로 금지돼요.
③ 병: 형법에 의해 금지되는 행위가 명확하여 누구나 알 수 있어야 해요.
④ 정: 형벌에 관하여 성문법에 규정이 없을 경우에는 관습 형법도 적용할 수 있어요.
⑤ 무: 형벌 법규는 원칙적으로 법 시행 이후에 이루어진 행위에 대해서만 적용되어야 해요.

04  밑줄 친 ㉠, ㉡이 위반하고 있는 죄형 법정주의의 원칙으로 옳은 것은?

> 1935년 독일 나치 시대의 형법
>
> 제2조 ① 법률이 범죄로 규정한 행위 또는 ㉠ 형법의 기본 원칙과 건전한 민족 감정에 비추어 처벌받아 마땅한 행위를 한 자는 처벌한다.
> ② ㉡ 형법이 그 행위에 적용되지 않는 경우에는 기본 취지에 있어서 가장 잘 맞는 법률에 따라 처벌한다.

	(가)	(나)
①	적정성의 원칙	명확성의 원칙
②	적정성의 원칙	유추 해석 금지의 원칙
③	명확성의 원칙	소급효 금지의 원칙
④	명확성의 원칙	유추 해석 금지의 원칙
⑤	유추 해석 금지의 원칙	소급효 금지의 원칙

05 다음의 형법 조항에 해당할 경우 범죄가 성립하지 않는 이유로 가장 적절한 것은?

> 제20조 법령에 의한 행위 또는 업무로 인한 행위 기타 사회 상규에 위배되지 아니하는 행위는 벌하지 아니한다.
> 제21조 ① 자기 또는 타인의 법익에 대한 현재의 부당한 침해를 방위하기 위한 행위는 상당한 이유가 있는 때에는 벌하지 아니한다.
> 제24조 처분할 수 있는 자의 승낙에 의하여 그 법익을 훼손한 행위는 법률에 특별한 규정이 없는 한 벌하지 아니한다.

① 위법성이 없기 때문이다.
② 구성 요건에 해당하지 않기 때문이다.
③ 행위에 대한 책임을 물을 수 없기 때문이다.
④ 죄형 법정주의의 원칙에 위배되기 때문이다.
⑤ 법질서 전체의 관점에서 부정적인 가치 판단이 들기 때문이다.

06 중요 형법상 상해죄의 성립과 관련하여 (가)~(라)에 해당하는 사례로 적절하지 않은 것은?

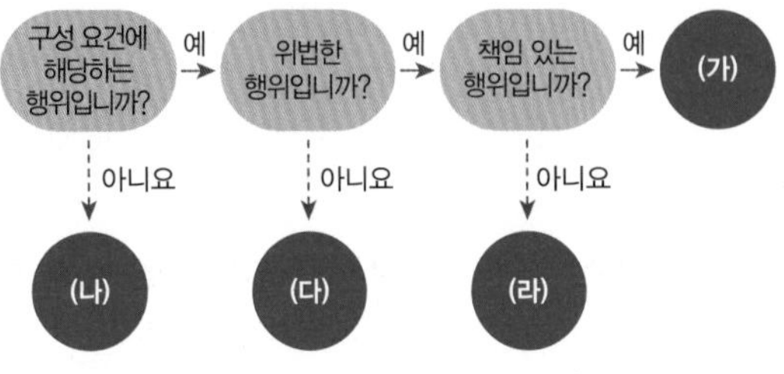

* 형법 제257조 ① 사람의 신체를 상해한 자는 7년 이하의 징역, 10년 이하의 자격 정지 또는 1천만 원 이하의 벌금에 처한다.

① (가) – 사장 갑은 손님에게 불손하게 대한 종업원을 벌한다는 명목으로 종업원을 때려 한 달간의 치료를 받게 하였다.
② (나) – 을은 다른 사람의 애완동물을 폭행하여 상처를 입혔다.
③ (나) – 병은 실수로 학교 옆자리 친구의 우산을 가져왔고, 내일 돌려줄 예정이다.
④ (다) – 편의점 점원인 정은 과자를 훔치려는 초등학생을 때려 상해를 입혔다.
⑤ (라) – 초등학생인 무(9세)는 동생을 때려 상해를 입혔다.

07 다음은 조선 시대 형벌 제도를 나타낸 것이다. 이를 현재의 형벌과 비교한 설명으로 옳은 것은?

> • 태형(笞刑): 가벼운 죄가 있을 때 작은 형장으로 친다.
> • 장형(杖刑): 죄가 다소 무거울 때 큰 형장으로 친다.
> • 도형(徒刑): 죄가 무거워 관에서 잡아 놓고 힘든 일을 시킨다.
> • 유형(流刑): 범한 죄가 매우 무거우나 차마 죽이지 못하고 먼 고장으로 쫓아 고향으로 돌아오지 못하게 한다. 노역을 과하지는 않는다.
> • 사형(死刑): 생명을 박탈한다. 삼복제(3차례의 재판)를 거쳐 신중을 기하도록 하며, 사형의 확정은 임금의 재결을 받아야 한다.

① 사형은 형벌 중 명예형에 해당한다.
② 유형은 형벌 중 재산형에 해당한다.
③ 태형은 형벌 중 징역형에 해당한다.
④ 장형이 가장 무거운 형벌이었을 것이다.
⑤ 오늘날 징역형에 해당하는 형벌은 도형이다.

08 중요 (가)~(다)에 대한 옳은 설명만을 |보기|에서 있는 대로 고른 것은?

> (가) 재산형의 하나로서 과료에 비해 상대적으로 무거운 형벌이다.
> (나) 범죄인을 시설 내에서 수감하고 정역을 시킴으로써 교정하는 기능을 하는 형벌이다.
> (다) 범죄인을 폐쇄된 시설에 구금하여 가정, 직장, 사회로부터 단절되는 것을 방지하고 기존의 관계를 그대로 유지한 채 일정 기간 국가 기관의 지도·감독을 받도록 한 것으로, 이를 통해 범죄인이 신속하고 안정되게 사회에 복귀할 수 있도록 한다.

보기

ㄱ. (가)는 경제적 능력에 따라 형벌의 효과가 달라질 수 있다.
ㄴ. (나)는 신체의 자유를 제한하므로 신체형으로 분류된다.
ㄷ. 단기적인 (나)의 폐해를 막기 위해 (가)를 활용하는 경우가 있다.
ㄹ. 치료 감호는 (다)와 같은 종류의 제재 수단이다.

① ㄱ, ㄴ ② ㄱ, ㄷ ③ ㄴ, ㄹ
④ ㄱ, ㄷ, ㄹ ⑤ ㄴ, ㄷ, ㄹ

서술형 문제

09 다음 글을 읽고 물음에 답하시오.

(　　　)은/는 어떤 행위가 범죄가 되고 그 범죄에 대하여 어떤 처벌을 할 것인가는 미리 성문의 법률로 정해져 있어야 한다는 형법의 기본 원리를 말한다. 오늘날 (　　　)은/는 법률의 내용까지도 정의로워야 한다는 의미에서 "적정한 법률이 없으면 범죄도 없고, 형벌도 없다."라는 원칙으로 이해되고 있다.

(1) 빈칸에 공통으로 들어갈 원칙을 쓰시오.

(2) (1)의 목적을 서술하시오.

서술형 문제

10 다음 글을 읽고 물음에 답하시오.

어떤 사람이 허가 없이 염소를 도살하여 공소가 제기되었다. 당시 「축산물 가공 처리법」에는 소, 말, 양 등을 도살하거나 해체할 때에는 작업장 설치 허가를 받도록 하고, 이를 위반하면 형벌을 받게 되어 있었는데, 염소를 도축한 혐의로 기소된 사람에게 법원이 무죄를 선고하였다. 당시 법원은 '염소는 양과 마찬가지이므로 도축장 허가를 받아야 한다.'라고 본 것은 잘못이며, 이는 죄형 법정주의에서 파생된 (　　　)의 원칙에 위배된다고 판결하였다.

(1) 빈칸에 들어갈 말을 쓰시오.

(2) (1)의 원칙을 제외한 죄형 법정주의의 파생 원칙을 세 가지만 서술하시오.

서술형 문제

11 다음 법 조항을 읽고 물음에 답하시오.

헌법 제13조 ① 모든 국민은 행위 시의 법률에 의하여 범죄를 구성하지 아니하는 행위로 소추되지 아니하며, 동일한 범죄에 대하여 거듭 처벌받지 아니한다.

형법 제1조 ① 범죄의 성립과 처벌은 행위 시의 법률에 의한다.

(1) 위 법 조항을 통해 공통으로 알 수 있는 형법의 기본 원리를 쓰시오.

(2) (1)이 예외적으로 적용되는 경우를 서술하시오.

서술형 문제

12 다음 글을 읽고 물음에 답하시오.

(가) 갑은 친구와 함께 등산을 갔다가 친구가 독사에 물리자 친구의 부탁으로 급히 상처를 찢어 독을 뱉어 냈다.

(나) 환경미화원 을은 공원을 청소하던 중 병이 데리고 있던 개가 공원에서 놀던 아이를 갑자기 공격하려고 하자, 들고 있던 빗자루로 개를 때렸는데 개가 죽고 말았다. 병은 을을 재물 손괴죄로 고소했으나 법원은 을의 행위가 형법상의 재물 손괴죄로 볼 수 없다고 판단하였다.

(1) (가), (나)의 사례에 나타난 위법성 조각 사유를 각각 쓰시오.

(2) (가), (나)의 사례는 모두 범죄가 성립되지 않는다. 그 공통적인 이유를 서술하시오.

정답과 해설 ▸ 28쪽

01 중요 (가)~(마) 중 동일한 사유로 범죄가 성립하지 않는 사례만을 고른 것은? (단, (가)~(마)는 각각 범죄의 성립 요건 중 하나를 충족하지 못한 사례이다.)

(가) A는 자신의 돈을 갚지 않고 외국으로 이민 가는 B를 공항에서 잡았다.
(나) C는 자신을 물려고 쫓아오는 개를 피하려고 구멍가게로 뛰어들어 가다 진열장 유리를 깼다.
(다) 초등학교 3학년(10세)인 D는 학교 앞 문방구에서 장난감 물총을 주인 몰래 슬쩍 가지고 나왔다.
(라) 집행관인 E는 강제 집행을 시행하는 과정에서, 집에 들어오지 못하게 막는 집주인을 밀치고 집 안으로 들어갔다.
(마) F는 자신을 괴롭히는 G가 너무 싫어서 매일 G를 때리는 상상을 하다가 어젯밤에는 G의 이를 3개나 부러뜨리는 꿈을 꾸었다.

① (가), (나), (라) ② (가), (나), (마) ③ (나), (다), (라)
④ (나), (라), (마) ⑤ (다), (라), (마)

문제 접근 방법
제시된 사례를 분석하여 위법성을 조각하여 범죄가 성립되지 않는 사유를 도출한다. 위법성을 조각하는 각각의 사유를 정확히 이해하고 차이점을 파악해야 한다. 또한 책임 조각 사유와 구별할 수 있어야 한다.

내신 전략
위법성 조각 사유로는 정당방위, 긴급피난, 정당 행위, 자구 행위, 피해자의 승낙 등이 있다. 각각의 사유로 범죄가 성립하지 않는 경우를 구체적 사례와 관련지어 알아 두어야 한다.

02 밑줄 친 ㉠~㉣에 대한 옳은 설명만을 |보기|에서 있는 대로 고른 것은?

• 갑(30세)은 술에 취해 지나가는 행인들에게 이유 없이 시비를 걸고 길거리에 함부로 방뇨를 하였기 때문에 ○○지방 법원으로부터 ㉠ 구류형을 선고받았다.
• 법원은 피해망상에 빠져 어머니를 살해한 혐의로 기소된 을(40세)에게 ㉡ 징역 10년과 ㉢ 치료 감호를 선고하였다. 재판부는 "평소 부모를 폭행하고 행패를 부린 갑이 어머니를 살해한 것은 인륜에 어긋나는 범행으로 엄중한 형 선고가 불가피하다."라면서도 "조현병으로 인한 ㉣ 심신 미약 상태에서 범행을 저지른 것이므로 온전히 책임을 묻기 어렵다."라고 밝혔다.

| 보기 |
ㄱ. ㉠은 자유형이다.
ㄴ. ㉠은 행정법상의 제재이다.
ㄷ. ㉡은 교도소 등에 30일 이상 수감하며, 정역을 부과하는 형벌이다.
ㄹ. ㉢은 형벌 이외의 형사 제재 수단이다.
ㅁ. ㉣은 책임 조각 사유에 해당한다.

① ㄱ, ㄴ ② ㄱ, ㄹ ③ ㄱ, ㄷ, ㄹ
④ ㄴ, ㄷ, ㅁ ⑤ ㄷ, ㄹ, ㅁ

문제 접근 방법
이 문제는 사례를 분석하여 형벌과 보안 처분을 파악하는 문제이다. 특히 형벌의 종류별 특징을 판단한다.

내신 전략
형벌의 종류와 보안 처분을 정리하고, 형벌 종류의 구체적 내용을 파악해 둔다.

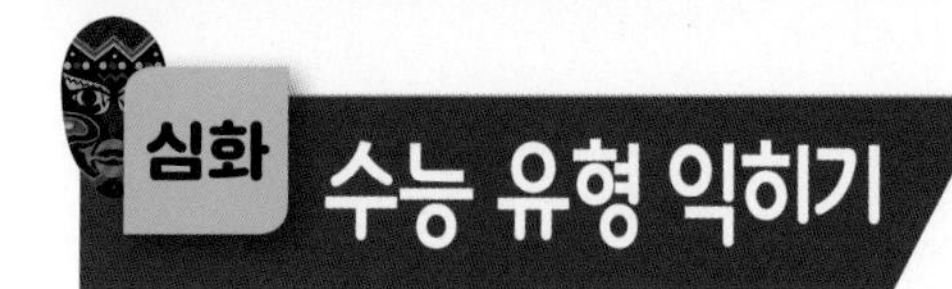

심화 수능 유형 익히기

정답과 해설 ▸ 28쪽

2019학년도 6월 모의평가

01 형사 제재의 유형 (가), (나)에 대한 설명으로 옳지 않은 것은? (단, (가), (나)는 각각 형벌, 보안 처분 중 하나이다.)

구분	의미
(가)	범죄 행위를 한 자에게 공권력을 행사하여 책임을 전제로 부과하는 처벌
(나)	범죄 행위를 한 자의 재범 위험성을 막기 위하여 행하는 개선 및 교육 처분

① (가)의 종류로는 자격 상실과 과료를 들 수 있다.
② (나)의 종류로는 치료 감호와 보호 관찰을 들 수 있다.
③ (나)는 범죄 행위를 한 자의 사회 복귀를 촉진하기 위해 부과하는 대안적 제재 수단이다.
④ (가)는 (나)와 달리 범죄 예방을 목적으로 하지 않는다.
⑤ (가), (나)는 모두 법률과 적법한 절차에 의하지 않고는 부과될 수 없다.

출제 개념
형벌과 보안 처분의 특징

자료 해설
(가)는 형벌이며, (나)는 보안 처분이다. 우리 형법에서는 범죄를 저지른 행위자에게 국가가 공권력을 행사하여 부과하는 처벌을 형벌이라고 하며, 형벌 이외의 대안적 형사 제재 수단으로 보안 처분을 인정하고 있다.

해결 비법
(가), (나)에서 형벌과 보안 처분을 파악하고, 형벌의 종류와 보안 처분의 종류를 파악하는 전형적인 문항이다. 죄형법정주의의 내용도 숙지하고 접근해야 한다.

2020학년도 수능

02 다음 사례에 대한 법적 판단으로 옳은 것은?

> • 갑(17세)과 을(13세)은 골목을 지나가던 병(15세)을 폭행하였다. 병은 갑과 을의 폭행을 피하여 도망가다가 달리 피할 방도가 없어 음식점 출입문을 부수고 들어가서 숨게 되었다. 병은 갑과 을의 폭행으로 인하여 상해를 입었다.
> • 정(25세)은 무(20세)에게 생명을 위협하는 폭력과 협박을 하여 무가 종업원으로 일하고 있는 가게의 금고 잠금장치를 해제하도록 강요하였다. 무는 생명의 위협을 느껴 금고의 잠금장치를 해제하여 정이 금고에 있는 돈을 가져갈 수 있도록 하였다.

① 갑은 을과 달리 선도 조건부 기소 유예 처분을 받을 수 있다.
② 을은 갑과 달리 가정 법원 소년부에 의해 보호 처분을 받을 수 없다.
③ 병의 행위는 위법성 조각 사유 중에서 자구 행위에 해당한다.
④ 정과 달리 갑의 행위는 범죄의 구성 요건에 해당하지 않는다.
⑤ 을의 행위는 위법성이 조각되고, 무의 행위는 책임이 조각된다.

출제 개념
범죄의 성립 요건

자료 해설
첫 번째 사례에서 을은 형사 미성년자로 형벌을 받을 수 없다. 병의 행위는 긴급 피난으로 위법성이 조각되어 범죄로 성립하지 않는다. 두 번째 사례에서 무의 행위는 강요된 행위에 해당하여 책임이 조각되어 범죄로 성립하지 않는다.

해결 비법
범죄의 성립·불성립에 관련된 문제는 성립 요건과 위법성 및 책임 조각 사유를 명확히 학습하고, 다양한 사례에 적용시킬 수 있는 능력을 길러야 한다.

주제 2

형사 절차와 인권 보장

주제 흐름 읽기

형사 절차	수사	수사 개시와 입건, 수사, 검찰 송치, 수사 종결
	형사 재판 절차	검사의 기소 ↓ 재판부 구성 (단독, 합의부) ↓ 공판: 심리와 선고 ↓ 형의 집행: 검사 지휘

인권 보장 제도		
	수사 절차에서의 인권 보장 제도	• 영장주의 • 구속 영장 실질 심사 • 체포 · 구속 적부 심사 • 진술 거부권(묵비권) • 변호인의 도움을 받을 권리
	재판 절차에서의 인권 보장 제도	• 증거 재판주의 • 상소 제도(항소, 상고) • 재심
	형사 피해자의 인권 보장 제도	• 형사 절차에 참여할 권리 • 범죄 피해자 구조 제도 • 배상 명령 제도

1 형사 절차

1. 형사 절차

(1) **의미** 범죄가 발생한 경우 형벌권을 가진 국가가 수사와 재판을 통해 사건의 실체적 진실을 밝히고, 죄가 확인되면 형벌을 부과하여 형을 집행하는 일련의 절차

(형사 사건은 당사자의 요청 없이도 국가가 개입하여 형사 문제를 해결한다는 특징을 가지고 있어.)

(2) **과정**

(범죄가 발생하였거나 발생한 것으로 생각되는 경우 범인을 찾고 증거를 수집하는 활동이야.)

① 수사 절차: 수사 개시(현행 범인[1]의 체포, 고소, 고발[2], 자수, 범죄 인지 등) → 수사

(수사 종료 후 검사가 법원에 형사 사건에 대한 심판을 구하는 행위야.)

② 공판[3] 절차: 기소[4](검사의 공소 제기) → 법원 구성 → 검사의 범죄 입증과 피고인의 반박 → 법관의 유무죄 심증 형성 → 판결 선고 — 형사 재판의 당사자는 원고(검사)와 피고인이야.

③ 형 집행 절차: 검사의 지휘에 따라 집행되며, 징역형 또는 금고형을 선고받은 피고인은 원칙적으로 교도소 등에 수용됨

2. 형사 절차에서의 인권 보장 원칙

무죄 추정의 원칙	• 의미: 형사 피의자와 피고인은 유죄 판결이 확정되기 전까지는 무죄로 추정된다는 원칙 • 내용: 수사와 재판은 불구속 상태에서 하는 것이 원칙임, 형사 재판에서 유죄의 입증 책임은 검사(수사 기관)의 몫이며, 명확한 증거에 의해서만 유죄 판결을 할 수 있음, 법원은 유죄의 심증을 형성하기 어려운 경우에는 무죄를 선고해야 함 ("의심스러울 때는 피고인의 이익으로") (불구속 수사가 원칙이지만 예외적으로 필요한 경우에는 판사로부터 영장을 발부받아 체포 · 구속이 가능하기도 해.) • 헌법 근거: 형사 피고인은 유죄의 판결이 확정될 때까지는 무죄로 추정된다(제27조 ④).
적법 절차의 원칙	• 의미: 국민의 자유와 권리를 제한하는 경우에는 반드시 적법한 절차와 법률에 근거해야 한다는 원칙 자료 1 • 헌법 근거: 누구든지 법률에 의하지 아니하고는 체포 · 구속 · 압수 · 수색 또는 심문을 받지 아니하며, 법률과 적법한 절차에 의하지 아니하고는 처벌 · 보안 처분 또는 강제 노역을 받지 아니한다(제12조 ①). • 미란다 원칙: 피의자에게 체포 또는 구속 이유, 변호인의 도움을 받을 권리를 고지해야 하는 원칙 자료 2

❶ 형사 절차에 따른 범인의 명칭

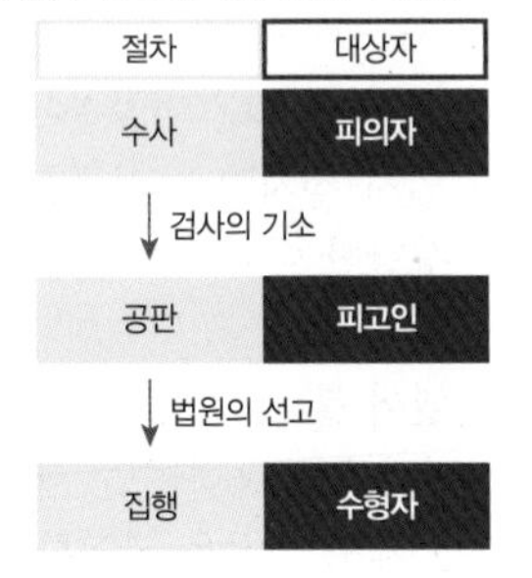

❷ 고소와 고발
고소는 범죄의 피해자 또는 피해자와 일정한 관계에 있는 사람이 수사 기관에 범죄 사실을 알리는 것이고, 고발은 제삼자가 수사 기관에 범죄 사실을 알리는 것이다.

❸ 공판
형사 재판에서는 피고인에 대하여 유무죄를 가리고 유죄로 인정되는 경우에 형벌을 부과하게 되는데, 이러한 형사 재판을 공판이라고 한다.

❹ 기소와 불기소
기소란 피의자에게 혐의가 있어 유죄 판결이 내려질 것을 기대하며 검사가 재판을 청구하는 것이다. 불기소란 기소하지 않고 사건을 종결짓는 것으로, 무혐의 처분이나 교화를 위해 공소를 제기하지 않는 기소 유예 등이 이에 해당한다.

자료 1 형사 절차에서 인권 보장의 중요성

교과서 144쪽

(가)

▲ 폭발물이 설치되었다는 신고를 받고 출동한 경찰관이 출입자의 소지품을 검사하는 경우

(나)

▲ 수사 기관에서 용의자와 비슷한 인상착의의 사람을 체포하여 경찰서에 인치한 경우

자료 분석 (가) 경찰관은 「경찰관 직무 집행법」상 불심 검문에 따라 거동이 수상한 자를 일시 정지시켜 질문할 수 있고, 상대방이 흉기나 폭탄을 소지하였다고 의심할 만한 상당한 이유가 있는 경우에는 그 조사를 위해 소지품을 열어 볼 것을 요구할 수도 있다. 그러나 소지인이 거절하는 경우 경찰관이 그 소지품을 직접 강제로 열어 보거나 열어 볼 것을 강요하는 것은 허용되지 않는다.
(나) 사람을 체포하려면 체포할 사유가 있어야 하고, 검사의 청구에 의하여 판사가 발부한 체포 영장을 제시하여야 한다. 또한, 체포한 사람에게 무슨 죄로 체포하는지, 즉 범죄 사실의 요지와 체포의 이유, 변호인을 선임할 수 있음을 말하고 변명할 기회를 주어야 한다. 체포 영장에 의하여 체포된 사람에게도 법원에 체포의 적부를 심사해 달라는 청구권(체포 · 구속 적부 심사 제도)이 인정된다.

자료 분석 포인트

사례를 통해 형사 절차에서 인권 보장의 중요성을 파악해 보자.

Q1 빈칸에 공통으로 들어갈 말을 쓰시오.

국가가 형벌권을 행사할 때에는 시민의 인권이 침해되지 않도록 해야 한다. 형사 절차에서 인권 보장을 위해 마련된 주요 원칙으로는 무죄 추정의 원칙, (　　　) 등이 있다. (　　　)은/는 법률과 적법한 절차에 의하지 아니하고는 형벌 등을 받지 않는다는 원칙이다.

자료 2 미란다 판결

교과서 146쪽

1963년 미국 애리조나주 피닉스시 경찰은 에르네스토 미란다(Miranda, E.)라는 청년을 납치와 강간 등의 혐의로 체포하였다. 경찰서로 연행된 미란다는 처음에는 무죄라고 주장하였으나 변호인도 없는 상태에서 조사를 받은 후 범행을 인정하는 구두 자백을 하고, 범행 자백 진술서를 썼다. 자백 진술서는 배심원 평결의 결정적인 증거가 되어 미란다는 중형을 선고받았다.

미란다는 무죄를 주장하며 주 법원에 상고하였지만 역시 유죄가 인정되었고, 마지막으로 연방 대법원에 상고를 청원하였다. 상고 청원 이유는 자신은 헌법에 보장된 '불리한 증언을 하지 않아도 될 권리'와 '변호인의 조력을 받을 권리'를 침해당하였으므로 실체적 혐의 인정 여부와 별개로 유죄 선언의 판결 자체가 잘못되었다는 것이었다. 1966년 연방 대법원은 5 대 4의 표결로 미란다의 상고 청원 이유를 받아들여 무죄를 선고하였다.

– 박성혁 외, 『청소년이 꼭 알아 두어야 할 법원과 재판 이야기 3』 –

자료 분석 적법 절차의 원칙에 비추어 볼 때 미란다의 경우 헌법상 보장된 피의자의 절차적 권리를 침해당했기 때문에 공정한 재판을 받지 못했으므로 미란다의 상고 청원 이유는 타당하다. 연방 대법원의 판결 역시 경찰 수사 과정에서 피의자의 권리를 적극 보장한 것이라는 점에서 의미가 있다. 실체적 진실을 발견하여 사회 정의를 실현하는 것도 중요하지만 단 한 명이라도 억울한 사람이 생긴다면 그로 인해 침해되는 법익이 더 크다고 할 수 있다.

자료 분석 포인트

적법 절차의 원칙이 형사 절차에서의 인권 보장 원칙이 된 역사적 배경을 파악해 보자.

Q2 밑줄 친 '이것'이 무엇인지 쓰시오.

이것은 경찰이 피의자 연행 시 연행 사유, 변호인의 도움을 요청할 권리, 진술 거부권 등이 있음을 미리 고지해야 한다는 원칙이다. 1963년 미국 경찰이 납치 및 강간 혐의로 체포된 피의자 미란다가 변호인도 선임하지 않은 상태에서 범행을 자백했으나 재판에서 자백을 번복하자, 연방 법원은 피의자가 진술 거부권 및 변호인 선임권 등의 권리를 고지받지 못하였다는 이유로 유죄를 선고한 원심을 파기하였다. 여기에서 유래한 적법 절차의 원칙 중 하나이다.

답 Q1 적법 절차의 원칙 / Q2 미란다 원칙

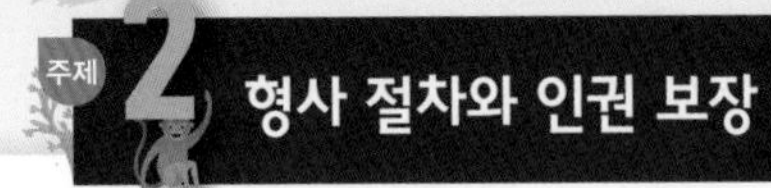

2 형사 절차에서의 인권 보장 제도

1. 수사 절차에서의 인권 보장 제도 자료 1

영장주의	체포, 구속, 압수, 수색을 할 때에는 적법한 절차에 따라 법관이 발부한 영장에 의해야 한다는 원칙 (원칙적으로 법관이 발부한 영장이 있어야 해.)
구속 영장 실질 심사	• '구속 전 피의자 심문 제도'라고도 함 • 검사가 구속 영장을 청구하면 법관은 피의자를 직접 심문하여 피의자가 자신의 입장을 개진할 기회를 주고, 법관은 심문 결과와 수사 기록 등을 종합하여 구속 여부를 심사함
체포·구속 적부 심사	피의자가 체포되거나 구속된 경우 체포·구속의 적법성과 필요성을 심사하여 석방해 줄 것을 법원에 청구하는 제도
진술 거부권❶ (묵비권)	피의자나 피고인이 형사상 자기에게 불리한 진술을 거부할 수 있는 권리 (검사와 대등하게 공격·방어가 가능하도록 하는 거야.)
변호인의 도움을 받을 권리	• 피의자나 피고인이 검사와 대등한 관계에서 자신을 방어할 수 있도록 하기 위함 • 국선 변호인 제도❷: 피의자나 피고인이 스스로 변호인을 구할 수 없는 경우 국가가 국선 변호인을 선정해 줌 → 구속 전 피의자 심문 과정에도 적용돼.

2. 재판 절차에서의 인권 보장 제도

증거 재판주의	증거 능력❸이 있는 증거만을 사실 인정에 이용하며, 다른 증거 없이 피고인의 자백만으로는 유죄 판결을 내릴 수 없음
상소 제도	• 하급 법원의 판결에 불복하여 상급 법원에 재판을 청구하는 제도 (선고에 불복할 경우 검사나 피고인은 일정 기간 내(판결 선고일로부터 7일 이내)에 상급 법원에 상소할 수 있어.) • 항소: 1심 법원의 판결에 불복하여 2심 재판을 청구하는 절차 • 상고: 2심 법원의 판결에 불복하여 3심 재판을 청구하는 절차 → 형사 소송법이 정하는 일정한 사유가 있어야 함 • 불이익 변경 금지의 원칙: 피고인만이 항소한 사건에 대하여는 원심 판결보다 무거운 형을 선고할 수 없다는 원칙 → 피고인이 중한 형으로 바뀔 위험 때문에 상소권을 행사하지 못하는 것을 방지함
재심	• 신중한 재판에도 불구하고 재판에 중대한 오류가 있는 경우 예외적으로 이를 바로잡는 것 • 유죄 확정 판결을 받은 자의 이익을 위해 판결의 부당함을 시정하는 수단

미확정 판결(재판)에 대한 불복은 상소 제도를 통해서, 유죄 확정 판결에 대한 불복은 재심을 통해서 바로잡을 수 있어.

3. 형사 피해자의 인권 보장 제도 자료 2

형사 절차 참여권	당해 사건과 관련하여 수사 진행 상황과 판결 내용을 제공받고 재판 절차에 출석하여 의견을 진술할 수 있는 권리(신뢰 관계 있는 자의 동석❹ 가능)
범죄 피해자 구조 제도	사람의 생명 또는 신체에 해를 끼치는 범죄 행위로 인해 피해를 당하였으나 가해자로부터 피해에 대한 보상을 기대하기 어려운 경우 국가가 범죄 피해자 또는 유족에게 일정 한도의 구조금을 지급하는 제도
배상 명령 제도	범죄 피해자가 형사 재판에서 민사적인 손해 배상 명령까지 받을 수 있게 한 제도

배상 명령에 해당하는 형사 사건은 상해, 과실 치상, 절도나 강도, 사기·공갈, 횡령·배임, 손괴, 강간·추행 등이야. 피고인의 형사 재판이 진행 중인 법원에 2심 변론이 끝나기 전까지 배상 명령 신청서를 제출하면 되고, 형사 재판의 증인으로 출석하고 있을 때에는 말로도 신청 가능해. 별도의 민사 소송 진행에 따른 불편을 해소하기 위한 제도야.

❶ 진술 거부권

> 헌법 제12조 ② 모든 국민은 고문을 받지 아니하며, 형사상 자기에게 불리한 진술을 강요당하지 아니한다.

법원에서 양 당사자(검사와 피고인)가 대등하게 공격과 방어를 해야 한다는 원칙에 근거한다. 피의자도 장차 피고인으로서 소송 당사자가 될 수 있기 때문에 인정된다.

❷ 국선 변호인

> 헌법 제12조 ④ 누구든지 체포 또는 구속을 당한 때에는 즉시 변호인의 조력을 받을 권리를 가진다. 다만, 형사 피고인이 스스로 변호인을 구할 수 없을 때에는 법률이 정하는 바에 의하여 국가가 변호인을 붙인다.

누구든지 수사 단계와 공판 절차에서 변호인의 도움을 받을 권리가 있다. 형사 소송법에서는 피고인이 구속된 때, 미성년자, 70세 이상 고령자, 농아자 또는 심신 장애의 의심이 있는 때, 사형·무기 또는 단기 3년 이상의 징역이나 금고에 해당하는 사건으로 기소된 때 변호인이 없는 경우에는 법원이 직권으로 변호인을 선정하여야 함을 규정하고 있다.

❸ 증거 능력

증거가 범죄 사실을 입증할 수 있는 자료로 쓰일 수 있는 법률상의 객관적 자격을 말한다. 증거 능력이 없는 자료는 증거의 효력이 없다. 고문이나 협박으로 얻어진 증거의 경우 증거 능력을 부정하는 것을 예로 들 수 있다.

❹ 신뢰 관계 있는 자의 동석

범죄 피해자가 수사 기관에서 조사를 받거나 법원의 증인 신문 과정에서 불안 또는 긴장을 느낄 우려가 있다고 인정되는 때에는 피해자와 신뢰 관계에 있는 자를 동석하게 할 수 있다.

자료 1 형사 절차에서 인권을 보장받기 위해서는?

교과서 152쪽

갑은 을이 자신의 집 주변을 기웃거리는 것을 보고, 며칠 전 자신의 집에서 물건을 훔친 절도범과 비슷하다고 생각하여 을을 경찰에 고소하였다. 이에 경찰은 을을 경찰서로 불러 조사하였다. 조사를 받던 을이 아무런 답변을 하지 않자, 경찰은 갑의 집 근처 폐쇄 회로 텔레비전(CCTV) 영상을 증거로 제시하며 을을 긴급 체포하였다.

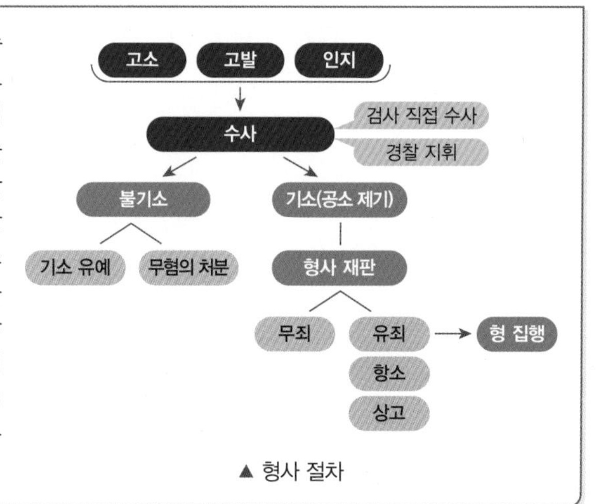

▲ 형사 절차

자료 분석 형사 절차는 크게 수사 → 공판 → 형 집행 단계로 진행된다. 을은 주거 침입과 절도 혐의로 경찰에 의해 긴급 체포되었다. 수사 기관은 피의자 을을 신문하기 전에 반드시 피의자에게 진술 거부권 및 변호인 선임권이 있음을 알려 주어야 한다. 검사가 체포된 피의자에 대해 구속 영장을 청구하면 법원은 피의자 심문을 실시하여 구속 여부를 결정(구속 영장 실질 심사)하며, 구속 사유에 해당하면 구속 영장을 발부한다. 구속된 피의자는 석방되기 위해 구속 적부 심사 청구를 할 수 있다. 이 경우 법원은 피의자의 출석을 보증할 만한 보증금의 납입을 조건으로 석방을 명할 수도 있는데, 이것이 피의자에 대한 보석 제도이다. 검사의 공소 제기 후 피고인은 보석 허가 청구를 할 수 있다.

자료 분석 포인트

형사 절차에 비추어 사건의 진행 과정을 유추해 보고, 형사 절차에서의 인권 보장 제도에 대한 내용을 정리해 보자.

Q1 형사 절차에서의 인권 보장 원칙에 대한 설명으로 옳지 않은 것은?

① 모든 국민은 형사상 자기에게 불리한 진술을 거부할 수 있는 권리를 가진다.
② 모든 국민은 체포 또는 구속을 당한 때에 즉시 변호인의 도움을 받을 권리를 가진다.
③ 체포 · 구속 · 압수 · 수색을 할 때에는 적법한 절차에 따라 법관이 발부한 영장을 제시하여야 한다.
④ 범죄가 중한 사건에서 피의자를 긴급 체포한 경우에는 법원에 구속 영장을 청구하지 않아도 된다.
⑤ 검사가 피의자에 대해 구속 영장을 청구하면 법관은 지체 없이 피의자 심문을 실시하여 구속 여부를 결정해야 한다.

자료 2 형사 사건과 피해자 보호 제도

교과서 149쪽

(가) 막막해 씨의 아들은 회사에 출근하던 중 한 남성이 던진 돌에 맞아 그 자리에서 사망하였다. 경찰은 사건 현장 주변의 폐쇄 회로 텔레비전(CCTV) 영상을 확보하여 살펴보았지만, 화질이 선명하지 않아 용의자의 신원을 파악하지 못하고 있다. 하루아침에 생계를 책임지던 아들을 잃은 막막해 씨는 아무런 도움을 받지 못하는 것일까?

(나) 나억울 씨는 술에 취한 주폭행 씨로부터 무차별 폭행을 당하여 전치 8주의 상해를 입었다. 주폭행 씨는 기소되어 형사 재판을 받고 있다. 나억울 씨는 당장 치료비가 급한데, 민사 소송을 제기할 수 있는 형편은 안 된다. 민사 소송을 거치지 않고 형사 소송에서 바로 치료비를 받을 수 있을까?

자료 분석 (가)의 막막해 씨는 타인의 범죄 행위로 아들이 사망하였으므로 직계 친족으로서 범죄 피해자가 된다. 그러나 범인이 잡히지 않아 아들의 죽음으로 인한 피해를 배상받지 못하고 있는데, 이 경우 범죄 피해자 구조 제도(「범죄 피해자 보호법」)에 따라 유족 구조금을 신청하여 그 피해를 국가로부터 배상받을 수 있다. (나)의 범죄 피해자인 나억울 씨는 별도의 민사 소송 없이 2심 재판의 변론 종결 시까지 피해 배상을 신청하면 법원의 배상 명령을 통하여 형사 재판에서 민사상 손해 배상까지 받을 수 있다. 이와 같은 제도를 시행하는 이유는 간편하고 신속하게 범죄 피해자의 피해 회복을 도모하고, 범죄 피해자가 인간다운 생활을 할 수 있도록 돕기 위해서이다.

자료 분석 포인트

사례를 통해 형사 피해자의 인권 보장 제도를 이해하고 이를 정리해 보자.

Q2 형사 사건으로 피해를 입은 사람의 권리를 보호하기 위해 시행하고 있는 제도만을 | 보기 |에서 있는 대로 고르시오.

| 보기 |
ㄱ. 보석 제도
ㄴ. 배상 명령 제도
ㄷ. 구속 영장 실질 심사
ㄹ. 범죄 피해자 구조 제도
ㅁ. 형사 절차에 참여할 권리

답 Q1 ④ / Q2 ㄴ, ㄹ, ㅁ

1단계 개념 익히기

정답과 해설 ▸ 29쪽

01 다음 빈칸에 들어갈 알맞은 말을 쓰시오.

(1) (　　　　)은/는 범죄가 발생하였거나 발생한 것으로 생각되는 경우 범인을 찾고 증거를 수집하는 활동을 말한다.
(2) (　　　　)은/는 피고인에 대하여 유무죄를 가리고 유죄로 인정되는 경우에 형벌을 부과하는 형사 재판을 말한다.
(3) 하급 법원의 판결에 불복하여 상급 법원에 재판을 청구하는 것을 (　　　　) 제도라고 한다.
(4) 범죄 피해자가 형사 재판에서 민사적인 손해 배상 명령까지 받을 수 있도록 한 제도를 (　　　　) 제도라고 한다.

02 다음 헌법 조항과 관련이 있는 형사 피해자의 인권 보장 제도를 쓰시오.

> 제30조　타인의 범죄 행위로 인하여 생명 · 신체에 대한 피해를 받은 국민은 법률이 정하는 바에 의하여 국가로부터 구조를 받을 수 있다.

03 다음 설명이 옳으면 ○, 틀리면 ×표 하시오.

(1) 고소는 범죄의 피해자가, 고발은 제삼자가 할 수 있다. (　　)
(2) 다른 증거 없이 피고인의 자백만으로 유죄 판결을 내릴 수 있다. (　　)
(3) 수사가 끝나고 피의자의 범죄 혐의가 인정되면 피해자는 법원에 형사 재판을 요청한다. (　　)
(4) 재심은 유죄 확정 판결을 받은 자의 이익을 위하여 판결의 부당함을 시정하는 권리 구제 수단이다. (　　)

04 다음 빈칸에 공통으로 들어갈 말을 쓰시오.

> 형사 피의자와 피고인은 유죄 판결이 확정되기 전까지는 (　　　　)(으)로 추정된다. (　　　　) 추정의 원칙에 따라 수사와 재판은 불구속 상태에서 하는 것이 원칙이며, 형사 재판에서 유죄의 입증 책임은 검사에게 있다. 또한 법원은 유죄의 심증을 형성하기 어려운 경우에는 "의심스러울 때는 피고인의 이익으로"라는 원칙에 따라 (　　　　)을/를 선고하여야 한다.

05 다음 괄호 안에 들어갈 알맞은 말에 ○표 하시오.

(1) 피의자의 범죄 혐의가 인정되어 검사로부터 공소 제기되면 (피고 / 피고인)(으)로 신분이 변경된다.
(2) 재판 결과 확정된 형은 (검사 / 법관)의 지휘에 따라 집행된다.
(3) 피의자가 죄를 범하였다고 의심할 만한 상당한 이유가 있거나 정당한 이유 없이 수사 기관의 출석 요구를 거부하거나 그럴 우려가 있는 경우 (검사 / 법관)(으)로부터 영장을 발부받아 피의자를 체포할 수 있다.

06 형사 절차에서 피의자와 피고인이 공통으로 갖는 권리만을 |보기|에서 있는 대로 고르시오.

> **보기**
> ㄱ. 진술 거부권
> ㄴ. 구속 적부 심사 청구권
> ㄷ. 변호인의 도움을 받을 권리
> ㄹ. 구속 영장 실질 심사 청구권

내신 유형 익히기

정답과 해설 ▸ 29쪽

01 중요 **다음은 우리나라 헌법의 일부이다. 각 조항에서 선언하고 있는 형사 절차상의 인권 보호 원리로 가장 적절한 것은?**

> (가) 제12조 ① 모든 국민은 신체의 자유를 가진다. 누구든지 법률에 의하지 아니하고는 체포·구속·압수·수색 또는 심문을 받지 아니하며, 법률과 적법한 절차에 의하지 아니하고는 처벌·보안 처분 또는 강제 노역을 받지 아니한다.
> (나) 제27조 ④ 형사 피고인은 유죄의 판결이 확정될 때까지는 무죄로 추정된다.

	(가)	(나)
①	무죄 추정의 원리	영장주의
②	무죄 추정의 원리	적법 절차의 원리
③	적법 절차의 원리	무죄 추정의 원리
④	적법 절차의 원리	국선 변호인 제도
⑤	국선 변호인 제도	적법 절차의 원리

02 **다음은 형사 절차의 일부를 나타낸 것이다. (가)~(다)에 해당하는 명칭을 〈보기〉에서 골라 옳게 연결한 것은?**

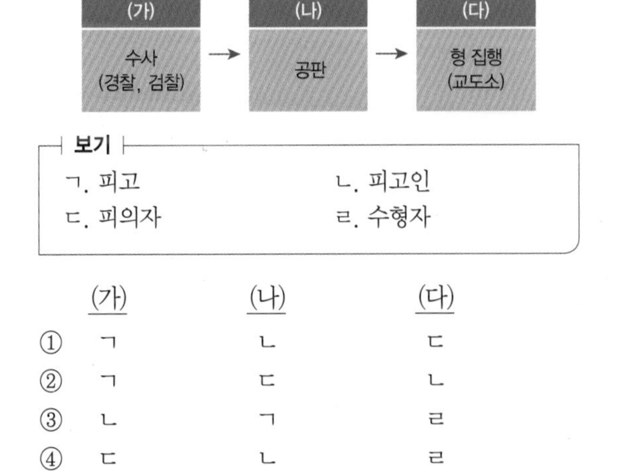

보기
ㄱ. 피고　　ㄴ. 피고인
ㄷ. 피의자　　ㄹ. 수형자

	(가)	(나)	(다)
①	ㄱ	ㄴ	ㄷ
②	ㄱ	ㄷ	ㄴ
③	ㄴ	ㄱ	ㄹ
④	ㄷ	ㄴ	ㄹ
⑤	ㄷ	ㄹ	ㄴ

03 중요 **다음은 형사 절차를 간단하게 도식화한 것이다. 이에 대한 옳은 설명만을 |보기|에서 있는 대로 고른 것은?**

보기
ㄱ. ㉠은 검사가 법원에 사건에 대한 심판을 구하는 행위이다.
ㄴ. 구속된 피의자는 ㉠ 이후에는 언제든지 구속 적부 심사를 청구할 수 있다.
ㄷ. ㉡에서 유죄의 심증을 얻지 못한 법관은 무죄를 선고한다.
ㄹ. ㉡에 대해 이의가 있는 검사와 피고인은 모두 상소할 수 있다.

① ㄱ, ㄴ　② ㄱ, ㄷ　③ ㄴ, ㄹ
④ ㄱ, ㄷ, ㄹ　⑤ ㄴ, ㄷ, ㄹ

04 **다음 형성 평가지에서 이 학생이 받을 점수는?**

형사 절차 형성 평가

○학년 ◇반 이름 □□□

※ 내용이 맞으면 ○, 틀리면 ×로 표시하시오.
(맞으면 각 1점, 틀려도 감점은 없음)

문 제	답
1. 영장은 검사가 발부한다.	×
2. 형사 재판의 당사자는 검사와 피고인이다.	×
3. 적법 절차의 원리는 수사의 편의를 위한 것이다.	○
4. 수사 기관은 검사와 검사의 지휘를 받는 사법 경찰관을 의미한다.	○
5. 무죄 추정의 원칙은 재판 과정에서 매우 중요한 것이므로 수사 단계의 피의자에게는 적용되지 않는다.	×
6. 범죄 발생 시 범죄 사실의 존부를 반드시 밝혀내야 하므로 피고인의 진술 거부권은 보장되지 않을 수 있다.	○

① 1점　② 2점　③ 3점
④ 4점　⑤ 5점

05 다음 자료에 대한 옳은 설명만을 |보기|에서 있는 대로 고른 것은?

> 고 소 장
>
> 고소인 갑〈인적 사항〉
> 피고소인 을〈인적 사항〉
> 고소의 취지 피고소인을 폭행 혐의로 고소합니다.
> 고소 사실 (생략)
>
> ※ 입증 자료: ㉠
>
> 202○년 ○월 ○일
> 위 고소인 갑 (인)
> ㉡ 귀하

|보기|
ㄱ. 이 고소장에 의해 민사 재판이 시작된다.
ㄴ. ㉠에는 의사의 진단서가 들어갈 수 있다.
ㄷ. ㉡에는 재판을 받을 관할 법원이 들어갈 수 있다.
ㄹ. 기소하여 재판이 진행될 경우 검사와 을이 형사 재판의 당사자가 된다.

① ㄱ, ㄴ ② ㄱ, ㄷ ③ ㄴ, ㄹ
④ ㄱ, ㄴ, ㄹ ⑤ ㄴ, ㄷ, ㄹ

06 ㉠에 대한 옳은 설명만을 |보기|에서 있는 대로 고른 것은?

> 헌법 제12조 ② 모든 국민은 고문을 받지 아니하며, ㉠ 형사상 자기에게 불리한 진술을 강요당하지 아니한다.

|보기|
ㄱ. 수사 기관은 피의자에게 ㉠이 있음을 알려야 한다.
ㄴ. 수사 절차에서 인권을 보호하기 위해 보장하는 권리이다.
ㄷ. ㉠이 있음을 알리지 않았다고 하더라도 피의자가 스스로 진술한 내용은 증거 능력을 인정받는다.
ㄹ. 재판에서 검사와 피고인 양 당사자가 대등하게 공격·방어할 수 있도록 피고인에게 인정되는 권리이다.

① ㄱ, ㄴ ② ㄱ, ㄷ ③ ㄷ, ㄹ
④ ㄱ, ㄴ, ㄹ ⑤ ㄴ, ㄷ, ㄹ

07 중요 다음 사례에 대해 가장 적절한 법적 조언을 한 사람은?

고충 상담 신청서		
신청인	성명	○○○
	주소	○○도 ○○시 ○○구 ○○로

신청 이유 및 원인 사실

저는 얼마 전 퇴근 후 집으로 가는 도중에 모르는 사람들에게 심하게 폭행을 당해 병원에 후송되었으나 한쪽 다리를 크게 다쳤습니다. 제 월급으로 생계를 유지하던 저희 가족은 갑작스러운 저의 입원으로 소득이 끊겨 생계에 곤란을 겪게 되었습니다. 수사도 제자리걸음이라 일명 '묻지마 범죄'를 저지른 가해자들이 누구인지조차 알아내지 못하고 있는 상태입니다. 당장의 입원비도 문제이지만 저희 네 식구 생활비와 아이들 교육비가 걱정입니다. 어떤 방법이 있을까요?

① 갑: 국민 참여 재판을 신청하십시오.
② 을: 헌법 재판소에 헌법 소원을 제기하십시오.
③ 병: 국가를 상대로 배상 명령을 신청하십시오.
④ 정: 범죄 피해자 구조 제도를 활용해 보십시오.
⑤ 무: 헌법에 보장된 국선 변호인 제도를 활용하십시오.

08 다음 밑줄 친 'A 제도'에 대한 설명으로 옳은 것은?

> 가해자에 대한 수사가 진행되어 가해자가 법원에서 형사 재판을 받는다고 하더라도, 형사 재판은 가해자에 대하여 국가가 형벌을 부과하는 절차일 뿐이지 피해자의 피해를 회복하여 주는 절차가 아니다. 피해자가 가해자로부터 피해 회복을 받으려면 형사 고소와는 별도로 가해자를 상대로 민사 소송을 제기해야 한다. 그런데 피해자가 가해자를 상대로 별도로 민사 소송을 제기하려면 상당한 비용과 시간이 필요하다. 따라서 가해자에 대한 형사 재판이 계속 중일 때에는 피해자에 대한 손해 배상의 편의와 신속을 도모하려는 취지에서 마련한 A 제도를 이용할 수 있다.

① 모든 형사 사건을 대상으로 한다.
② 징수한 벌금을 피해자에게 전달한다.
③ 피해자의 생활이 빈곤해야 신청 가능하다.
④ 국가의 잘못이 인정될 경우에만 신청할 수 있다.
⑤ 가해자에 대한 1심 또는 2심 공판이 진행되는 과정에서 피해자가 배상 명령을 신청하면 된다.

서술형 문제

09 (가), (나)를 읽고 물음에 답하시오.

(가) 대법원에서는 경찰관이 노래방의 도우미 알선 영업 단속 실적을 올리기 위하여 손님으로 가장하고 들어가 도우미를 불러낸 사안에 대해 위법한 함정 수사로 보아 그 증거가 실제로 그 범죄인의 범죄 행위를 입증하는 증거라 하더라도 증거 능력을 부정하여 무죄 판결하였다.

(나) 2000년 ○○시에서 택시 기사가 흉기에 찔려 사망한 사건이 일어났다. 경찰은 유력한 용의자로 갑(15세)을 지목하였는데, 갑은 경찰의 압박에 못 이겨 자신이 살인 사건의 진범이라고 자백하고 진술서를 작성하였다. 갑은 재판에서 징역 10년을 최종 확정받고, 교도소에서 징역 10년을 채우고 출소하였다.

(1) (가)에서 경찰이 수집한 증거의 증거 능력이 부정되는 이유를 서술하시오.

(2) (나)에서 만약 갑이 억울한 누명을 쓰고 유죄 확정 판결을 받은 것이라면, 판결의 부당함을 시정하기 위해 어떤 권리 구제 수단을 활용할 수 있을지 서술하시오.

서술형 문제

10 다음 자료를 읽고 물음에 답하시오.

우리나라는 형사 사건으로 피해를 입은 사람의 권리를 보호하기 위해 (   ) 제도를 시행하고 있다. 관련 법률 조항은 다음과 같다.

소송 촉진 등에 관한 특례법 제25조 ① 제1심 또는 제2심의 형사 공판 절차에서 다음 각호의 죄 중 어느 하나에 관하여 유죄 판결을 선고할 경우, 법원은 직권에 의하여 또는 피해자나 그 상속인(이하 "피해자"라 한다)의 신청에 의하여 피고 사건의 범죄 행위로 인하여 발생한 직접적인 물적(物的) 피해, 치료비 손해 및 위자료의 배상을 명할 수 있다.

(1) 빈칸에 들어갈 제도를 쓰시오.

(2) 만일 (1)의 제도가 없다면 범죄 피해자가 범행으로 입은 재산상 · 정신상 피해를 어떻게 보상받을 수 있는지 서술하시오.

서술형 문제

11 다음 그림을 보고 물음에 답하시오.

경찰은 범인을 체포할 때 "당신은 묵비권을 행사할 권리가 있고 당신이 하는 말은 당신에게 불리한 증거가 될 수 있으며, 변호인을 선임할 권리가 있습니다."라는 내용을 알려 주어야 합니다.

(1) 위 그림에서 교사가 설명하고 있는 원칙을 무엇이라고 하는지 쓰시오.

(2) (1)의 원칙을 시행하게 된 이유는 무엇인지 서술하시오.

서술형 문제

12 다음은 형사 절차의 일부를 나타낸 것이다. 이를 보고, 물음에 답하시오.

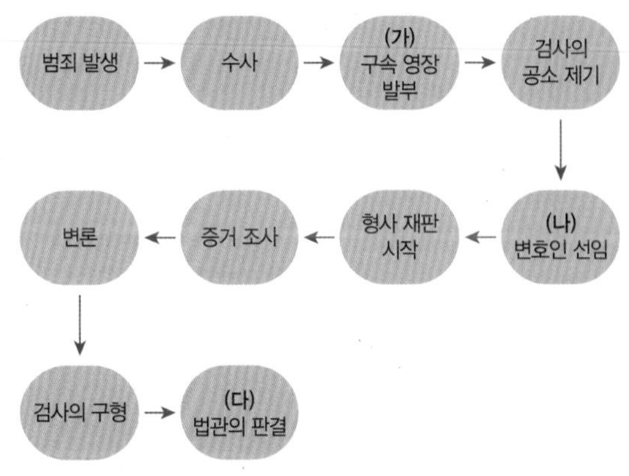

(1) (가)에서 피의자가 불구속 수사를 원할 때 취할 수 있는 조치를 서술하시오.

(2) (나)에서 피고인이 스스로 변호인을 구할 수 없을 때에 법원에서 취할 수 있는 조치를 서술하시오.

(3) (다)에서 피고인이 판결에 불복할 경우에 취할 수 있는 조치를 서술하시오. (단, 사건 이후 받은 첫 번째 재판이라고 가정한다.)

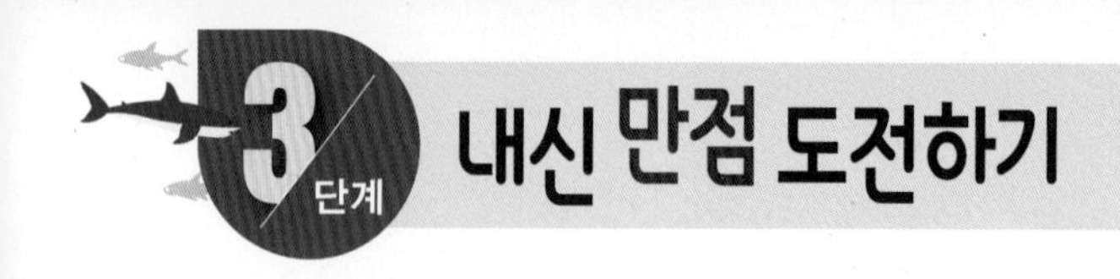

내신 만점 도전하기

정답과 해설 ▸ 30쪽

01 중요 **형사 절차 (가)~(라) 단계에서 인정되는 인권 보호 원칙과 제도에 대한 설명으로 옳지 않은 것은?**

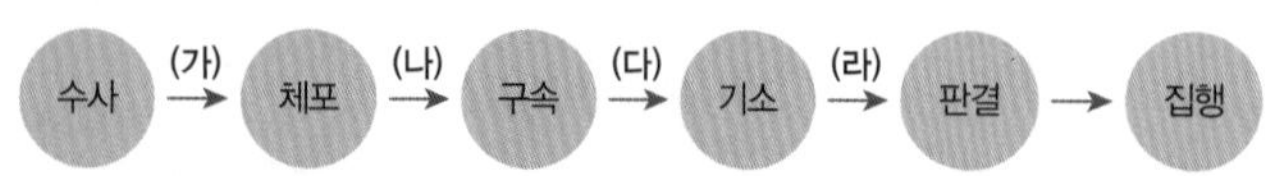

① (가) 단계에서부터 진술 거부권, 변호인의 도움을 받을 권리가 인정된다.
② (가), (나) 단계에서 공통으로 인정되는 피의자 보호 제도는 영장주의이다.
③ (나) 단계에서 인정되는 피의자 보호 제도는 구속 전 피의자 심문 제도이다.
④ (다) 단계에서 인정되는 피의자 보호 제도는 구속 적부 심사 제도이다.
⑤ (라) 단계에서 보석은 허용되지 않는다.

문제 접근 방법
형사 절차의 흐름을 파악하고, 각 단계에서 인권 보장을 위해 마련된 제도를 이해한다.

내신 전략
형사 절차를 여러 번 읽어 눈에 익히고 도식화해 보며, 각 단계에서 인정되는 인권 보장 제도와 그 내용 및 특징을 정리하도록 한다.

02 **밑줄 친 ㉠~㉦에 대한 법적 판단으로 옳지 않은 것은?**

> **○○일보** ○○년 ○월 ○일
>
> 지난 10일 마약류 관리에 관한 법률 위반 등 혐의로 ㉠ 기소된 연예인 2명에게 ㉡ 유죄가 선고되었다. ○○지법 형사 11부(□□□ 부장 판사)는 ㉢ 징역 1년 6개월에 집행 유예 2년을 선고했다고 3일 밝혔다. 또 보호 관찰과 사회 봉사 80시간, 약물 치료 강의 40시간 이수와 마약 구매 금액에 해당하는 1천 645만 원에 대한 추징을 명령했다. 재판부는 "적발이 어렵고 재범 위험성이 높으며 중독성으로 개인의 육체와 정신을 해치고 나아가 사회에 좋지 않은 영향을 끼치는 범죄를 저질렀고, 특히 연예인으로 활발히 활동해 대중의 관심과 주목을 받던 상황에서 청소년들에게 나쁜 영향을 미쳤다."라며 "다만 ㉣ 범행을 자백하고 진심으로 뉘우치는 점, 재활 의지가 강한 점 등을 고려했다."라고 선고 이유를 설명했다. 이와 관련해 검사는 ㉤ 항소하지 않겠다는 뜻을 밝혔다. 이들은 지난해 2월부터 올해 4월까지 함께 살며 10차례에 걸쳐 마약류를 구매한 혐의 등으로 지난 6월 구속 기소됐다. 이들에게는 징역 2년 6월에 집행 유예 3년이 ㉥ 구형되었지만, 다소 ㉦ 감경된 형을 선고받은 것이다.

① ㉠과 ㉥을 행하는 주체는 동일하다.
② ㉡은 법원의 재판부가 행하는 것으로, 피고인이 유죄라는 심증을 얻었을 때 내리는 결정이다.
③ ㉢은 2년 동안 형의 집행을 미루고 그 기간에 다른 죄를 범하지 않으면 형 선고의 효력을 상실시키겠다는 의미이다.
④ ㉣은 법원이 밝힌 ㉦의 사유이다.
⑤ 만약 피고인이 ㉤을 한다면, 원심 판결보다 무거운 형을 선고받을 수도 있다.

문제 접근 방법
이 문제는 사례를 분석하여 형사 절차와 형사 절차에서의 인권 보장 제도를 파악하는 문제이다.

내신 전략
형사 절차의 의미와 과정을 정확히 이해하고, 검사와 법관의 역할을 구분하고 비교하여 파악해 둔다. 형사 절차에서의 인권 보장 제도도 충분히 정리하도록 한다.

정답과 해설 ▸ 30쪽

2018학년도 9월 모의평가

01 다음 사례에 대한 법적 판단으로 옳은 것은?

갑은 고속도로에서 인접 차량의 운전자 을과 시비가 붙어 을의 차량에 위협을 가하는 보복 운전을 하여 을에게 상해를 입혔다. ㉠ 형사 법규 위반 혐의로 구속된 상태에서 수사를 받던 갑은 ㉡ 구속 적부심을 신청하였지만 기각되었다. 이후 검사는 갑이 형사 법규를 위반한 것으로 판단하고 ○○지방 법원에 [A]을/를 하였다. 이로 인해 공판 절차가 진행되었으며, 재판부는 갑에게 [B]을/를 선고하였다.

① 재판 중 ㉠이 개정되어 처벌 규정이 강화되더라도 갑은 행위 시의 법률을 적용받는다.
② ㉡으로 인해 갑은 피고인으로 신분이 바뀐다.
③ 갑은 A 이전에 보증금을 납부한 후 석방을 신청할 수 있다.
④ 을은 갑의 유·무죄와 관계없이 A 이후 공판 과정에서 배상 명령 제도를 통해 배상받을 수 있다.
⑤ B가 선고 유예라면 갑은 형사 보상을 청구할 수 있다.

출제 개념
형사 절차에서 인권 보장 원칙을 실현하기 위한 제도

자료 해설
A는 검사가 지방 법원에 공소를 제기한 것이므로 '기소'에 해당한다. B는 법원이 판결한 내용이다.

해결 비법
형사 절차에서의 다양한 인권 보장 제도를 사례를 통해 파악하는 전형적인 문항이다. 형사 절차에서의 인권 보장 제도의 특징 및 관련 내용들을 정확하게 숙지하고 접근해야 한다.

2020학년도 수능

02 다음 사례에 대한 법적 판단으로 옳은 것은?

갑(40세)은 을(45세)을 폭행하여 경찰관에게 현행범으로 체포되었다. 갑은 영장에 의해 구속되어 수사를 받았으며, 병에 의하여 기소되었다. 기소 이후 을에 대한 갑의 폭행 사건 관련 공판이 진행되었다. 병은 갑에게 징역 2년을 구형하였으며, 갑은 징역 6월에 집행 유예 2년을 선고받고 석방되었다. 하지만 을은 갑에게 선고된 형이 낮다고 생각하였다.

① 구속된 갑은 영장 실질 심사를 통해 구속 상태에서 벗어날 수 있다.
② 병은 수사 과정에서 구속 적부 심사를 법원에 청구할 수 있다.
③ 기소 후 진행된 형사 재판의 당사자는 갑과 병이다.
④ 을은 갑의 선고 결과에 불복하여 상소할 수 있다.
⑤ 갑은 위의 판결이 확정되면 형사 보상을 청구할 수 있다.

출제 개념
형사 절차와 인권 보장 제도

자료 해설
갑은 현행범으로 체포되어 피의자가 되었고 기소에 따라 피고인으로 신분이 바뀐다. 형사 재판의 당사자는 피고인인 갑과 검사인 병이고, 피해자인 을은 형사 재판의 당사자가 아니다.

해결 비법
형사 절차에 등장하는 수사 기관, 피의자, 피고인의 지위에 따른 인권 보장 제도가 출제되므로 형사 절차의 흐름을 충분히 숙지하고 다양한 사례에 인권 보장 원칙을 적용하는 능력을 기른다.

주제 3 근로자의 권리와 법

주제 흐름 읽기

근로자의 권리		
노동 기본권	• 근로권 • 노동 3권(단결권, 단체 교섭권, 단체 행동권)
근로 조건	• 원칙적으로 1일 8시간, 1주 40시간 이내 • 근로 기준법, 최저 임금법 등 노동법 준수
부당 해고 구제 방법	• 노동 위원회에 구제 신청 • 해고 무효 확인 소송 제기 • 민사 소송을 통한 손해 배상
부당 노동 행위 구제 방법	• 노동 위원회에 구제 신청 • 민사 소송 제기

청소년 근로자의 권리	
나이 제한	• 15세 미만의 청소년이나 중학교에 재학 중인 18세 미만의 청소년은 근로자로 일할 수 없음 • 15세 미만인 청소년이 일을 하기 위해서는 고용 노동부 장관이 발급한 취직 인허증이 있어야 함
업종 제한	18세 미만의 근로자는 도덕상 또는 보건상 유해하거나 위험한 일은 할 수 없음
시간 제한	• 1일 7시간, 1주일 35시간 이내 • 고용 노동부 장관의 인가를 받아야만 야간 · 휴일 근로 가능

1 법에 의해 보장되는 근로자의 권리

1. 개별적 근로관계에서 근로자의 권리

(1) 근로권

① 의미: 근로의 능력과 의사를 가진 자가 근로할 수 있는 기회의 보장을 국가에 요구할 수 있는 권리 → 우리 헌법은 근로권과 근로 조건의 최저 수준을 법률로 보장할 것을 명시하고 있어.

② 보장: 국가는 노동법에서 근로 조건과 기준을 정하여 근로자의 인간다운 생활을 보장함

(2) 근로 계약 체결 자료 1 자료 2

① 의미: 근로 조건에 대해 서면 형태로 근로 계약을 맺어야 함 → 근로 기준법에 규정되어 있어.

② 근로 계약서에 명시된 근로 조건 위반 시 노동 위원회에 권리 구제 청구, 법원에 손해 배상 청구 가능

③ 내용

임금	• 최저 임금 이상, 통화(通貨)로, 근로자에게 직접, 전액을, 매월 1회 이상 일정한 날짜에 지급 • 임금 계산과 지급 방법은 근로 계약 또는 단체 협약❶으로 결정 • 임금 체불 시 고용 노동부에 진정 또는 고소, 법원에 민사 소송 제기
근로 시간	• 휴식 시간을 제외하고 원칙적으로 1일 8시간, 1주 40시간을 초과할 수 없음 • 사용자와 근로자가 합의한 경우 연장 근로 가능 → 1주 12시간 이내(연장 · 야간 · 휴일 근로 등 시간 외 노동을 할 경우 통상 임금의 50% 이상을 추가로 지급) • 근로 시간 도중에 휴식 시간 제공 → 근로 시간 4시간에 30분 이상, 8시간에 1시간 이상 • 1주에 15시간 이상 일하고 개근한 근로자에게 1주일에 평균 1회 이상의 유급 휴일 인정

(3) 산업 재해

① 의미: 업무와 관련해서 생기는 사고나 질병

② 구제 방법: 산업 재해 발생 시 근로 복지 공단에 보상 신청 → 치료비, 장해 및 사망으로 인한 보상을 받을 수 있어.

(4) 해고 → 정당한 사유가 있어야 해고가 가능하며, 해고의 사유와 시기는 반드시 서면으로 통지해야 해.

① 의미: 사용자의 일방적인 의사 표시로 근로관계를 종료하는 행위

② 방법: 30일 전에 해고 계획이 있음을 예고하거나 30일분 이상의 통상 임금 지급

③ 부당 해고 시 구제 방법: 노동 위원회에 구제 신청❷, 법원에 해고 무효 확인 소송 제기, 민사 소송을 통한 손해 배상 → 부당 해고에 대한 해고 무효 확인 소송은 민사 소송에 해당해.

---

❶ 단체 협약
노동조합과 사용자 사이에서 근로 조건, 그 밖의 근로자의 경제적 · 사회적 지위에 관하여 합의된 문서이다.

❷ 부당 해고 및 부당 노동 행위 구제 절차

피해 당사자(근로자, 노동조합)
↓ 3개월 이내 구제 신청
지방 노동 위원회
↓ 불복 시 10일 이내 재심 신청
중앙 노동 위원회
↓ 불복 시 15일 이내 행정 소송
행정 소송(행정 법원 > 고등 법원 > 대법원)

부당 해고 혹은 부당 노동 행위 때문에 권리를 침해당했을 때 해당 근로자는 노동 위원회에 구제 신청을 함으로써 구제받을 수 있다. 또한 부당 노동 행위의 경우 노동조합은 조합의 이름으로 노동 위원회에 구제 신청을 하고 법원에 소송을 제기할 수 있다.

자료 1 각 상황에서 근로자가 겪고 있는 문제는 무엇인가?

교과서 154쪽

– 청소년 노동 인권 네트워크, 『똑똑, 노동 인권 교육 하실래요?』 –

자료 분석 (가)에서 근로자는 임금을 받을 권리가 있다. 「근로 기준법」에서는 임금을 '통화로, 근로자에게 직접, 전액을, 매월 1회 이상 일정한 날짜를 정해 지급해야 한다.'라고 정하고 있다. (나)에서 연장 근로는 사용자와 근로자가 합의한 경우에 가능하고, 18세 이상의 근로자는 1주 12시간 이내로 할 수 있다. (다)에서 휴식 시간은 근로 시간이 4시간인 경우에는 30분 이상, 8시간인 경우 1시간 이상을 근로 시간 도중에 주어야 한다. (라)에서 사용자는 정당한 이유 없이 근로자를 해고할 수 없다. 해고가 불가피한 경우 사용자는 근로자에게 적어도 30일 전에 해고 계획이 있음을 예고하거나 30일분 이상의 통상 임금을 지급해야 한다. 또한 해고의 사유와 시기는 반드시 서면으로 알려 주어야 한다.

자료 분석 포인트

사례에서 발생하는 다양한 법적 문제를 근로자의 권리에 대한 이해를 바탕으로 파악해 보자.

Q1 빈칸에 들어갈 알맞은 말을 쓰시오.

> 근로 계약은 근로자가 어떤 조건에서 노동력을 제공할 것인지를 정하는 근로자와 사용자의 약속을 말한다. 근로 조건을 미리 정해 두지 않으면 (가)~(라)의 사례처럼 사용자가 우월한 지위와 힘을 남용하여 근로자들을 함부로 대할 수 있다. 따라서 법에서는 사용자가 모든 근로자에게 일하기 전에 반드시 임금, 근로 시간, 휴일, 휴가, 기타 근로 조건을 명시한 근로 계약서를 (　　　) 형태로 작성하고 나눠 주도록 하고 있다.

자료 2 법에 의해 보장되는 근로자의 권리

교과서 161쪽

> A 사의 햄버거, 빅맥 버거 하나를 사기 위해 최저 임금을 받는 한국인은 얼마나 많은 시간을 일해야 할까? 2016년 기준으로 보면 '46분'이다. 최저 임금으로 빅맥을 사는 데 일해야 하는 시간인 이른바 최저 임금 빅맥 지수는 물가, 환율 등을 고려해 각국의 최저 임금을 비교하는 데 사용된다. 영국의 한 일간지에 따르면 최저 임금으로 빅맥 한 개를 사기 위해 덴마크는 16분, 네덜란드는 24분, 프랑스는 25분, 영국은 26분, 일본은 32분, 캐나다는 33분, 미국은 41분을 일해야 하는 것으로 조사되었다.
>
> – 연합뉴스, 2016. 3. 29. –

자료 분석 빅맥 버거 하나를 사는 데 일해야 하는 시간이 나라마다 다른 것은 각 나라마다 물가 수준과 최저 임금이 다르기 때문이다. 물가가 낮을수록, 최저 임금이 높을수록 햄버거 하나를 사는 데 필요한 노동 시간이 짧아진다. 임금은 근로자와 사용자 간에 자주적으로 결정되는 것이 원칙이나 개별 근로자와 사용자 간에 대등한 교섭 관계가 이루어지기 힘들어 임금 결정을 당사자 간의 근로 계약에만 맡기면 근로자는 실질적인 적정 임금 확보가 어렵다. 따라서 우리나라는 최저 임금제를 시행한다.

> 최저 임금법 제1조 이 법은 근로자에 대하여 임금의 최저 수준을 보장하여 근로자의 생활 안정과 노동력의 질적 향상을 꾀함으로써 국민 경제의 건전한 발전에 이바지하는 것을 목적으로 한다.

자료 분석 포인트

헌법, 최저 임금법, 근로 기준법, 산업 재해 보상 보험법 등 법에 의해 보장되는 근로자의 권리를 파악해 보자.

Q2 다음 헌법 조항의 빈칸 ㉠~㉢에 들어갈 내용을 써 보자.

> 제32조 ① 모든 국민은 (㉠)의 권리를 가진다. 국가는 사회적·경제적 방법으로 근로자의 고용의 증진과 적정 임금의 보장에 노력하여야 하며, 법률이 정하는 바에 의하여 (㉡)을/를 시행하여야 한다.
> 제33조 ① 근로자는 근로 조건의 향상을 위하여 자주적인 단결권·단체 교섭권 및 (㉢)을/를 가진다.

답 Q1 서면 / Q2 ㉠ 근로, ㉡ 최저 임금제, ㉢ 단체 행동권

2. 집단적 노사 관계에서 근로자의 권리

(1) **노동 3권(근로 3권)** 사용자와 대등한 지위에서 근로 조건을 결정할 수 있도록 부여된 권리

단결권	근로 조건의 유지 및 향상을 위하여 자주적 단결체인 노동조합을 설립할 수 있는 권리
단체 교섭권	노동조합을 통해 근로 조건을 유지, 개선하기 위하여 사용자와 협의할 수 있는 권리
단체 행동권	단체 교섭이 원만하게 이루어지지 않고 결렬될 때 근로자가 자신들의 주장을 관철하기 위하여 일정한 절차를 거쳐 쟁의 행위❶ 등의 단체 행동을 할 수 있는 권리

정당한 쟁의 행위에 대해서는 형사상, 민사상 책임이 면제돼.

(2) **부당 노동 행위❷와 구제 방법**

① 부당 노동 행위의 의미: 사용자가 노동 3권을 침해하는 행위

② 부당 노동 행위 시 구제 방법: 사용자의 부당 노동 행위로 노동 3권을 침해당한 근로자나 노동조합은 노동 위원회에 권리 구제 신청, 법원에 민사 소송 제기

2 청소년 근로자의 권리 자료 1

1. 나이 제한

(1) **원칙** 15세 이상❸

(2) **내용** 15세 미만의 청소년이나 중학교에 재학 중인 18세 미만의 청소년은 원칙적으로 취업 금지 → 청소년이 의무 교육을 받는 데 지장을 받지 않도록 하기 위함

(3) **예외** 고용 노동부 장관이 발급한 취직 인허증❹이 있으면 15세 미만인 청소년도 근로 가능

(4) **18세 미만 청소년의 근로** 사용자는 18세 미만인 자에 대하여는 그 연령을 증명하는 서류와 보호자의 동의서를 사업장에 갖추어야 함

2. 업종 제한 자료 2

(1) **원칙** 18세 미만 근로자는 도덕상·보건상 유해하거나 위험한 일은 할 수 없음

(2) **금지 업종** 압력이 높은 실내 작업과 잠수 작업, 숙박업 등 청소년의 육체적·정신적 건강을 지키는 데 해가 되거나 위험한 직종

3. 근로 시간 제한❺

2018년 3월 20일자로 근로 기준법이 개정되어 근로 시간이 단축되었어.

(1) **원칙** 18세 미만 근로자는 원칙적으로 1일 7시간, 1주일 35시간 이내 근로 가능

(2) **예외** 사용자와 근로자가 합의한 경우 1일 1시간, 1주 5시간 내에서 연장 가능

(3) **야간·휴일 근로** 18세 미만의 청소년은 야간 근로와 휴일 근로를 원칙적으로 할 수 없음. 단, 고용 노동부 장관의 인가를 받으면 가능함

휴일에 일하거나 초과 근무를 했을 때는 50% 이상의 가산 임금을 받을 수 있어.

4. 근로 계약 체결❻

(1) **방법** 보호자(친권자 또는 후견인)의 동의를 받아 청소년이 직접 체결

(2) **내용** 보호자(친권자 또는 후견인)는 동의만 해 줄 수 있으며, 어떤 경우에도 청소년 본인의 의사와 관계없이 근로 계약을 대신 체결할 수는 없음 → 직장을 그만둘 때에는 보호자(친권자 또는 후견인)가 청소년 근로자 본인 대신 계약을 해지할 수 있음

청소년 근로자는 보호자의 동의 없이 독자적으로 임금을 청구할 수 있고, 성인과 같은 최저 임금을 적용받아.

---

❶ 쟁의 행위
쟁의 행위에는 파업, 태업, 보이콧, 피케팅 등 근로자 측의 단체 행동뿐 아니라 직장 폐쇄와 같은 사용자 측의 쟁의 행위도 포함된다.

❷ 부당 노동 행위
- 근로자의 노동조합 조직, 가입, 활동 등을 이유로 근로자를 해고하거나 근로자에게 불이익을 주는 행위
- 근로자가 노동조합에 가입하지 아니할 것 또는 탈퇴할 것을 고용 조건으로 하거나 특정한 노동조합의 조합원이 될 것을 고용 조건으로 하는 행위
- 노동조합과의 단체 교섭을 정당한 이유 없이 거부하는 행위 등

❸ 청소년 근로자의 연령에 따른 필요 문서

18세 이상	별도의 서류 없이 근로 가능
15세 이상~18세 미만	사업장에 ① 가족 관계 증명서+② 친권자 또는 후견인 동의서 비치
13세 이상~15세 미만	①+②+③ 취직 인허증

❹ 취직 인허증
취직 인허증은 취업이 금지된 15세 미만의 자에게 고용 노동부 장관이 취직을 인정하고 허가해 주는 증명서이다. 고용 노동부는 청소년에게 유해하거나 위험한 업무인지를 심사하여 허가 여부를 결정한다.

❺ 성인 근로자와 청소년 근로자의 근로 시간 규정 차이

구분		성인	18세 미만
정규	1일	8시간	7시간
	1주	40시간	35시간
연장	1일	–	1시간
	1주	12시간	5시간

❻ 청소년 근로자의 근로 계약

근로 기준법 제67조 ① 친권자나 후견인은 미성년자의 근로 계약을 대리할 수 없다.
② 친권자, 후견인 또는 고용 노동부 장관은 근로 계약이 미성년자에게 불리하다고 인정하는 경우에는 이를 해지할 수 있다.

자료 1 청소년 근로자의 권리

교과서 159쪽

(가) 월급날이 되어 돈을 달라고 하니까 사장님께서 저를 못 믿겠다면서 부모님을 직접 모셔 오라고 했어요.

▲ 사용자가 청소년 근로자가 열심히 일한 대가인 임금을 본인에게 직접 주지 않고, 보호자에게 주려고 하는 상황이다.

(나) 일을 하다가 잠깐 방심하는 바람에 손에 화상을 입었어요. 사장님은 제가 잘못해서 다친 것이므로 알아서 치료하래요.

▲ 사용자가 청소년 근로자가 입은 화상에 대해 근로자 본인의 잘못이라고 하면서 보상을 해 주지 않겠다고 하는 상황이다.

(다) 일요일에는 일을 하지 않기로 하였는데, 갑자기 사장님께서 전화해서 바쁘니까 나오래요. 나오지 않으면 해고라고 합니다.

▲ 사용자가 청소년 근로자에게 일주일에 하루 쉬기로 정해져 있는 날(휴일)에 일을 강제하는 상황이다.

– 청소년 노동 인권 네트워크, 『똑똑, 노동 인권 교육 하실래요?』 –

자료 분석 (가)는 임금은 근로자 본인에게 직접 지급해야 한다는 「근로 기준법」의 규정을 어기고 있다. 청소년도 보호자의 동의 없이 독자적으로 임금 청구가 가능하다. (나)는 업무 중 발생한 사고로 인해 부상을 입었다. 이때 근로자에게 잘못(과실)이 있다고 하더라도 업무와 관련해서 다친 경우이므로 명백하게 산업 재해에 해당한다. 일하던 도중 다치거나 병에 걸렸다면 비록 근로자의 실수가 있었다고 하더라도 보상을 받을 수 있다. (다)에서 사용자는 청소년 근로자의 동의 없이 휴일 노동을 강요하고 있다. 18세 미만 근로자의 경우 휴일 노동은 원칙적으로 금지되어 있다. 18세 미만 청소년에게 휴일 노동을 시킬 경우 근로자의 동의와 고용 노동부 장관의 인가를 받아야 한다.

자료 분석 포인트

(가)~(다)에 나타난 청소년 근로자들이 겪고 있는 노동권 침해 상황을 파악하고, 이를 통해 청소년 근로자의 권리를 정리해 보자.

Q1 빈칸 ㉠, ㉡에 들어갈 알맞은 숫자를 쓰시오.

18세 미만인 근로자의 근로 시간은 원칙적으로 1일 (㉠)시간, 1주일 35시간을 넘지 못한다. 다만 18세 미만의 청소년이 동의한 경우에는 1일 (㉡)시간, 1주 5시간 내에서 연장 근로가 가능하다.

자료 2 청소년 출입 · 고용 금지 업소

청소년 출입 · 고용 금지 업소	청소년 고용 금지 업소
일반 게임 제공 업소, 복합 유통 게임 제공 업소, 노래방(청소년실을 갖춘 노래 연습장의 경우에는 청소년실에 한해 출입 허용), 사행 행위 영업, 무도 학원업 및 무도장업, 단란 주점, 유흥 주점 등 (「청소년 보호법」 제2조 및 시행령 제5조)	숙박업(콘도미니엄 등 제외), 이용업, 목욕장업 중 안마실을 설치하거나 객실로 구획하여 하는 영업, 유독물 제조 · 판매 · 취급업, 티켓 다방, 주류 판매를 목적으로 하는 소주방 · 호프 · 카페 등 형태의 영업, 비디오물 소극장업, 청소년 게임 제공 업소, 인터넷 컴퓨터 게임 시설 제공 업소 등 (「청소년 보호법」 제2조 및 시행령 제6조)

자료 분석 「근로 기준법」 등에 따르면 18세 미만자의 고용 금지 업종은 '고압 작업 및 잠수 작업', '운전 · 조정 업무', '다른 법률에서 18세 미만 청소년의 고용이나 출입을 금지하고 있는 직종이나 업종', '교도소 또는 정신 병원에서의 근무', '소각 또는 도살 업무', '유류를 취급하는 업무(주유 업무는 제외)' 등이다. 「근로 기준법」 제65조에서는 "사용자는 18세 미만자를 도덕상 또는 보건상 유해 · 위험한 사업에 사용하지 못한다."라고 규정하고 있다.

자료 분석 포인트

청소년 근로자의 업종 제한을 파악하고, 이를 통해 청소년 근로자의 권리를 성인 근로자의 권리와 비교해 보자.

Q2 청소년 근로자의 근로 조건이 성인의 근로 조건과 다른 점은?

① 직접 임금 청구
② 근로 계약서 작성
③ 최저 임금제 보장
④ 유해 업소 취업 금지
⑤ 야간 근무 시 가산 임금 적용

답 Q1 ㉠ 7, ㉡ 1 / Q2 ④

정답과 해설 ▸ 31쪽

01 다음 빈칸에 들어갈 알맞은 말을 쓰시오.

(1) 근로의 능력과 의사를 가진 자가 근로할 수 있는 기회의 보장을 국가에 요구할 수 있는 권리를 (   )(이)라고 한다.
(2) 근로 계약 체결 시 임금, 근로 시간, 휴일 등에 관한 사항은 반드시 (   )(으)로 작성해야 한다.
(3) 정당한 쟁의 행위에 대해서는 형사상, 민사상 책임이 (   )된다.
(4) 15세 미만인 청소년이 일을 하기 위해서는 고용 노동부 장관이 발급한 (   )이/가 있어야 한다.

02 다음 법 조항이 설명하는 제도를 쓰시오.

> 제1조(목적) 이 법은 근로자에 대하여 임금의 최저 수준을 보장하여 근로자의 생활 안정과 노동력의 질적 향상을 꾀함으로써 국민 경제의 건전한 발전에 이바지하는 것을 목적으로 한다.

03 다음 설명이 옳으면 ○, 틀리면 ×표 하시오.

(1) 근로자의 단결권을 침해하는 계약은 부당 해고에 해당한다. (   )
(2) 성인 근로자의 근로 시간은 원칙적으로 1일 8시간, 1주 40시간을 초과할 수 없다. (   )
(3) 최저 임금에 못 미치는 임금에 대해 근로자가 동의했다면 해당 근로 계약은 법적으로 문제 되지 않는다. (   )

04 다음 빈칸에 공통으로 들어갈 말을 쓰시오.

> 사용자가 근로자를 정당한 이유나 절차 없이 해고하면 부당 해고가 된다. 부당 해고를 당했다고 생각되는 근로자는 부당 해고 등이 있었던 날로부터 3개월 이내에 지방 (   )에 구제 신청을 하면 된다. (   )은/는 구제 신청을 받으면 지체 없이 필요한 조사를 하고 관계 당사자를 심문해야 한다. 부당 해고를 당한 근로자는 (   )에 구제 신청과 별도로 법원에 해고 무효 확인 소송을 제기할 수 있다.

05 다음 괄호 안에 들어갈 알맞은 말에 ○표 하시오.

(1) 부당 해고에 대한 해고 무효 확인 소송은 (행정 / 민사) 소송에 해당한다.
(2) 노동 3권에는 단결권, 단체 교섭권, (단체 행동권 / 임금 청구권)이 있다.
(3) 근로 계약서에 명시된 근로 조건이 사실과 다를 경우 근로자는 근로 조건 위반을 이유로 (법원 / 근로 복지 공단)에 손해 배상을 청구할 수 있다.

06 청소년 근로에 대한 설명으로 옳은 것만을 |보기|에서 있는 대로 고르시오.

| 보기 |

ㄱ. 15세부터 근로가 가능하다.
ㄴ. 근로 시간은 1일 7시간, 1주 35시간으로 제한된다.
ㄷ. 친권자 또는 후견인의 동의를 받아 직접 근로 계약을 체결해야 한다.
ㄹ. 친권자 또는 후견인의 동의가 있다면 어떤 업종이라도 근로가 가능하다.
ㅁ. 임금의 청구는 친권자 또는 후견인의 동의가 없으면 단독으로 할 수 없다.

01 밑줄 친 ㉠~㉢에 대한 설명으로 옳지 않은 것은?

> 헌법 제32조 ① 모든 국민은 ㉠ 근로의 권리를 가진다. 국가는 사회적·경제적 방법으로 근로자의 고용의 증진과 적정 임금의 보장에 노력하여야 하며, 법률이 정하는 바에 의하여 ㉡ 최저 임금제를 시행하여야 한다.
>
> ㉢ 근로 기준법 제1조 이 법은 헌법에 따라 근로 조건의 기준을 정함으로써 근로자의 기본적 생활을 보장, 향상시키며 균형 있는 국민 경제의 발전을 꾀하는 것을 목적으로 한다.

① ㉠-여성과 연소 근로자는 법으로 특별한 보호를 받고 있다.
② ㉠-담당 업무, 쉬는 시간 등의 내용을 근로 계약서에 기재해야 한다.
③ ㉡-임금과 관련한 근로 계약의 내용이 최저 임금에 미치지 못하면 법에 정해진 최저 임금이 적용된다.
④ ㉢-근로자의 노동 3권을 규정하고 있다.
⑤ ㉢-근로 시간이 4시간인 경우에는 30분 이상, 8시간인 경우 1시간 이상을 휴식 시간으로 주도록 규정하고 있다.

02 중요 밑줄 친 ㉠~㉤에 대한 설명으로 옳은 것은?

> 근로 계약서
>
> ㈜ ○○에 재직 중 근로 기준법과 회사의 취업 규칙 및 제반 규정을 성실히 준수할 것을 서약하고, 다음과 같이 사업자와 근로자 간 ㉠ 근로 계약을 체결한다.
>
> | | |
> |---|---|
> | 1. 근로 계약 기간 | 20××년 2월 1일부터 20××년 12월 31일 |
> | 2. 근무 장소 | ○○시 □□구 △△로 |
> | 3. 업무 내용 | 영업 담당 |
> | 4. 근로 시간 | ㉡ |
> | 5. 근무일/휴일 | ㉢ |
> | 6. 임금 | ㉣ |
> | 7. 기타 | ㉤ 혼인할 때에는 퇴사한다. |

① ㉠-근로 기준법보다 유리한 내용을 정할 수 있다.
② ㉡-연장 근로 시 1주에 50시간을 초과할 수 없다.
③ ㉢-회사 사정에 따라 유급 휴일의 적용을 배제할 수 있다.
④ ㉣-매월 1회 이상 어느 때라도 통화의 형태로 지급해야 한다.
⑤ ㉤-이로 인해 근로 계약 자체가 무효가 된다.

03 중요 다음은 부당 노동 행위의 구제 절차를 나타낸 것이다. ㉠~㉣에 대한 설명으로 옳지 않은 것은?

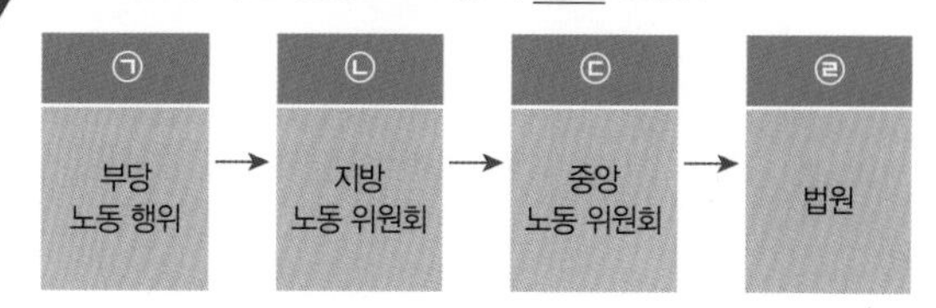

① 사용자가 근로자의 노동조합 가입을 방해한다면 ㉠에 해당한다.
② 근로자의 노동 3권이 침해되었다면 ㉡에 구제 신청을 할 수 있다.
③ ㉡을 통한 구제 신청은 개인만 가능하며 노동조합은 신청할 수 없다.
④ ㉢의 재심 판정에 불복하는 경우 ㉣에 행정 소송을 제기할 수 있다.
⑤ ㉣에 제기한 소송은 행정 법원, 고등 법원, 대법원의 순서를 거쳐야 한다.

04 중요 (가)~(다)에 대한 옳은 설명만을 |보기|에서 있는 대로 고른 것은?

> (가) 근로자가 근로 조건의 유지·개선을 위해 단결할 수 있는 권리
> (나) 근로자 단체가 사용자와 근로 조건의 유지·개선에 대해 교섭할 수 있는 권리
> (다) 근로자가 근로 조건의 개선을 위해 사용자에 대항하여 단체 행동을 할 수 있는 권리

| 보기 |
ㄱ. (가)에 근거하여 근로자는 노동조합에 의무 가입된다.
ㄴ. (나)에 근거하여 노동조합의 대표자는 정기적으로 사용자 측과 임금이나 근로자 복지 조건 등에 대해 협상할 수 있다.
ㄷ. 근로자가 (다)의 권리를 행사하는 대표적 수단으로는 직장 폐쇄를 들 수 있다.
ㄹ. (다)에 근거하여 근로자의 정당한 쟁의 행위는 민·형사상의 책임을 면제받을 수 있다.
ㅁ. (가)~(다)는 모두 헌법으로 보장된 근로자의 권리이다.

① ㄱ, ㄴ ② ㄱ, ㄷ ③ ㄱ, ㄷ, ㅁ
④ ㄴ, ㄹ, ㅁ ⑤ ㄷ, ㄹ, ㅁ

05 밑줄 친 '구제 방법'으로 적절한 것을 발표한 학생은?

> 편의점에서 근무하던 A는 강도에 의해 현금을 강탈당했는데, 강도와 짜고 이 일을 저질렀다는 오해를 받고 해고당했어요. 얼마 뒤 범인이 잡혔지만 직원을 새로 채용한 사장은 A를 복직시키지 않고 있어요. A가 취할 수 있는 적절한 구제 방법에는 어떤 것이 있을지 발표해 볼까요?

① 갑: 고용 노용부에 행정 심판을 청구할 수 있어요.
② 을: 국가 인권 위원회에 소송을 제기할 수 있어요.
③ 병: 노동조합을 통해 단체 교섭을 요구할 수 있어요.
④ 정: 자신이 살고 있는 지역의 행정 복지 센터에 신고할 수 있어요.
⑤ 무: 민사 법원에 편의점 사장을 상대로 해고 무효 확인 소송을 제기할 수 있어요.

06 (가)~(라) 연령에 대한 옳은 설명만을 |보기|에서 고른 것은?

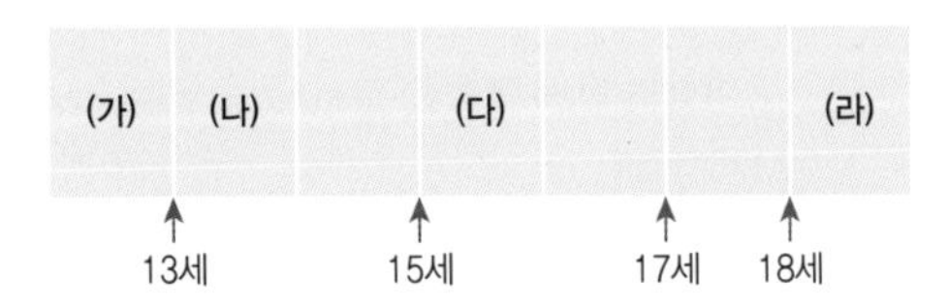

|보기|
ㄱ. 사용자는 원칙적으로 (가) 연령의 근로자를 고용할 수 없다.
ㄴ. (나) 연령의 청소년이 일을 하기 위해서는 구청장이 발급한 취직 인허증이 있어야 한다.
ㄷ. (다) 연령의 근로자를 고용하는 사용자는 그 연령을 증명하는 서류와 친권자 또는 후견인의 동의서를 사업장에 갖추어야 한다.
ㄹ. (라) 연령의 근로자는 도덕상 또는 보건상 유해하거나 위험한 일은 할 수 없다.

① ㄱ, ㄴ ② ㄱ, ㄷ ③ ㄱ, ㄹ
④ ㄴ, ㄷ ⑤ ㄷ, ㄹ

07 중요 청소년 근로자의 권리에 대한 옳은 설명만을 |보기|에서 고른 것은?

|보기|
ㄱ. 청소년 근로자의 근로 시간은 원칙적으로 하루 7시간, 1주일 35시간을 넘지 못한다.
ㄴ. 13~14세 청소년은 고용 노동부 장관이 발급하는 취직 인허증이 있어야 근로할 수 있다.
ㄷ. 청소년 근로자의 최저 임금은 매년 고용 노동부에서 고시하는 성인 최저 임금의 80%이다.
ㄹ. 청소년은 일하다 다치면 산업 재해 보상 보험법이나 근로 기준법에 따른 치료와 보상을 받지 못한다.

① ㄱ, ㄴ ② ㄱ, ㄷ ③ ㄴ, ㄷ
④ ㄴ, ㄹ ⑤ ㄷ, ㄹ

08 중요 다음은 갑(17세)이 체결한 근로 계약서의 내용 중 일부이다. 이에 대한 옳은 설명만을 |보기|에서 있는 대로 고른 것은?

1. 근로 계약 기간	2019년 7월 21일부터 2019년 12월 20일까지
2. 근로 시간	평일 11:00부터 20:00까지(휴식 시간 1시간 및 당사자 사이의 합의에 따른 연장 근로 1시간 포함)
3. 임금	시간급 9,000원

※ 2019년 법정 최저 임금은 시간당 8,350원이다.

|보기|
ㄱ. 법정 근로 시간을 위반하지 않았다.
ㄴ. 이 계약은 친권자 또는 후견인에 의해 체결될 수 없다.
ㄷ. 위 계약에 의할 경우 시간당 임금은 8,350원이다.
ㄹ. 부모의 동의 없이 갑이 단독으로 임금을 청구할 수 있다.

① ㄱ, ㄴ ② ㄱ, ㄷ ③ ㄷ, ㄹ
④ ㄱ, ㄴ, ㄹ ⑤ ㄴ, ㄷ, ㄹ

서술형 문제

09 다음은 우리나라 근로 기준법의 일부이다. 이러한 법이 제정된 배경과 목적을 서술하시오.

> 제4조 근로 조건은 근로자와 사용자가 동등한 지위에서 자유의사에 따라 결정하여야 한다.
> 제6조 사용자는 근로자에 대하여 남녀의 성(性)을 이유로 차별적 대우를 하지 못하고, 국적·신앙 또는 사회적 신분을 이유로 근로 조건에 대한 차별적 처우를 하지 못한다.

서술형 문제

10 다음을 보고 물음에 답하시오.

> 갑은 A 회사에서 성실히 근로하는 직원이었다. 그러나 A 회사는 긴박한 경영상의 이유 때문에 갑이 2주 후에 해고됨을 휴대 전화 문자 메시지로 통지하였다. 이에 갑은 다음과 같은 구제 절차를 고려하고 있다.

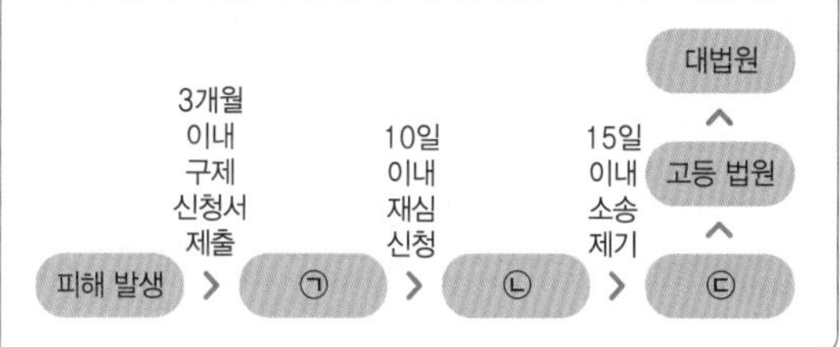

(1) 갑의 상황이 왜 부당 해고에 해당하는지 두 가지 측면에서 서술하시오.

(2) 구제 절차 ㉠~㉢에 들어갈 기관을 각각 쓰시오.

서술형 문제

11 다음 글을 읽고 물음에 답하시오.

> 우리 헌법과 노동조합 및 노동관계 조정법에서는 근로자가 노동조합을 결성하고 사용자 측과 집단적으로 협상하여 근로 조건을 개선하도록 ㉠ 노동 3권을 보장하고 있다. 단체 교섭이 원만하게 이루어지지 않고 결렬되면 근로자는 자신들의 주장을 관철하기 위하여 일정한 절차를 거쳐 각종 ㉡ 쟁의 행위를 할 수 있다.

(1) 밑줄 친 ㉠의 종류를 쓰고, 각각의 의미를 서술하시오.

(2) 밑줄 친 ㉡에서 '근로자 측의 쟁의 행위'와 '사용자 측의 쟁의 행위'의 예를 각각 서술하시오.

(3) 밑줄 친 ㉡의 권리를 행사하는 과정에서 지켜야 할 원칙을 서술하시오.

서술형 문제

12 다음 글을 읽고 물음에 답하시오.

> 근로 현장에서 근로자는 사용자에 비해 상대적 약자이다. 따라서 근로자의 권리를 구체적으로 보장하기 위한 제도적 장치가 필요하다. 근로자는 ㉠ 사용자의 부당 노동 행위에 의해 자신의 권리를 침해당하게 되면 일차적으로 지방 (㉡)에 그 구제를 신청할 수 있다. 또한 근로자와 노동조합은 (㉡)의 구제와는 별개로 (가) 하여 구제받을 수 있다.

(1) 밑줄 친 ㉠에 해당하는 사례를 두 가지만 서술하시오.

(2) 빈칸 ㉡에 들어갈 기관을 쓰시오.

(3) 밑줄 친 (가)에 들어갈 적절한 구제 방법을 서술하시오.

3단계 내신 만점 도전하기

정답과 해설 ▸ 32쪽

01 중요 다음 자료는 부당 해고를 당한 갑(19세)이 작성한 체크 리스트이다. 이에 대한 법적 판단으로 옳은 것은?

Ⅰ 근로 계약 관련

1. 근로 계약서를 서면으로 작성하였나요?	☑예 □아니요
2. 실제 근로 시간이 1일에 8시간을 초과하였나요?	□예 ☑아니요
3. 근로 계약서에 업무 내용과 임금이 명시되어 있었나요?	□예 ☑아니요
4. 법에 따라 정해진 최저 임금 이상을 급여로 지급받았나요?	□예 ☑아니요
5. 노동조합에 가입하여 활동하는 것을 금지하는 내용이 있었나요?	□예 ☑아니요
6. 이 외에 근로 계약에 특별한 사항이 있었나요?	□예 ☑아니요

Ⅱ 부당 해고 관련

1. 노동 3권을 침해당하였나요?	□예 ☑아니요

① 갑은 부당 노동 행위를 이유로 법원에 민사 소송을 제기할 수 있다.
② 갑이 체결한 근로 계약은 노동조합 및 노동관계 조정법에 위반된다.
③ 사용자는 갑의 취직 인허증을 받지 않았을 경우 법을 위반한 것이 된다.
④ 갑은 노동 위원회에 구제 신청과는 별도로 법원에 해고 무효 확인 소송을 제기할 수 있다.
⑤ 사용자와 근로자가 합의하였을 경우 근로 계약서에 업무 내용과 임금을 명시하지 않아도 근로 계약은 유효하다.

문제 접근 방법
제시된 자료를 분석하여 침해받고 있는 근로자의 기본적인 권리를 파악하고, 근로자의 권리 및 권리 침해 시 구제 방법을 도출한다.

내신 전략
법에 의해 보장되는 근로자의 기본적인 권리를 여러 번 읽어 눈에 익히고, 부당 해고, 임금 체불, 부당 노동 행위 시의 구제 방법을 정리하도록 한다.

02 다음 사례에 대한 옳은 법적 판단만을 |보기|에서 고른 것은?

○○일보 ○○년 ○월 ○일

퇴근 후 불법 사설 도박 사이트에 접속해 불법 도박을 했다는 이유로 해고 처분된 갑은 중앙 노동 위원회 위원장을 상대로 소송을 제기했다. 해당 재판부는 선고를 내리면서 "사생활에서의 비행이 정당한 징계 사유가 되려면 사업 활동에 직접 관련이 있는 행위이거나 기업의 사회적 평가를 훼손할 우려가 있는 행위여야 한다. 이런 기준을 적용한다면 갑의 행위가 회사의 사회적 평가에 악영향을 미칠 정도로 볼 수 없으므로 해고 처분은 징계 재량권을 남용한 것으로 보아야 한다."라고 그 이유를 제시하였다. 이에 불복한 당사자는 항소하였다.

보기
ㄱ. 갑이 제기한 소송은 노동조합도 제기할 수 있다.
ㄴ. 사용자의 부당 노동 행위 여부가 재판의 쟁점이 되었다.
ㄷ. 중앙 노동 위원회는 갑에 대한 해고를 부당 해고가 아니라고 판단하였을 것이다.
ㄹ. 중앙 노동 위원회의 재심 절차와 관계없이 갑이 제기한 소송은 3심제가 적용된다.

① ㄱ, ㄴ ② ㄱ, ㄷ ③ ㄴ, ㄷ ④ ㄴ, ㄹ ⑤ ㄷ, ㄹ

문제 접근 방법
이 문제는 사례를 분석하여 부당 해고 구제 절차를 파악하는 문제이다.

내신 전략
부당 해고의 구제 절차를 정리한다. 노동 위원회에 구제를 신청하는 방법과 해고 무효 확인 소송의 방법을 구분하여 숙지하고, 부당 해고의 구제 절차를 사례에 적용하며 적절한지 판단한다.

심화 수능 유형 익히기

정답과 해설 ▸ 33쪽

2019학년도 9월 모의평가

01 다음 사례에 대한 옳은 법적 판단만을 |보기|에서 고른 것은?

A 식료품 회사 사용자와 노동조합은 근로 조건에 관해 단체 교섭을 진행하였으나 사용자가 안건에 합의하지 않아 결렬되었다. 이에 노동조합은 적법하게 파업을 이끌었다. A 식료품 회사는 인사 위원회를 열어 파업을 주도했다는 이유로 갑(28세)에게 해고를 통보하였다. 이에 갑은 즉시 해고의 효력을 다투는 소송을 제기하였다. 법원은 해고 처분이 재량권 범위를 일탈·남용하여 위법하다고 판결하였고, 이 판결은 확정되었다.

보기

ㄱ. 갑은 소송을 제기하기 전, 노동 위원회에 구제 신청을 할 수 있다.
ㄴ. 갑이 A 식료품 회사의 인사 위원회 결정에 불복하여 제기한 소송은 민사 소송이다.
ㄷ. 갑의 행위에 대한 A 식료품 회사의 해고 처분은 부당 해고에는 해당하지만 부당 노동 행위에는 해당하지 않는다.
ㄹ. A 식료품 회사 사용자가 노동조합이 제시한 근로 조건에 관해 합의를 하지 않은 행위는 단체 교섭권을 침해한 것이다.

① ㄱ, ㄴ ② ㄱ, ㄷ ③ ㄴ, ㄷ ④ ㄴ, ㄹ ⑤ ㄷ, ㄹ

출제 개념
부당 해고와 부당 노동 행위

자료 해설
갑은 파업을 주도했다는 이유로 해고당했으므로 부당 해고에도 해당하고 부당 노동 행위에도 해당한다. 이에 갑은 해고 무효 확인 소송을 제기하였다.

해결 비법
사례에서 부당 해고와 부당 노동 행위를 파악하고, 이의 구제 방법을 묻는 문항이다. 부당 해고와 부당 노동 행위의 의미 및 구제 방법을 정확하게 파악하고 있어야 하며, 특히 부당 해고와 부당 노동 행위 구제 방법 중 노동 위원회를 거치는 방법(행정 소송)과 노동 위원회를 거치지 않고 민사 소송을 제기하는 방법을 비교하여 숙지해야 한다.

2018학년도 수능

02 다음 자료에 대한 법적 판단으로 옳은 것은?

근로 계약서

갑(사업자)과 을(근로자, 20세 남자)은 다음과 같이 근로 계약을 체결한다.

1. 계약 기간: 2017년 8월 30일부터 2017년 9월 24일까지
2. 근로 시간: 9시~18시(휴게 시간: 12시~13시)
3. 근무일: 매주 수요일부터 일요일까지(유급 휴일: 매주 월요일)
4. 임금 : 시간당 9,000원(연장 근로 시 임금의 50%를 연장 근로 수당으로 지급)
5. 업무 내용: ○○백화점의 주차 안내

※ 근로 기준법상 연장 근로 시간은 1주간 12시간 이내이며, 이에 대한 예외 규정은 고려하지 않음

① 을이 근무일에 하루 9시간 일했다면 하루 임금으로 81,000원을 받아야 한다.
② 근로 계약서의 근로 시간이 1일 8시간을 초과하였기에 해당 부분은 효력이 없다.
③ 갑이 을에게 매 근무일 21시까지 근로를 시키는 것은 서로 합의가 있어도 위법하다.
④ 을이 체결한 근로 계약서의 근로 기준법 준수 여부에 대해 근로 감독관은 감독 권한이 없다.
⑤ 을이 매주 수요일부터 일요일까지 개근하더라도 유급 휴일에 대한 임금을 추가로 받을 수 없다.

출제 개념
법에 의해 보장되는 근로자의 권리

자료 해설
제시된 근로 계약서를 통해 임금, 근로 시간과 휴식 등 개별적 근로관계에서 근로자가 가지는 권리를 실제 사례를 통해 파악하도록 한다.

해결 비법
근로 계약서의 일부나 부당한 근로 계약 내용이 포함된 특정 사례를 주고 법에 의해 보장되는 근로자의 기본적인 권리를 추론해 내는 방향으로 출제되므로 법에 의해 보장되는 근로자의 권리를 명확히 학습하고, 다양한 사례에 적용시킬 수 있는 능력을 기른다.

핵심 개념 정리하기

1 형법의 이해

1 형법

(1) 의미 범죄와 형벌의 관계를 규정한 법 규범

(2) 기능 규제적 기능, 보호적 기능, 보장적 기능

2 죄형 법정주의

의미	범죄와 형벌이 미리 성문의 법률로 정해져 있어야 한다는 근대 형법의 기본 원리
목적	과도한 형벌권의 행사로부터 국민의 자유와 권리 보장
파생 원칙	• 관습 형법 금지의 원칙 • 유추 해석 금지의 원칙 • 명확성의 원칙 • 적정성의 원칙 • 소급효 금지의 원칙

3 범죄의 성립 요건

(1) 범죄의 의미 형벌 법규에 따라 형벌이 부과되는 행위

(2) 범죄의 성립 조건

구성 요건 해당성	법률에서 범죄로 정해 놓은 일정한 행위에 해당되어야 함
위법성	• 법질서 전체의 관점에서 위법이라는 가치 판단이 있어야 함 • 위법성 조각 사유: 정당 행위, 정당방위, 긴급 피난, 자구 행위, 피해자의 승낙
책임	14세 미만인 자, 심신 상실자는 책임이 조각됨

4 형벌과 보안 처분의 종류

형벌	• 생명형(사형) • 자유형(징역, 금고, 구류) • 명예형(자격 정지, 자격 상실) • 재산형(벌금, 과료, 몰수)
보안 처분	• 치료 감호 • 보호 관찰

2 형사 절차와 인권 보장

1 형사 절차

(1) 과정

수사	수사 개시(현행 범인의 체포, 고소, 고발, 자수, 범죄 인지 등) → 수사
	⬇ 기소(검사의 공소 제기)
공판	법원 구성 → 검사의 범죄 입증과 피고인의 반박 → 법관의 유무죄 심증 형성
	⬇ 판결 선고
형 집행	검사의 지휘에 따라 집행, 징역형 또는 금고형을 선고받은 경우 교도소 등에 수감됨

(2) 인권 보장 원칙

무죄 추정의 원칙	형사 피의자와 피고인은 유죄 판결이 확정되기 전까지는 무죄로 추정된다는 원칙
적법 절차의 원칙	법률과 적법한 절차에 의하지 아니하고는 처벌·보안 처분 또는 강제 노역을 받지 않는 원칙

2 인권 보장 제도

수사 절차에서의 인권 보장 제도	• 영장주의 • 구속 영장 실질 심사 • 체포·구속 적부 심사 • 진술 거부권(묵비권) • 변호인의 도움을 받을 권리
재판 절차에서의 인권 보장 제도	• 증거 재판주의 • 상소 제도(항소, 상고) • 재심
형사 피해자의 인권 보장 제도	• 형사 절차에 참여할 권리 • 범죄 피해자 구조 제도 • 배상 명령 제도

3 근로자의 권리와 법

1 근로자의 권리

(1) 근로 계약 근로자는 사용자에게 노동력을 제공하고 사용자는 근로자에게 임금을 지급할 목적으로 맺는 계약

(2) 근로 조건 근로 기준법 등 법에서 정한 최저 기준에 미치지 못하면 무효

(3) 부당 해고

의미	사용자가 근로자를 정당한 이유나 절차 없이 해고하는 행위
구제 방법	• 노동 위원회에 구제 신청 • 법원에 해고 무효 확인 소송 제기 • 민사 소송을 통한 손해 배상

(4) 부당 노동 행위

의미	사용자가 근로자의 노동 3권(단결권, 단체 교섭권, 단체 행동권)을 침해하는 행위
구제 방법	• 노동 위원회에 권리 구제 신청 • 법원에 민사 소송 제기

2 청소년 근로자의 권리

나이 제한	원칙적으로 15세 미만 청소년이나 중학교에 재학 중인 18세 미만 청소년은 근로자로 일할 수 없음
업종 제한	18세 미만의 근로자는 도덕상 또는 보건상 유해하거나 위험한 일은 할 수 없음
시간 제한	원칙적으로 1일 7시간, 1주 35시간을 넘지 못함

핵심 개념 적용하기

●○○

01 다음 내용에 부합하는 법 원칙만을 |보기|에서 고른 것은?

> 국가는 아무리 사회적으로 비난받아야 할 행위라고 하더라도 법률이 이를 범죄로 규정하지 않는 한 벌할 수 없고, 또 그 범죄에 관하여 법률이 정하고 있는 형벌 이상의 처벌을 부과할 수 없다.

보기
ㄱ. 형법에 의해 금지되는 행위가 명확하여 누구나 알 수 있어야 한다.
ㄴ. 형벌 법규는 법 시행 이후에 이루어진 행위에 대해서만 적용되어야 한다.
ㄷ. 형벌에 관하여 성문법에 규정이 없을 경우에는 관습 형법도 적용할 수 있다.
ㄹ. 법률에 규정이 없는 경우 그것과 유사한 성질을 가지는 사항에 관한 법률을 적용해야 한다.

① ㄱ, ㄴ ② ㄱ, ㄷ ③ ㄴ, ㄷ
④ ㄴ, ㄹ ⑤ ㄷ, ㄹ

●●○

02 다음 사례의 밑줄 친 ㉠, ㉡에 대한 옳은 설명만을 |보기|에서 고른 것은?

> 어느 마을에 한 여인이 난치병으로 죽어 가고 있었는데, 그녀를 살릴 수 있을 것으로 보이는 특효약이 있었다. ㉠ 그 약은 마을의 한 약사가 만든 것으로, 약사는 높은 가격을 책정해 놓았다. 가난한 그 여인의 남편은 백방으로 힘썼지만, 그 약값의 반밖에 구하지 못했다. 하는 수 없이 그 약사를 찾아가, 자기 아내가 지금 죽어 가니 그 약을 좀 싸게 팔거나 외상이라도 해 달라고 사정했지만 거절당하였다. 절망에 빠진 남편은 그날 밤 ㉡ 약국에 침입하여 약을 훔쳤다.

보기
ㄱ. ㉠은 재산권으로 보호된다.
ㄴ. ㉡은 형법에서 금지하는 행위로 범죄에 해당한다.
ㄷ. 아내를 살리기 위한 불가피한 선택이었으므로 ㉡은 위법성 조각 사유에 해당한다.
ㄹ. 만약 약사가 자신의 법익 침해를 허락했다면 남편의 책임이 조각된다.

① ㄱ, ㄴ ② ㄱ, ㄷ ③ ㄴ, ㄷ
④ ㄴ, ㄹ ⑤ ㄷ, ㄹ

●●●

03 (가)~(라) 사례에 대한 법적 판단으로 옳은 것은?

> (가) 갑은 지하철에서 소매치기를 하고 있는 사람을 체포하였다.
> (나) 을(16세)은 친구 A의 승낙을 받아 A 아버지 소유의 비싼 시계를 훔쳐 그것을 팔아 A와 함께 오토바이를 구입하였다.
> (다) 병은 B가 골목에서 각목을 들고 자신을 공격해 오는 것을 방어하기 위하여 부득이하게 발로 차서 B에게 상해를 입혔다.
> (라) 정(20세)은 목욕 중 화재가 발생하자 생명이 위급한 상황에서 2층에서 뛰어내리는 바람에 지나가던 행인을 부득이하게 다치게 하였다.

① 갑과 을의 행위는 모두 위법성이 조각될 수 있다.
② 을과 병의 행위는 모두 범죄가 성립되지는 않지만, 그 근거는 각각 다르다.
③ 정의 행위와 결과 간에는 인과 관계가 성립하지 않으므로 위법성이 조각된다.
④ 을과 정의 행위는 모두 책임이 조각될 수 있지만, 그 근거는 각각 다르다.
⑤ 병이 만약 B의 공격을 피하기 위해 부득이하게 남의 집으로 허락 없이 들어갔다면 (라)와 동일한 근거에서 범죄가 성립되지 않게 된다.

●●●

04 다음은 형사 절차 흐름의 일부를 나타낸 것이다. (가)~(마) 단계에 대한 설명으로 옳지 않은 것은?

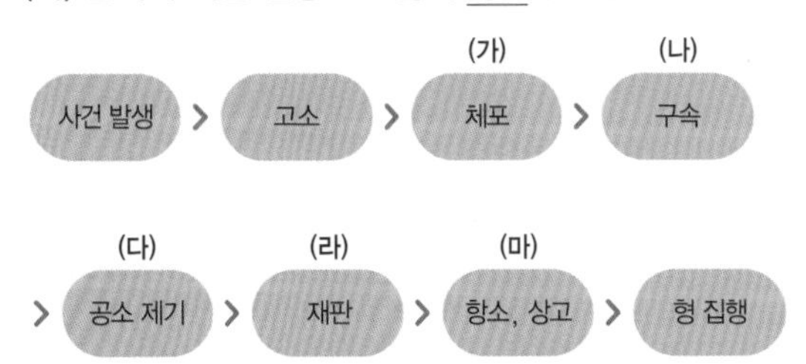

① (나)의 피의자는 구속 적부 심사를 청구할 수 있다.
② (다)에 의해 형사 피의자는 유죄로 추정된다.
③ (가), (나) 단계에서 미란다 원칙이 적용된다.
④ 영장주의는 (가), (나) 단계에서 적용되는 인권 보호 제도이다.
⑤ (다) 단계에서 공소한 내용만을 (라), (마) 단계에서 재판하게 된다.

05 밑줄 친 ㉠~㉣에 대한 옳은 설명만을 |보기|에서 고른 것은?

> ○○법원은 연쇄 성추행을 저질러 성폭력 범죄의 처벌 등에 관한 특례법 위반 및 상해 혐의 등으로 ㉠ 구속 기소된 갑(24세 · 남)에 대해 ㉡ 징역 6년과 10년간 신상 정보 공개, 위치 추적 전자 장치 부착을 선고하였다. 갑은 지난 5월과 1월에 을(10세 · 여)을 인근 공터로 끌고 가 성추행을 시도하다 미수에 그치자 폭행하는 등 상습적으로 성추행을 저지른 혐의이다. 그러나 갑은 ㉢ 범행 당시 정신 착란 증세가 나타나 심신 상실 상태였다며 ㉣ 항소하였다.

보기

ㄱ. ㉠은 보석을 청구할 수 있다.
ㄴ. ㉡은 검사의 지휘에 따라 집행된다.
ㄷ. ㉢은 위법성 조각 사유에 해당한다.
ㄹ. ㉣ 제도는 재판의 신속성과 효율성을 추구한다.

① ㄱ, ㄴ ② ㄱ, ㄷ ③ ㄴ, ㄷ
④ ㄴ, ㄹ ⑤ ㄷ, ㄹ

06 그림은 정당한 해고가 되기 위한 요건이다. ㉠~㉢에 해당하는 내용으로 옳지 않은 것은?

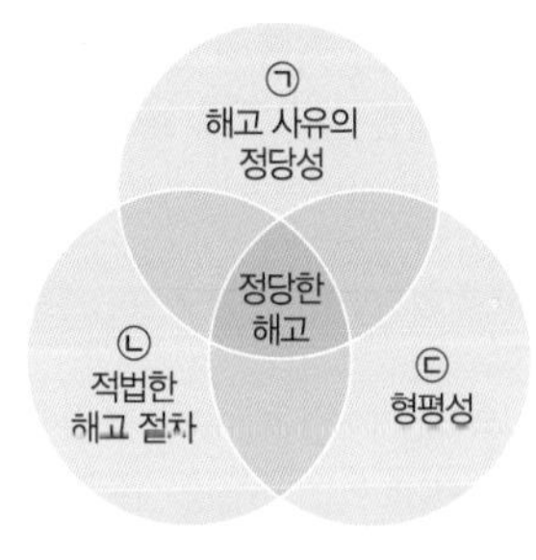

① ㉠-긴박한 경영상의 필요가 있을 것
② ㉠-해고를 회피하려고 상당 기간 최대한의 노력을 했을 것
③ ㉡-해고의 사유와 해고 시기를 신속하게 전화로 통지할 것
④ ㉡-30일 전에 근로자에게 해고 계획이 있음을 예고할 것
⑤ ㉢-성별이나 장애 등을 기준으로 해고하지 않을 것

07 다음은 부당 해고 및 부당 노동 행위 구제 절차를 나타낸 것이다. ㉠~㉢에 대한 옳은 설명만을 |보기|에서 고른 것은?

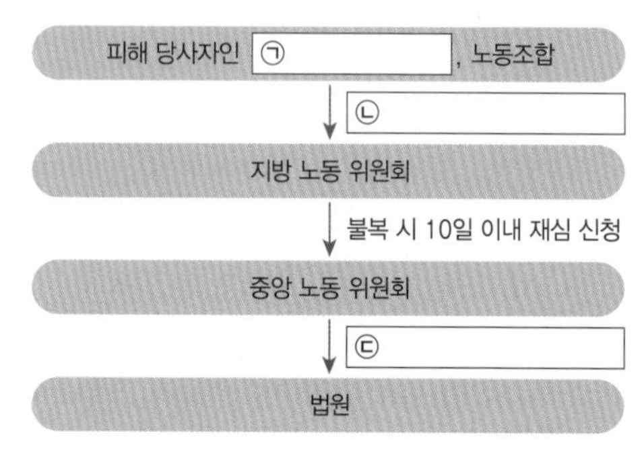

보기

ㄱ. ㉠에는 '근로자'가 들어갈 수 있다.
ㄴ. ㉠은 근로권, 단결권, 단체 교섭권의 노동 3권을 보장받는다.
ㄷ. ㉡에는 '3개월 이내에 구제를 신청해야 한다.'라는 내용이 들어간다.
ㄹ. ㉢에는 '불복 시 15일 이내에 민사 소송을 제기할 수 있다.'라는 내용이 들어간다.

① ㄱ, ㄴ ② ㄱ, ㄷ ③ ㄴ, ㄷ
④ ㄴ, ㄹ ⑤ ㄷ, ㄹ

08 다음 문서와 관련된 설명으로 옳은 것은?

> 취업 동의서
>
> 1. 친권자 갑 〈인적 사항〉
> 2. 연소 근로자 을 〈인적 사항〉
> 3. 사업장 개요 ○○마트 〈주소〉
> 대표자: 병
>
> 갑은 을의 친권자(아버지)로서 을의 취업에 동의하며 취업 기간 중 해당 사항을 준수할 것을 친권자의 연서로 서약합니다. (※첨부: 갑의 가족 관계 증명서)
>
> 20○○년 ○월 ○일
> 친권자 성명: 갑 (인)

① 을은 20세 이상인 자일 것이다.
② 근로 계약은 갑과 병이 직접 체결해야 한다.
③ 을은 1일 8시간을 초과하여 근로할 수 있다.
④ 을은 갑의 동의 없이 병에게 임금을 청구할 수 있다.
⑤ 취업 동의서에 근거하여 병은 을에게 야간 근무를 시킬 수 있다.

민주 시민 역량 기르기

정답과 해설 ▸ 34쪽

❖ **다음 글을 읽고 물음에 답해 보자.**

(가) 무죄 추정의 원칙이란 형사 절차에서 피의자 또는 피고인은 유죄의 판결이 확정될 때까지 무죄로 추정된다는 원칙이다. 이 원칙은 형사 절차를 구체적으로 지배하는 원칙으로 작용하고 있다. 첫째, 피의자나 피고인은 무죄로 추정되기 때문에 수사와 재판은 이들이 자유로운 상태에서 이루어져야 한다. 피의자나 피고인에 대하여 인신 구속이 없는 상태에서 형사 절차가 진행되어야 하는 것이 원칙이며, 인신 구속을 하지 않고는 범죄에 대해 대응하기 불가능하고 형사 소송의 목적을 달성할 수 없는 경우에 한하여 인신 구속은 최후의 수단으로 사용되어야 한다. 둘째, 피고인은 무죄로 추정되므로 범죄 사실의 증명이 없으면 무죄를 선고해야 한다. 피고인에 대한 유죄의 입증 책임은 검사가 지며, 범죄 사실의 증명은 '합리적인 의심을 허용하지 않는 정도'의 입증이 있어야 하는 것이 원칙이다. 셋째, 피고인은 무죄 추정을 받고 있으므로 법원은 피고인에 대하여 예단을 갖거나 불이익한 처우를 해서는 안 된다. – 한기찬, 『재미있는 법률 여행 4: 형사 소송법』 –

(나) 헌법 제12조 제2항에서 "모든 국민은 형사상 자기에게 불리한 진술을 강요당하지 아니한다."라고 규정하고 있다. 그리고 형사 소송법도 명문으로 피고인과 피의자에게 진술 거부권을 인정하고 있다. 묵비권이라고도 하는 이 권리는 피의자와 피고인에게 수사 기관이나 법원에 대하여 진술할 의무를 지우지 않는다는 것을 내용으로 한다. 이는 피고인에 대한 부죄는 검사가 하여야 함에도 불구하고 피고인에게 진술 의무를 지운다면, 검사에게 일방적으로 공격의 무기를 제공하는 결과가 되어 '무기 대등의 원칙'을 침해하게 되기 때문이다. 또 피의자는 수사에 협조할 의무는 없으며, 장차 소송의 당사자가 될 지위에 있다는 점에서 피고인에게 인정되는 것과 동일한 권리를 인정한다. 따라서 수사 기관은 피의자에게 진술 거부권이 있음을 고지해야 하고, 이러한 고지 없이 진술 거부권을 침해하여 얻은 진술은 증거 능력을 갖지 못한다. – 김문현 외, 『법과 사회 정의』 –

더 알아보기

국가가 형벌권을 행사할 때에는 시민의 인권이 침해되지 않도록 해야 한다. 무고한 시민이 억울한 누명을 쓰는 일이 없도록 해야 하며, 범죄를 저지른 사람이라도 적법한 절차에 따라 처벌을 받아야 한다. 형사 절차에서 인권 보장을 위해 마련된 주요 원칙으로 무죄 추정의 원칙, 적법 절차의 원칙이 있다.

문제 해결 길잡이

형사 절차에서 인권 보장을 위해 마련된 원칙과 제도는 크게 두 가지 측면에서 마련되어 있다. 피의자 · 피고인을 보호하기 위한 인권 보장 제도와 형사 피해자의 인권 보장 제도이다. 이 제도들은 국가의 형벌권 남용을 견제하여 국민의 인권이 부당하게 침해되지 않도록 한다는 점에서 의의가 있다.

01 (가)에 나타난 원칙과 (나)에 나타난 권리를 보장하고 있는 이유를 서술해 보자.

02 형사 절차에서 인권 보장을 위해 노력하는 이유를 서술해 보자.

대단원 6

국제 관계와 한반도

학습 계획표

- 자신의 일정에 맞게 계획을 세워 보고, 실제 학습한 날짜를 적어 봅시다.
- 학습을 마무리한 후 스스로 얼마나 학습 목표를 달성했는지 점검해 봅시다.

주제 1 국제 관계와 국제법	쪽수	계획일	완료일	목표 달성도
Day 01 핵심 정리, 핵심 자료 특강	190 ~ 193쪽	월 일	월 일	☆☆☆☆☆
Day 02 개념 익히기, 내신 유형 익히기	194 ~ 197쪽	월 일	월 일	☆☆☆☆☆
Day 03 내신 만점 도전하기, 수능 유형 익히기	198 ~ 199쪽	월 일	월 일	☆☆☆☆☆

주제 2 국제 문제와 국제기구	쪽수	계획일	완료일	목표 달성도
Day 04 핵심 정리, 핵심 자료 특강	200 ~ 203쪽	월 일	월 일	☆☆☆☆☆
Day 05 개념 익히기, 내신 유형 익히기	204 ~ 207쪽	월 일	월 일	☆☆☆☆☆
Day 06 내신 만점 도전하기, 수능 유형 익히기	208 ~ 209쪽	월 일	월 일	☆☆☆☆☆

주제 3 우리나라의 국제 관계	쪽수	계획일	완료일	목표 달성도
Day 07 핵심 정리, 핵심 자료 특강	210 ~ 213쪽	월 일	월 일	☆☆☆☆☆
Day 08 개념 익히기, 내신 유형 익히기	214 ~ 217쪽	월 일	월 일	☆☆☆☆☆
Day 09 내신 만점 도전하기, 수능 유형 익히기	218 ~ 219쪽	월 일	월 일	☆☆☆☆☆
Day 10 대단원 마무리하기, 민주 시민 역량 기르기	220 ~ 223쪽	월 일	월 일	☆☆☆☆☆

주제 1 국제 관계와 국제법

주제 흐름 읽기

국제 관계		
국제 관계의 의미	국제 사회에서 국가를 비롯한 다양한 행위 주체들이 서로 갈등하고 경쟁하며 협력하는 상호 작용을 통해 만들어 내는 관계들의 총체
세계화와 국제 관계의 변화	• 정치 영역: 국제기구의 영향력 확대 • 경제 영역: 다양한 형태의 경제 통합 • 사회 · 문화 영역: 다양한 문화 콘텐츠가 세계 시장에서 판매됨

국제법	
법원	조약, 국제 관습법, 법의 일반 원칙
의의	• 국제 사회 행위 주체들의 행동 규범과 판단 기준 제시 • 국제 사회의 갈등과 분쟁 해결 • 국가들의 협력 기반 제공
한계	• 입법 기구가 없음 • 실질적인 재판 규범이 되지 못함 • 강제 집행할 기구가 없음 • 국내법과 국제법의 관계 불명확

1 국제 관계의 변화

전 세계에는 국가를 비롯하여 개인, 기업, 단체, 국제기구 등 다양한 행위 주체가 존재하고, 이러한 행위 주체는 다양한 국제 관계를 형성해.

1. 국제 사회와 국제 관계

(1) **국제 관계의 의미** 국가를 비롯한 다양한 행위 주체들이 서로 갈등하고 경쟁하며 협력하는 상호 작용을 통해 만들어 내는 관계들의 총체

(2) **국제 사회의 특징❶**

① 주권 국가 중심의 국제 관계 → 1648년 베스트팔렌 조약의 체결로 형성 자료 1

② 개별 국가는 자국의 이익을 최우선으로 추구하며 자유롭게 협력하거나 경쟁함 → 국가 간 협력과 경쟁, 갈등이 공존하는 모습을 보임❷

③ 국제 문제나 분쟁을 조정하고 해결할 수 있는 세계 중앙 정부가 존재하지 않음

④ 경제력이나 군사력과 같은 힘의 논리가 지배적인 경우가 상당함

⑤ 전 세계의 평화와 발전을 위해 다양한 국제기구와 국제법의 영향력이 점차 커짐

(3) **국제 사회의 변천**

시기	내용
베스트팔렌 조약(1648)	주권 국가 중심의 국제 사회 형성 계기
제1차 세계 대전(1914~1918)	유럽 열강의 식민지 경쟁으로 발발, 이후 국제 연맹 창설(1920)
제2차 세계 대전(1939~1945)	전체주의 국가와 연합국 간 전쟁, 이후 국제 연합 창설(1945)
냉전 체제	자유 진영과 공산 진영의 대립 → 몰타 미 · 소 정상 회담, 독일 통일, 소련 해체 등으로 냉전 체제 종식
세계화 시대	1990년대 중반 이후 국제 사회의 상호 의존성 증가

2. 세계화와 국제 관계의 변화

세계화로 오늘날의 국제 관계는 포괄적이고 효과적인 공동의 의사 결정 과정과 법질서를 마련하는 방향으로 변화하고 있어.

영역	내용
정치 영역	• 기존의 개별 국가 단위로 해결하지 못하는 문제들을 담당하기 위해 결성된 국제기구의 영향력이 커짐 자료 2 • 정부 간 국제기구와 국제 비정부 기구의 활동이 활발해짐
경제 영역	• 재화와 서비스가 국경을 초월하여 이동하면서 전 세계가 하나의 시장으로 통합됨 • 세계 무역 기구(WTO)의 출범과 다국적 기업❸의 활동이 활발해짐 • 자유 무역 협정(FTA)과 같은 다양한 형태의 경제 통합❹이 이루어지고 있음
사회 · 문화 영역	• 뉴스, 영화, 대중음악, 소프트웨어 등 다양한 문화 콘텐츠가 세계 시장에서 판매됨 • 다양한 문화를 쉽게 접하는 반면, 문화의 획일화도 등장함

└ 한 지역의 문화적 특성이 다른 지역에서도 같거나 유사하게 나타나는 현상이야.

❶ 국제 사회를 보는 두 가지 시각

현실주의		자유주의
무정부 상태	국제 상태	도덕, 법률, 제도 존재
국가	행위자	국가, 국제기구, 정당 등
본능, 권력, 힘	규정 요인	국가 간 상호 의존
군사, 안보, 권력, 억압	핵심어	자유, 평화, 질서, 협동

❷ 역동적인 국제 관계의 사례
지구 온난화 문제를 해결하기 위해 이산화 탄소 배출을 줄여야 한다는 입장에는 많은 국가들이 동의하고 이를 위해 협력한다. 그러나 실제적인 감축 규정은 선진국과 개발 도상국 간의 이해관계가 대립되어 갈등을 빚고 있다.

❸ 다국적 기업
세계 각지에 자회사(子會社) · 지사 · 합병 회사 · 공장 등을 확보하고, 생산 · 판매 활동을 국제적 규모로 수행하는 기업을 뜻한다.

❹ 다양한 형태의 경제 통합
여러 국가가 국경을 초월하여 경제를 하나로 통합하는 것이다. 그뿐만 아니라 다수의 국가가 경제 분야에서 몇 가지의 장애(예 관세 등)를 제거함으로써 경제 활동의 자유화를 도모하는 것이다. 즉, 국가 간에 생산재, 서비스 및 자본, 노동의 자유로운 이동 및 그러한 자유화가 가능한 제도 구축을 뜻한다.

자료 1 베스트팔렌 조약

베스트팔렌 조약은 종교 개혁을 둘러싼 구교와 신교 간 30년 전쟁(1618~1648)에 종지부를 찍은 조약이다. 30년 전쟁을 끝마치기 위해 1648년 5월 15일과 10월 24일 신성 로마 제국 베스트팔렌 지방의 두 도시, 오스나브뤼크와 뮌스터에서 체결되어 프랑스어로 쓰였다. 베스트팔렌 조약은 정치가 종교의 영향에서 벗어나 국가 간의 세력 균형으로 질서를 유지하는 새로운 체제를 가져왔다. 즉, 베스트팔렌 조약 이후 유럽에서는 고유한 영토와 주권을 가진 국가가 국제 사회의 주체로 떠올라 국제 관계를 주도하기 시작하였다. 이 조약이 근대 국가의 법적 기초와 근대 세계 정치의 근본적 규칙을 함축적으로 확립한 것이다.

자료 분석 베스트팔렌 조약의 핵심은 유럽의 통치자들 사이에 외부 간섭 없이 자기 영토를 다스릴 수 있는 각자의 권한을 인정한다는 것이다. 시간을 거치면서 이는 주권 국가의 원칙으로 성문화되었다. 또한 이 조약은 근대적인 개념의 외교 회의를 통해 이루어진 조약이라는 점에서 중요한 의미가 있다. 전쟁에서 이긴 나라가 패전국에 일방적으로 강요해서 체결된 조약이 아니라, 관련 국가들이 참석한 외교 회의를 토대로 이루어 낸 조약인 것이다. 이 외에도 조약을 통해 '종교의 자유'를 법적으로 보장했다는 점에서도 큰 의미가 있으며, 교황이 황제 위에 군림하던 중세적 질서가 깨졌다는 평가를 받는다. 이처럼 상호 독립적인 주권 국가가 자신의 의사만으로 외국과의 동맹 등 조약을 체결할 권리를 인정받았다는 점에서 이 조약을 근대 국제법의 시작으로 보며, 이후 국제법은 꾸준히 발전했다.

자료 분석 포인트

사례에서 베스트팔렌 조약이 국제 관계에서 어떠한 역할을 하였는지 탐구해 보자.

Q1 빈칸에 들어갈 알맞은 말을 쓰시오.

베스트팔렌 조약 이후 유럽에서는 고유한 영토와 주권을 가진 (　　　)이/가 국제 사회의 주체로 부각되면서 국제 관계를 주도하기 시작하였다.

자료 2 세계화와 국제기구

세계화는 다양한 영역에 막대한 영향을 미쳤는데, 특히 정치 영역에서는 기존의 개별 국가 단위로 해결하지 못하는 문제들을 담당하기 위해 결성된 국제기구의 영향력이 더욱 커졌다. 국제 연합(UN)과 같이 각국 정부를 회원국으로 하는 정부 간 국제기구, 국제 사면 위원회(AI)와 같이 민간 차원에서 결성된 국제 비정부 기구의 활동 등이 그러한 예이다. 국제 연합(UN)은 국제 연맹의 정신을 계승하고 전쟁 방지와 평화 유지를 위해 창설되었다. 국제 사면 위원회(AI)는 부당하게 체포되거나 투옥된 각국의 정치범을 구제하기 위해 설립되었다. 이들은 개별 국가의 이해관계로부터 벗어나 국제적인 연대 활동을 통해 범세계적인 문제를 제기하고, 이를 해결하기 위해 공동의 노력을 이끌어 내고 있다.

자료 분석 국제기구란 조약에 입각하여 복수의 주권 국가로 구성되어, 일정한 목적하에 국제법상 독자적으로 존재하는 동시에 자체 기관에 의하여 독자적인 행동을 하는 조직체를 뜻한다. 19세기는 국제회의의 세기라고 일컬어졌는데, 20세기는 국제기구의 세기라고 말할 수 있을 정도로 세계화와 함께 국제기구의 영향력이 막대해졌다. 그 이유는 세계화와 정보화 등의 변화로 여러 분야에서 국제 관계가 현저하게 복잡하고 긴밀해지면서 한 국가의 노력만으로 해결되기 어려운 국제 문제들을 해결하기 위해 다양한 규범과 질서를 마련해야 했기 때문이다.

자료 분석 포인트

세계화로 국제기구의 영향력이 커진 이유를 파악해 보자.

Q2 빈칸에 들어갈 알맞은 말을 쓰시오.

현존하는 국제기구 중 90% 정도가 1900년에서 1956년 사이에 조직되었다. 국제기구는 1980년대 중반에 2,500개를 넘어섰고 이 중 750개는 제2차 세계 대전 이후에 결성되었다. 교통, 통신의 발달과 산업화 및 (　　　)(으)로 국제기구가 증가하였다.

답 Q1 국가 / Q2 세계화

2 국제법의 의의와 한계

1. 국제법의 의미와 법원

(1) **국제법의 의미** 국제 사회의 질서 유지를 위해 국제 관계를 규율하는 법

(2) **법원(法源)** 자료 1

① 의미: 법을 생기게 하는 근거 혹은 법의 존재 형식

② 유형 — 국제 관습법 중 외교관 면책 특권, 전쟁 포로에 대한 인도적 대우 등은 최근 다수 국가가 가입된 조약으로 변화하고 있어.

구분	내용
조약❶	국가 간, 국가와 국제기구 간, 혹은 국제기구 간에 체결된 합의로, 주로 문서의 형식으로 이루어짐
국제 관습법	국제 사회의 반복적인 관행이 법적 확신을 얻어 법적 효력을 가지게 되는 것
법의 일반 원칙	• 여러 국가의 국내법에 공통으로 발견되는 원칙 • 신의 성실의 원칙, 권리 남용 금지의 원칙, 손해 배상 책임의 원칙, 신법 우선의 원칙, 금반언의 원칙 등이 있음

2. 국제법의 의의와 한계

(1) **의의** 자료 2

① 국가를 비롯한 다양한 행위 주체들의 행동 규범과 판단 기준 제시

② 국제 사회의 갈등을 줄이고 분쟁을 해결함으로써 국제 사회의 질서를 유지함

③ 국가들이 안정 속에서 협력할 수 있는 기반을 제공함

(2) **한계** — 이러한 한계에도 불구하고, 최근 국가 간 상호 의존성이 심화됨에 따라 국제법의 중요성과 영향력이 더욱 커지고 있어.

① 입법 기구의 부재: 모든 국가에 공통으로 적용할 법 규범을 제정하기 어려움

② 재판 규범으로서의 한계: 국제 사법 재판소가 있지만 원칙적으로 분쟁국 쌍방의 동의 없이 재판이 이루어지지 않음❷

③ 집행 기구의 부재: 국제 사법 재판소의 판결 결과를 이행하지 않을 경우 실질적인 제재가 어려움❸

④ 국내법과 국제법의 관계 불명확: 국제법과 국내법의 내용이 충돌할 경우 어느 것을 상위법으로 해야 할 것인가의 문제가 발생함❹

(3) **다양한 분야의 국제법** — 이 외에도 환경, 인권, 문화, 경제 등 다양한 분야의 국제법이 존재하고 있어.

세계 저작권 조약(UCC)	핵 확산 금지 조약(NPT)
문학, 음악, 미술 및 지적인 작품을 포함한 저작물에 관하여 저자와 저작권을 가진 자의 권리를 보호하는 국제 조약. '유네스코 조약'이라고도 불리며, 우리나라는 1987년에 가입함	핵무기를 보유하지 않은 국가가 새로 핵무기를 개발하는 일과 핵보유국이 비핵보유국에 핵무기를 인도하는 것을 금지하는 조약. 미국, 러시아, 영국, 프랑스, 중국을 제외한 가입국의 핵무기 보유를 금지함

유엔 기후 변화 협약(UNFCCC)	국제 인권 규약
지구 온난화를 방지하기 위한 협약으로 '리우 환경 협약'이라고도 불림. 협약 체결에 동의한 당사국은 온실가스의 배출을 줄이기 위해 노력해야 함	1966년 기본 인권을 국제적으로 보장하기 위하여 국제 연합 총회에서 채택한 규약. 이에 기초하여 인종 차별 철폐 협약, 여성 차별 철폐 협약 등 국제 인권 협약이 체결됨

❶ **조약 체결에 관한 권한**

> 헌법 제60조 ① 국회는 상호 원조 또는 안전 보장에 관한 조약, 중요한 국제 조직에 관한 조약, 우호 통상 항해 조약, 주권의 제약에 관한 조약, 강화 조약, 국가나 국민에게 중대한 재정적 부담을 지우는 조약 또는 입법 사항에 관한 조약의 체결·비준에 대한 동의권을 가진다.
> 헌법 제73조 대통령은 조약을 체결·비준하고, 외교 사절을 신임·접수 또는 파견하며, 선전 포고와 강화를 한다.

대통령은 다른 나라와 조약을 체결하거나 이를 비준(위임받은 자가 서명한 조약에 대해 이를 대통령이 확인하는 것)하며, 국회는 일정한 조약 체결에 대한 동의권을 가진다.

❷ **국제법의 재판 규범으로서의 한계**
국제 사법 재판소는 기본적으로 분쟁 당사국들이 합의하여 분쟁 해결을 요청한 사건에 관해서만 관할권을 가진다.

❸ **국제법 판결 집행의 한계**
국제 사법 재판소에서 재판을 한 경우 당사국이 판결을 이행하지 않으면 안전 보장 이사회는 판결의 이행 권고 또는 필요한 조치에 관한 결정을 내릴 수 있지만, 국제 사법 재판소가 이를 직접 제재하기는 어렵다.

❹ **우리나라의 국내법과 국제법의 관계**

> 헌법 제6조 ① 헌법에 의하여 체결·공포된 조약과 일반적으로 승인된 국제 법규는 국내법과 같은 효력을 가진다.

우리나라에서 국제법은 헌법보다는 하위에 있고 국내법과 동등한 효력과 지위를 갖게 된다.

자료 1 국제법의 법원(法源)

교과서 170쪽

국제 사법 재판소 규정 제38조

1. 재판소는 재판소에 회부된 분쟁을 국제법에 따라 재판하는 것을 임무로 하며, 다음을 적용한다.
   가. 분쟁국에 의하여 명백히 인정된 규칙을 확립하고 있는 일반적인 또는 특별한 국제 협약
   나. 법으로 수락된 일반 관행의 증거로서 국제 관습
   다. 문명국에 의하여 인정된 법의 일반 원칙
   라. 법칙 결정의 보조 수단으로서 사법 판결 및 제국의 가장 우수한 국제법 학자의 학설 …….

자료 분석 국제법의 주요 법원에는 조약, 국제 관습법, 법의 일반 원칙이 있다. 조약(條約, Treaty)은 국제법 주체들이 국제법의 규율하에 일정한 법률 효과를 발생시키기 위하여 체결한 국제적 합의이다. 현실에서는 조약을 협약, 협정, 규약, 의정서 등 다양한 용어로 부르며, 조약이 체결되면 그 당사국은 조약의 규정을 준수하고 각자의 의무를 성실하게 이행해야 한다. 국제 관습법(國際 慣習法, Customary International Law)이란 일반적으로 승인된 국제 관행이 국제 사회에서 법 규범으로서 법적 확신을 얻고 법적 효력을 갖게 된 것을 말한다. 오랜 기간 동안 각국의 관행을 바탕으로 발전하여 온 국제 관습법은 국제법에서 가장 중요한 위치를 담당하였으나, 국제 관계가 다양해지고 복잡해진 최근에는 내용이 명확한 조약이 국제법에서 가장 중요한 역할을 담당하게 되었다. 법의 일반 원칙은 적용할 법규가 없거나 법규의 내용이 명확하지 않아 재판을 하기가 어려운 경우에 사용한다.

자료 분석 포인트

국제법의 법원이 다양한 이유를 파악해 보자.

Q1 다음 국제법의 공통적인 법원이 무엇인지 쓰시오.

- 미터 협약
- 자유 무역 협정
- 국제 인권 규약
- 유엔 기후 변화 협약

자료 2 국제법의 의의 – 일상생활 속 국제법

교과서 170쪽

오늘날 길이를 표시하는 단위로 cm, m, km 등이 사용된다. 우리나라에서 1미터(m)의 길이는 로마나 베를린에서도 같다. 그 이유는 무엇일까? 산업화가 진전됨에 따라 나라별로 다른 측정 단위를 국제적으로 통일할 필요가 있다는 인식이 높아졌다. 이에 1875년 파리에 모인 17개국 대표들은 '미터 협약'에 합의하였다. 현재 많은 국가가 공식 측정 단위로 미터법을 사용하고 있다. 우리나라도 1961년부터 미터 협약의 내용을 법정 계량 단위로 채택하였다. 이처럼 우리나라의 계량 단위가 다른 나라에서도 사용되는 배경에는 국제법의 역할이 숨겨져 있다.

– 정인섭, 『생활 속의 국제법 읽기』 –

자료 분석 길이나 무게, 부피를 측정하는 단위법을 총칭해 도량형이라고 한다. 우리나라는 현재 표준 도량형으로 '미터법'을 사용하고 있다. 미터법은 미국, 미얀마, 라이베리아 세 국가를 제외한 95%의 국가에서 표준 도량형으로 사용되고 있다. 프랑스 과학 아카데미는 '지구 자오선 길이의 1,000만 분의 1'을 1m로 하는 미터법을 제안하였다. 미터법이 10진법을 채택해 쉽고 우수하다는 점이 인정되자, 1875년 17개국이 모인 국제회의에서 미터법 조약이 체결되었다. 무역이나 상거래를 원활하게 하기 위해서는 거래하는 물품의 크기나 양에 대한 인식이 같아야 하기 때문이다.

자료 분석 포인트

미터 협약을 통해 추론할 수 있는 국제법의 의의를 파악해 보자.

Q2 다음 글에서 파악할 수 있는 국제법의 의의로 가장 적절한 것은?

1999년 9월, 미국 항공 우주국(NASA)의 무인 화성 탐사선이 대기와 마찰을 일으키며 폭발했다. 이는 도량형 차이 때문으로 탐사선을 제작한 회사에서 야드파운드법으로 표기한 탐사선의 추진력을, NASA의 기술자들이 국제단위계(SI) 단위로 착각하여 나타났다. 이 때문에 미국도 미터법의 도입이 시급하다는 지적이 나왔다.

① 인류의 보편적 가치를 실현할 수 있다.
② 국가 간 갈등과 분쟁을 해결할 수 있다.
③ 세계화 시대에 다양성을 추구할 수 있다.
④ 다국적 기업 사이에 다양한 사안을 경제적으로 조율할 수 있다.
⑤ 다양한 행위 주체들에게 공통된 표준을 제시하여 질서를 유지할 수 있다.

답 Q1 조약 / Q2 ⑤

개념 익히기

정답과 해설 ▸ 35쪽

01 다음 빈칸에 들어갈 알맞은 말을 쓰시오.

(1) (　　　　)(이)란 국제 사회에서 국가를 비롯한 다양한 행위 주체들이 서로 갈등하고 경쟁하며 협력하는 상호 작용을 통해 만들어 내는 관계들의 총체를 말한다.

(2) 국제 사회에서 개별 국가들은 (　　　　)을/를 최우선으로 추구하며 자유롭게 협력하거나 경쟁한다.

(3) 국제 사회에는 국제 문제나 분쟁을 조정하고 해결할 수 있는 (　　　　)이/가 존재하지 않으며, 경제력이나 군사력과 같은 힘의 논리가 지배적인 경우가 많다.

02 다음 빈칸에 들어갈 알맞은 말을 쓰시오.

(　　　　)은/는 종교 개혁을 둘러싼 구교와 신교 간 30년 전쟁(1618~1648)에 종지부를 찍은 조약이다. 이 조약을 통해 교황으로부터 독립된 주권 국가가 국제 사회에서 일반화되기 시작하였고, 유럽 사회에 주권 국가 중심의 새로운 국제 질서가 형성되었다.

03 다음 설명이 옳으면 ○, 틀리면 ×표 하시오.

(1) 국제 사회에 대한 자유주의적 관점에서는 힘의 원리에 초점을 두고 국제 관계를 설명한다. (　　)

(2) 제2차 세계 대전 이후 국제 연합의 정신을 계승하여 국제 평화 유지를 목적으로 국제 연맹이 창설되었다. (　　)

(3) 세계화 시대를 맞아 재화와 서비스가 국경을 초월하여 이동하면서 전 세계가 하나의 시장으로 통합되고 있다. (　　)

04 다음 원칙들과 관련 있는 국제법의 법원을 쓰시오.

- 금반언의 원칙
- 신법 우선의 원칙
- 신의 성실의 원칙
- 권리 남용 금지의 원칙
- 손해 배상 책임의 원칙

05 다음 괄호 안에 들어갈 알맞은 말에 ○표 하시오.

(1) (조약 / 국제 관습법)은 국가 간, 국가와 국제기구 간, 또는 국제기구 간에 체결된 합의를 의미한다.

(2) (조약 / 국제 관습법)은 국제 사회의 반복적인 관행이 법적 확신을 얻어 법적 효력을 가지게 되는 것을 의미한다.

(3) 국제법은 국제 사회의 (협력 / 갈등)을 줄이고 분쟁을 해결함으로써 국제 사회의 질서를 유지한다.

06 국제법의 한계만을 |보기|에서 있는 대로 고르시오.

보기

ㄱ. 항상 하위법으로 적용된다.
ㄴ. 문서로 작성되어 있지 않다.
ㄷ. 법을 강제할 집행 기구가 없다.
ㄹ. 국제법을 제정하는 입법 기구가 없다.
ㅁ. 실질적인 재판 규범으로 적용되기 어렵다.

2단계 내신 유형 익히기

정답과 해설 ▸ 35쪽

01 중요 **다음 신문 기사를 통해 추론한 국제 사회의 특징으로 가장 적절한 것은?**

> • 미국과 중국은 무역 갈등 해결의 실마리를 찾기 위해 협상 테이블에 앉았으나 별다른 성과를 내지 못했다. 대화 시도가 불발되자 미·중 무역 전쟁이 앞으로 더욱 격화할 가능성이 오히려 커졌다.
> – 중앙일보, 2018. 8. 24. –
> • 미국이 이란에 대한 경제 제재 카드를 꺼내 든 가운데 유럽 연합(EU)은 이란에 1,800만 유로를 지원하기로 결정했다. 유럽 연합은 이란 핵 합의에 따라 많은 분야에서 이란과의 협력이 진전돼 왔고, 이것을 지속하기로 약속했다고 밝혔다.
> – 한국일보, 2018. 8. 23. –

① 국가 간 협력과 갈등이 공존하는 모습을 보인다.
② 경제력이나 군사력 같은 힘의 논리가 지배적이다.
③ 국제기구나 국제법에 따라 국가 간 분쟁이 해결된다.
④ 전 세계의 평화와 발전이라는 공동의 목표를 추구한다.
⑤ 개별 국가들은 자국의 이익보다 국제 규범을 준수한다.

02 그림에 나타난 국제 사회를 바라보는 관점에 대한 옳은 설명만을 |보기|에서 고른 것은?

국제 관계는 결국 힘의 논리야. 그러니까 우리나라는 스스로의 힘을 키워야 해.

꼭 그렇지만은 않아. 국제 사회에도 인간의 이성과 윤리가 작동해.

갑

을

보기

ㄱ. 갑의 관점은 현실주의적 관점이다.
ㄴ. 갑은 국가 간의 상호 의존적 관계에 중점을 둔다.
ㄷ. 을은 갑을 유토피아적 몽상가와 같다고 비판한다.
ㄹ. 을은 보편적인 선(善)이나 윤리의 관점에서 국제 관계를 설명한다.

① ㄱ, ㄴ ② ㄱ, ㄷ ③ ㄱ, ㄹ
④ ㄴ, ㄷ ⑤ ㄷ, ㄹ

03 다음 국제 사회의 변천 과정에 대한 설명으로 옳지 않은 것은?

> (가) 1648년 베스트팔렌 조약이 체결되었다.
> (나) 1945년 국제 연합(UN)이 창설되었다.
> (다) 1940년대 중반 이후 냉전 체제가 이루어졌다.
> (라) 1989년 공식적으로 냉전의 종식이 선언되었다.
> (마) 1990년대 중반 이후 세계화 현상이 나타나게 되었다.

① (가) 이후 주권 국가 중심의 국제 관계가 형성되었다.
② (나)는 제2차 세계 대전 이후의 일이다.
③ (다)의 냉전 체제는 미국과 소련을 중심으로 이루어졌다.
④ (라)와 같은 결과를 가져온 선언이 트루먼 독트린이다.
⑤ (마)로 인해 국제 사회의 상호 의존성이 증가하고 있다.

04 다음의 변화가 국제 사회에 미친 영향으로 가장 적절한 것은?

- 세계화는 국경을 약화하는 대신 범지구적 차원에서 다자간 협력 관계를 요구하고 있다.
- 세계 무역액이 1965년 3,890억 달러에서 2015년 33조 2,070억 달러로 약 85배 늘었다.
- 세계화는 외국인 처우, 무역 마찰 등 국내법만으로는 해결하기 어려운 문제들을 양산하고 있다.

① 국제적인 연대 활동의 필요성이 감소하고 있다.
② 세계 중앙 정부가 등장할 가능성이 커지고 있다.
③ 개발 도상국의 문화가 일방적으로 확산되고 있다.
④ 개별 국가 단위로 해결해야 하는 문제들이 증가하고 있다.
⑤ 보다 포괄적이고 효과적인 국제적 의사 결정 과정과 법질서 마련의 필요성이 커지고 있다.

05 중요 다음에서 설명하는 국제법의 법원에 관한 옳은 설명만을 |보기|에서 고른 것은?

> (가) 여러 국가의 국내법에 공통으로 발견되는 원칙
> (나) 국가 간, 국가와 국제기구 간, 국제기구 간에 체결된 합의
> (다) 국제 사회의 반복적인 관행이 법적 확신을 얻어 법적 효력을 가지게 되는 것

보기

ㄱ. (가)의 대표적인 예로는 신의 성실의 원칙을 들 수 있다.
ㄴ. (나)는 우리나라에서 국내법과 동등한 지위를 갖는다.
ㄷ. (나)의 내용은 체결된 주체뿐만 아니라 전 세계의 국가들에 적용된다.
ㄹ. (다)의 대표적인 예로는 권리 남용 금지의 원칙을 들 수 있다.

① ㄱ, ㄴ ② ㄱ, ㄷ ③ ㄱ, ㄹ
④ ㄴ, ㄹ ⑤ ㄷ, ㄹ

06 다음 신문 기사에 나타난 국제법의 법원에 대한 설명으로 옳은 것은?

> 과거 중국은 내정 불간섭 원칙에 따라 타국에 대한 정치 개입을 자제하고, 경제 협력을 강화하는 데만 집중하는 모습을 보였다. 상호 내정 불간섭 원칙을 방패 삼아 타국의 중국 개입을 최소화하고, 국내 안정과 경제 성장에 힘을 쏟겠다는 심산이었다. 하지만 중국의 국력이 강해지고 해외 자원 확보의 필요성이 커지면서 내정 불간섭 원칙이 흔들리는 모습이 세계 곳곳에서 목도되고 있다. - 연합뉴스, 2017. 7. 12. -

① 국가 간에 체결된 합의이다.
② 세계 중앙 정부가 제정한 것이다.
③ 국제 사법 재판소의 판례가 축적된 것이다.
④ 여러 국가의 국내법에 공통으로 발견되는 원칙이다.
⑤ 국제 사회의 반복적인 관행이 법적 확신을 얻은 것이다.

07 다음 사례에 나타난 국제법의 한계로 가장 적절한 것은?

> 미국은 애초 파리 협정 주도국이었으나 ○○○ 대통령이 지난 6월 협정의 내용이 미국에 일방적으로 불리하다며 탈퇴를 공식 선언했다. 미국은 중국에 이어 세계 2위의 온실가스 배출국으로 2015년 한 해에만 510만 kt에 이르는 온실가스를 배출했는데, 이는 지구 전체에서 배출된 온실가스의 1/6에 해당하는 엄청난 규모다. - 국제신문, 2017. 11. 8. -

① 국제법을 제정할 입법 기구가 없다.
② 국제법을 강제할 집행 기구가 없다.
③ 국제법은 항상 상위법으로 적용된다.
④ 국제법은 실질적인 재판 규범으로 기능하지 못한다.
⑤ 국제법과 국내법의 내용이 충돌할 경우 어느 것을 우선할지 문제가 된다.

08 빈칸에 들어갈 국제법의 법원에 관한 설명으로 옳지 않은 것은?

> 헌법 제6조 ① 헌법에 의하여 체결·공포된 ( ) 와/과 일반적으로 승인된 국제 법규는 국내법과 같은 효력을 가진다.

① 주로 문서의 형식으로 이루어진다.
② 우리나라에서 헌법보다 하위의 법 규범에 해당한다.
③ 원칙적으로 체결 주체에 대해서만 구속력을 갖는다.
④ 국가 간, 국가와 국제기구 간, 국제기구 간에 체결될 수 있다.
⑤ 대표적인 예로 다른 국가의 국내 문제에는 간섭하지 않는다는 원칙을 들 수 있다.

서술형 문제

09 다음 역사적 사건이 국제 사회에 갖는 의미를 서술하시오.

> 1989년 미국의 부시 대통령과 소련의 고르바초프 서기장이 지중해 몰타 해안 선상에서 세계 평화를 지향한다는 내용의 회담을 하고 합의한 내용을 발표하였다.

서술형 문제

10 다음 글을 읽고 물음에 답하시오.

> 국제 사회를 바라보는 '이 관점'의 철학적 배경은 불안, 힘, 생존을 강조한 홉스에 있다. '이 관점'은 국제 사회가 순수한 무정부 상태라고 가정하며, 힘의 원리에 초점을 두고 국제 관계를 설명한다. 각 국가는 자국의 이익만을 추구하므로 보편적 윤리는 중요한 원칙이 될 수 없다는 것이다. 국제 관계에서 개별 국가는 스스로의 힘으로 자국의 안보와 이익을 지켜야 한다.

(1) 위 글에 등장하는 '이 관점'이 무엇인지 쓰시오.

(2) (1)의 한계에 대해 서술하시오.

서술형 문제

11 다음 글을 읽고 물음에 답하시오.

> 핵무기가 무분별하게 제조, 사용되는 것을 막기 위해 1969년에 국제 연합(UN) 총회에서 핵 확산 금지 (　　　)을/를 채택하였다. 그 내용은 다음과 같다.
>
> 제1조　핵무기를 보유한 체결국은 핵무기나 여타 핵 폭발 장치를, 또는 그러한 무기나 장치의 관리권을, 직접적으로나 간접적으로 누구에게든 양도하지 않는다. 또한 핵무기 비보유국이 그러한 무기 또는 장치를 제조, 획득, 관리하는 일을 어떤 방법으로도 원조, 장려 또는 권유하지 않는다.

(1) 빈칸에 들어갈 용어를 쓰시오.

(2) (1)의 특징을 두 가지만 서술하시오.

서술형 문제

12 다음 글을 읽고 물음에 답하시오.

> '이 법'은 국제 사회의 질서 유지를 위해 국제 관계를 규율하는 법이다. '이 법'의 법원으로는 조약, 국제 관습법, 법의 일반 원칙 등이 있다.

(1) '이 법'의 의의를 두 가지만 서술하시오.

(2) '이 법'의 한계를 두 가지만 서술하시오.

3단계 내신 만점 도전하기

정답과 해설 ▸ 36쪽

01 역사적 사건 (다) 직후의 국제 사회의 변화로 가장 적절한 것은?

(가) 18세기 산업 혁명을 통해 부강해진 유럽 열강들이 제국주의에 기초한 식민지 경쟁에 돌입하면서 제1차 세계 대전이 시작되었다.

(나) 제1차 세계 대전 이후 세계 평화 유지를 위해 국제 연맹이 창설되었으나 강대국의 불참과 탈퇴 등으로 영향력을 행사하지 못하였다.

(다) 독일, 이탈리아, 일본 등 전체주의 국가와 영국, 미국, 소련 등 연합국 간 제2차 세계 대전이 발발하였다.

① 주권 국가 중심의 국제 관계가 형성되었다.
② 자유 진영과 공산 진영 간의 대립이 완화되었다.
③ 비동맹 중립 노선을 추구한 제3 세계 국가들이 부상하였다.
④ 국제 평화 유지를 목적으로 하는 국제 연합(UN)이 창설되었다.
⑤ 여러 분야에서 국제 사회의 상호 의존성이 증가하는 세계화 현상이 나타났다.

문제 접근 방법

제시된 역사적 사건들을 눈으로 따라가며 읽고, 제2차 세계 대전 이후 국제 사회의 변화를 떠올린다.

내신 전략

국제 사회의 변화 및 역사를 시대순으로 살펴보고, 중요한 사건들을 인과 관계를 생각하며 정리해 두도록 한다.

02 다음 (가), (나)에 대한 옳은 설명만을 |보기|에서 있는 대로 고른 것은?

(가)는 국제법 주체들 간에 체결되고, 그 당사자들이 국제법적 구속력을 갖는 것으로 의도한 합의를 의미한다. 우리 헌법상 (가)의 체결권자는 대통령이다. (가)의 체결 절차는 체결권자 또는 권한을 위임받은 사람이 자국을 대표하여 교섭한 다음 합의된 내용에 서명하고, 각국의 국내법 절차에 따라 국회의 동의 또는 비준을 거쳐, 당사국 간에 비준서를 교환하는 식으로 이루어진다. 이 밖에도 국제 사회의 반복적인 관행이 법적 확신을 얻어 법적 효력을 가지게 되는 (나)가 있다.

|보기|

ㄱ. 우리 헌법은 (가)가 국내법과 같은 효력을 가진다고 규정하고 있다.
ㄴ. (나)의 예로는 신의 성실의 원칙, 권리 남용 금지의 원칙 등을 들 수 있다.
ㄷ. (가), (나)는 모두 국제법의 법원에 해당한다.
ㄹ. (가), (나)는 모두 국제 사법 재판소의 재판 규범으로 적용될 수 없다.

① ㄱ, ㄴ　② ㄱ, ㄷ　③ ㄱ, ㄹ
④ ㄱ, ㄴ, ㄹ　⑤ ㄴ, ㄷ, ㄹ

문제 접근 방법

우선 (가), (나)가 국제법의 법원 중 무엇에 해당하는지 파악한다. 그리고 각 국제법의 법원이 지닌 특징을 떠올리며 보기의 서술이 적절한지 판단한다.

내신 전략

국제법의 법원의 종류와 각각의 특징이나 만들어지는 절차 등을 정리해 둔다.

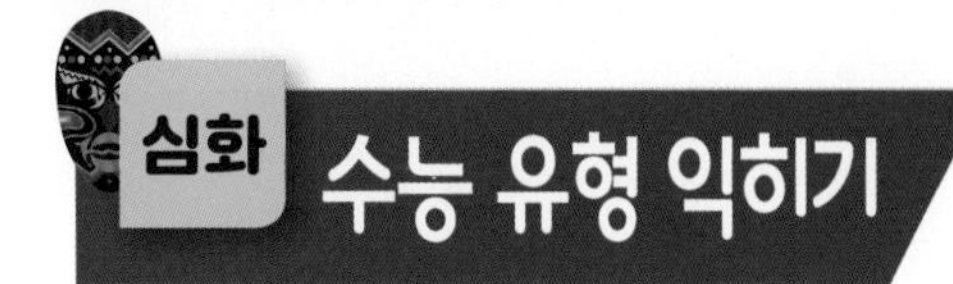

심화 수능 유형 익히기

정답과 해설 ▸ 36쪽

2020학년도 수능

01 표는 국제 사회를 바라보는 관점을 파악하기 위한 질문과 답변이다. 현실주의와 자유주의 중 하나의 관점에서 일관되게 응답한 학생은?

(○: 예, ×: 아니요)

질문 \ 학생	갑	을	병	정	무
국제 사회에서 국제법과 국제기구의 역할을 중시하는가?	○	×	×	○	○
국제 사회에서 힘의 논리보다 상호 협력을 강조하는가?	×	○	×	○	○
국제 사회에서 자국 이익의 배타적 추구를 중시하는가?	○	×	○	○	×
국제 사회에서 자국의 안보를 위해 동맹 및 군사력 강화를 강조하는가?	×	○	○	×	×
국제 사회에서 국가 간 힘의 균형을 통해 평화가 유지될 수 있다고 보는가?	○	×	○	×	○

① 갑 ② 을 ③ 병
④ 정 ⑤ 무

출제 개념
국제 사회를 바라보는 관점

자료 해설
국제 사회를 바라보는 현실주의적 관점은 힘의 원리에 초점을 두어 국제 관계를 설명하고, 국제 사회를 바라보는 자유주의적 관점은 보편적인 선(善)이나 윤리의 관점에서 국제 관계를 설명한다.

해결 비법
국제 사회를 바라보는 현실주의적 관점과 자유주의적 관점의 특징을 정리한 다음 어느 한쪽의 관점에서 질문에 응답해 보면 문제를 해결할 수 있다.

2019학년도 6월 모의평가

02 그림에 나타난 국제법의 법원(法源) A~C에 대한 설명으로 옳은 것은? (단, A~C는 각각 조약, 국제 관습법, 법의 일반 원칙 중 하나이다.)

① A는 당사국 간의 명시적 수용 절차를 거쳐야만 성립된다.
② B의 예로는 신의 성실 원칙과 권리 남용 금지의 원칙이 있다.
③ 우리나라에서 C의 체결 · 비준 권한은 국회에 있다.
④ A는 C와 달리 성문화된 형식으로 존재한다.
⑤ B는 A와 달리 국제 사회에서 포괄적 구속력을 가진다.

출제 개념
국제법의 법원

자료 해설
반복적 관행이 국제 사회에서 법 규범으로 승인되어 효력을 가지게 된 A는 국제 관습법에 해당한다. 그리고 국가 간에 체결한 합의로 성립되는 C는 조약에 해당한다. 그렇다면 나머지 B는 법의 일반 원칙이다.

해결 비법
우선 제시된 그림에서 A~C가 조약, 국제 관습법, 법의 일반 원칙 중 무엇에 해당하는지를 찾는다. 그리고 각각의 특징을 염두에 두고 선택지를 읽으면서 올바르게 서술된 것을 찾아낸다.

주제 2

국제 문제와 국제기구

주제 흐름 읽기

국제 문제		
	안보 문제	• 자국의 이익에 따라 국가 간에 협력하거나 갈등함 • 전쟁과 테러, 핵 확산, 군비 증강 등의 문제가 꾸준히 증가하고, 사이버 테러, 해킹 등 새로운 형태의 위협이 등장함
	경제 문제	• 빈곤 지속 • 남북문제 심화 • 자원 문제 부각
	환경 문제	• 자원 고갈 및 자연환경 훼손 • 지구 온난화, 열대 우림의 감소, 사막화 현상, 해수면 상승, 식수 부족 등으로 인류 생존 자체에 위협 초래

국제기구		
	국제 연합	• 국제 평화와 안전 유지, 국제 협력 강화를 목적으로 함 • 총회, 안전 보장 이사회, 경제 사회 이사회, 신탁 통치 이사회, 국제 사법 재판소, 사무국 등 6개 주요 기관과 보조 기구 및 전문 기구 등을 둠
	국제 사법 재판소	• 국제 연합의 주요 사법 기관 • 국가 간의 법적 분쟁을 국제법에 따라 해결 • 국제 연합의 주요 기관이나 산하 기구가 요청하는 법적 질의와 문제에 대한 권고적 의견 제시

1 국제 사회와 국제 문제

1. 다양한 국제 문제 — 국제 관계의 상호 의존성이 심화하면서 국제 사회에 다양한 문제들이 발생하고 있어.

(1) 안보 문제 자료 1

① 평화와 안보의 위협은 가장 중요한 국제 사회의 문제 중 하나임

② 냉전 시대의 종식 이후 자국의 이익에 따라 서로 협력하거나 갈등함

③ 전쟁과 테러❶, 핵 확산, 군비 증강 등의 문제가 꾸준히 증가함

④ 사이버 테러, 해킹 등 새로운 형태의 위협이 등장함

(2) 경제 문제

① 빈곤: 식량, 주거, 건강, 교육, 위생 등이 심각하게 보장되지 않는 상황 → 전 세계가 함께 해결해야 할 문제

② 남북문제❷: 세계화 이후 북반구에 위치한 선진국과 주로 적도 부근 및 남반구에 위치한 개발 도상국 간의 경제적 격차 심화 — 선진국에서는 비만 문제, 개발 도상국에서는 기아 문제가 발생하고 있어.

③ 자원 문제: 인구 증가와 산업화로 자원이 빠르게 고갈되어 자원 절약과 대체 자원 개발 등의 과제 부각

(3) 환경 문제 자료 2

① 산업화와 도시화에 따른 무분별한 자연 개발로 자원이 고갈되고 자연환경이 훼손됨

② 지구 온난화❸, 열대 우림의 감소, 사막화 현상, 해수면 상승, 식수 부족 등의 환경 문제 → 생태계 질서 파괴 → 인류 생존에 위협 초래

(4) 기타

① 인권 문제: 인종 학살, 강제 수용과 처형, 여성과 아동 및 장애인 등 사회적 약자에 대한 학대 등의 문제가 발생

② 보건 문제: 신종 독감이나 지카 바이러스 등도 인류의 생존과 번영에 직결됨 — 우리나라에도 메르스 사태가 발생하는 것처럼 보건 문제는 중요한 문제야.

2. 국제 문제의 특징

(1) 국경을 초월하여 발생하므로 특정 국가의 문제로 보기 어려움

(2) 국가 간 상호 의존성의 심화로 국제 문제의 영향력이 확대됨

(3) 국제 문제를 관리하고 규제할 강제성을 가진 기구가 없어 문제 해결을 위한 국가 간의 합의를 도출하기 어려움 — 국제 사회가 협력과 공조 체제를 구축하여 문제를 해결해야 해.

❶ 테러
특정 목적을 가진 개인 또는 단체가 살인, 납치, 유괴, 저격, 약탈 등 다양한 방법의 폭력을 행사하여 사회적 공포 상태를 일으키는 행위를 뜻한다. 최근 전쟁보다는 특정 종교 무장 단체에 의한 무차별적 테러가 빈번하게 발생하고 있다.

❷ 남북문제
선진국과 개발 도상국 간의 경제적 격차를 일컫는 말로, 주로 북반구에 위치한 선진 공업국과 적도 부근 및 남반구에 위치한 개발 도상국 사이의 경제적 격차를 가리킨다.

❸ 지구 온난화
산업 혁명 이후 인구 증가와 산업화에 따라 화석 연료의 사용이 늘어나 온실가스 배출량이 증가하고, 무분별한 삼림 벌채로 대기 중의 온실가스 농도가 높아지면서 지구의 평균 기온이 상승하는 지구 온난화 현상이 나타나고 있다. 이로 인해 지구 평균 해수면의 높이는 지난 20세기 동안 약 15cm 상승하였다.

자료 1 새로운 안보 문제, 사이버 테러

12일(현지 시간) 유럽과 아시아를 비롯한 약 100개국에서 사상 최대의 동시다발 사이버 공격이 발생해 전 세계가 혼란에 빠졌다. 일부 정부 기관과 병원, 기업 등의 업무가 마비되거나 차질이 빚어지는 등 지금까지 집계된 피해만 99개국, 7만 5천 건이 넘는다고 보안업체 ○○○○은 집계했다. 추가 피해 사례가 점점 늘어나고 있어 피해 규모는 더욱 늘어날 것으로 보인다. 러시아, 영국, 우크라이나, 대만 등이 주요 공격 대상이 됐다. 범죄 조직의 소행으로 추정되는 이번 사태는 악성 프로그램의 일종인 랜섬 웨어에 감염된 컴퓨터들이 작동을 멈추면서 빚어졌다. – 연합뉴스, 2017. 5. 13. –

자료 분석 군대 및 군무기를 통한 무력 전쟁 중심에서 최근 세계화 시대의 무역 전쟁, 정보화 시대의 사이버 테러 등 새로운 형태의 안보 문제가 더욱 심화되고 있다. 사이버 테러는 해킹, 바이러스 유포, 메일 폭탄, 전자기적 침해 장비 등을 이용하여 주요 기관의 정보 시스템을 파괴하여 국가 기능을 마비시키는 신종 테러를 뜻한다. 컴퓨터망을 이용하여 데이터베이스화되어 있는 군사, 행정, 인적 자원 등 국가적인 주요 정보를 파괴하는 것을 말한다. 21세기의 테러는 점점 이러한 컴퓨터망의 파괴로 집중될 것으로 예상되며, 앞으로는 전쟁도 군사 시설에 대한 직접적인 타격보다는 군사 통신, 금융망에 대한 사이버 테러 양상을 띨 가능성이 높다.

자료 분석 포인트

자료에 제시된 사이버 테러가 국제 사회의 안보를 어떻게 위협하는지 파악해 보자.

Q1 밑줄 친 '국제법'이 추구하는 목표로 가장 적절한 것은?

사이버 보안 강국인 이스라엘 장관은 "이스라엘뿐 아니라 전 세계 모든 국가가 국제적인 벡터(vector · 숙주) 위협에 직면했다."라며 "위협을 완벽하게 차단하지 않으면 민주주의나 시장 경제 시스템이 붕괴될 것이다. 전 세계적으로 기술 교류를 통해 우방국을 확대하는 사이버 보안 생태계(eco – system)를 구축해야 한다."라고 강조했다. 이어 "이를 토대로 사이버 공간에서의 국제법을 만들 것"이라고 밝혔다.

① 사이버 협력 체계 구축
② 국제 사법 재판소에 제소
③ 정보 취약 계층의 인권 실현
④ 군비 경쟁을 위한 동맹 결성
⑤ 컴퓨터 보안 다국적 기업 결성

자료 2 환경 문제를 통해 알 수 있는 국제 사회의 특징

교과서 176쪽

공해 수출이란 석면과 같은 유해 물질을 취급하는 공장이나 기술 또는 전자 폐기물, 핵폐기물 등의 오염 물질을 선진국에서 개발 도상국으로 이전하는 국가 간 교역 행위를 말한다. 선진국의 기업들은 최신 기술의 설비는 자국 내에 유지하지만, 섬유, 화학, 금속, 기계 등 오래된 제조 설비들은 개발 도상국으로 이주하였다. 이는 개발 도상국의 과다한 자원과 에너지 소비에 영향을 미쳤으며, 다양한 직업병과 환경 오염 문제의 원인이 되었다. – 환경 보건 시민 센터, 「함께 사는 길 10월호」 –

자료 분석 공해 수출은 공해 문제 때문에 자기 나라에 공장을 세우기 곤란한 기업이 해외, 특히 개발 도상국에 진출하여 환경을 오염시키는 문제를 뜻한다. 그러나 개발 도상국에서는 공해보다 빈곤의 해결이 선결 문제이므로 공해를 일으키는 기업을 받아들인다. 이처럼 환경 문제는 국경을 초월하여 발생하고 영향을 끼치므로 한 국가만의 노력으로 해결할 수 없지만, 심각한 환경 악화를 가져온 역사적 책임과 해결 방안에 관해 선진국과 개발 도상국의 이해관계가 대립되고 있어 그 접근과 해결이 쉽지 않다. 국제 사회가 환경 문제의 중요성을 인식하고 주권 국가가 광범위한 노력을 본격적으로 시작한 것은 1972년 스톡홀름에서 개최된 유엔 인간 환경 회의이며, 이를 계기로 유엔 환경 계획(UNEP)의 설립이 결의되었다. 1992년 브라질 리우에서 개최된 유엔 환경 개발 회의에서는 리우 선언이 채택되어 국제 환경법의 발전에 큰 공헌을 하였다. 그 뒤로 2015년 파리에서 선진국과 개발 도상국이 모두 이산화 탄소 배출량의 감소에 참여하는 파리 기후 협정에 합의하는 성과가 이루어졌다.

자료 분석 포인트

자료에 나타난 국제 문제를 파악해 보자.

Q2 다음 사례를 통해 파악할 수 있는 국제 문제의 특징으로 가장 적절한 것은?

2015년 파리에서 선진국과 개발 도상국이 모두 이산화 탄소 배출량의 감소에 참여하는 파리 기후 협정에 합의하였다. 그러나 세계 2위 탄소 배출국인 미국은 파리 기후 협정을 2017년 공식적으로 탈퇴하고 있는 실정이고, 이행 여부는 각국의 자발적 의지에 의존한다.

① 국경을 초월하여 발생한다.
② 국가 간에 상호 의존성이 심화된다.
③ 국제기구는 재정적 어려움을 겪는다.
④ 개별 국가의 주권 침해 위험이 높아진다.
⑤ 강제성을 가진 국제기구가 부재하여 국가 간의 합의 도출이 어렵다.

답 Q1 ① / Q2 ⑤

2 국제기구의 역할과 활동

1. 국제기구

(1) **의미** 국제 문제를 해결하는 다자간 공조와 협력의 형태

(2) **유형**

회원 자격에 따라	• 정부 간 국제기구: 각국 정부가 회원임 예 국제 연합(UN), 세계 무역 기구(WTO)❶ 등 • 국제 비정부 기구: 개인이나 민간단체 중심 예 국제 사면 위원회(AI)❷, 그린피스(Greenpeace) 등
지리적 범위에 따라	• 세계적 국제기구: 세계 모든 국가 가입 가능 예 국제 연합(UN), 세계 무역 기구(WTO) 등 • 지역적 국제기구: 특정 지역의 국가만이 가입 가능 예 유럽 연합(EU), 북대서양 조약 기구(NATO) 등
활동 영역에 따라	• 일반적 국제기구: 여러 분야에 걸쳐 활동 예 국제 연합(UN) • 전문적 국제기구: 특정 분야에서 활동 예 세계 무역 기구(WTO), 세계 보건 기구(WHO) 등

2. 국제 연합 자료 1

(1) **목적과 취지** 국제 사회의 평화와 안전 유지, 국제 협력 강화

(2) **조직**❸ 총회, 안전 보장 이사회, 경제 사회 이사회, 신탁 통치 이사회, 국제 사법 재판소, 사무국 등 6개 주요 기관과 그 산하에 많은 보조 기구와 전문 기구 등을 둠

(3) **총회**

① 국제 연합의 최고 의사 결정 기구

② 국제 사회의 다양한 문제를 의결하여 회원국과 안전 보장 이사회, 산하 기구에 권고함

(4) **안전 보장 이사회**

① 국제 분쟁의 평화적 해결 중재, 침략이나 테러 행위에 대한 국제적 제재안 결의, 핵 확산 방지 노력, 평화 유지군❹을 파견하여 분쟁에 개입

② 5개 상임 이사국과 10개 비상임 이사국으로 구성

(5) **경제 사회 이사회** 국제 사회의 경제 사회 개발 협력에 중심적인 역할 수행, 인류의 생활 수준을 향상하기 위해 활동

3. 국제 사법 재판소 — 1946년에 창설된 국제 연합의 주요 사법 기관으로 네덜란드 헤이그에 있어.

(1) **역할** 국가 간의 법적 분쟁을 국제법에 따라 해결하고 국제 연합의 주요 기관이나 산하 기구가 요청하는 법적 질의와 문제에 대해 권고적 의견❺제시

(2) **구성** 국제 연합 총회 및 안전 보장 이사회에서 선출한 서로 다른 국적의 15명의 재판관

(3) **재판**

① 기본적으로 분쟁 당사국들이 합의하여 분쟁 해결을 요청한 사건에 관해서 관할함

② 국제 연합의 회원국, 일정한 조건 아래에서 비회원국도 당사국이 될 수 있음

③ 분쟁 당사국들이 제소를 신청하면 재판이 이루어지며, 판결은 단심으로 종결됨

④ 판결은 당사국에만 구속력을 미침

(4) **한계** 자료 2

① 원칙적으로 분쟁 당사국 간 합의가 없는 사건이나 정치적 분쟁은 관할하기 어려움

② 분쟁 당사국이 판결을 이행하지 않을 경우 제재하기 어려움 — 안전 보장 이사회가 판결의 이행을 권고하거나 필요한 조치를 취할 수 있지만 국제 사법 재판소가 직접 제재하기는 어려워.

❶ **세계 무역 기구(WTO)**
국제 경제 질서 유지를 위해 국제 규범을 준수하도록 하고, 이를 지키지 않는 나라에 제재를 가하는 역할을 한다.

❷ **국제 사면 위원회(AI)**
세계의 인권 침해 사례를 찾아내고 이를 국제 사회에 알리는 등 인류의 인권 실현을 목적으로 활동한다.

❸ **국제 연합의 조직**
국제 연합은 6개 주요 기관 이외에도 국제 연합 아동 기금(UNICEF), 국제 연합 교육 과학 문화 기구(UNESCO) 등 수많은 산하 기구를 두고 경제, 사회, 문화 및 인권 영역에서 국제 협력을 증진하는 동시에 제3 세계 국가들의 개발을 지원하고 있다.

❹ **평화 유지군(Peace Keeping Operation, PKO)**
국제 분쟁을 평화적으로 해결하고 항구적인 평화 체제를 정착시키기 위한 국제 연합의 군사 활동을 뜻하며, 걸프 전쟁 이후 국제 사회에서는 국제 연합에 의한 평화 유지 활동을 위한 국제적 연대가 강화되었다.

❺ **권고적 의견(Advisory Opinion)**
국제 사법 재판소는 총회, 안전 보장 이사회 또는 기타 국제 연합 주요 기관 및 전문 기구의 요청에 의해 그들의 활동 범위 내에서 발생하는 법률적 문제에 대해 권고적 의견을 제시할 수 있다. 권고적 의견은 법적 구속력이 없다는 점에서 판결과 다르나 그 중요성은 높게 평가된다.

자료 1 국제 연합의 의사 결정

교과서 178쪽

총회에서는 평화와 안전에 관한 권고와 같은 중요 문제에 관해서는 출석 투표국 3분의 2 이상의 찬성, 기타 문제에 관해서는 출석 투표국 과반수 찬성으로 의결한다. 안전 보장 이사회에서는 15개 이사국 중 9개국 이상의 찬성으로 의결하는데, 실질 사항의 경우에는 상임 이사국 중 한 국가라도 거부권을 행사하면 안건이 부결된다.

자료 분석 국제 연합의 총회는 회원국 전체가 참여하는 최고 의결 기관이다. 주권 평등의 원칙 아래 의사 결정 시 1국 1표주의를 채택하고 있다. 일반 문제는 과반수로 의결하되, 중요 안건은 출석 국가의 3분의 2 이상의 찬성으로 의결한다. 중요 안건이란 평화와 안전의 유지에 관한 권고, 안전 보장 이사회의 비상임 이사국 선출, 신가입국 승인, 가입국의 특권 정지나 제명, 신탁 통치 제도의 운용, 예산 문제 그리고 총회에서 과반수의 합의로 지정된 중요 사항 등이다. 한편, 안전 보장 이사회의 경우, 국제 문제에 대한 결의안은 15개 이사국(상임 이사국 5개+비상임 이사국 10개) 중 9개국 이상이 찬성해야 통과된다. 다만, 실질 사항의 경우에는 5개 상임 이사국 전부를 포함한 9개국의 찬성을 필요로 하므로, 상임 이사국 중 한 국가라도 거부권을 행사할 경우 부결된다.

자료 분석 포인트

국제기구의 의사 결정 과정을 통해 국제기구의 의의와 한계를 파악해 보자.

Q1 상임 이사국의 거부권을 통해 파악할 수 있는 국제 사회의 특징으로 가장 적절한 것은?

① 힘의 논리 적용
② 동맹국과의 관계 우선
③ 국내법보다 국제법 우선
④ 보편적인 규범과 윤리 추구
⑤ 국제기구의 개별 국가에 대한 간섭

자료 2 국제 사법 재판소의 한계

교과서 179쪽

국제 사회는 1986년 국제 포경 위원회(IWC)를 통해 상업적 목적의 포경을 금지하였지만, 과학적 조사 목적의 포경은 허용하고 있다. 일본은 과학적 조사라는 명목을 내세워 매년 일본 연안 해역을 포함하여 남극해에서 850여 마리의 밍크고래를 잡아들였다.

이에 대해 2010년 오스트레일리아는 국제 사법 재판소에 일본이 사실상 상업 포경을 한다며 금지를 요청하는 소송을 제기하였고, 국제 사법 재판소는 2014년 일본의 남극해 포경을 금지하는 판결을 내렸다.

하지만 일본 정부는 2015년 12월 포경을 재개하였고, 심지어 2017년에는 국제 사회의 비난 여론에도 포획 고래 수를 작년 대비 40%가량 늘리기로 결정하였다.

– 연합뉴스, 2017. 6. 7. –

자료 분석 국제 사법 재판소는 원칙적으로 당사국 간 합의가 없는 사건에 대해 관할권을 강제할 수 없다는 한계점이 있다. 국제 사법 재판소의 관할권은 당사국에 대한 관할과 분쟁에 대한 관할로 나눈다.

- 당사국에 대한 관할: 재판소에 제소되는 사건의 당사자는 국가에 한하며 국제기구나 개인은 당사자가 될 수 없다. 단, 국제 연합 주요 기관이나 전문 기구는 당사자가 될 수는 없으나 재판소의 권고적 의견은 구할 수 있다. 공적인 국제기구는 재판 사건에 관한 정보를 요청할 수 있으며 자발적으로 정보를 제공할 수 있다. 개인은 그 소속 국가를 통하여 국가의 권리로서 재판소에 제소할 수 있다.
- 분쟁에 대한 관할: 분쟁을 제소할 수 있는 경우는 원칙적으로 분쟁 당사국 간에 합의가 있는 경우에 한한다. 재판소의 관할은 당사자가 재판소에 요청하는 모든 사건을 비롯해 헌장 또는 현행 조약 및 협약에 특히 규정된 모든 사항을 포함한다. 제소는 원칙상 임의적이다. 그러나 재판소 규정 제36조 제2항의 강제적 관할 조항을 수락한 경우 특별한 합의 없이도 강제적인 것이 된다.

자료 분석 포인트

국제 사회의 법적 분쟁을 해결하는 국제기구의 역할과 한계를 파악해 보자.

Q2 빈칸에 공통으로 들어갈 기관을 쓰시오.

국제 문제가 원만하게 조정되지 않을 경우 사법적 판단에 따라 해결할 수 있다. (　　　)은/는 국제 연합의 주요 사법 기관으로 국가 간의 분쟁을 법적으로 해결하고 있다. 그러나 당사국이 (　　　)의 판결을 이행하지 않으면 (　　　)이/가 이를 직접 제재하기 어렵다는 한계가 있다.

답 Q1 ① / Q2 국제 사법 재판소

개념 익히기

정답과 해설 ▸ 36쪽

01 다음 설명이 옳으면 ○, 틀리면 ×표 하시오.

(1) 냉전 시대가 종식된 이후 국제 사회에서 평화와 안보의 문제는 더 이상 중요한 문제가 아니다. (   )

(2) 식량, 주거, 건강, 교육, 위생 등이 심각하게 보장되지 않는 빈곤 상황에 처한 사람들이 있는데, 이는 인도주의 관점에서 전 세계가 함께 해결해야 할 문제이다. (   )

(3) 오늘날의 환경 문제는 한 국가만 노력한다고 해서 해결되지 않고, 전 세계적인 협력이 필요한 상황에 놓여 있다. (   )

02 다음 괄호 안에 들어갈 알맞은 말에 ○표 하시오.

(1) 국제 사회의 문제는 국경을 초월하여 발생하므로 특정 국가만의 문제로 볼 수 (있다 / 없다).

(2) 국가 간의 상호 의존성이 증가하면서 국제 문제가 개별 국가에 미치는 영향의 범위는 (확대 / 축소) 되고 있다.

(3) 국제 문제를 관리하고 규제할 강제성을 가진 국제기구는 (존재한다 / 존재하지 않는다).

03 다음 |보기|를 정부 간 국제기구와 국제 비정부 기구로 구분하시오.

보기
ㄱ. 국제 연합(UN)
ㄴ. 국제 사면 위원회(AI)
ㄷ. 그린피스(Greenpeace)
ㄹ. 세계 무역 기구(WTO)
ㅁ. 경제 협력 개발 기구(OECD)

(1) 정부 간 국제기구:

(2) 국제 비정부 기구:

04 다음 빈칸에 들어갈 알맞은 말을 쓰시오.

(   )은/는 국가 간 자유로운 무역과 세계 교역 증진을 목적으로 설립된 국제기구로, 국제 경제 질서 유지를 위해 국제 규범을 준수하도록 하고, 이를 지키지 않는 나라에 제재를 가하는 역할을 수행한다.

05 다음 빈칸에 들어갈 알맞은 말을 쓰시오.

(1) 국제 연합의 최고 의사 결정 기구로서 모든 회원국이 참여하는 (   )은/는 국제 사회의 다양한 문제를 의결한다.

(2) 국제 연합의 주요 기관 중 하나인 (   )은/는 국제 평화와 안전 유지의 책임을 맡은 기구로서 5개의 상임 이사국과 10개의 비상임 이사국으로 구성된다.

(3) 국제 연합의 주요 기관 중 하나인 (   )은/는 국제 사회의 경제 사회 개발 협력에 중심적인 역할을 수행한다.

06 다음에서 공통으로 설명하는 국제기구를 쓰시오.

- 국제 연합의 주요 사법 기관
- 다양한 국가 간의 분쟁을 법적으로 해결함
- 국적이 서로 다른 15명의 재판관으로 구성됨
- 조약, 국제 관습법, 법의 일반 원칙을 재판 기준으로 활용함

2단계 내신 유형 익히기

정답과 해설 ▸ 36쪽

01 다음 신문 기사에 나타난 국제 문제의 특징으로 가장 적절한 것은?

> 최근 하늘이 맑고 깨끗한 날이 반복되면서 고농도 미세 먼지 원인에 대한 논란이 재점화됐다. 올여름 강력한 남동풍이 유례없는 폭염을 불렀지만 중국발 미세 먼지 유입은 막아 줬다는 관측에서다. 이에 '국내 요인'이 크다는 정부의 미세 먼지 진단과 달리 '국외 요인'이 결정적인 게 아니냐는 지적이 나온다. ○○시는 미세 먼지 감축을 위해 차량 배출 규제, 노후 경유 차량 통제 정책 등을 내놨고, 정부도 석탄 산업 및 화력 발전소 규제 정책을 내놨지만, 이런 정책에 대한 여론은 시큰둥하다. - 뉴스핌, 2018. 8. 3. -

① 국가 내부에 한정되는 문제이다.
② 개별 국가에 미치는 영향의 범위가 점점 줄어들고 있다.
③ 냉전 시대가 종식된 이후 완전히 다른 양상을 보이고 있다.
④ 국제 관계의 상호 의존성이 심화되면서 점점 줄어들고 있다.
⑤ 강제성을 가진 초국가적 기구가 없어 문제 해결을 위한 국가 간의 합의를 도출하기 어렵다.

02 다음과 같은 현상에 대한 옳은 설명만을 |보기|에서 고른 것은?

> 전 세계 10대 석면 소비 국가 가운데 6개국이 아시아에 밀집되어 있는 것으로 나타났다. 이는 석면 사용이 금지된 국가에서 아시아 지역으로 석면 산업이 이동했기 때문이다. - 뉴시스, 2009. 5. 5. -

보기

ㄱ. 선진국에서 개발 도상국으로 공해 산업이 이전하고 있다.
ㄴ. 아시아 지역의 환경 규제가 엄격하기 때문에 발생하는 문제이다.
ㄷ. 석면 산업을 이전한 국가를 국제 연합(UN)에 제소하면 문제가 해결된다.
ㄹ. 문제 해결을 위해서는 국제 사회가 협력과 공조 체제를 구축하는 것이 필요하다.

① ㄱ, ㄴ ② ㄱ, ㄷ ③ ㄱ, ㄹ
④ ㄴ, ㄷ ⑤ ㄷ, ㄹ

03 다음 사례를 통해 추론할 수 있는 국제 문제의 특징으로 가장 적절한 것은?

> 2015년 우리나라는 메르스(MERS) 사태로 홍역을 겪었다. 중동 호흡기 증후군 또는 메르스는 2012년에 사우디아라비아에서 발견된 신종 전염병으로, 증상은 감기와 유사하지만 병증이 진행되면 고열, 기침, 호흡 곤란이 일어나기도 하고 치사율이 20%에 이르는 것으로 알려졌다. 당시 우리나라의 감염자 숫자는 세계 2위로 엄청난 수치였는데, 이러한 이유 중에 하나로 우리나라가 중동 지역과 교역이 많고 여행을 많이 가는 국가인 것이 지적되었다.

① 특정 국가에 한정되는 문제이다.
② 정치적인 분야에 한정되어 발생한다.
③ 문제를 해결하기 위한 국제 규범이 시시때때로 변화한다.
④ 이념 대립으로 문제와 관련된 국가들끼리 대화하기가 어렵다.
⑤ 국가 간 상호 의존성이 높아지면서 개별 국가에 미치는 영향력이 커지고 있다.

04 중요 다음 신문 기사에 대한 설명으로 옳지 않은 것은?

> ㉠ 미국과 중국 간에 무역 갈등이 본격화되고 있다. 미국은 23일 오전 0시 1분을 기해 160억 달러 규모 279개 품목의 중국산 수입품에 25%의 추가 관세를 부과한다고 밝혔다. 중국도 이날 낮 12시 0분부터 160억 달러 미국산 제품에 25%의 관세를 정식 부과했다. 그리고 이날 저녁 중국은 미국이 자국 제품 160억 달러(약 18조 원) 규모에 25%의 관세를 추가로 부과한 데 대해 ㉡ 세계 무역 기구(WTO)에 제소했다. - 뉴시스, 2018. 8. 25. -

① ㉠과 같은 행위 주체는 국제 사회의 가장 기본적인 행위 주체에 해당한다.
② ㉠ 간의 갈등은 힘겨루기의 양상으로 나타나고 있다.
③ ㉡은 정부 간 국제기구에 해당한다.
④ ㉡을 활동 영역에 따라 분류하면 일반적 국제기구이다.
⑤ 국가 간 분쟁을 조정하는 데 있어 강제성을 가진 규범이 존재하지 않는다는 사실과 관련이 있다.

05 중요 국제기구를 다음과 같이 분류할 때 ㉠~㉢에 대한 옳은 설명만을 |보기|에서 고른 것은?

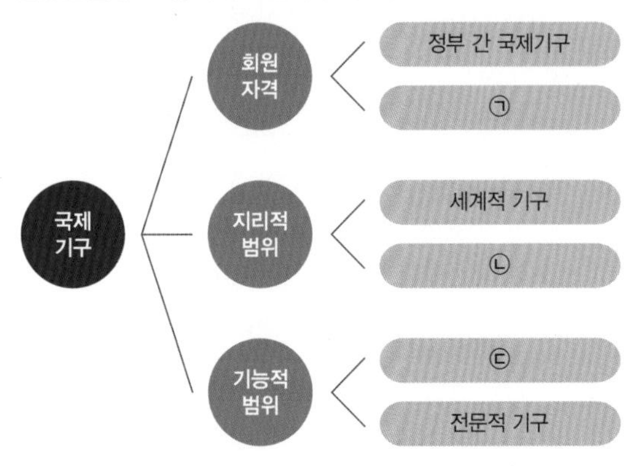

|보기|
ㄱ. 국제 사면 위원회(AI)는 ㉠에 해당한다.
ㄴ. ㉡에는 세계 모든 국가가 가입할 수 있다.
ㄷ. ㉢의 대표적인 예로는 세계 보건 기구(WHO)를 들 수 있다.
ㄹ. ㉠~㉢은 모두 국제 협력과 공조 체제를 구축하려는 목적으로 설립되었다.

① ㄱ, ㄴ ② ㄱ, ㄷ ③ ㄱ, ㄹ
④ ㄴ, ㄹ ⑤ ㄷ, ㄹ

06 다음 글에 대한 설명으로 옳지 않은 것은?

파리 협정은 2015년 12월 12일 파리에서 열린 (㉠) 기후 변화 협약 당사국 총회 본회의에서 195개 당사국이 채택한 협정으로, 온실가스 배출량을 단계적으로 감축하는 내용을 담고 있다. 195개 당사국은 세계 온실가스 배출량의 90% 이상을 차지하며 선진국만이 아니라 협정에 참여하는 당사국 모두가 감축 목표를 지켜야 한다.

① ㉠에 들어갈 국제기구는 국제 연합(UN)이다.
② ㉠은 강제성이 있어서 협정을 위반하는 국가에 대해서는 언제나 실질적인 제재가 가능하다.
③ 환경 문제 해결을 위한 국제적 노력을 보여 주고 있다.
④ 선진국뿐만 아니라 개발 도상국도 의무를 지게 되었다.
⑤ 선진국은 개발 도상국에 기술 개발을 위한 자금을 지원하기로 했다.

07 다음은 국제 연합의 주요 기관에 대한 내용이다. 이에 대한 설명으로 옳은 것은?

(가) 국제 연합의 최고 의사 결정 기구로서 모든 회원국이 참여한다.
(나) 국제 평화와 안전 유지의 책임을 맡은 기구로서 5개 상임 이사국과 10개 비상임 이사국으로 구성된다.

① (가)는 안전 보장 이사회에 대한 설명이다.
② (가)에서 회원국 중 한 국가라도 거부권을 행사하면 안건이 부결된다.
③ (나)에서는 출석 투표국 과반수 찬성으로 의결을 한다.
④ (나)는 국제 분쟁의 평화적 해결을 중재하는 역할을 한다.
⑤ (가)와 (나)는 모두 인류의 생활 수준 향상을 주된 목표로 한다.

08 국제 사법 재판소의 특징에 대한 옳은 설명만을 |보기|에서 고른 것은?

|보기|
ㄱ. 재판관은 모두 중립국에 해당하는 나라의 국적을 가지고 있다.
ㄴ. 국가 간의 법적 분쟁을 국제법에 따라 해결하고자 노력한다.
ㄷ. 판결은 전 세계 모든 국가들에 적용되며, 3심제로 운영하고 있다.
ㄹ. 당사국이 판결을 이행하지 않을 경우 이를 직접 제재하기는 어렵다는 한계를 갖고 있다.

① ㄱ, ㄴ ② ㄱ, ㄷ ③ ㄴ, ㄷ
④ ㄴ, ㄹ ⑤ ㄷ, ㄹ

서술형 문제

09 다음 문제들의 공통점을 서술하시오.

- 지구촌에 확산된 분쟁과 기후 변화로 인해 세계 기아 인구가 다시 증가하고 있다.
- 선진국에서 개발 도상국으로 공해 수출이 이루어지고 있으며, 이는 다양한 직업병과 환경 오염의 원인이 되고 있다.
- 미국이 소말리아에 대한 무력적 개입을 강화하자, 이에 대한 반발로 소말리아에서 아프리카 무장 단체의 테러가 기승을 부리고 있다.

서술형 문제

10 다음 글을 읽고 물음에 답하시오.

(　　　　)은/는 지구상에서 북반구에 주로 위치한 선진국과 주로 적도 부근 및 남반구에 위치한 개발 도상국 간의 경제적 격차와 그에 따른 갈등을 의미한다. 지구촌이 생산하는 부의 80% 정도를 세계 인구의 4분의 1인 선진국이 차지하고 나머지인 4분의 3이 20% 정도만을 갖는다는 사실은 (　　　　)의 심각성을 상징적으로 보여 준다.

(1) 빈칸에 공통으로 들어갈 국제 문제를 쓰시오.

(2) (1)과 같은 문제를 해결하기 어려운 이유를 서술하시오.

서술형 문제

11 다음 글을 읽고 물음에 답하시오.

- 5개의 상임 이사국과 10개의 비상임 이사국으로 구성된다.
- 국제 분쟁의 평화적 해결을 중재하고, 침략이나 테러 행위에 대한 국제적 제재안을 결의한다.

(1) 위에서 설명하고 있는 국제 연합의 주요 기관을 쓰시오.

(2) (1)의 실질 사항 의결 과정에서 상임 이사국이 갖는 권한에 대해 서술하시오.

서술형 문제

12 다음 글을 읽고 물음에 답하시오.

'이 기관'은 국제 연합의 주요 사법 기관으로 주요 역할은 국가 간의 법적 분쟁을 국제법에 따라 해결하는 것이다. 이와 함께 국제 연합의 주요 기관이나 산하 기구가 요청하는 법적 질의와 문제에 대해 권고적 의견을 제시하기도 한다.

(1) 위 글의 '이 기관'이 무엇인지 쓰시오.

(2) (1)의 한계에 대해 서술하시오.

3단계 내신 만점 도전하기

정답과 해설 ▸ 37쪽

01 중요 다음은 '지구 온난화 문제 해결'이라는 주제에 관한 토론 내용이다. 이에 대한 옳은 설명만을 |보기|에서 고른 것은?

> 갑: 지구 온난화 문제가 심각해. 따라서 기존에 선진국들만 온실가스 감축 의무를 졌던 것을 넘어 개발 도상국들도 동일한 의무를 져야 해.
> 을: 선진국들은 이미 환경을 오염시키면서 경제 개발을 했어. 개발 도상국들은 이제 경제 개발을 시작하고 있는데 규제를 하면 산업에 피해를 입게 돼.
> 병: 하지만 지구 온난화 문제는 선진국과 개발 도상국 모두가 해결하고자 노력해야 하는 문제야. 개발 도상국도 온실가스 감축 의무를 지되, 선진국들이 오염을 감소시킬 수 있는 환경 기술과 자본을 개발 도상국에 지원하면 어떨까?

보기

ㄱ. 갑은 국제 문제 해결에서 국제 비정부 기구의 필요성을 암시하고 있다.
ㄴ. 을은 국제 분쟁을 조정할 세계 중앙 정부의 존재를 전제하고 있다.
ㄷ. 병은 지구 온난화 문제와 남북문제를 동시에 고려하고 있다.
ㄹ. 이 대화는 파리 협정의 과정을 보여 주고 있다.

① ㄱ, ㄴ ② ㄱ, ㄷ ③ ㄱ, ㄹ
④ ㄴ, ㄷ ⑤ ㄷ, ㄹ

문제 접근 방법
국제 문제 해결을 위한 노력들을 염두에 두고 제시된 토론 내용을 읽은 뒤, 보기의 내용을 적용하여 옳고 그름을 판단한다.

내신 전략
대표적인 국제 문제들을 안보, 경제, 환경의 측면에서 정리하고 이를 해결하기 위한 노력들을 알아 두도록 한다.

02 다음 신문 기사에 등장하는 A에 관한 설명으로 옳은 것은? (단, A는 국제 연합의 주요 기관이다.)

> 미국이 A에 대북 제재를 위반한 러시아 해운 회사 두 곳과 러시아 선박 여섯 척을 블랙리스트에 올릴 것을 요청했다고 AFP 통신이 23일 외교관들의 발언을 인용해 보도했다. 대북 제재를 강화하기 위한 미국의 시도는 이번을 포함해 지난 두 달 사이 세 번이나 이어졌다. 앞서 미국 재무부는 지난 21일 두 해운 회사와 여섯 척의 선박에 대해 일방적인 제재를 가했다. 외교관들에 따르면, A는 오는 29일까지 미국의 요청에 대한 결과를 발표할 예정이다.
> – 뉴스1, 2018. 8. 24. –

① 문화 및 인권 영역에서 국제 협력을 증진한다.
② 침략이나 테러 행위에 대한 국제적 제재안을 결의한다.
③ 상임 이사국 10개, 비상임 이사국 5개로 구성되어 있다.
④ 국제 연합의 최고 의사 결정 기구로서 모든 회원국이 참가한다.
⑤ 국제 연합의 주요 기관이 요청하는 법적 질의에 권고적 의견을 제시한다.

문제 접근 방법
신문 기사를 읽고, A가 무엇에 해당하는지 파악한다. 국제 연합의 주요 기관이라는 점을 기사와 단서를 통해 유추할 수 있다. 그리고 선택지를 읽으면서 적절한 내용을 골라낸다.

내신 전략
대표적인 국제기구에 대해 알아 두고, 특히 국제 연합(UN)의 경우 총회, 안전 보장 이사회, 국제 사법 재판소 등 주요 기관의 특징을 정리해 둔다.

수능 유형 익히기

정답과 해설 ▸ 37쪽

2017학년도 수능

01 밑줄 친 ㉠~㉢에 대한 옳은 설명만을 |보기|에서 있는 대로 고른 것은?

> ㉠ 국제 연합은 민주주의를 훼손하고 법의 지배를 위태롭게 하는 부패를 척결하기 위해 ㉡ '국제 연합 부패 방지 협약'을 마련하였다. 우리나라에서 이 협약은 헌법에 정해진 절차에 따라 체결·공포되어 2008년에 발효되었다. 국회는 이 협약의 효율적 이행을 위해 ㉢ '부패 재산의 몰수 및 회복에 관한 특례법'을 제정하였다.

보기

ㄱ. ㉠은 국제 사회의 행위 주체로 '정부 간 국제기구'이다.
ㄴ. ㉡과 같은 국제법의 법원(法源)은 국제 사법 재판소의 재판 준거로 활용될 수 있다.
ㄷ. ㉡과 같은 국제법의 법원(法源)은 원칙적으로 체결 당사국뿐 아니라 모든 국가를 구속한다.
ㄹ. ㉡은 ㉢과 달리 헌법과 동일한 국내법적 지위를 가진다.

① ㄱ, ㄴ　② ㄱ, ㄷ　③ ㄷ, ㄹ
④ ㄱ, ㄴ, ㄹ　⑤ ㄴ, ㄷ, ㄹ

출제 개념
국제 연합과 조약

자료 해설
제시된 자료에서 국제 연합은 정부 간 국제기구로서 국제 사회의 평화와 안전을 추구한다. 국제 연합이 마련한 '국제 연합 부패 방지 협약'은 우리나라에서 국내법과 같은 지위를 가진다.

해결 비법
국제 연합의 특징 및 조약의 특징이 무엇인지 파악한다. 그리고 보기를 읽으면서 그와 관련하여 적절한 설명을 찾아낸다.

2019학년도 수능

02 국제 연합의 주요 기관 A~C에 대한 설명으로 옳은 것은?

> 국제 연합 헌장은 A가 B의 권고에 따라 국제 연합 가입 신청국의 가입 여부를 결정하도록 규정하고 있다. 그런데 냉전이 격화되면서 B의 상임 이사국들이 정치적 이해관계로 거부권을 행사하여 가입하지 못하는 신청국이 발생하였다. 이에 모든 회원국이 의결에 참여하는 A는 독자적으로 가입 여부를 결정할 수 있는지에 대해 C에 권고적 의견을 요청하였다. 1940년대 창설된 사법 기관 C는 A와 B에서 선출된 15인의 국적이 다른 재판관으로 구성되어 있다.

① A는 주권 평등 원칙에 따른 표결 방식을 채택하고 있다.
② B의 모든 이사국들은 신청국의 가입 여부에 대해 거부권을 가진다.
③ C는 국제 평화와 안전 유지에 대한 일차적 책임을 진다.
④ 다국적 기업 간의 분쟁이 국제 사회의 법적 분쟁이라면 C의 재판 대상이 된다.
⑤ B와 달리 A는 C가 내린 판결의 이행을 위해 적절한 조치를 결정할 수 있다.

출제 개념
국제 연합의 주요 기관

자료 해설
총회는 국제 연합의 최고 의사 결정 기구로 모든 회원국이 참여한다. 안전 보장 이사회는 국제 평화와 안전 유지의 책임을 맡은 기구로 상임 이사국과 비상임 이사국으로 구성된다. 국제 사법 재판소는 국제 연합의 주요 사법 기관이다.

해결 비법
국제 연합의 주요 기관 A~C가 각각 어떤 기관에 해당하는지 확인한 다음, 각 기관의 특징을 염두에 두고 올바르게 서술한 선택지를 찾아낸다.

주제 3

우리나라의 국제 관계

주제 흐름 읽기

우리나라의 국제 관계		
	지정학적 위치	• 아시아 대륙과 태평양을 잇는 전략적 요충지 • 동아시아의 중심에서 중재자 역할의 가능성 모색
	안보적 측면	• 남북한이 대치되어 있는 특수한 상황 • 기존의 양자 간 안보 협력 체제 중심에서 다자간 안보 협력 체제의 필요성이 제기됨 • 주변국의 이해관계가 복잡함
	경제적 측면	• 다른 국가들과 긴밀한 경제적 상호 의존 관계 형성 • 세계 무역 기구(WTO) 및 경제 협력 개발 기구(OECD) 가입, 자유 무역 협정(FTA) 체결, 아시아·태평양 경제 협력체(APEC) 참여 등을 통해 다자 무역 체제 강화

외교를 통한 국제 관계 형성		
	외교	• 한 국가가 자국의 이익을 달성하기 위하여 국제 사회에서 평화적인 방법으로 펼치는 대외적 활동 • 외교를 통해 자국의 대외적 위상 제고, 정치적·경제적 이익 실현, 국제 사회와 공존
	바람직한 국제 관계	• 국가 주권 수호, 국민의 안전 확보 • 강대국 중심의 4강 외교에서 벗어나 다자 외교 실현 • 세계화·정보화의 흐름에 맞게 외교의 방법과 형태를 다양화하여 실리 추구

1 우리나라의 국제 관계와 국제 질서

1. 우리나라의 국제 관계

(1) 지정학적 위치로 본 국제 관계 자료 1

① 전략적 요충지: 아시아 대륙과 태평양을 잇는 접점으로 대륙과 해양으로 진출하기 용이함

② 중국, 러시아, 일본 사이에 위치하여 역사적으로 주변국들의 끊임없는 침탈이 이어짐

③ 지리적 이점을 활용하여 동아시아의 중심에서 중재자 역할의 가능성 모색

└ 이를 통해 경제적 성장 및 국제 평화 유지에 기여할 수 있어.

(2) 안보적 측면에서 바라본 국제 관계❶

① 남북한이 대치되어 있는 특수한 상황

② 다자간 안보 협력 체제의 필요성 제기: 동북아시아의 안보가 양자 간 안보 협력 체제 중심에서 다자간 안보 협력 체제로 변화 ─ 우리나라와 북한, 미국, 러시아, 일본, 중국의 다자간 협력 체제의 역할이 강조되고 있어.

③ 안보 문제 해결의 어려움: 중국의 경제적·군사적 부상, 중국을 견제하기 위한 미국과 일본의 협력 관계, 신동진 정책❷으로 새로운 시장을 확보하려는 러시아 등 주변국의 이해관계가 복잡함

(3) 경제적 측면에서 바라본 국제 관계

① 우리나라는 다른 국가들과 긴밀한 경제적 상호 의존 관계를 맺고 있음 ─ 거의 전 세계 국가들이 세계화와 지역주의, 개방과 보호, 경쟁과 갈등을 바탕으로 고도의 상호 의존 관계를 경험하고 있어.

② 세계 무역 기구(WTO) 및 경제 협력 개발 기구(OECD)에 가입하여 세계 경제 질서 준수, 국제 관행 유지

③ 국제 경제 협력의 일환으로 여러 나라와 자유 무역 협정(FTA) 체결 자료 2

④ 아시아·태평양 경제 협력체(APEC)❸에 참여하여 다자 무역 체제 강화, 지역 내 무역 여건 개선에 기여

2. 한반도 주변의 국제 질서

─ 한반도는 북한뿐 아니라 중국, 일본, 미국, 러시아 등 주변 강대국과 복잡하고 역동적인 관계를 맺고 있어.

(1) 일본과의 관계 과거사 왜곡 문제나 독도 영유권 주장 문제로 갈등

(2) 중국과의 관계 도서·해양 영유권 주장 등 자국의 실리 추구 과정에서 문제 발생 자료 3

(3) 미국과의 관계 국방의 자주권 확보, 경제적 실리 추구 과정에서 미묘한 협력과 갈등 경험

❶ 동북아시아의 안보
동북아시아는 좁게는 한국, 중국, 일본 등의 나라가 속해 있는 지역이며 넓게는 러시아 시베리아 지역과 타이완까지 포함한다. 이 지역은 탈냉전 시기 이후 중국의 부상 등으로 인하여 세계 경제의 발전을 견인하는 등 정치·경제적 위상이 높아졌지만, 국제 안보 측면에서는 불안정한 모습을 보이고 있다. 실제로 동북아시아 지역은 군비 경쟁이 가장 치열한 곳이다. 이처럼 군비 경쟁이 치열한 이유는 동북아시아 지역에 여전히 냉전적 대립이 존재하고, 강대국 간의 이해관계가 복잡하게 얽혀 있기 때문이다.

❷ 러시아의 신(新)동진 정책
러시아가 동북아시아를 비롯한 아시아·태평양 지역 국가들과의 경제 협력 및 에너지 자원 개발 협력을 강화하고자 하는 정책을 뜻한다.

❸ 아시아·태평양 경제 협력체(APEC)
아시아 및 태평양 지역의 경제 성장과 번영을 위한 역내 정상들의 협의 기구이다. 세계 인구의 40%, 국내 총생산(GDP)의 52%, 교역량의 45%를 차지하는 세계 최대의 지역 협력체이다.

자료 1 거꾸로 본 세계 지도

교과서 183쪽

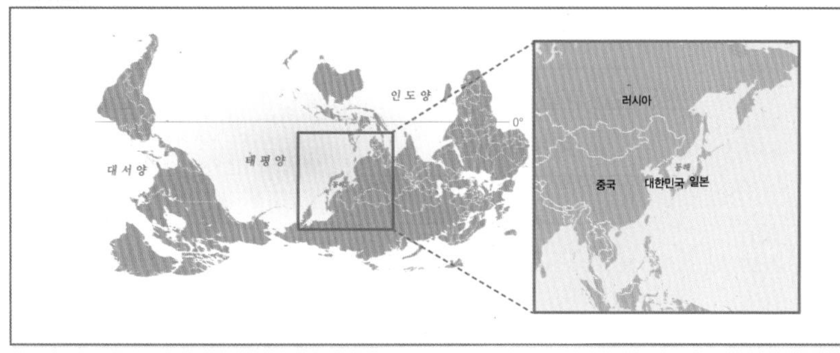

자료 분석 기존의 세계 지도를 보면 한반도 위에는 러시아와 중국 영토만 눈에 들어온다. 더 이상 뻗어 가지 못하고 갇혀 있다는 답답한 느낌이 들 수밖에 없다. 하지만 고정 관념을 버리고 세계 지도를 거꾸로 보면 한반도 위에는 망망대해에 떠 있는 오스트레일리아와 남극이 한눈에 들어온다. 우리나라가 아시아 대륙과 태평양의 전략적 위치에 있음을 알 수 있다.

자료 분석 포인트

세계 지도를 거꾸로 보았을 때 파악할 수 있는 우리나라의 국제 관계를 생각해 보자.

Q1 거꾸로 본 세계 지도를 통해 파악할 수 있는 우리나라의 지정학적 특성으로 가장 적절한 것은?

① 동북아시아 속 고립된 위치
② 유럽과 아시아 사이의 접점
③ 강대국 중심의 군사 동맹의 접점
④ 태평양 주변국 사이의 완충 지대
⑤ 아시아 대륙과 태평양의 전략적 위치

자료 2 국제기구 속 우리나라 – 자유 무역 협정

교과서 184쪽

자유 무역 협정(FTA)은 국가 간 상품의 자유로운 이동을 위해 모든 무역 장벽을 완화하거나 제거하는 협정이다. 제반 무역 장벽을 완화하거나 철폐하여 무역 자유화를 실현하려고 양국 간 또는 지역 간에 체결한다. 우리나라는 50여 개국 이상과 자유 무역 협정을 체결해 발효 중이며, 2017년 1월 기준 세계 3위 규모이다.

자료 분석 우리나라는 50여 개국 이상과 자유 무역 협정(FTA)을 체결해 전 세계 경제 영토의 73.4%를 확보하고 있다. FTA를 체결하기 위해서는 상품뿐 아니라 기술 표준, 서비스, 투자, 정부 조달, 지식 재산권 등 포괄적인 분야의 합의가 필요하다. 이처럼 국가 간 FTA는 각 나라의 서로 다른 경제, 문화, 정치, 외교 등 모든 요소가 고려되기 때문에 협상 과정을 통하여 다양한 영역의 교류도 활성화된다.

자료 분석 포인트

자유 무역 협정을 통해 우리나라의 국제 관계를 파악해 보자.

Q2 밑줄 친 '이것'은 무엇인지 쓰시오.

이것은 국가 간 상품의 자유로운 이동을 위해 모든 무역 장벽을 완화하거나 제거하는 협정이다. 우리나라는 50여 개국 이상과 체결해 발효 중이다.

자료 3 한반도를 둘러싼 다양한 국제 관계 – 서해를 둘러싼 분쟁

교과서 185쪽

한국과 중국의 중간에 위치한 서해의 배타적 경제 수역을 어떻게 설정할 것이냐의 문제이다. 한중 양국 사이의 서해는 폭이 400해리가 채 되지 않아, 배타적 경제 수역이 겹칠 수밖에 없는 상황이다. 이러한 경우 경계는 일반적으로 양측이 주장하는 배타적 경제 수역의 중간선을 취하는 것이 국제적 관례이다.

우리는 양국 해안선의 중간선을 경계로 하자는 '등거리' 원칙을 내세우는 반면, 중국은 해안선의 길이 등 여러 '관련 사항'을 고려해서 공평하게 경계를 정해야 한다는 이른바 '형평의 원칙'을 주장하고 있다.

– 통일뉴스, 2017. 8. 4. –

자료 분석 한중 양국은 1996년 '바다의 헌법'이라 불리는 유엔 해양법 협약에 가입한 뒤 배타적 경제 수역(EEZ · 연안으로부터 200해리, 370km) 경계 획정을 위해 수십 차례 협상을 시도했지만, 16년째 결론을 내지 못하고 있다. 서해는 좁은 바다여서 겹치는 수역이 생기므로 겹치는 부분의 중간선을 택해 EEZ 경계를 획정하는 것이 관례다. 우리 정부가 주장하는 것도 이 '중간선 원칙'이다. 그러나 중국은 배후 인구와 국토 면적도 EEZ 획정에 반영되어야 한다는 논리를 내세우고 있다.

자료 분석 포인트

서해를 둘러싼 분쟁을 통해 국제 관계의 특징을 알아보자.

Q3 제시된 자료의 갈등이 나타난 원인으로 가장 적절한 것은?

① 지속적인 동맹 관계의 부재
② 보편적인 윤리와 규범의 준수
③ 국제기구의 강제적 기능 미비
④ 국제적 협력에 대한 합의 부재
⑤ 자국의 이익을 최우선으로 추구

답 Q1 ⑤ / Q2 자유 무역 협정(FTA) / Q3 ⑤

2 우리나라의 외교와 바람직한 국제 관계 방향

1. 외교 자료 1

(1) **외교❶의 의미** 한 국가가 자국의 이익을 달성하기 위하여 국제 사회에서 평화적인 방법으로 펼치는 대외적 활동 — 국제 사회에서 발생하는 다양한 갈등을 해결하고 국제 평화를 유지하기 위해서는 외교 활동이 중요해.

(2) **외교의 방법**

① 주로 협상을 통해 이루어짐

② 자국의 요구를 실현하기 위해 상대국을 설득하거나 때로는 정치적 · 군사적 위협을 가하기도 함

(3) **외교의 의의**

① 자국의 대외적 위상 제고

② 다양한 정치적 · 경제적 이익 실현

③ 국제 문제 해결을 통해 국제 사회와 공존

(4) **외교의 방향** 내부 상황을 비롯하여 다른 나라와의 관계, 국제 정세의 변화 등 다양한 요인을 신중하게 검토하여 외교 정책을 결정해야 함

2. 우리나라의 바람직한 국제 관계 방향

(1) **국가 주권 수호 및 국민의 안전 확보**

① 주변국과의 긴밀한 공조를 통해 북한 핵 문제를 평화적으로 해결 자료 2

② 남북한 신뢰 구축과 평화적 통일 실현

(2) **다자 외교❷를 통한 다변화**

① 미국, 일본, 중국, 러시아 등 강대국 중심의 4강 외교에서 벗어나 다자 외교를 통한 외교 다변화 모색

② 동북아시아에서 다자 안보 협력 구축의 가교 역할을 통해 세계 평화와 번영을 위한 발판 마련

(3) **다양한 외교를 통한 실리 추구**

① 세계화 · 정보화의 흐름에 맞게 외교의 방법과 형태를 다양화하여 우리나라의 실질적 번영 추구

② 내용

- 공공 외교❸: 정부 중심의 안보와 정치 분야에 한정된 외교에서 벗어나 민간 차원의 외교 활성화 → 외국 국민과 직접적인 소통을 통해 자국의 역사, 전통, 문화, 예술, 정책 등에 대한 공감대를 확산하고 신뢰를 확보하는 외교
- 기여 외교: 적극적인 대외 원조를 통한 외교 → 경제 협력 개발 기구(OECD) 개발 원조 위원회(DAC) 회원국으로서 원조 관련 제도와 정책의 꾸준한 개선, 국가 위상 제고
- 인권 외교: 국제 사회의 인권 보장을 위한 외교 → 인류의 보편적 가치로서의 인권 추구, 취약 계층의 인권 보호와 증진을 위한 노력
- 한류 외교: 다양한 문화 콘텐츠 이용

---

❶ 외교의 어원
외교를 뜻하는 'diplomacy'라는 용어는 '접는다'라는 의미를 가진 그리스어 'diploun'에서 유래하였다. 로마 제국 당시 모든 여행증, 도로 통행증, 통행료 납부증은 두 겹으로 된 금속판에 내용을 새겨 접어 꿰맨 것이었다. 이 금속 통행증을 'diploma'라고 불렀다. 이후 'diploma'는 공문서를 포함하는 것으로 그 의미가 확대되었으며, 특히 이질적인 단체나 종족에게 특권을 부여하거나 협상을 구체화하는 관문서를 의미하게 되었다. 이러한 조약문들이 축적되자 로마 제국의 문서 보관소에서는 이 문서들을 편철하고, 보관하고, 해독하는 전문직이 필요하였다. 고문서를 확인하고 해독하는 고문서학은 17세기 후반까지 발전하였고, 이 직업은 고문서나 'diploma'를 다루는 문서직(res diplomatica)이라 불리었다.

❷ 다자 외교
셋 이상의 국가가 특정 의제에 관해 이해관계를 조정하고 협력 방안을 찾아가는 외교 활동으로 세계화 시대에 초국가적 혹은 지역적 문제들이 증가하면서 그 중요성이 부각되고 있다. 우리나라는 유럽과 아프리카 등 다자 외교를 통해 외교 다변화를 꾀해야 한다.

❸ 공공 외교
오늘날 공공 외교는 문화, 예술, 스포츠, 가치관 같은 무형의 자산이 지닌 매력을 통해 상대국 대중의 마음을 사로잡는 소프트 파워를 추구한다.

자료 1 한류 외교와 소프트 파워

교과서 186쪽

최근 우리나라는 첨단 전자 제품을 생산하면서 동시에 문화적 감수성을 지닌 국가로서 인정받고 있다. 이른바 한류로 통칭하는 드라마, 영화, 음식, K-Pop 등 우리나라 대중문화는 소프트 파워에 크게 기여하고 있다. 한류의 주인공들은 동북아시아의 이웃 국가들과의 민감한 관계를 개선하는 외교적인 역할을 하고 있다. 일본 총리가 우리나라 배우를 초대하거나 대통령이 해외를 방문할 때 가수를 동반하는 것이 그 예이다.

자료 분석 조지프 나이(Nye, J.)는 일종의 '문화 권력'으로서의 소프트 파워(soft power)가 '세계 정치에서 성공의 수단'이 될 것이라고 주장한다. 그 밖의 비판적 차원에서 접근하는 문화 제국주의, 오리엔탈리즘 등의 논쟁에서도 공통적으로 드러나는 것은 문화가 권력 자원으로서 상당한 영향력을 발휘한다는 점이다. 소프트 파워란 군사력이나 경제력과 같은 하드 파워(hard power)에 대응하는 개념으로 강제나 보상이 아닌 설득과 매력을 통해 원하는 것을 얻는 능력을 뜻한다. 이 정의에 따르면, 도구와 수단으로서의 문화는 국력의 중요한 구성 요소로 간주될 수 있다.

자료 분석 포인트

문화가 외교의 중요한 수단이 될 수 있는 이유를 파악해 보자.

Q1 다음 글에서 밑줄 친 '사회학자'가 강조하고 있는 것은?

> 한 사회학자는 미국의 패권이 상당 기간 계속될 것으로 예언했다. 그 이유는 미국적 가치관, 정보 통신, 교육 기관, 국제기구와 제도를 통한 의제 설정 능력, 인터넷과 CNN, 하버드, 맥도널드와 IMF 등이 21세기 미국의 힘이라는 것이다.

① 군사 동맹 체결
② 무역 전쟁의 승리
③ 하드 파워의 구축
④ 경제적 실리 추구
⑤ 소프트 파워의 획득

자료 2 한반도의 바람직한 국제 관계

교과서 188쪽

자료 분석 한반도는 미국, 중국, 일본, 러시아와 같은 강대국들의 국가 이익이 표출되는 지역이다. 동북아시아의 안정성과 불안정성을 교차하게 만드는 북한의 핵 문제와 군사 도발에 대해서도 각 나라의 입장은 상이하다. 따라서 우리나라는 통일 정책과 남북 관계를 구상할 때 한반도와 동북아 국제 체제의 특성을 잘 이해해야만 각국을 잘 설득하고 유리한 통일 여건을 조성할 수 있다. 국제 공조를 강화하여 북한의 도발에 대응하는 한편, 주변국과 긴밀한 협조를 통해 우호적인 통일 환경 조성에도 힘써야 할 것이다.

자료 분석 포인트

남북한의 평화적 통일을 이루기 위해 다른 나라와의 외교가 중요한 이유를 파악해 보자.

Q2 우리나라의 통일을 둘러싼 주변국의 입장이 다양하게 나타나는 이유로 가장 적절한 것은?

① 자국의 이해관계를 추구하기 때문
② 다양한 동맹 관계를 추구하기 때문
③ 국제기구에 대한 입장의 차이 때문
④ 세계 평화에 대한 열망의 차이 때문
⑤ 군비 경쟁에 대한 경제적 여건의 차이 때문

답 Q1 ⑤ / Q2 ①

1단계 개념 익히기

정답과 해설 ▸ 38쪽

01 다음 빈칸에 들어갈 알맞은 말을 쓰시오.

> 동북아시아의 안보를 위해 우리나라와 중국, 우리나라와 일본 등 양자 간 안보 협력 체제 중심에서 우리나라를 둘러싼 여러 국가들과 협력해야 하는 (　　　　)의 필요성이 본격적으로 제기되고 있다.

02 다음 괄호 안에 들어갈 알맞은 말에 ○표 하시오.

(1) 경제적 측면에서 우리나라는 다른 국가들과 (독립적인 / 상호 의존적인) 관계를 맺고 있다.

(2) 우리나라는 (세계 무역 기구(WTO) / 세계 보건 기구(WHO))에 가입하여 세계 경제 질서를 준수하며 국제 관행을 유지하는 데 힘쓰고 있다.

(3) 우리나라는 경제 협력과 무역 여건 개선을 위해 (북대서양 조약 기구(NATO) / 아시아 · 태평양 경제 협력체(APEC))에 적극적으로 참여하고 있다.

03 최근 한반도를 둘러싼 국제 질서에 대한 옳은 설명만을 |보기|에서 있는 대로 고르시오.

> |보기|
> ㄱ. 자유 무역 협정을 파기하고 있다.
> ㄴ. 일본이 독도 영유권을 주장하고 있다.
> ㄷ. 미국에 안보의 상당 부분을 의존한다.
> ㄹ. 서해의 배타적 경제 수역에 대해 중국과 분쟁이 있다.

04 다음 빈칸에 들어갈 알맞은 말을 쓰시오.

(1) (　　　　)(으)로 볼 때, 우리나라는 아시아 대륙과 태평양을 잇는 접점으로서 대륙과 해양으로 진출하기 용이한 전략적 요충지로서의 성격을 지닌다.

(2) 우리나라는 국가 간 상품의 자유로운 이동을 위해 무역 장벽을 완화하거나 제거하는 (　　　　)을/를 50여 개국 이상의 국가들과 체결하였다.

(3) (　　　　)(이)란 한 국가가 자국의 이익을 달성하기 위하여 국제 사회에서 평화적인 방법으로 펼치는 대외적 활동을 의미한다.

05 다음 설명이 옳으면 ○, 틀리면 ×표 하시오.

(1) 국제 평화는 이미 달성되었기 때문에 우리나라는 외부 위협으로부터 국가 주권을 수호하려 노력할 필요는 없다. (　　　)

(2) 우리나라는 앞으로 미국, 일본, 중국, 러시아 등 강대국 중심의 4강 외교에서 벗어나 유럽과 아프리카 등 다자 외교를 통한 외교 다변화를 피해야 한다. (　　　)

(3) 우리나라는 세계화 · 정보화의 흐름에 맞게 외교의 방법과 형태를 다양화하여 실리를 추구해야 한다. (　　　)

06 외교 방식 (1)~(4)와 관련한 옳은 설명만을 |보기|에서 고르시오.

> |보기|
> ㄱ. 국제 사회에서의 인권 존중 추진을 목적으로 하는 외교 활동
> ㄴ. 외국 국민과 직접적인 소통을 통해 신뢰를 확보하는 외교 활동
> ㄷ. 셋 이상의 국가가 특정 의제에 관해 이해관계를 소정하는 외교 활동
> ㄹ. 도움이 필요한 국가에 원조를 하여 국가 위상을 제고하는 외교 활동

(1) 다자 외교:
(2) 공공 외교:
(3) 기여 외교:
(4) 인권 외교:

내신 유형 익히기

정답과 해설 ▸ 38쪽

01 중요 **다음은 거꾸로 본 세계 지도이다. 이에 대한 학생들의 의견 중 적절하지 않은 것은?**

① 유연: 지리적 이점을 활용한다면 주변국들의 중재자 역할을 할 수도 있겠어.
② 영진: 대륙과 해양으로 진출하기 용이한 지역에 있어 역사적으로 주변국들의 침탈이 많았지.
③ 경화: 국가가 어떠한 지역적 환경에 놓여 있는지는 국가의 존립과 미래에 있어 매우 중요한 문제야.
④ 수정: 우리나라의 지정학적 위치를 볼 때 해양과 대륙이 막고 있어서 항상 평화로웠다는 점을 알 수 있지.
⑤ 재우: 세계 지도를 거꾸로 보니까 한반도가 아시아에서 태평양으로 나가는 관문이라는 점이 명확히 보이는걸.

02 중요 **다음은 우리나라의 국제 관계에 대한 설명이다. 이와 관련한 옳은 진술만을 |보기|에서 고른 것은?**

- 남북한이 분단되어 대치하고 있다.
- 중국이 경제적 · 군사적으로 부상하고 있다.
- 중국을 견제하기 위해 미국과 일본이 협력하고 있다.

| 보기 |

ㄱ. 다자간 안보 협력 체제의 필요성이 제기된다.
ㄴ. 미국과 일본의 편에 서서 중국을 견제해야 한다.
ㄷ. 주변국의 이해관계가 복잡하여 안보 문제 해결에 어려움이 예상된다.
ㄹ. 우리나라는 경제 대국이기 때문에 주변 국가들을 신경 쓰지 않아도 된다.

① ㄱ, ㄴ ② ㄱ, ㄷ ③ ㄴ, ㄷ
④ ㄴ, ㄹ ⑤ ㄷ, ㄹ

03 **우리나라가 다음과 같은 목적을 위해 실시한 노력으로 적절하지 않은 것은?**

오늘날 전 세계의 국가들은 세계화와 지역주의, 개발과 보호, 경쟁과 갈등을 바탕으로 하는 고도의 상호 의존 관계를 경험하고 있다. 우리나라는 이러한 상황에서 다른 국가들과 협력하여 경제적 이익을 얻고자 한다.

① 국제 사면 위원회(AI) 가입
② 세계 무역 기구(WTO) 가입
③ 자유 무역 협정(FTA) 체결
④ 경제 협력 개발 기구(OECD) 가입
⑤ 아시아 · 태평양 경제 협력체(APEC)에 참여

04  **다음 기사 내용과 관련한 설명으로 옳은 것은?**

일본은 2012년 8월 독도 문제를 A에 제소하겠다고 공식 발표하였다. 일본은 이외에도 여러 번 한국 정부에 A를 통한 문제 해결을 제안하였지만, "대한민국은 독도에 대하여 처음부터 영토권을 가지고 있으므로 A에서 그 권리를 확인받을 이유가 없다."라고 거부해 왔다. – 한겨레, 2017. 1. 20. –

① A는 국제 비정부 기구에 속한다.
② A는 5개 상임 이사국과 10개 비상임 이사국으로 구성된다.
③ A에서 판결이 나오면 한국과 일본은 반드시 이행해야 한다.
④ 우리 정부의 입장은 독도는 외교 교섭이나 사법적 해결의 대상이 아니라는 것이다.
⑤ 우리나라와 일본의 갈등은 국제 사회를 바라보는 자유주의적 관점으로 설명할 수 있다.

05 다음 신문 기사에 나타난 외교의 의미로 가장 적절한 것은?

> ○○○ 외교부 장관은 25일 내주 초 북한을 방문하려다가 전격 취소한 □□ 국무 장관과 전화 통화를 갖고 방북 취소 배경과 추후 조치 등에 대해 논의했다. □□ 장관은 통화에서 이번 방북 연기 배경에 대해 상세히 설명하고, 한미 간 긴밀한 조율하에 향후 대응 방향을 함께 모색해 나가자고 했다고 외교부가 이날 전했다. – 연합뉴스, 2018. 8. 25. –

① 국제 문제를 해결하기 위한 국제 비정부 기구의 활동이다.
② 최대한 많은 국가들과 관계를 맺고자 하는 입법부의 활동이다.
③ 주로 정치적·군사적 위협을 통해 이루어지는 국가 간 활동이다.
④ 국제 문제나 분쟁을 조정하고 해결할 수 있는 세계 중앙 정부의 활동이다.
⑤ 자국의 이익을 달성하기 위하여 평화적인 방법으로 펼치는 대외적 활동이다.

06 다음 신문 기사에 나타난 외교에 관한 설명으로 가장 적절한 것은?

> 외교부는 8월 초 콩고에서 발생한 에볼라 바이러스 대응을 위해 세계 보건 기구(WHO)를 통해 현금 50만 달러의 인도적 지원을 제공할 예정이라고 밝혔다. 세계 보건 기구는 에볼라 바이러스로 인해 현재까지 59명의 사망자를 포함, 총 102명의 감염자가 발생했다고 발표했다. 우리 정부의 지원금은 콩고 및 세계 보건 기구 등 국제기구들이 수립한 '에볼라 발생 대응 국가 계획'에 따라 세계 보건 기구의 에볼라 대응 활동에 사용될 계획이다. – 뉴스핌, 2018. 8. 23. –

① 소프트 파워보다 하드 파워에 기여한다.
② 대외 원조를 통한 외교로 국가 위상을 제고한다.
③ 외국의 국민과 직접 소통을 하여 신뢰를 쌓는다.
④ 자국의 이익에 전혀 도움이 되지 않는 외교 방식이다.
⑤ 셋 이상의 국가가 특정 의제에 관해 협력 방안을 찾아가는 외교 방식이다.

07 중요 다음 자료에 관한 옳은 설명만을 |보기|에서 고른 것은?

> 오늘날 외교는 수행 주체와 대상이 정부 중심에서 시민 사회, 비정부 기구(NGO) 등을 포함하는 다양한 민간 주체로 확대되었고, 하드 파워뿐만 아니라 소프트 파워 요소도 중요해졌다. 이러한 외교 환경의 변화로 전통적인 외교 방식에서 벗어나 예술, 지식, 미디어, 언어, 원조 등을 수단으로 상대국 국민에게 직접 다가가는 외교, 즉 A가 강조되고 있다. – 외교부, 「외교 백서 2016」 –

보기

ㄱ. A는 '공공 외교'이다
ㄴ. A는 '국가 외교'이다.
ㄷ. A로 인해 기존의 정부가 하는 외교의 중요성은 감소하였다.
ㄹ. 안보, 경제 등이 하드 파워에 해당한다면, 문화, 가치관 등은 소프트 파워에 해당한다.

① ㄱ, ㄴ ② ㄱ, ㄷ ③ ㄱ, ㄹ
④ ㄴ, ㄹ ⑤ ㄷ, ㄹ

08 다음 사례에 나타난 외교 방식에 대한 설명으로 옳지 않은 것은?

> 최근 우리나라는 첨단 전자 제품을 생산하면서 동시에 문화적 감수성을 지닌 국가로서 인정받고 있다. 이른바 한류로 통칭하는 드라마, 영화, 음식, K-Pop 등 우리나라 대중문화가 우리나라의 이미지를 크게 개선하고 있다. 한류의 주인공들은 동북아시아의 이웃 국가들과의 민감한 관계를 개선하는 외교적인 역할을 하고 있다. 일본 총리가 우리나라 배우를 초대하거나 대통령이 해외를 방문할 때 가수를 동반하는 것이 그 예이다.

① 한류 외교에 관한 설명이다.
② 소프트 파워에 크게 기여한다.
③ 우리나라는 한류를 사용해 이익을 얻고자 하고 있다.
④ 시대의 흐름에 따라 다양화된 외교 방식 중 하나이다.
⑤ 이전보다 외교의 형식과 분야가 축소되면서 등장하였다.

서술형 문제

09 다음 지도를 보고 우리나라의 지정학적 위치에 대해 서술하시오.

서술형 문제

10 다음 글을 읽고 물음에 답하시오.

> (   )은/는 국가 간 상품의 자유로운 이동을 위해 모든 무역 장벽을 완화하거나 제거하는 협정으로 무역 자유화를 실현하려고 양국 간 또는 지역 간에 체결한다. 우리나라는 50여 개국 이상과 (   )을/를 체결해 발효 중이며, 2017년 1월 기준 세계 3위 규모이다.

(1) 위 글의 빈칸에 공통으로 들어갈 용어를 쓰시오.

(2) (1)이 체결될 경우 우리나라에 가져올 변화에 대해 서술하시오.

서술형 문제

11 다음 글을 읽고 물음에 답하시오.

> 한국과 중국의 중간에 위치한 서해의 (   )을/를 어떻게 설정할 것이냐의 문제이다. 한중 양국 사이의 서해는 폭이 400해리가 채 되지 않아, (   )이/가 겹칠 수밖에 없는 상황이다. 우리는 양국 해안선의 중간선을 경계로 하자는 '등거리' 원칙을 내세우는 반면, 중국은 해안선의 길이 등 여러 '관련 사항'을 고려해서 공평하게 경계를 정해야 한다는 이른바 '형평의 원칙'을 주장하고 있다. – 통일뉴스, 2017. 8. 4. –

(1) 위 글의 빈칸에 공통으로 들어갈 용어를 쓰시오.

(2) 한국과 중국 간에 갈등이 발생하는 까닭을 국제 사회를 바라보는 현실주의적 관점으로 설명하시오.

서술형 문제

12 다음 글을 읽고 물음에 답하시오.

> 한반도에서 불기 시작한 냉전 해체의 바람이 동북아 지역의 뜨거운 외교전으로 번지고 있다. 남북 정상 회담을 통해 국제 외교 무대에 데뷔한 ○○○ 위원장에 대한 러브콜이 가장 뜨겁다. 러시아 대통령은 9월에 블라디보스토크에서 열리는 동방 경제 포럼에 ○○○ 위원장을 초청했다. 일본 총리도 북·일 정상 회담을 열자고 제안했다. '한·미·일 대 북·중·러'라는 한반도 주변 외교 구도가 깨지고 있다. 서로의 필요에 따라 다양한 형태의 정상 회담이 잇따라 열릴 것으로 보인다. 한반도를 둘러싼 (   )의 시대가 열린 것이다. – 한겨레, 2018. 6. 25. –

(1) 위 글의 빈칸에 들어갈 외교 방식을 쓰시오.

(2) (1)의 의미에 대해 서술하시오.

3단계 내신 만점 도전하기

정답과 해설 ▸ 39쪽

01 다음 자료에 대한 옳은 설명만을 |보기|에서 고른 것은?

중요

냉전 이후 미국이 세계 질서의 유일한 관리자 역할을 하면서 그동안 미국의 감시 밖에 있던 핵, 미사일 등 대량 살상 무기에 대한 북한의 개발 움직임이 미국의 중대한 우려 사안이 되었다. 북한은 핵 개발의 포기와 미사일 수출 중단 등을 대가로 미국이 '북한 체제의 안전'을 보장하고 '경제적 보상'을 해 줄 것을 희망했다. 핵을 둘러싼 미국과 북한의 충돌 속에서 현재 대한민국이 중재자 역할을 하고 있다. 2018년 개최된 남북 정상회담이 대표적이다. 이러한 상황에서 중국, 일본, 러시아 등 주변국들의 반응은 제각각이다.

보기

ㄱ. 다자간 안보 협력 체제의 필요성이 본격적으로 제기되고 있다.
ㄴ. 대한민국에 있어 북한 외에 다른 국가들과의 관계는 중요하지 않다.
ㄷ. 주변국과의 긴밀한 공조를 통해 국가 주권을 수호하고 국민의 안전을 확보해야 하는 과제가 있다.
ㄹ. 북한과 미국 및 주변국들이 이성과 윤리를 기준으로 행동할 것이기 때문에 국제 규범만으로 충분히 문제를 해결할 수 있다.

① ㄱ, ㄴ ② ㄱ, ㄷ ③ ㄴ, ㄷ
④ ㄴ, ㄹ ⑤ ㄷ, ㄹ

문제 접근 방법
최근 한반도를 둘러싼 국제 질서에 관한 자료를 읽고 다자 외교가 필요한 상황임을 파악한다. 그리고 보기를 읽으면서 자료와 비교하여 옳고 그름을 판단한다.

내신 전략
최근 한반도를 둘러싼 국제 질서가 어떻게 변화하고 있는지 교과서와 신문 기사 등을 통해 정리해 두도록 한다.

02 다음 자료에 나타난 외교 방식에 관한 설명으로 가장 적절한 것은?

- 스웨덴은 국제 연합(UN) 헌장에 명시된 인권 보장, 소수 민족 보호, 여성, 아동 등 사회적 약자에 대한 보호를 가장 중요한 외교 목표로 설정하고 이를 위한 지원에 적극 매진해 옴
- 특히 인권 보장과 관련하여 스웨덴은 고문, 사형 제도, 정치범 억류, 약식 조사 재판, 반정부 인사 탄압 등에 대해 매우 비판적 입장을 취하고 있으며, 이러한 맥락에서 중남미, 중·동구, 터키 및 아랍 제국 등의 정치범을 다수 수용하고 있음

– 외교부, 스웨덴 개황, 2009. –

① 국제 사회에서의 인권 존중 및 인권 상황 개선 등을 목적으로 한다.
② 외국 국민과 직접적인 소통을 통해 공감대를 확산하고 신뢰를 확보한다.
③ 국가적 재난이나 전염병 등으로 어려움을 겪고 있는 국가에 원조를 한다.
④ 다른 국가들과의 민감한 관계를 개선하기 위해 다양한 문화 콘텐츠를 활용한다.
⑤ 셋 이상의 국가가 특정 의제에 관해 이해관계를 조정하고 협력 방안을 찾아간다.

문제 접근 방법
해당 자료를 읽고, 자료에 드러나는 외교 방식이 다양한 외교 방식 중 어느 것에 해당하는지 파악한다. 그리고 선택지를 읽으면서 이에 해당하는 내용을 고른다.

내신 전략
대표적인 외교 방식들의 의미와 사례 등을 정리해 둔다.

정답과 해설 ▸ 39쪽

: 2015학년도 수능

01 밑줄 친 ㉠에 대한 설명으로 옳은 것은?

> 2014년 5월 정부는 주요 핵 안보 규범인 ㉠ '핵 테러 행위의 억제를 위한 국제 협약'의 비준서를 국제 연합(UN)에 기탁*했다고 밝혔다. 이에 따라 우리나라는 이 협약의 94번째 비준서 기탁국이 되었다. 정부는 2005년에 이 협약에 서명하고 2011년에 국회의 동의를 받았으나 여러 가지 국내 사정에 의해 2014년 5월에 기탁하게 된 것이다.
>
> * 기탁: 조약 체결 당사국이 비준서를 제출하여 그 효력의 발생을 인정하는 행위

① ㉠은 국제법의 법원(法源)이 된다.
② ㉠의 체결권은 대통령, 비준권은 국회에 있다.
③ ㉠은 비정부 국제기구와 체결한 양자 조약이다.
④ ㉠은 2005년부터 국내법과 같은 효력을 가지게 되었다.
⑤ ㉠은 '국내 문제 불간섭 원칙'과 같이 국제 사회 일반에 적용된다.

출제 개념
우리나라가 체결한 조약

자료 해설
제시된 자료에서 '핵 테러 행위의 억제를 위한 국제 협약'은 조약에 해당한다. 조약은 국제법의 법원이 되며, 체결 및 공포한 국가들에만 적용된다.

해결 비법
자료를 읽고 ㉠이 무엇에 해당하는지 파악한다. 그리고 선택지를 읽으면서 ㉠의 특징으로 옳은 설명을 골라낸다.

: 2014학년도 9월 모의평가

02 (가)~(다)에 대한 옳은 설명만을 |보기|에서 있는 대로 고른 것은?

> (가) 유럽 연합(EU) 회원국, 캐나다, 일본 등이 '교토 의정서'를 채택하였다.
> (나) 공산 진영이 다원화되고 비동맹 중립 노선을 추구하는 제3 세계가 등장했다.
> (다) 한국은 1973년 6월 23일 평화·통일·외교 정책에 관한 특별 선언을 발표했다.

보기

ㄱ. (가)는 환경 문제를 해결하기 위한 국제 공조의 예이다.
ㄴ. (나)를 계기로 국제 연맹이 해체되고 국제 연합이 창설되었다.
ㄷ. (다)를 통해서 한국은 비적대적 공산권 국가에 문호를 개방하겠다고 선언했다.
ㄹ. (가)~(다)는 모두 냉전 체제 종식 이후의 일이다.

① ㄱ, ㄷ ② ㄱ, ㄹ ③ ㄴ, ㄷ
④ ㄱ, ㄴ, ㄹ ⑤ ㄴ, ㄷ, ㄹ

출제 개념
국제 사회의 변천

자료 해설
공산 진영이 다원화되고 제3 세계가 등장하는 등 냉전이 완화되는 분위기 속에서 우리나라는 1973년에 공산주의 국가에도 문호를 개방한다는 내용의 6·23 특별 선언을 발표하였다. 1980년대 후반 냉전은 종식되었으며, 1997년 기후 변화 협약 당사국 총회에서 교토 의정서가 채택되었다.

해결 비법
(가)~(다)가 무엇을 의미하는지 생각하고 시대순으로 배열해 본다. 그리고 보기를 읽으면서 올바르게 서술한 것을 찾아낸다.

대단원 6 마무리하기

핵심 개념 정리하기

1 국제 관계와 국제법

1 국제 사회와 국제 관계

국제 관계	국제 사회에서 국가를 비롯한 다양한 행위 주체들이 서로 갈등하고 경쟁하며 협력하는 상호 작용을 통해 만들어 내는 관계들의 총체
국제 사회의 특징	• 자국의 이익을 최우선으로 추구 • 국가 간 협력과 경쟁, 갈등이 공존 • 힘의 논리가 지배적인 경우가 상당함 • 국제기구와 국제법의 영향력이 커지고 있음
국제 사회의 변천	1648년 베스트팔렌 조약(주권 국가 중심의 국제 관계 형성) → 1914년 제1차 세계 대전 발발 → 1920년 국제 연맹 창설 → 1939년 제2차 세계 대전 발발 → 1945년 국제 연합(UN) 창설 → 냉전 체제 → 1989년 몰타 선언(냉전의 종식) → 1990년대 중반 이후 세계화 시대
세계화와 국제 관계의 변화	• 정치 영역: 국제기구의 영향력 증대 → 국제적 연대 활동을 통해 범세계적 문제 제기, 해결을 위한 공동의 노력 유도 • 경제 영역: 전 세계가 하나의 시장으로 통합 → 다양한 경제 통합 형성, 자유 무역 협정 체결로 회원국 간 연대감 강화 • 사회·문화 영역: 세계 시장에서 다양한 문화 콘텐츠 판매 → 각국의 다양한 문화 향유, 선진국 문화의 일방적 확산

2 국제법

의미	국제 사회의 질서 유지를 위해 국제 관계를 규율하는 법
법원	• 조약 • 국제 관습법 • 법의 일반 원칙
의의	• 국제 사회 행위 주체들의 행동 규범과 판단 기준을 제시함 • 국제 사회의 갈등을 줄이고 분쟁을 해결함 • 국가들이 협력할 수 있는 기반을 제공함
한계	• 입법 기구가 없음 • 재판 규범으로서 실질적으로 적용되지 못하는 경우가 많음 • 제정된 법을 강제할 집행 기구가 없음 • 국내법과 내용이 충돌할 경우 적용이 어려움

2 국제 문제와 국제기구

1 국제 문제

종류	• 안보 문제: 전쟁, 테러, 핵 확산, 군비 증강 등 • 경제 문제: 빈곤, 남북문제, 자원 문제 등 • 환경 문제: 지구 온난화, 열대 우림 감소, 사막화, 해수면 상승, 식수 부족 등 • 그 외: 인권 문제, 보건 문제 등
특징	• 국경을 초월하여 발생 • 개별 국가에 미치는 영향의 범위 확대 • 강제성을 가진 기구가 없어 문제 해결의 합의 도출 곤란

2 국제기구

(1) 국제기구의 유형

회원 자격에 따라	• 정부 간 국제기구: 국제 연합(UN) 등 • 국제 비정부 기구: 국제 사면 위원회(AI) 등
지리적 범위에 따라	• 세계적 국제기구: 국제 연합(UN) 등 • 지역적 국제기구: 유럽 연합(EU) 등
활동 영역에 따라	• 일반적 국제기구: 국제 연합(UN) 등 • 전문적 국제기구: 세계 무역 기구(WTO) 등

(2) 국제 연합의 구성

총회	국제 연합의 최고 의사 결정 기구로 모든 회원국이 참여함
안전 보장 이사회	국제 평화와 안전 유지의 책임을 맡은 기구로서 5개 상임이사국과 10개 비상임 이사국으로 구성
경제 사회 이사회	국제 사회의 경제 사회 개발 협력에 중심적인 역할 수행
그 외 국제 연합 산하 기구	국제 연합 아동 기금(UNICEF), 국제 연합 교육 과학 문화 기구(UNESCO) 등

(3) 국제 사법 재판소

구성	국제 연합 총회 및 안전 보장 이사회에서 선출한 서로 국적이 다른 15명의 재판관
역할	• 국가 간 법적 분쟁을 국제법에 따라 해결 • 국제 연합의 주요 기관이나 산하 기구가 요청하는 법적 질의와 문제에 권고적 의견 제시
한계	• 당사국이 판결을 이행하지 않을 경우 이를 직접 제재하기 어려움 • 당사국 간 합의가 없는 사건은 관할권을 강제하기 어려움 • 정치적 분쟁은 재판의 대상에서 제외되는 경우가 많음

3 우리나라의 국제 관계

1 우리나라의 국제 관계 모습

지정학적 위치	아시아 대륙과 태평양을 잇는 접점으로 대륙과 해양으로 진출하기 용이한 전략적 요충지
안보적 측면	남북한이 대치되어 있고 미국, 중국, 일본, 러시아 등 주변국의 이해관계와 맞물려 있음
경제적 측면	다른 국가들과 긴밀한 경제적 상호 의존 관계를 맺고 있음

2 우리나라의 외교

외교의 의미	한 국가가 자국의 이익을 달성하기 위하여 국제 사회에서 평화적인 방법으로 펼치는 대외적 활동
바람직한 방향	• 국가 주권 수호, 국민의 안전 확보 • 다자 외교를 통한 외교 다변화 추구 • 외교의 방법과 형태를 다양화하여 실리 추구

핵심 개념 적용하기

●●○
01 다음 대화에 대한 옳은 설명만을 |보기|에서 고른 것은?

보기
ㄱ. 갑의 관점은 국제 사회를 바라보는 현실주의적 관점에 해당한다.
ㄴ. 갑의 관점에서는 다양한 국제기구나 국제법의 역할을 강조한다.
ㄷ. 을은 국제 사회를 기본적으로 무정부 상태로 파악한다.
ㄹ. 을은 국제 사회에서 힘의 논리보다 상호 협력을 강조한다.

① ㄱ, ㄴ ② ㄱ, ㄷ ③ ㄱ, ㄹ
④ ㄴ, ㄹ ⑤ ㄷ, ㄹ

●○○
02 다음 자료에 대한 설명으로 옳지 않은 것은?

(가) 제1차 세계 대전이 일어났다.
(나) 세계화 현상이 나타나기 시작하였다.
(다) 유럽에서 베스트팔렌 조약이 체결되었다.
(라) 미국과 소련을 중심으로 냉전이 시작되었다.
(마) 지중해 몰타 해안 선상에서 정상 회담이 이루어졌다.

① (다)-(가)-(라)-(마)-(나)의 순으로 일어났다.
② (가) 이후 곧바로 국제 연합(UN)이 창설되었다.
③ (나)로 인해 국가 간 상호 의존성이 증가하고 있다.
④ (다)는 주권 국가 중심의 국제 관계를 형성하였다는 의미가 있다.
⑤ (마)의 정상 회담의 주체는 미국과 소련이었다.

●●○
03 (가)~(다)는 국제법의 법원이다. 이에 대한 설명으로 가장 적절한 것은? (단, (가)~(다)는 각각 조약, 국제 관습법, 법의 일반 원칙 중 하나이다.)

구분	(가)	(나)	(다)
당사국 간의 명시적인 합의에 근거하는가?	○	×	×
여러 국가의 국내법에 공통적으로 존재하는 원칙인가?	×	○	×

① (가)는 국제 사회의 반복적인 관행이 법적 확신을 얻은 것이다.
② (다)는 주로 문서의 형식으로 이루어진다.
③ (다)의 예로는 신의 성실의 원칙을 들 수 있다.
④ (가)는 (나), (다)와 달리 우리나라에서 헌법보다 우선하여 적용된다.
⑤ (가)~(다)는 모두 국제 사법 재판소의 재판 근거이다.

●●○
04 다음 사례에서 강조되고 있는 국제 문제의 특징으로 가장 적절한 것은?

1989년 채택된 바젤 협약은 유해 폐기물의 국가 간 이동과 거래를 규제하고 있다. 선진국들이 돈을 주고 빈국에 유독성 쓰레기를 떠넘기는 것을 막기 위해서이다. 그러나 '협약은 멀고 쓰레기는 가깝다.' 2012년 5월 유엔 환경 계획(UNEP)이 펴낸 보고서는 전기·전자 장비 쓰레기들이 아프리카에 쌓여 가고 있다면서 나이지리아, 가나, 베냉, 코트디부아르, 라이베리아 같은 나라들의 문제가 특히 심각하다고 지적했다.
– 경향신문, 2018. 4. 2. –

① 국경을 초월하여 발생한다.
② 국가 간 협력과 경쟁 및 갈등이 공존한다.
③ 협약을 강제할 국제기구가 없어 문제 해결이 어렵다.
④ 개별 국가에 미치는 영향의 범위가 더욱 확대되고 있다.
⑤ 국제기구와 국제법 등을 통해 합리적으로 해결할 수 있다.

정답과 해설 ▸ 39쪽

05 다음 자료에 대한 옳은 설명만을 |보기|에서 고른 것은?

> 국제 연합(UN)은 최고 의사 결정 기구인 (㉠), 국제 평화와 안전 유지의 책임을 맡은 기구인 (㉡), 경제 사회 이사회, 신탁 통치 이사회, 국제 사법 재판소, 사무국 등 6개 주요 기관과 함께 그 산하에 많은 수의 보조 기구와 전문 기구 등을 두고 있다.

|보기|
ㄱ. ㉠에는 모든 회원국들이 참여한다.
ㄴ. ㉠의 모든 의사 결정은 출석 투표국 과반수 이상의 찬성으로 이루어진다.
ㄷ. ㉡은 5개의 상임 이사국과 10개의 비상임 이사국으로 구성된다.
ㄹ. ㉡의 상임 이사국과 비상임 이사국 간에 권한의 차이는 존재하지 않는다.

① ㄱ, ㄴ ② ㄱ, ㄷ ③ ㄴ, ㄷ
④ ㄴ, ㄹ ⑤ ㄷ, ㄹ

06 다음과 같은 국제 연합의 주요 기관에 대한 설명으로 옳지 않은 것은?

> 국제 연합(UN)의 주요 사법 기관으로, 국제 분쟁의 법적 해결을 위해 설치된 기관이다. 제2차 세계 대전 후 상설 국제 사법 재판소(Permanent Court of International Justice)를 계승한 것으로 1946년 네덜란드 헤이그에서 발족하였다.

① 국제 사법 재판소에 대한 설명이다.
② 서로 국적이 다른 15명의 재판관으로 구성된다.
③ 국제 연합의 회원국뿐만 아니라 비회원국도 재판소 규정의 당사국이 될 수 있다.
④ 재판소의 판결은 구속력이 있기 때문에 당사국은 반드시 판결을 이행해야 한다.
⑤ 국제 연합의 주요 기관이나 산하 기구가 요청하는 법적 질의에 대해 권고적 의견을 제시한다.

07 다음 지도를 보고 우리나라의 국제 관계를 추론한 내용으로 가장 적절한 것은?

① 북반구의 가장 위쪽에 있어 사람들이 거의 찾지 않는다.
② 내륙의 한복판에 있어 국가 간 통로로서 역할을 수행한다.
③ 강대국들 사이에 끼어 있지만 중립을 주장하기에 좋은 위치이다.
④ 동아시아 대륙의 끝부분에 위치하고 있어 국제 관계가 많지 않았으나 최근 늘어나고 있다.
⑤ 대륙과 해양으로 진출하기 용이한 위치에 있어 주변국들의 정치 상황의 영향을 많이 받는다.

08 다음과 같은 우리나라의 상황에서 강조되어야 할 외교 방식으로 가장 적절한 것은?

> 우리나라는 남북한이 대치되어 있는 특수한 상황에 놓여 있으며, 우리나라의 안보 문제는 최근 중국의 경제적·군사적 부상, 중국을 견제하기 위한 미국과 일본의 협력 관계, 신동진 정책으로 새로운 시장을 확보하려는 러시아 등 주변국의 이해관계와 맞물려 그 해결이 쉽지 않을 것으로 예상되고 있다.

① 적극적인 대외 원조를 통한 기여 외교
② 다양한 문화 콘텐츠를 이용한 한류 외교
③ 국제 사회의 인권 보장을 위한 인권 외교
④ 외국 국민과 직접적인 소통을 통해 신뢰를 확보하는 공공 외교
⑤ 셋 이상의 국가가 특정 의제에 관해 이해관계를 조정하고 협력 방안을 찾아가는 다자 외교

정답과 해설 ▸ 40쪽

❖ 다음은 국제 사회를 바라보는 관점에 관한 글이다. 이를 읽고 물음에 답해 보자.

(가) 현실주의적 관점

현실주의자들은 국제 관계를 국가들 간의 힘(power)의 정치로 파악하며 국가들 간의 갈등이 불가피하다고 전제한다. 이는 동서를 막론하고 오래된 전통이며 오늘날에도 일상적인 사고라고 할 수 있다. 그러나 국제 관계학에서 현실주의(realism)가 지배적인 시각이 된 것은 제2차 세계 대전을 전후한 시기였다. 제1차 세계 대전이 끝난 지 20년이 채 못 되어 다시 참혹한 세계 대전이 발발하면서 국제 관계에서 이성과 도덕에 대한 낙관적 신뢰는 크게 훼손되었다. 이와 더불어 곧 소련과의 냉전이 시작되면서 힘을 중심으로 국제 관계를 바라보는 현실주의가 국제 관계학의 지배적인 시각이 되었다.

(나) 자유주의적 관점

국제 관계를 바라보는 자유주의(liberalism)적 시각은 몇 가지 근본적인 면에서 현실주의와 대비된다. 무엇보다도 자유주의는 국제 관계에서 협력의 가능성을 인정하며, 이를 진작시키기 위해 노력한다. 현실주의자들은 국제 관계가 무정부 상태에서 만인 대 만인의 투쟁이 벌어지는 홉스적 자연 상태라고 보지만, 자유주의자들은 이를 일면적이고 지나치게 단순화된 것이라고 비판한다. 국제 관계는 무정부적일 수도 있지만, 압도적인 국가나 초국적 행위자에 의해 비교적 위계적으로 이루어질 수도 있고, 국가들 간의 상호주의와 협력 및 교류도 이루어지며, 심지어 국제법이나 규범, 제도 등에 의해 통제되기도 하는 것이다. 따라서 국가 간의 대립과 전쟁은 국제 관계의 본질적인 성격이 아니며, 오히려 잘못된 제도와 지도자들 때문에 발생하는 일탈 현상이다. 이러한 잘못을 고침으로써 국제 관계의 진보가 이루어질 수 있고 전쟁이 제어될 수 있다고 자유주의자들은 낙관한다.

– 서울대학교 정치학과 교수 공저, 『정치학의 이해』 –

더 알아보기

현실주의적 관점은 힘의 원리에 초점을 두고 국제 관계를 설명한다. 각 국가는 자국의 이익만을 추구하므로 보편적 윤리는 중요한 원칙이 될 수 없다고 파악한다. 반면 자유주의적 관점은 보편적인 선(善)이나 윤리의 관점에서 국제 관계를 설명한다. 국제기구나 국제법을 통해 평화적이고 협력적인 국제 관계가 유지될 수 있다는 것이다.

문제 해결 길잡이

국제 사회는 현실주의적인 측면과 자유주의적인 측면을 모두 가지고 있다. 각각의 관점을 파악하고 현실의 사례들을 생각해 볼 때 어떤 관점이 더 적합하게 생각되는지 점검해 본다. 그리고 국제 사회의 본질에 대한 자신의 생각을 논리적으로 전개해 본다.

01 (가), (나)에 나타난 국제 사회를 바라보는 현실주의적 관점과 자유주의적 관점을 뒷받침해 주는 사례를 제시해 보자.

현실주의적 관점	
자유주의적 관점	

02 (가), (나)의 내용을 바탕으로 국제 사회에서 우리나라가 어떻게 대처해야 할지 자신의 생각을 적어 보자.

MEMO

이 책의 정답은 QR코드로 확인할 수 있어요~!

2015 개정 교육과정

핵심 유형 문제로 실력을 확실히 높인다

자습서

고등학교 정치와 법

정답과 해설 및 교과서 활동 풀이

모경환
박정서
황미영
황미애
김찬미
오기종
유홍선

금성출판사

고등학교 정치와 법 자습서

정답과 해설

금성출판사

정답과 해설

대단원 1 민주주의와 헌법

주제 1 민주 정치와 법

1단계 개념 익히기 12쪽

01 (1) 좁은 (2) 넓은 (3) 법 02 정의 03 (1) × (2) × (3) ○
04 차티스트 운동 05 (1) 법률 (2) 형식적 (3) 실질적
06 헌법

2단계 내신 유형 익히기 13~15쪽

01 ③ 02 ④ 03 ⑤ 04 ② 05 ② 06 ② 07 ①
08 ④ 09~12 해설 참조

01 정치의 의미 정답: ③
㉡은 좁은 의미의 정치, ㉢은 넓은 의미의 정치이다.

02 법의 이념 정답: ④
갑은 상대적 평등을 추구하는 배분적 정의, 을은 절대적 평등을 추구하는 평균적 정의의 입장을 갖고 있다. 평균적 정의는 모든 인간을 동등하게 대우하는 것을 추구한다.

03 고대 그리스 아테네의 민주 정치 정답: ⑤
고대 그리스 아테네에서는 여자, 노예, 외국인에게는 시민의 자격을 부여하지 않는 제한된 형태의 민주주의가 시행되었다.
| 오답 피하기 | ① 다수에 의한 지배를 추구하였다. ② 민회에서 모든 시민이 정책 결정에 참여하는 직접 민주주의가 나타났다. ③ 일정 연령 이상이면 누구나 선거에 참여할 수 있는 제도가 확립되지 않았다. ④ 민회를 통한 직접 민주주의가 시행되었다.

04 근대 민주주의의 발전 정답: ②
영국 명예혁명의 결과로 승인된 권리 장전에는 국왕의 권력을 의회가 제한하려는 조치가 강조되는 특징이 있다.
| 오답 피하기 | ㄴ은 미국 독립 선언, ㄹ은 프랑스 인권 선언에 대한 설명이다.

05 근대 민주주의의 특징 정답: ②
루소는 주권은 양도될 수 없는 개인의 권리이므로 직접 민주 정치를 실현해야 한다고 주장했다.

06 민주주의의 발전 과정 정답: ②
ㄱ. 고대 그리스 아테네에서는 직접 민주주의가 시행되었다. 그런데 직접 민주주의가 시행되다 보면 다수의 폭정인 중우 정치의 문제가 나타날 수 있다. ㄷ. 차티스트 운동 등 참정권 확대 운동이 발생하면서 보통 선거가 정착되고, 모든 사회 구성원이 정치에 참여하는 대중 민주주의 시대가 열렸다.
| 오답 피하기 | ㄴ. 재산, 성별 등에 따른 참정권 제한 및 차등 부여 문제가 나타났다. ㄹ. 현대 대부분의 민주 국가는 보통 선거에 기반을 둔 대의 민주주의를 시행하고 있다.

07 형식적 법치주의의 한계 정답: ①
'수권법'은 법이 국민의 자유와 권리를 보장하지 못하고 통치의 수단으로 이용되는 형식적 법치주의가 나타난 사례이다.
| 오답 피하기 | ② 독일의 나치는 법치주의를 이용하여 민주주의를 파괴하였다. ③ 정의 실현을 목적과 내용으로 하는 법의 지배가 이루어지지 않았다. ④ 외형상의 합법성만 충족하고 내용의 정당성은 추구하지 않았다. ⑤ 형식적인 합법성만을 추구하였다.

08 민주주의와 법치주의의 관계 정답: ④
제시문은 민주주의와 법치주의가 상호 보완적 측면이 있음을 설명하고 있다.

09 정치의 역할
| 예시 답안 | 개인 간에 발생하는 갈등과 대립을 조정하여 사회 갈등과 문제를 해결하는 역할을 한다.
| 채점 기준 |

상	개인 간에 발생하는 갈등과 대립을 조정한다는 내용뿐만 아니라 사회 갈등과 문제를 해결하는 역할을 한다는 내용도 서술한 경우
하	개인 간에 발생하는 갈등과 대립을 조정한다는 내용만 서술한 경우

10 시민 혁명과 근대 민주주의의 발전
| 예시 답안 | (1) 천부 인권 사상
(2) 절대 왕정 및 봉건제 타도, 시민 계급의 사회 주도권 장악, 자유와 평등 이념의 확산, 자유로운 경제 활동 보장에 따른 자본주의 발전의 기반 형성 등이 시민 혁명의 의의이다.
| 채점 기준 |

상	천부 인권 사상을 쓰고, 시민 혁명의 의의 두 가지를 모두 옳게 서술한 경우
중	천부 인권 사상을 쓰고, 시민 혁명의 의의를 한 가지만 옳게 서술한 경우
하	천부 인권 사상만 옳게 쓴 경우

11 사회 계약설과 근대 민주주의
| 예시 답안 | (1) 국민의 자발적인 합의(동의, 계약)에 의해 국가가 성립된다.
(2) (가)는 국민 주권론을 주장하였고, (나)는 군주 주권론을 주장하였다.

| 채점 기준 |

상	국가 성립에 대한 (가), (나) 주장의 공통점을 옳게 서술하고, 국가 주권 소재에 대한 (가), (나) 주장의 차이점을 옳게 서술한 경우
중	국가 성립에 대한 (가), (나) 주장의 공통점을 옳게 서술하고, 국가 주권 소재에 대한 (가), (나)의 주장 중 한 가지만 옳게 서술한 경우
하	국가 성립에 대한 (가), (나) 주장의 공통점만 옳게 서술한 경우

12 법치주의의 의미

| 예시 답안 | (1) 법치주의

(2) 국가의 운영이 의회가 미리 제정한 법률에 근거하여 수행되어야 한다.

| 채점 기준 |

상	법치주의를 쓰고, 그 의미도 옳게 서술한 경우
중	법치주의를 쓰고, 그 의미를 서술하였지만 미흡한 경우
하	법치주의만 옳게 쓴 경우

3단계 내신 만점 도전하기 16쪽

01 ⑤ 02 ②

01 시민 혁명과 근대 민주주의 정답: ⑤

1776년에 발표된 미국 독립 선언이다. 미국 독립 선언은 정부가 국민의 자유와 권리를 제대로 보장하지 못한다면 국민이 정부에 저항할 수 있음을 명시하였다.

02 형식적 법치주의와 실질적 법치주의 정답: ②

ㄱ. 실질적 법치주의는 법에 의한 지배가 아닌 법의 지배를 의미한다. ㄷ. 형식적 법치주의는 통치의 합법성만을 강조하는 법치주의이다.

| 오답 피하기 | ㄴ. 법치주의는 국왕의 자의적인 법 집행으로 인한 폐해를 경험하면서 국민의 자유와 권리를 보장하기 위해 등장한 것이다. ㄹ. 실질적 법치주의는 통치의 합법성과 정당성을 모두 고려하는 것이므로 실질적 법치주의에서 법은 국민의 대표 기관인 의회에서 제정한다.

심화 수능 유형 익히기 17쪽

01 ② 02 ①

01 민주주의의 발전 정답: ②

고대 그리스 아테네에서는 국가의 주요 사안을 모든 시민이 민회에서 직접 결정하는 직접 민주 정치가 시행되었다.

| 오답 피하기 | ① 국민 주권론에 근거한 정치 체제가 확립된 것은 근대 민주 정치이다. ③ 보통 선거 원칙이 확립된 것은 현대 민주 정치이다. ④ 입헌주의 원리는 근대 민주 정치에서 확립되었다. ⑤ 천부 인권 사상의 영향을 받아 발전한 것은 근대 민주 정치이다.

02 형식적 법치주의와 실질적 법치주의 정답: ①

형식적 법치주의와 실질적 법치주의 모두 국가 권력의 자의적인 형벌권 남용을 방지하기 위해 통치자도 법의 구속을 받도록 하는 근거가 된다.

| 오답 피하기 | ② 법의 목적과 내용이 정의에 부합할 때 국가 권력이 정당성을 확보한다는 점을 간과하는 것은 형식적 법치주의이다. ③ 형식적 법치주의와 실질적 법치주의 모두 법의 예측 가능성을 높여 국가의 개입에 대한 국민의 신뢰를 보호하고자 한다. ④ 범죄와 형벌을 법률로 정해야 한다는 것은 형식적 법치주의와 실질적 법치주의 모두에 해당한다. ⑤ 실질적 법치주의는 통치의 합법성뿐만 아니라 국민의 자유와 권리 보장과 같은 실질적 정당성도 중시한다. 통치의 합법성만을 중시하는 것은 형식적 법치주의이다.

주제 2 헌법의 의의와 원리

1단계 개념 익히기 22쪽

01 (1) 헌법 (2) 자유 민주주의 (3) 평화 통일의 지향 02 근대 입헌주의 헌법 03 (1) ○ (2) × (3) ○ 04 국가 창설 05 (1) 조직 규범 (2) 수권 규범 (3) 소득 재분배 06 (1) ㄱ, ㄴ, ㅂ (2) ㄷ, ㄹ, ㅁ

2단계 내신 유형 익히기 23~25쪽

01 ④ 02 ③ 03 ⑤ 04 ③ 05 ⑤ 06 ② 07 ④ 08 ② 09~12 해설 참조

01 헌법의 의의 정답: ④

밑줄 친 '이것'은 헌법이다. 헌법은 한 국가의 법체계에서 최고의 지위에 있는 최고 규범이다.

02 입헌주의의 의미 정답: ③

제시문에서 설명하는 정치 원리는 입헌주의이다. 입헌주의의 등장으로 국민의 자유와 권리를 보장하기 위해 국민의 기본권과 권력 분립을 성문의 형식으로 헌법에 명시하기 시작하였다.

| 오답 피하기 | ① 근대 시민 혁명 과정에서 등장하였다. ② 절대 군주의 통치 권력을 제한하려는 목적에서 등장하였다. ④ 국민의 합의로 제정된 헌법에 따라 정치가 이루어져야 한다는 것이다. ⑤ 국가 권력은 헌법에 구속되고, 모든 국가 권력은 헌법에 합치되도록 행사하여야 한다는 원리이다.

03 헌법의 의미 변천 정답: ⑤

A는 현대 복지 국가 헌법, B는 근대 입헌주의 헌법, C는 고유한 의미의 헌법을 의미한다.

| 오답 피하기 | ① 고유한 의미의 헌법이 제일 먼저 나타났다. ② 기본권 중 자유권이 강조된 것은 근대 입헌주의 헌법이다. ③ B에서는 국가 기관 간 견제·균형의 원리인 권력 분립이 강조된다. ④ 가장 광범위한 헌법의 의미를 갖는 것은 현대 복지 국가 헌법이다.

04 헌법의 기능 정답: ③

신행정 수도 특별법에 대한 정치적 문제를 헌법이라는 판단 기준을 통해 해결하여 사회 통합을 이룬 사례이다.

05 헌법의 기본 원리 정답: ⑤

㉠에는 문화 국가의 원리, ㉡에는 평화 통일 지향, ㉢에는 자유 민주주의가 담겨 있다.

06 국제 평화주의의 의미와 실현 정답: ②

올림픽 휴전 결의안은 국제 평화주의와 관련이 있다.

| 오답 피하기 | ㄴ. 국제 평화주의는 조약과 국제 관습법 등 국제법을 존중하는 것이다. ㄹ. 평화 통일의 지향과 관련 있는 내용이다.

07 국민 주권의 원리 실현 정답: ④

국민의 참정권을 보장하는 것은 국민 주권의 원리와 관련이 있다.

08 복지 국가의 원리 실현 정답: ②

복지 국가의 원리에 따라 사회권을 보장하고, 사회 보험과 공공 부조 제도를 실시하고 있다.

| 오답 피하기 | ㄴ. 평생 교육을 진흥하는 것은 문화 국가의 원리와 관련이 있다. ㄷ. 최저 임금제를 실시하는 것은 복지 국가의 원리와 관련이 있다.

09 입헌주의의 목적

| 예시 답안 | 국가 권력의 자의적 행사를 방지하고 실질적으로 국민의 기본권을 보장하여 민주주의 이념을 실현하는 데 궁극적인 목적이 있다.

| 채점 기준 |

상	국가 권력의 자의적 행사를 방지하고, 국민의 기본권을 보장하기 위함이라는 내용을 서술한 경우
하	국가 권력의 자의적 행사를 방지한다는 내용만 서술한 경우

10 헌법의 기능

| 예시 답안 | (1) 헌법은 정치적인 통일을 형성한 국가 창설의 토대가 되기 때문이다.

(2) 헌법이 국가 통치 조직에 일정한 권한을 부여하는 조직 수권 규범 기능을 하고 있다.

| 채점 기준 |

상	헌법이 제정된 이후 대한민국 정부가 수립된 이유를 국가 창설과 관련지어 옳게 서술하고, 조직 수권 규범 기능을 그 의미와 함께 정확히 서술한 경우
중	헌법이 제정된 이후 대한민국 정부가 수립된 이유를 국가 창설과 관련지어 옳게 서술하고, 조직 수권 규범 기능이 나타난다는 것을 언급만 한 경우
하	헌법이 제정된 이후 대한민국 정부가 수립된 이유만을 국가 창설과 관련지어 옳게 서술한 경우

11 문화 국가의 원리와 실현 방안

| 예시 답안 | (1) 문화 국가의 원리

(2) 교육의 정치적 중립성 보장, 의무 교육 제도 시행, 평생 교육 진흥, 문화적 다양성을 보장하기 위한 활동 등이 있다.

| 채점 기준 |

상	문화 국가의 원리를 쓰고, 이를 실현하기 위한 방안 두 가지를 모두 옳게 서술한 경우
중	문화 국가의 원리를 쓰고, 이를 실현하기 위한 방안을 한 가지만 옳게 서술한 경우
하	문화 국가의 원리만 옳게 쓴 경우

12 자유 민주주의의 원리

| 예시 답안 | (1) 자유 민주주의

(2) 개인의 자유를 중시하는 자유주의와 통치 권력의 정당성이 국민적 합의에 의해 이루어진다는 민주주의를 추구한다.

| 채점 기준 |

상	자유 민주주의를 쓰고, 이 원리가 추구하는 방향 두 가지를 모두 옳게 서술한 경우
중	자유 민주주의를 쓰고, 이 원리가 추구하는 방향을 한 가지만 옳게 서술한 경우
하	자유 민주주의만 옳게 쓴 경우

3단계 내신 만점 도전하기 26쪽

01 ③ 02 ⑤

01 현대 복지 국가의 헌법 정답: ③

독일 바이마르 헌법은 사회권적 기본권 조항을 헌법에 넣어 복지 국가의 법적 근거를 마련하는 등 현대 복지 국가 헌법이라고 볼 수 있다.

| 오답 피하기 | ㄱ. 국가 통치 기관을 조직·구성하고 이들 기관의 상호 관계와 활동 범위를 규정한 국가의 조직법은 고유한 의미의 헌법이다. ㄹ. 현대 복지 국가 헌법은 자본주의의 문제점을 극복하고 국민의 자유와 권리를 실질적으로 보장하고자 한다.

02 헌법의 기본 원리와 실현 방안 정답: ⑤

정치적 반대 의사 표현을 제한하는 긴급 조치는 국민 주권주의, 자유 민주주의 원리에 부합하지 않는다. 참정권, 표현의 자유, 신체의 자유 등 국민의 기본권을 침해하는 것이기 때문에 헌법에 위반된다.

| 오답 피하기 | ① 참정권을 침해한다. ② 표현의 자유를 침해한다. ③, ④ 자유 민주주의가 실현되지 못했다.

심화 수능 유형 익히기 27쪽

01 ① 02 ⑤

01 우리 헌법의 기본 원리 정답: ①

제시된 내용에서 공통으로 파악할 수 있는 헌법의 기본 원리는 복지 국가의 원리이다. ① 영유아 보육을 위한 국가의 지원 확대는 복지 국가의 원리를 실현하기 위한 방안으로 적절하다.

| 오답 피하기 | ②는 국제 평화주의, ③은 문화 국가의 원리, ④는 국민 주권주의, ⑤는 자유 민주주의를 실현하기 위한 방안에 해당한다.

02 자유 민주주의와 복지 국가의 원리 정답: ⑤

(가)는 자유 민주주의, (나)는 복지 국가의 원리이다. ⑤ '국가가 치매를 비롯한 각종 질병으로 일상생활에 어려움을 겪고 있는 노인을 지원하는 제도'는 복지 국가의 원리를 실현하는 방안에 해당한다.

| 오답 피하기 | ①은 복지 국가의 원리, ②는 자유 민주주의에 해당하는 설명이다. ③ 우리 헌법의 기본 원리는 모두 법률 제정과 정책 결정의 방향을 제시한다. ④는 복지 국가의 원리를 실현하는 방안에 해당한다.

주제 3 기본권의 보장과 제한

1단계 개념 익히기 32쪽

01 (1) 기본권 (2) 인간의 존엄과 가치 (3) 청구권 02 자유권 03 (1) × (2) ○ (3) ○ 04 사회권 05 (1) 자유권 (2) 수단적 (3) 최소한 06 (1) ㄴ, ㄷ (2) ㄱ, ㄹ, ㅁ, ㅂ

2단계 내신 유형 익히기 33~35쪽

01 ③ 02 ② 03 ① 04 ④ 05 ④ 06 ④ 07 ⑤ 08 ④ 09~12 해설 참조

01 기본권의 종류 정답: ③

A는 헌법이 지향하는 최고의 가치이자 모든 기본권에 적용되는 기본권의 이념인 인간의 존엄과 가치, B는 자유권에 해당한다.

| 오답 피하기 | ① A와 B 모두 포괄적 권리이다. ② B는 국가로부터의 자유를 지향한다. ④ (가)에 해당할 수 있다. ⑤ 평등권에 대한 설명이다.

02 사회권의 의미와 성격 정답: ②

제시문의 아동 수당은 인간다운 생활의 보장을 국가에 요구할 수 있는 권리인 사회권과 밀접한 관련이 있다.

03 기본권의 종류 정답: ①

(가)는 평등권, (나)는 자유권, (다)는 청구권, (라)는 사회권과 관련된 규정이다. 평등권은 다른 기본권 실현을 위한 전제 조건의 성격을 가진다.

| 오답 피하기 | ② 사회권은 국가에 의한 자유를 추구한다. ③ 가족생활에서의 양성평등은 평등권과 관련이 있다. ④ 국가 권력에 의한 침해를 배제하는 방어적 권리는 자유권이다. ⑤ 자유권은 역사상 가장 오래된 기본권이다.

04 참정권의 내용 정답: ④

제시된 내용은 참정권에 대한 설명이다.

| 오답 피하기 | ㄱ. 청원권은 청구권, ㅁ. 교육을 받을 권리는 사회권에 속한다.

05 청구권의 실현 정답: ④

갑은 시각 장애인의 기본권 보장을 위해 청원권을 활용할 수 있다. 헌법과 법률이 정하는 법관에 의해 공정하고 신속한 재판을 받을 권리는 재판 청구권이다.

06 기본권의 제한 정답: ④

모든 국민의 기본권을 조화롭게 보장하기 위해 개인의 기본권을 제한한 사례이다.

| 오답 피하기 | ㄱ. 금연 구역은 비흡연자의 행복 추구권을 보장하기 위해서 존재하는 것이다. ㄷ. 학교 앞 어린이 보호 구역은 학교 앞을 지나는 운전자의 자유권을 제한하는 것이다.

07 기본권 제한의 요건과 한계 정답: ⑤

헌법 제37조 제2항은 국민의 기본권을 최대한 보장하면서 공익을 실현하고자 하는 데 목적이 있다.

08 기본권 제한의 한계 정답: ④

헌법 재판소는 기본권을 제한하는 경우에도 필요한 최소한에 그쳐야 함을 강조하였다.

| 오답 피하기 | ① A 씨는 자유권을 침해받았다. ② 기본권 제한은 법률을 통해 이루어졌다. ③ 해당 법률은 헌법에 합치되지 않으므로 개정 및 삭제해야 한다. ⑤ 이 사례는 국가 안전 보장을 위한 기본권 제한과 관련이 없다.

09 기본권의 종류와 성격

| 예시 답안 | 인간의 존엄과 가치 및 행복 추구권, 자유권, 평등권은 포괄적 권리이고, 참정권, 사회권, 청구권은 열거적 권리이다.

| 채점 기준 |

상	포괄적 권리와 열거적 권리를 모두 옳게 구분하여 서술한 경우
하	포괄적 권리와 열거적 권리를 일부만 옳게 구분하여 서술한 경우

10 평등권의 특징

| 예시 답안 | (1) 실질적(상대적) 평등

(2) 평등권은 나른 기본권 보장의 전제 조건이며, 인간의 존엄성을 보장하기 위한 본질적 기본권이다. 또한 헌법에 열거되어 있지 않아도 보장되는 포괄적 권리의 특징을 갖는다.

| 채점 기준 |

상	실질적 평등을 쓰고, 평등권의 특징 두 가지를 옳게 서술한 경우
중	실질적 평등을 쓰고, 평등권의 특징 한 가지를 옳게 서술한 경우
하	실질적 평등만 옳게 쓴 경우

11 자유권의 의미

| 예시 답안 | (1) 자유권

(2) 개인의 자유로운 생활에 대하여 국가의 간섭이나 침해를 받지 않을 권리를 의미한다.

| 채점 기준 |

상	자유권을 쓰고, 국가의 간섭이나 침해를 벗어나 개인의 자유로운 생활을 보장하는 권리라는 내용을 서술한 경우
중	자유권을 쓰고, 개인의 자유로운 생활을 보장한다는 내용만 서술한 경우
하	자유권만 옳게 쓴 경우

12 기본권 제한의 요건과 한계

| 예시 답안 | (1) 공공복리를 위해

(2) 기본권의 제한은 국가 안전 보장, 질서 유지 또는 공공복리를 위한 경우로 한정하며, 법률을 통해 이루어져야 한다. 기본권을 제한하는 경우에도 필요한 최소한에 그쳐야 하고, 기본권의 본질적 내용은 침해할 수 없다.

| 채점 기준 |

상	공공복리를 위해서라고 쓰고, 기본권 제한의 요건과 한계를 세 가지 이상 모두 바르게 서술한 경우
중	공공복리를 위해서라고 쓰고, 기본권 제한의 요건과 한계를 두 가지만 바르게 서술한 경우
하	공공복리를 위해서라고 쓰고, 기본권 제한의 요건과 한계를 한 가지만 바르게 서술한 경우

3단계 내신 만점 도전하기 36쪽

01 ② 02 ⑤

01 기본권의 종류 정답: ②

A는 청구권, B는 참정권, C는 자유권, D는 사회권이다. 우리 헌법은 선거권, 공무 담임권, 국민 투표권 등으로 참정권을 보장하고 있다.

| 오답 피하기 | ①, ③ 평등권에 대한 설명이다. ④ 재판 청구권과 형사 보상 청구권은 청구권과 관련이 있다. ⑤ 복지 국가를 지향하는 최근 분위기에서 등장한 현대적 권리는 사회권이다.

02 기본권 제한의 요건과 한계 정답: ⑤

ㄴ, ㄷ, ㄹ. 헌법 재판소는 국민연금의 강제 기입이 우리 헌법 제37조 제2항에 비추어 봤을 때 국민의 기본권을 정당하게 제한하는 경우로 보았다.

| 오답 피하기 | ㄱ. 법익의 균형성을 고려하였다.

심화 수능 유형 익히기 37쪽

01 ② 02 ①

01 기본권의 성격 정답: ②

사회권은 자유권보다 최근에 등장한 현대적 권리이다.

| 오답 피하기 | ① 기본권 간에 그 가치의 우월을 판단할 수는 없다. ③ 자유권은 참정권에 비해 수동적이고 방어적인 권리이다. ④ 자유권은 국가 성립 이전부터 인정되나, 사회권은 국가가 존재해야 인정되는 권리이다. ⑤ 청구권과 참정권은 헌법에 열거되어야 보장받을 수 있는 권리이다.

02 참정권의 특징 정답: ①

참정권은 주권자인 국민이 국가의 정치 과정에 참여할 수 있는 능동적 권리이다.

| 오답 피하기 | ②는 평등권, ③은 자유권에 대한 설명이다. ④는 교육의 의무, 근로의 의무 등이 해당한다. ⑤는 청구권에 대한 설명이다.

대단원 1 마무리하기 39~40쪽

01 ④ 02 ⑤ 03 ④ 04 ⑤ 05 ④ 06 ② 07 ⑤ 08 ⑤

01 정치의 의미 정답: ④

넓은 의미의 정치에서는 (가)와 (나) 모두 정치 활동이며, 좁은 의미의 정치에서는 (나)만 정치 활동에 해당한다. 좁은 의미의 정치는 정치권력의 획득과 유지 및 행사 과정에서 공동체의 목표를 추구하고 정책을 결정하며, 사회 질서를 확립해 가는 일을 의미한다.

02 정치의 역할 정답: ⑤

원전 건설에 대한 갈등과 대립 상황에서 공론화 위원회의 활동을 통해 이를 조정하는 정치의 역할이 나타나 있다.

03 근대 민주주의의 발전 정답: ④

(가)는 홉스, (나)는 루소, (다)는 로크의 주장에 해당한다. 루소와 로크는 국민 주권론을 주장하였으나, 홉스는 군주 주권론을 주장하였다.

| 오답 피하기 | ① 홉스는 국민의 주권을 군주에게 전부 양도해야 한다고 본다. ② 루소는 직접 민주 정치를 주장하였다. ③ 로크는 절대 군주제를 옹호하지 않았다. ⑤ (가)~(다) 모두 국가 권력의 원천을 국민의 동의에 둔다.

04 실질적 법치주의의 의미 정답: ⑤

실질적 법치주의는 통치의 합법성뿐만 아니라 법률의 내용이 인간의 존엄성을 실현하는 것인지도 고려하는 법치주의이다.

05 복지 국가의 원리 정답: ④

헌법 제34조는 복지 국가의 원리를 명시하고 있다.

| 오답 피하기 | ㉠ 문화 국가의 원리, ㉡ 평화 통일의 지향, ㉢ 자유 민주주의, ㉤ 국제 평화주의 원리와 관련된 내용이다.

06 헌법의 기본 원리 정답: ②

(나)는 자유 민주주의 원리이다. 평화적 통일을 실현하기 위한 노력을 대통령의 의무로 규정한 것은 평화 통일의 지향과 관련된다.

07 기본권의 종류 정답: ⑤

밑줄 친 부분에서 '갑'은 참정권(공무 담임권)과 평등권을 침해받았다.

08 기본권 제한의 요건과 한계 정답: ⑤

헌법 재판소는 과잉 금지의 원칙을 근거로 강제적 셧다운제가 정당한 기본권 제한이라고 판단하였다.

| 오답 피하기 | ① 강제적 셧다운제가 공공복리를 추구하는 것이라고 판단하였다. ② 강제적 셧다운제보다 더 효과적인 수단이 없다고 판단하였다. ③ 강제적 셧다운제가 기본권의 본질적인 내용을 침해하지 않는다고 판단하였다. ④ 강제적 셧다운제로 얻는 공익이 침해당하는 사익보다 크다고 판단하였다.

민주 시민 역량 기르기 41쪽

01 | 예시 답안 |

상호 보완적 측면	법치주의는 본질적으로 주권자인 국민의 힘으로 정치권력을 헌법의 규제 아래에 둠으로써 국민의 자유와 평등, 인권을 보장하려는 사상 또는 제도이다. 따라서 민주주의의 이념인 인간의 존엄성, 자유, 평등은 법치주의에 의해 헌법에 명시되고, 모든 국민은 법의 이름으로 민주 정치의 이념과 가치들을 보장받게 된다. 이처럼 민주주의의 이념을 법치주의가 실현하게 해 준다는 점에서 양자 간에는 상호 보완적인 관계가 존재한다.
갈등적 측면	법치주의가 형식적 법치주의로 흐를 경우에는 역기능이 나타날 수도 있다. 법치주의와 민주주의가 서로 갈등하는 측면은 이러한 역기능 측면에서 발생한다. 민주주의는 자유롭고 평등한 모든 국민의 지배를 지향하지만, 법치주의의 역기능이 발생하면 소수 특권층이나 지배층의 지배가 발생할 수도 있기 때문이다.

| 평가 영역 | 비판적 사고력(개념 간의 관계를 합리적으로 판단할 수 있는 정도)

| 채점 기준 |

상	(가), (나)의 관계를 상호 보완적 측면과 갈등적 측면에서 모두 이해하고 서술한 경우
중	(가), (나)의 관계를 상호 보완적 측면과 갈등적 측면 중 한 가지 측면만 이해하고 서술한 경우
하	(가), (나)의 관계를 상호 보완적 측면과 갈등적 측면에서 서술하였으나 모두 미흡한 경우

02 | 예시 답안 | 법치주의와 민주주의의 바람직한 관계는 양자가 균형을 이루는 상호 보완적인 관계이다. 법치주의와 민주주의가 균형 있게 발전하기 위해서는 민주주의가 법치주의의 틀 안에서 운영되고, 민주주의의 이념을 법치주의를 통해 더욱 확고하게 보장해야 한다. 또한, 법치주의가 형식화되는 것을 민주주의를 통해 막아야 하며, 법 규범과 법적 판단에 국민들의 의사를 적극 반영하여 법치주의를 민주주의의 통제하에 두는 노력이 필요하다.

| 평가 영역 | 의사소통 능력(주제와 관련된 자신의 견해를 논리적이며 분명하게 표현하는 정도)

| 채점 기준 |

상	법치주의와 민주주의의 바람직한 관계에 관한 자신의 생각을 적절한 근거를 제시하여 논리적으로 서술한 경우
중	법치주의와 민주주의의 바람직한 관계에 관한 자신의 생각을 어느 정도 제시하였으나 근거가 타당하지 않은 경우
하	법치주의와 민주주의의 바람직한 관계에 관한 자신의 입장을 정립하는 노력이 필요한 경우

대단원 ② 민주 국가와 정부

주제 1 민주 국가와 정부 형태

1단계 개념 익히기 48쪽

01 (1) 대의제 (2) 국가 원수 (3) 의회 해산권 02 법률안 거부권 03 (1) ○ (2) × (3) × 04 권력 분립의 원리 05 (1) 미국 (2) 불안정 (3) 단임 06 ㄱ, ㄹ, ㅁ

2단계 내신 유형 익히기 49~51쪽

01 ② 02 ⑤ 03 ④ 04 ③ 05 ④ 06 ⑤ 07 ⑤ 08 ③ 09~12 해설 참조

01 대통령제의 특징 정답: ②

대통령의 소속 정당인 여당의 의석수가 적고, 야당의 의석수가 많은 것을 여소 야대 현상이라고 한다. 여소 야대 상태에서는 행정부와 입법부의 대립 가능성이 커진다.

| 오답 피하기 | 갑: 의회의 내각 불신임권은 의원 내각제의 특징이다. 병: 의원 내각제 국가에서는 의회 의원 선거 결과 과반 의석을 확보한 정당이 없을 시 연립 내각이 구성될 수 있다. 정: 여소 야대 상태에서는 대통령이 강력한 정책을 수행하기 어려울 수 있다.

02 대통령제의 특징 정답: ⑤

행정부 수반의 소속 정당과 의회 다수당이 다른 상황을 통해 갑국은 대통령제를 채택하고 있음을 알 수 있다. 대통령제에서 의회는 대통령을 비롯한 주요 공직자에 대한 탄핵 소추권을 행사할 수 있다.

| 오답 피하기 | ①, ②, ③ 의원 내각제의 특징이다. ④ 행정부 수반의 소속 정당과 의회 다수당이 다른 여소 야대 상황에서는 입법부와 행정부 간의 대립 시 조정이 어려운 편이다.

03 대통령제의 단점 정답: ④

대통령제는 엄격한 권력 분립에 따라 견제와 균형의 원리에 충실하기 때문에 입법부와 행정부의 대립 시 조정이 어려울 수 있으며, 대통령이 강력한 권한을 행사할 수 있으면서도 의회에 대해 책임을 지지 않아 독재의 가능성이 있다.

04 의원 내각제의 특징 정답: ③

10대 의회 의원 선거에서 A당이 입법부와 행정부를 모두 장악하였으므로 다수당의 횡포가 우려되며, 11대 의회 의원 선거 결과 B당과 C당이 연립 내각을 구성하였으므로 정국 불안을 초래할 수 있다.

| 오답 피하기 | ㄱ. 갑국은 전형적인 의원 내각제를 채택하고 있으며, 의원 내각제 국가에서는 여소 야대 현상이 발생할 수 없다. ㄹ. 의원 내각제 국가는 대통령제에 비해 권력이 융합된 정부 형태이다.

05 의원 내각제의 특징 정답: ④

행정부가 의회에 의해 구성되고, 의회가 해산될 경우 의회 의원의 임기가 종료된다는 내용을 통해 갑국이 의원 내각제 국가임을 알 수 있다.

| 오답 피하기 | ㄱ, ㄹ. 의원 내각제 국가에서 의회 의원은 각료를 겸직할 수 있으며, 의회는 내각에 대한 불신임권을 행사할 수 있다.

06 대통령제와 의원 내각제의 특징 정답: ⑤

입법부와 행정부의 관계 측면에서 A는 권력 융합의 성격이 강하므로 의원 내각제임을, B는 행정부 구성의 독립성이 강하므로 대통령제임을 알 수 있다. 의원 내각제에서는 대통령제와 달리 의회 의원이 내각의 각료를 겸직할 수 있다.

07 우리나라 정부 형태의 특징 정답: ⑤

우리나라의 정부 형태는 대통령제를 기반으로 의원 내각제적 요소를 일부 도입하고 있다. ㉠, ㉡, ㉢ 모두 우리나라가 도입하고 있는 의원 내각제적 요소에 해당한다.

08 우리나라의 정부 형태 정답: ③

대통령제에서는 임기가 보장되기 때문에 임기 내 정책의 연속성이 확보되어 정국이 안정될 수 있다.

| 오답 피하기 | ㄱ. 제3차 개헌에 따라 의원 내각제를 채택하여 형식적인 국가 원수는 대통령이고 행정부 수반의 역할은 국무총리가 담당했다. ㄴ. 통일 주체 국민 회의는 대통령을 간접 선출하고 대통령의 중임 제한을 철폐했으며, 국회 의원의 3분의 1을 선출하는 등 막강한 권력을 행사했다.

09 대통령제의 장점

| 예시 답안 | 대통령제, 대통령의 임기 동안 정국 안정을 이룰 수 있다는 장점이 있다.

| 채점 기준 |

상	정부 형태의 종류와 장점을 모두 옳게 서술한 경우
하	정부 형태의 종류나 장점 중 한 가지만 옳게 서술한 경우

10 대통령제의 특징과 단점

| 예시 답안 | (1) 법률안 거부권, 행정부가 입법부를 견제하는 수단으로 사용할 수 있다.

(2) 대통령제에서는 입법부와 행정부가 대립할 경우 이를 조정하기 어렵다는 단점이 있다.

| 채점 기준 |

상	권한의 명칭과 목적, 정부 형태의 단점을 모두 옳게 쓴 경우
중	권한의 명칭과 목적, 정부 형태의 단점 중 두 가지만 옳게 쓴 경우
하	권한의 명칭과 목적, 정부 형태의 단점 중 한 가지만 옳게 쓴 경우

11 의원 내각제의 발전

| 예시 답안 | (1) 연립 내각

(2) 명예혁명을 통해 입헌 군주제를 바탕으로 의회 중심의 정치를 형성하면서 성립되었다.

| 채점 기준 |

상	용어와 성립 배경을 모두 옳게 쓴 경우
하	용어와 성립 배경 중 한 가지만 옳게 쓴 경우

12 대통령제와 의원 내각제의 특징

| 예시 답안 | (1) 여소 야대

(2) 갑국의 행정부 수반은 의회에 대해 책임을 지며, 을국의 행정부 수반은 국민에게 책임을 진다.

| 채점 기준 |

상	여소 야대를 쓰고 갑국과 을국의 책임 소재에 대해 모두 옳게 쓴 경우
중	여소 야대, 갑국과 을국의 책임 소재 중 두 가지만 옳게 쓴 경우
하	여소 야대, 갑국과 을국의 책임 소재 중 한 가지만 옳게 쓴 경우

내신 만점 도전하기 52쪽

01 ④ 02 ⑤

01 대통령제와 의원 내각제의 특징 정답: ④

행정부의 법률안 제출 가능 여부에 따라 A는 대통령제, B는 의원 내각제임을 알 수 있다. 행정부 수반이 법률안에 대해 의회에 재의를 요구할 수 있는 법률안 거부권은 대통령제의 특징 중 하나이다. 의회 의원이 행정부 각료를 겸직할 수 있는 것은 의원 내각제이다.

| 오답 피하기 | ① 의회에서 선출된 총리가 내각을 구성하는 정부 형태는 의원 내각제이다. ② 입법부와 행정부의 관계가 권력 융합적인 정부 형태는 의원 내각제이다. ③ 의회가 내각에 불신임권을 행사할 수 있는 정부 형태는 의원 내각제이다. ⑤ 대통령제와 의원 내각제 모두 사법권의 독립을 보장하고 있다.

02 대통령제와 의원 내각제의 정부 구성 방식 정답: ⑤

국민의 선거로 입법부가 구성되고 입법부에 의해 행정부가 구성되는 (가)는 의원 내각제, 입법부와 행정부가 각각의 선거에 의해 구성되는 (나)는 대통령제임을 알 수 있다. ㄴ. 대통령제에서 의회는 대통령을 비롯해 주요 공직자의 탄핵 소추를 의결할 수 있는 탄핵 소추권이 있다. ㄷ. 의원 내각제에서 내각은 의회와 국민의 정치적 요구에 민감해 책임 정치를 구현할 수 있다는 장점이 있다. ㄹ. 의원 내각제에서는 의회의 내각 불신임권을 통해 임기 종료 전에 새로운 내각이 구성될 가능성이 있지만 대통령제에서는 대통령의 임기가 보장되어 임기 내에 강력하게 정책을 추진할 수 있다.

| 오답 피하기 | ㄱ. 대통령제에 비해 의원 내각제에서 의회와 내각의 긴밀한 협조가 가능하다.

심화 수능 유형 익히기 53쪽

01 ⑤ 02 ①

01 대통령제와 의원 내각제의 특징 정답: ⑤

제시문을 통해 볼 때, 갑국은 대통령제, 을국은 의원 내각제를 채택하고 있음을 알 수 있다. 갑국의 경우 (가) 시기에는 여대 야소, (나) 시기에는 여소 야대가 나타나며, 을국의 경우 (가) 시기에는 연립 내각, (나) 시기에는 단독 내각이 구성된다. 의원 내각제 국가에서 의회의 내각 불신임권 행사 가능성은 단독 내각보다 연립 내각에서 높을 것이다.

| 오답 피하기 | ① 의원 내각제에서 행정부 수반은 의회에 법률안을 제출할 수 있다. ② 대통령제에서 행정부 수반은 국가 원수를 겸직한다. ③ 대통령제 국가에서 여대 야소보다 여소 야대일 경우에 행정부 수반의 법률안 거부권 행사 가능성이 더 높을 것이다. ④ 의원 내각제 국가에서 행정부 수반의 의회 해산권 행사 가능성은 단독 내각보다 연립 내각에서 더 높을 것이다.

02 대통령제와 의원 내각제의 특징 정답: ①

ㄱ. 전형적인 대통령제에서는 권력 분립의 원리가 엄격하게 적용된다. ㄴ. 행정부와 의회 간 긴밀한 협조가 이루어지는 것은 전형적인 의원 내각제이다.

| 오답 피하기 | ㄷ. 행정부가 국회에 정치적 책임을 지는 것은 을이 주장하는 전형적인 의원 내각제이다. ㄹ. 국가 원수와 행정부 수반이 일치하는 것은 갑이 주장하는 전형적인 대통령제이다.

주제 2 국가 기관의 역할과 상호 관계

1단계 개념 익히기 60쪽

01 (1) 비례 대표 의원 (2) 감사원 (3) 사법권의 독립 02 회기 계속의 원칙 03 (1) × (2) × (3) × (4) ○ 04 국회 05 (1) 즉시 (2) 대통령 (3) 항소 06 (1) 대 (2) 국 (3) 국 (4) 대 (5) 국

2단계 내신 유형 익히기 61~63쪽

01 ② 02 ③ 03 ③ 04 ③ 05 ⑤ 06 ⑤ 07 ② 08 ④ 09~12 해설 참조

01 국회의 운영과 역할 정답: ②

ㄱ. 임시회의 회기는 30일 이내로 정해져 있다. ㄷ. 국회는 국정 감사 및 국정 조사권을 통해 국정 운영을 감시하는 국정 통제 기관이다.

| 오답 피하기 | ㄴ. 각종 위원회에 대한 설명이다. ㄹ. 헌법 개정안 의결 시 국회 의원 정족수에 대한 설명이다.

02 헌법 개정과 법률 제 · 개정 절차 정답: ③

헌법 개정을 위한 국회 의결 단계에서는 국회 재적 의원 3분의 2 이상의 찬성으로 의결되며, 국민 투표로 최종 확정된다.

03 대통령의 권한 정답: ③

A는 대통령으로 행정부 수반이자 국가 원수로서의 지위를 가진다. 대통령은 국회의 동의를 얻어 국무총리, 대법원장 및 대법관, 감사원장, 헌법 재판소의 장을 임명한다.

04 행정부의 구성과 역할 정답: ③

A는 대통령, B는 국무총리, C는 국무 회의, D는 감사원이다. 행정 각부의 장은 국무 위원 중에서 국무총리의 제청으로 대통령이 임명하고, 국무 회의의 의장은 대통령, 부의장은 국무총리이다.

| 오답 피하기 | ㄱ. 대통령의 임기는 5년이고 중임은 금지된다. ㄹ. 감사원은 국가의 세입 · 세출의 결산을 검사한다. 결산 심사는 국회의 권한이다.

05 심급 제도 정답: ⑤

ㄷ. 2심 재판의 판결에 불복하여 대법원에 재판을 청구하는 것은 상고라고 한다. ㄹ. 공정한 재판을 보장하기 위해 법원에 급을 두어 여러 번 재판을 받을 수 있도록 하는 것은 법원의 오판 가능성을 전제하기 때문이다.

06 헌법 재판소의 구성과 역할 정답: ⑤

헌법 소원을 청구하기 전에는 반드시 법률에 정해진 기본권 구제 절차를 거쳐야 한다.

| 오답 피하기 | 갑: 헌법 재판소는 기본권 보장 기관이면서 헌법 수호 기관으로서의 의의를 가진다. 을: 헌법 재판소의 장을 임명하기 위해서는 국회의 동의를 얻어야 한다. 병: 헌법 재판소는 9인이 재판관으로 구성되며 3명은 대법원장이 지명, 3명은 국회에서 선출, 3명은 대통령이 지명하는데, 모두 대통령이 임명한다. 정: 위헌 법률 심판은 당사자의 신청이나 법원의 직권으로 제청 가능하다.

07 헌법 재판소의 권한 정답: ②

(가) 위헌 법률 심판은 법률의 위헌 여부가 재판의 전제가 되었을 때, 법원이 소송 당사자의 신청을 받아들이거나 법원의 결정으로 제청할 수 있다. (나) 국회는 대통령을 비롯한 고위 공무원이 직무를 수행하는 과정에서 헌법과 법률을 위반했다고 판단했을 때 탄핵을 소추할 수 있다. (다) 정당 해산 심판은 정당의 목적이나 활동이 민주적 기본 질서에 위배된다고 판단했을 때 정부가 제소할 수 있다.

08 국가 기관들 간의 상호 견제 정답: ④

국무총리 임명 동의권은 입법부가 행정부를 견제할 수 있는 권한이다.

09 국회의 기능

| 예시 답안 | 국회는 국민의 대표 기관, 입법 기관, 국정 통제 기관으로서 위상을 가진다.

| 채점 기준 |

상	국회의 위상 세 가지를 모두 옳게 쓴 경우
중	국회의 위상 중 두 가지를 옳게 쓴 경우
하	국회의 위상 중 한 가지만 옳게 쓴 경우

10 국무 회의의 역할

| 예시 답안 | (1) 국무 회의

(2) 행정부의 주요 정책을 심의하는 최고 심의 기관이다.

| 채점 기준 |

상	기관의 명칭과 역할을 모두 옳게 쓴 경우
중	기관의 명칭은 쓰지 못했으나 역할을 옳게 쓴 경우
하	기관의 명칭만 옳게 쓴 경우

11 사법권 독립의 목적

| 예시 답안 | 공정한 재판을 보장함으로써 궁극적으로 국민의 기본권을 보장하기 위함

| 채점 기준 |

상	공정한 재판과 국민의 기본권을 모두 포함하여 쓴 경우
하	공정한 재판과 국민의 기본권 중 하나만 포함하여 쓴 경우

12 헌법 소원 심판의 종류

| 예시 답안 | (1) 위헌 심사형 헌법 소원 심판

(2) 공권력의 행사 또는 불행사로 헌법상 보장된 기본권을 침해당한 국민이 직접 헌법 재판소에 그 공권력의 취소나 위헌 확인을 구하는 심판이다.

| 채점 기준 |

상	위헌 심사형 헌법 소원 심판을 쓰고, 권리 구제형 헌법 소원 심판의 의미를 정확하게 쓴 경우
중	위헌 심사형 헌법 소원 심판을 썼으나, 권리 구제형 헌법 소원 심판의 의미를 다소 부족하게 쓴 경우
하	위헌 심사형 헌법 소원 심판만 쓴 경우

내신 만점 도전하기 64쪽

01 ③ 02 ①

01 법률 제·개정 절차 정답: ③

본회의에 상정된 법률안은 국회 재적 의원 과반수의 출석과 출석 의원 과반수의 찬성으로 가결된다.

02 심급 제도 정답: ①

ㄱ. 우리나라는 3심제를 원칙으로 하지만 대통령, 국회 의원, 광역 자치 단체장의 선거 재판은 예외적으로 단심제로 한다. ㄴ. 1심 법원이 지방 법원 및 지원 합의부라면 2심 법원은 고등 법원이다.

| 오답 피하기 | ㄷ. 2심 법원의 판결에 불복하여 대법원에 재판을 청구하는 것을 상고라고 한다. ㄹ. 3심 법원인 대법원은 결정이나 명령에 대한 재항고심을 담당한다.

심화 수능 유형 익히기 65쪽

01 ⑤ 02 ④

01 국가 기관들 간의 상호 견제 정답: ⑤

⑤ 국회가 헌법상 입법 의무가 있는 사항에 관해 입법을 하지 않는 것은 공권력의 불행사에 해당하므로, 이로 인해 기본권을 침해당한 국민은 헌법 재판소에 헌법 소원 심판을 청구할 수 있다.

| 오답 피하기 | ① 예산안의 심의·확정은 국회의 권한이지만, 결산 검사는 감사원의 권한이다. ② 국무 회의의 의장인 대통령은 동시에 국회 의원의 지위를 가질 수 없다. ③ 대통령은 법원의 구성원 중에서 대법원장과 대법관을 임명한다. 대법관을 제외한 법관은 대법원장이 임명한다. ④ 대통령은 사면, 감형 등을 명할 수 있는데 이는 법원을 견제하는 수단이다.

02 헌법 소원 심판 정답: ④

④ 헌법 재판소는 구치소장의 종교 행사 참석 불허 조치가 필요 최소한의 조치였다고 보기 어렵다고 판단하였다. 즉, 공범이 있더라도 종교 행사 참석 불허 조치보다 다른 시간대에 각각 참석하는 것과 같이 침해가 더 작은 방법이 있었다고 판단하였다.

| 오답 피하기 | ① 재판을 전제로 헌법 소원을 청구한 것이 아니므로 권리 구제형 헌법 소원 심판임을 알 수 있다. ② 구치소장의 종교 행사 참석 불허 조치라는 적극적인 공권력 행사에 대해 헌법 소원 심판을 청구한 사례이다. ③ 헌법 재판소는 구치소장의 종교 행사 참석 불허 조치가 적절한 방법이라고 판단하였다. 다만, 필요 최소한의 조치였다고 보기는 어렵다고 판단한 것이다. ⑤ 헌법 재판소의 결정에 대해 재항고할 수 없다.

주제 3 지방 자치의 의의와 과제

1단계 개념 익히기 70쪽

01 (1) 지방 분권 (2) 자치 입법권 (3) 국정 감사 (4) 공동체 의식 02 (1) 자치 사무 (2) 조례 (3) 주민 소환 03 (1) ○ (2) × (3) × (4) ○ 04 조례 05 (1) – ㉡ (2) – ㉠ (3) – ㉢ 06 재정 자립도

2단계 내신 유형 익히기 71~73쪽

01 ② 02 ② 03 ① 04 ① 05 ④ 06 ⑤ 07 ① 08 ④ 09~12 해설 참조

01 지방 자치의 의의 정답: ②

지방 자치는 지방 분권을 의미하는 단체 자치와 풀뿌리 민주주의로 생각할 수 있는 주민 자치의 두 가지 측면을 가지고 있다.

02 지방 자치 단체의 종류 정답: ②

갑. 우리나라의 지방 자치는 광역 자치 단체와 기초 자치 단체가 일반 행정에 대해 자치하는 일반 자치와 초·중·고등학교 교육과 학예에 대해 자치하는 교육 자치로 구분할 수 있다. 병. 교육 자치를 담당하는 교육청은 광역 자치 단체에 해당한다.

| 오답 피하기 | 을. 자치구는 기초 자치 단체에 해당한다. 정. 우리나라의 특별자치시는 세종특별자치시 한 곳뿐이다.

03 지방 자치 단체장의 권한 정답: ①

갑은 시장으로 당선되었으므로 지방 자치 단체의 장으로서의 직무를 수행할 수 있다. 조례의 제정, 개정, 폐지는 지방 의회의 권한이며, 지방 자치 단체의 장은 조례를 공포할 수 있다.

04 지방 자치 단체의 사무와 자치권 정답: ①

ㄱ. 주민의 복지 증진을 위해 A시가 자체적으로 박물관을 건축하기로 결정한 것은 자치 사무에 해당한다. ㄴ. 박물관 건축에 필요한 재원을 자주적으로 조달하는 권한은 자치 재정권이다.

| 오답 피하기 | ㄷ. 지방 자치 단체의 조례 및 규칙 제정권은 자치 입법권이다. ㄹ. 위임 사무는 국가나 다른 공공 단체로부터 사무를 위임받아 처리하는 것으로 예산 지원을 받는 것과는 관계가 없다.

05 지방 자치 단체의 자치권 정답: ④

자치 입법권은 지방 자치 단체가 자체적으로 조례 및 규칙을 제정할 수 있는 권한이다. 내부 조직을 재량으로 구성할 수 있는 권한은 자치 조직권이다. 지방 자치 단체 운영에 필요한 재원을 자주적으로 조달하고 관리할 수 있는 권한은 자치 재정권이다.

06 지방 자치 단체의 종류 정답: ⑤

ㄴ. 광역 자치 단체는 소속 기초 자치 단체에 대한 지도·감독권을 가진다. ㄷ. 광역 자치 단체는 국가 위임 사무에 대해 국가의 주무 부처나 단체로부터 지도·감독을 받는다. ㄹ. 지방 자치 단체의 장은 규칙을 제정할 수 있는 권한이 있다.

| 오답 피하기 | ㄱ. 입법부에 해당하는 국회는 광역 자치 단체의 국가 위임 사무와 국가 예산 지원 사업에 대한 국정 감사를 실시할 수 있다.

07 주민 참여 제도 정답: ①

ㄱ. 주민 참여 예산제를 통해 지방 자치 단체의 예산 편성 과정에 주민이 직접 참여할 수 있다. ㄴ. 주민 소환은 지방 자치 단체 및 지방 의회의 선출직 공직자에 대해서만 가능하다.

| 오답 피하기 | ㄷ. (다)는 주민 투표 제도의 사례이다. ㄹ. (가)~(다)는 모두 주민 참여 제도의 사례이다.

08 지방 자치의 개선할 점 정답: ④

국가 발전을 위해 지방 분권의 중요성이 강조되면서 중앙 정부의 사무와 지방 정부의 사무를 합리적으로 배분하여 지방 자치 단체의 사무 권한을 확대해야 한다.

| 오답 피하기 | ①, ② 옳은 진술이지만 제시문과는 관련이 없다. ③ 중앙 정부는 지방 자치가 국가 발전의 바탕이 되도록 해야 한다. ⑤ 중앙 정부에 대한 재정 의존이 심화될 경우 지방 자치 단체의 자주성을 저해할 우려가 있다.

09 지방 자치의 의의

| 예시 답안 | (1) ㉠ 단체 자치, ㉡ 주민 자치

(2) 단체 자치의 측면에서 지방 자치는 중앙 정부의 권력을 지방으로 분할하는 지방 분권을 의미한다.

| 채점 기준 |

상	단체 자치와 주민 자치, 단체 자치의 의미를 모두 옳게 쓴 경우
중	단체 자치와 주민 자치, 단체 자치의 의미 중 두 가지를 옳게 쓴 경우
하	단체 자치와 주민 자치, 단체 자치의 의미 중 한 가지를 옳게 쓴 경우

10 지방 의회의 권한

| 예시 답안 | 지방 자치 단체의 예산을 심의·의결하고 결산을 승인할 수 있는 권한, 조례를 제정 및 개정·폐지할 권한, 지방 자치 단체의 행정 사무를 감사하는 권한을 갖는다.

| 채점 기준 |

상	지방 의회의 권한 중 세 가지를 옳게 쓴 경우
중	지방 의회의 권한 중 두 가지를 옳게 쓴 경우
하	지방 의회의 권한 중 한 가지를 옳게 쓴 경우

11 재정 자립도의 의미

| 예시 답안 | (1) 재정 자립도

(2) 재정 자립도는 지방 자치 단체가 필요한 자금을 자체적으로 조달하고 있는 정도를 나타내는 지표이다.

| 채점 기준 |

상	재정 자립도와 그 의미를 모두 옳게 쓴 경우
중	재정 자립도를 쓰고 그 의미를 썼으나 내용이 미흡한 경우
하	재정 자립도만 쓴 경우

12 지방 자치의 과제

| 예시 답안 | 중앙 정부와 지방 정부가 주인과 대리인 관계에서 상호 의존적 관계로 변화함에 따라 적극적인 지방 분권을 통해 자주적인 지방 자치를 실현할 수 있어야 한다.

| 채점 기준 |

상	적극적인 지방 분권의 의미를 명확하게 포함하여 서술한 경우
하	적극적인 지방 분권의 의미를 포함했으나 다소 부족하게 서술한 경우

내신 만점 도전하기 74쪽

01 ② 02 ①

01 지방 의회와 지방 자치 단체장의 권한 정답: ②

ㄱ. 지방 자치 단체를 대표하고 행정 사무를 총괄하는 주체는 지방 자치 단체의 장이므로 A는 지방 자치 단체의 장이고 B에는 지방 의회가 들어갈 수 있다. ㄷ. 지방 자치 단체의 장은 지방 의회에서 의결한 사항을 집행한다.

| 오답 피하기 | ㄴ, ㄹ. 소속 직원을 임면하고 규칙을 제정할 수 있는 권한은 지방 자치 단체의 장에게 있다.

02 중앙 정부와 지방 자치 단체의 관계 정답: ①

지방 자치는 법률의 규율을 따라야 하므로 국회의 규제를 받는다고 말할 수 있다. 국회는 광역 자치 단체의 국가 위임 사무와 국가 예산 지원 사업에 대해 국정 감사를 할 수 있다.

| 오답 피하기 | 을. 지방 자치 단체의 자치 사무에 대해서는 행정안전부로부터 지도·감독을 받는다. 정. 지방 자치 단체를 대상으로 소송이 제기되었을 경우 법원의 판결을 따라야 하므로 사법부의 통제를 받는다.

심화 수능 유형 익히기 75쪽

01 ④ 02 ④

01 지방 자치 단체의 역할과 권한 정답: ④

갑은 광역 자치 단체의 장, 을은 광역 의회 의원, 병은 기초 자치 단체의 장이다. 갑과 병은 모두 지방 자치 단체의 장으로 규칙을 제정할 수 있는 권한을 갖는다.

02 주민 참여 제도의 종류와 의미 정답: ④

ㄱ. 주민 투표와 주민 소환은 모두 현재 우리나라에서 보장되는 주민 참여 제도이다. ㄷ. 주민 투표로 연결될 질문이다. ㄹ. 주민 소환으로 연결될 질문이다.

| 오답 피하기 | ㄴ. 주민 소환과 주민 투표는 광역 자치 단체와 기초 자치 단체 모두에서 실시할 수 있다.

대단원 2 마무리하기 77~78쪽

01 ③ 02 ③ 03 ③ 04 ② 05 ⑤ 06 ② 07 ② 08 ⑤

01 대통령제와 의원 내각제의 특징 정답: ③

권력 분립 정도가 높은 것으로 보아 파란색 선은 대통령제, 빨간색 선은 의원 내각제임을 알 수 있다. ③ 대통령제는 행정부 수반의 독재 가능성이 높고, 의원 내각제는 내각 불신임권이나 의회 해산권을 통해 정치적 책임을 물을 수 있기 때문에 대통령제보다 상대적으로 정치적 책임의 민감도가 높다.

02 우리나라 정부 형태의 변화 과정 정답: ③

(가)는 1980년 8차 개헌 헌법의 내용이다. (나)는 1960년 3차 개헌 헌법의 내용이다. (다)는 1987년 9차 개헌 헌법의 내용이다. (라)는 1972년 7차 개헌 헌법의 내용이다.

03 국가 기관 간의 상호 관계 정답: ③

국회는 재정에 관한 역할을 수행하며 정부의 예산안을 심의하고 확정할 수 있고, 다음 해 결산 심사를 통해 행정부가 예산을 합리적으로 집행했는지 확인할 수 있다. ③ 국가의 세입·세출에 대한 결산 검사는 감사원에서 실시한다.

04 대통령의 권한 정답: ②

대통령은 국가 원수로서의 권한과 행정부 수반으로서의 권한을 갖는다. 을. 대통령이 외교부 장관을 임명하는 것은 공무원 임명권에 해당하는 것으로 행정부 수반으로서의 권한이다.

05 사법부의 역할 정답: ⑤

ㄷ. 위헌 법률 심판 제청 신청은 소송의 당사자가 할 수 있지만 위헌 법률 심판의 제청은 법원만 가능하다. ㄹ. 위헌 심사형 헌법 소원 심판을 청구하기 위해서는 법률에 정해진 모든 기본권 구제 절차를 거쳐야 하며 법원의 판결 결과에 대해서는 청구할 수 없다.

| 오답 피하기 | ㄱ. 중(重)한 민·형사 사건에 대해서는 지방 법원 합의부에서도 재판이 개시된다. ㄴ. 고등 법원에서는 지방 법원 및 지원 합의부 1심 재판이나 결정·명령에 대한 대한 항소심·항고심을 담당하며, 상고심과 재항고심은 대법원에서 담당한다.

06 헌법 재판의 종류 정답: ②

(나)는 탄핵 심판으로, 국회가 소추하여 헌법 재판소에서 탄핵이 결정되면 대상자는 공직에서 파면된다.

| 오답 피하기 | ① 위헌 법률 심판은 법원만이 제청할 수 있다. ③ (다)는 권리 구제형 헌법 소원 심판이다. ④ 정당 해산 심판은 정부가 제소할 수 있으며 법원은 권한이 없다. ⑤ (마)는 위헌 심사형 헌법 소원 심판이다.

07 지방 의회와 지방 자치 단체의 장의 권한 정답: ②

㉠은 지방 자치 단체의 장이며, ㉡은 지방 의회이다. ㄱ. 지방 자치 단체의 장은 집행 기관이다. ㄷ. 지방 의회는 해당 지방 자치 단체에 대한 행정 사무 감사를 실시할 수 있다.

| 오답 피하기 | ㄴ. 지방 자치 단체의 장은 선출직 공무원으로서 직무 수행에 심각한 문제가 있을 때 주민 소환으로 해임될 수 있다. ㄹ. 조례의 제정 권한은 지방 의회가 갖는다.

08 지방 자치의 개선할 점 정답: ⑤

중앙 정부의 재정 지원이 확대될 경우 재정 의존도가 높아져 자주적인 재정 운용이 어려워질 수 있다. 세금 제도 등과 같은 재정 제도의 개선을 통해 지방 자치 단체의 재정이 자립할 수 있도록 해야 한다.

민주 시민 역량 기르기 79쪽

01 | 예시 답안 | (나)의 측면: 현행 대통령 5년 단임제는 선거가 가지는 정치권력에 대한 평가와 통제 기능의 측면에서 본다면 대통령의 직무 수행 능력에 대해 중간에 평가할 수 있는 기회가 없다. 또한 5년의 임기를 마치고 퇴임할 경우 장기적인 국정 과제를 이어 나가는 정책의 연속성이 떨어져 비효율적인 국정 운영이 우려된다.
(다)의 측면: 현행 대통령 5년 단임제는 대통령에게 과도하게 권력이 집중되어 국민을 위한 대통령제가 아닌 제왕적 대통령제로 인한 폐단이 나타날 수 있다. 또한 행정부에 과도하게 권력이 집중되어 삼권 분립을 저해하는 경우가 많았다. 이에 국민의 대표인 국회에 상대적으로 많은 권한을 부여하고, 행정부를 보다 강하게 견제할 수 있는 정부 형태의 도입이 필요하다.

| 평가 영역 | 개념 이해(자료에 나오는 개념에 대한 이해도)

| 채점 기준 |

상	현행 제도에 대해 (나), (다)의 측면에서 정확히 이해하여 비판한 경우
중	현행 제도에 대해 (나), (다)의 측면에서 대략적으로 이해하여 비판한 경우
하	현행 제도에 대해 (나), (다) 중 한 측면에서만 이해하여 비판한 경우

02 | 예시 답안 | 우리나라는 1960년에 의원 내각제를 도입했으나 1962년 개헌을 통해 다시 대통령제를 채택한 이후, 1987년 현행 헌법에 5년 단임제를 규정하여 지금에 이르고 있다. 우리나라 민주 정치

발전 과정에서 대통령제로 인한 폐단은 적지 않았다. 유신 헌법을 통해 대통령은 국민 위에 군림했고, 국민의 기본권은 보장되지 못했다. 또한 최근의 대통령 탄핵 사건의 배경도 대통령에게 지나치게 많은 권력이 부여되어 있었기 때문이다. 이에 의원 내각제로 권력 구조의 대대적인 개편을 시도함으로써 입법부와 행정부의 긴밀한 협력을 추구하고 국민적 요구에 민감하게 반응하는 책임 정치를 구현할 수 있을 것이다.

| 평가 영역 | 의사소통 능력(주제와 관련된 자신의 견해를 논리적이며 분명하게 표현하는 정도)

| 채점 기준 |

상	우리나라 민주 정치 발전 과정에서 나타난 사례를 바르게 제시하여 자신의 생각을 논리적으로 서술한 경우
중	우리나라 민주 정치 발전 과정에서 나타난 사례를 대략적으로 제시하여 자신의 생각을 서술한 경우
하	우리나라 민주 정치 발전 과정에서 나타난 사례를 제시하지 않고 자신의 생각을 서술한 경우

대단원 ③ 정치 과정과 참여

주제 1 정치 과정과 정치 참여

1단계 개념 익히기 86쪽

01 다원화 02 (1) – ㉡ (2) – ㉠ (3) – ㉢ 03 (1) ○ (2) ○ (3) × 04 (1) 대의제 (2) 권력 (3) 정당성 05 (1) 선거 (2) 시민 단체 (3) 청원 06 ㄱ, ㄴ, ㄷ

2단계 내신 유형 익히기 87~89쪽

01 ② 02 ⑤ 03 ④ 04 ④ 05 ④ 06 ① 07 ⑤ 08 ③ 09~12 해설 참조

01 정치 과정의 필요성 정답: ②

전통 사회에 비해 현대 사회에서는 사람들의 생활 범위가 확장되고 사람들이 사회의 다양한 분야에 관심을 가지게 되면서, 사람들의 이해관계, 가치관 등이 매우 다양해졌다. 이로 인해 정치 과정의 중요성이 커지고 있다.

02 정치 과정의 단계 정답: ⑤

미국의 정치학자 이스턴은 투입-산출의 정치 과정 모델을 제시하였다. 정책 결정 기구에는 입법부, 행정부 등이 있으며, 환경에는 국내적 환경과 국제적 환경이 모두 포함된다.

| 오답 피하기 | ㄱ. 산출의 주체는 입법부나 행정부 등 정책 결정 기구이다. ㄴ. 투입은 개인이나 집단이 정책을 요구하는 것을 통해 이루어진다.

03 정치 과정의 단계 정답: ④

ㄴ. 최저 임금을 결정한 것은 정책 결정 기구가 구체적인 정책을 결정하고 집행하는 산출에 해당한다. ㄹ. 자영업자들이 최저 임금 인상 반대 집회를 개최한 것은 집행된 정책에 대한 사람들의 반응이나 평가를 통해 다시 투입에 영향을 미치는 과정인 환류에 해당한다.

| 오답 피하기 | ㄱ. 산출에 해당한다. ㄷ. 투입에 해당한다.

04 민주적인 정치 과정 정답: ④

제시된 사진은 청와대 국민 청원 홈페이지로, 정부가 국정 현안과 관련한 국민의 의견을 듣기 위해 만든 것이다. 국민 청원은 정책 결정 기구인 정부에 국민이 의견을 전달하는 방법으로, 투입이나 환류에 해당한다.

05 정치 참여의 중요성 정답: ④

제시된 플라톤의 표현은 적극적인 정치 참여의 중요성을 강조한 것이다.

06 정치 참여의 유형 정답: ①

ㄱ. 선거, 진정, 청원 등은 개별적인 정치 참여이다. ㄴ. 정당, 이익 집단, 시민 단체에 소속하여 행동하는 것은 집단적인 정치 참여이다.

| 오답 피하기 | ㄷ. 일반적으로 개별적인 정치 참여보다는 집단적인 정치 참여의 영향력이 크다. ㄹ. 어느 것이 더 민주적이라고 말하기는 어렵다.

07 집단적인 정치 참여 정답: ⑤

시민은 이익 집단이나 시민 단체에 가입하여 정치에 참여할 수 있다.

| 오답 피하기 | ① A는 이익 집단이다. ② B는 시민 단체이다. ③ 정권 획득을 목적으로 하는 집단은 정당이다. ④ A와 B는 국회나 언론 등 다른 기관들과 상호 작용하면서 정치에 영향을 미치고자 한다.

08 개인적인 정치 참여 정답: ③

민원은 공공 기관 등이 의무를 다하지 않아 피해가 우려되거나 발생했을 경우 요청할 수 있는 것으로, 철수의 민원 제기로 인해 많은 사람들이 이익을 누리게 되었다면 이를 사익 추구만으로 볼 수는 없다.

09 현대 사회의 정치 과정

| 예시 답안 | 현대 민주 사회에서는 정부와 시민 간에 활발한 상호 작용 속에서 다원적인 이해관계를 합리적으로 조정하는 방식으로 정치가 이루어진다.

| 채점 기준 |

상	정부와 시민 간의 상호 작용과 다원적인 이해관계 조정의 내용을 모두 넣어 논리적으로 서술한 경우
하	정부와 시민 간의 상호 작용 또는 다원적인 이해관계 조정 중 한 가지만 서술한 경우

10 정치 과정의 의미와 단계

| 예시 답안 | (1) 정책

(2) 투입 단계에서는 개인이나 집단이 정부에 대해 정책을 요구하거나 지지 또는 불만을 표시한다. 산출 단계에서는 정책 결정 기구가 구체적인 정책을 결정하고 집행한다. 환류 단계에서는 집행된 정책에 대한 사람들의 반응이나 평가가 다시 투입에 영향을 미친다.

| 채점 기준 |

상	정책을 쓰고 정치 과정을 정확한 용어를 넣어 옳게 서술한 경우
중	정책을 쓰고 정치 과정을 대략적으로 서술하였으나 정확한 용어가 없는 경우
하	정책만 쓴 경우

11 정치 참여의 의의

| 예시 답안 | (1) 대의제

(2) 권력의 남용을 방지한다. 정부의 정책에 정당성을 부여한다. 국민 주권과 국민 자치의 원리를 실현한다 등

| 채점 기준 |

상	대의제를 쓰고, 정치 참여의 의의 두 가지 이상을 옳게 서술한 경우
중	대의제를 쓰고, 정치 참여의 의의 한 가지를 옳게 서술한 경우
하	대의제만 옳게 쓴 경우

12 정치 참여 집단과 바람직한 태도

| 예시 답안 | (1) 정당, 이익 집단, 시민 단체 등

(2) 사익과 공익의 조화를 추구해야 한다. 민주적인 절차에 따라야 한다. 다양성을 존중해야 한다 등

| 채점 기준 |

상	정치 참여 집단과 시민의 태도를 각각 두 가지 이상 모두 옳게 서술한 경우
중	정치 참여 집단은 두 가지 이상 썼으나, 시민의 태도는 한 가지만 옳게 서술한 경우
하	정치 참여 집단만 두 가지 이상 쓴 경우

내신 만점 도전하기 90쪽

01 ③ 02 ④

01 정치 과정 정답: ③

정치 과정의 '투입-산출' 모델은 민주주의 국가의 정치 과정을 잘 설명해 준다. 권위주의나 전체주의 국가의 정치 과정을 설명하기 위해 등장한 것은 '산출-투입' 모델이다.

| 오답 피하기 | ① 이스턴이 제시한 '투입 - 산출' 모델이다. ② 시민이 정치에 관심을 갖고 정부에 요구나 지지를 표현하는 투입이 활발해져야 민주 정치 발전이 이루어진다. ④ 투입은 선거, 청원 등 개인적인 방법으로 이루어지기도 하고, 이익 집단이나 시민 단체 등의 집단을 통해 이루어지기도 한다. ⑤ 환류를 피드백이라고도 한다.

02 시민의 정치 참여에 관한 논쟁 정답: ④

제시문에서 갑은 시민의 지나친 참여에 대한 불신을 토대로 시민이 일정 수준까지만 정치에 참여하고 뒤로 물러나 있는 것이 바람직하다고 보는 반면, 을은 시민이 더 많이 참여할수록 민주 사회에 가까워진다고 보고 있다. 이러한 논쟁은 시민의 정치 참여 수준에 대한 것이다.

| 오답 피하기 | ㄹ. 시민의 적극적인 정치 참여를 바람직한 것으로 본다고 해서 대의제를 비민주적인 것으로 본다고 말할 수는 없다. 또한 을이 대의제를 비민주적이라고 보는지는 제시된 주장을 통해 알 수 없다.

심화 수능 유형 익히기 91쪽

01 ① 02 ④

01 선거의 기능 정답: ①
갑은 집권당이 시행한 정책에 대한 유권자의 부정적 인식이 높은 투표 참여율로 나타났다고 보므로, 선거가 기존 정책에 대한 평가의 성격을 가진다고 본다.

| 오답 피하기 | ② 을은 정당들의 차별적 공약이 투표율을 높였다고 보므로, 둘 사이에 상관성이 높다고 본다. ③ 갑, 을 모두 선거가 국민의 의사를 집약하는 기능을 한다고 본다. ④ 갑, 을 모두 선거가 정당에 대한 통제적 성격을 가진다고 본다. ⑤ 을은 정당 간의 차별적 공약이 투표율을 높였다고 보므로, 정당 간 경쟁이 국민의 주권 의식을 높이는 데 긍정적 영향을 미친다고 본다.

02 정치에 영향력을 미치는 집단 정답: ④
정치에 영향력을 미치는 집단 중 A는 정당이고, B는 시민 단체, C는 이익 집단에 해당한다. ④ 시민 단체와 이익 집단은 모두 대의제의 한계를 보완한다.

| 오답 피하기 | ① 정당은 정권 획득을 목표로 하지만, 정치적 중립성을 추구하지는 않는다. ② 정당, 시민 단체, 이익 집단 모두 정치 과정에서 투입 기능을 담당한다. ③ 정부와 의회를 매개하는 것은 정당이다. ⑤ 정당, 시민 단체, 이익 집단 모두 정치 사회화 기능을 수행한다.

주제 2 민주 정치와 선거 제도

1단계 개념 익히기 96쪽

01 (1) – ㉣ (2) – ㉠ (3) – ㉢ (4) – ㉡ 02 (1) 정당성 (2) 책임 (3) 투입 03 (1) ○ (2) ○ (3) × 04 (1) 소선거구제 (2) 절대다수 대표제 (3) 혼합 대표제 05 정당 명부식 비례 대표제 06 ㄴ, ㄹ

2단계 내신 유형 익히기 97~99쪽

01 ② 02 ② 03 ④ 04 ⑤ 05 ④ 06 ④ 07 ④ 08 ③ 09~12 해설 참조

01 선거의 원칙 정답: ②
갑국은 일정한 나이에 달한 모든 국민에게 선거권을 부여해야 한다는 보통 선거의 원칙을, 을국은 선거인이 대리인을 거치지 않고 직접 대표자를 선출해야 한다는 직접 선거의 원칙을 위반하고 있다.

02 선거의 기능 정답: ②
국민들이 현재의 대표자에게 문제가 있다고 판단해 다음 선거에서 교체하기로 결정하는 것은 정치권력을 통제하는 선거의 기능을 잘 보여주는 사례이다.

03 국회 의원 선거 방식 정답: ④
기존 방식은 소선거구제, 다수 대표제의 방식이고, 새로운 방식은 정당 명부식 비례 대표제에 해당한다. 비례 대표제는 소수 정당에도 득표율에 따른 의석을 부여하여 사표를 줄이는 효과가 있다.

| 오답 피하기 | ①, ②, ③, ⑤는 소선거구제, 다수 대표제하에서 발생하는 일들에 해당한다.

04 단순 다수 대표제의 문제점 정답: ⑤
단순 다수 대표제에서는 사표가 많이 발생하여 유권자의 의사가 정확히 반영되지 못한다는 문제점이 있다.

| 오답 피하기 | ①, ②, ③, ④는 비례 대표제에 해당하는 내용이다.

05 공정한 선거를 위한 제도 정답: ④
A는 '게리멘디링'으로 특정 징당이나 후보자에세 유리하도록 선거구를 조정하는 것을 의미한다. 우리나라에서는 이를 방지하기 위해 선거구를 법률로 정하도록 하고 있다.

| 오답 피하기 | ㄱ. 소선거구제하에서 더 문제가 될 가능성이 크다. ㄷ. 게리맨더링이 행정 구역을 기준으로 한 선거구 획정을 의미하는 것은 아니다.

06 대표 선출 방식의 종류 정답: ④
(가)는 단순 다수 대표제, (나)는 절대다수 대표제, (다)는 정당 명부식 비례 대표제를 의미한다. 절대다수 대표제는 선거를 반복해서 치러야 하므로 시간과 비용이 많이 든다.

| 오답 피하기 | ① (가)는 단순 다수 대표제를 의미한다. ② 비례 대표제에 해당하는 설명이다. ③ 가장 사표가 많이 발생하는 방식은 단순 다수 대표제이다. ⑤ 우리나라 국회 의원 선거 제도는 (가)와 (다)를 혼용하는 혼합 대표제이다.

07 국회 의원 선거 방식 정답: ④
④는 미국의 대통령 선거 방식에 해당하는 설명이다.

08 우리나라 선거의 문제점 정답: ③
우리나라에서는 공약이나 인물보다는 후보자의 출신 지역이나 정당에 따라 후보자를 선택하는 지역주의 투표 행태가 여전히 보이기도 한다.

09 선거의 기능
| 예시 답안 | 선거는 정치권력에 정당성을 부여한다. 선거를 통해 합법적으로 선출된 대통령, 국회 의원 등 대표자들은 국민으로부터 정당하게 권위를 부여받아 국정을 담당할 수 있다.

| 채점 기준 |

상	'정당성 부여'란 용어를 사용하여 사례에 맞는 선거의 기능을 옳게 서술한 경우
하	선거의 기능 중 다른 것을 서술하였거나 불명확하게 서술한 경우

10 선거구제의 종류와 단점

| 예시 답안 | (1) 소선거구제

(2) 한 명만 대표자가 될 수 있으므로 선거 운동이 과열될 수 있다. 당선자를 제외한 다른 후보자를 지지한 유권자의 의사가 반영되지 못해 사표가 많이 발생할 수 있다 등

| 채점 기준 |

상	소선거구제를 쓰고, 그 단점을 두 가지 이상 옳게 서술한 경우
중	소선거구제를 쓰고, 그 단점을 한 가지만 서술한 경우
하	소선거구제만 쓴 경우

11 대표 선출 방식의 종류와 장점

| 예시 답안 | (1) 절대다수 대표제

(2) 당선자의 대표성이 강화된다. 사표가 줄어든다.

| 채점 기준 |

상	절대다수 대표제를 쓰고, 장점을 두 가지 이상 옳게 서술한 경우
중	절대다수 대표제를 쓰고, 장점을 한 가지만 옳게 서술한 경우
하	절대다수 대표제만 옳게 쓴 경우

12 우리나라 국회 의원 선거 방식

| 예시 답안 | (1) 정당 명부식 비례 대표제

(2) 득표율에 따라 정당별 의석수가 결정되면 각 정당이 선거 전에 선거 관리 위원회에 제출한 비례 대표 의원 명부의 순번에 따라 당선자를 결정한다.

| 채점 기준 |

상	정당 명부식 비례 대표제를 쓰고, 그에 대한 설명을 옳게 서술한 경우
중	정당 명부식 비례 대표제를 쓰고, 그에 대한 설명을 썼으나 내용이 부실한 경우
하	정당 명부식 비례 대표제만 쓴 경우

3단계 내신 만점 도전하기 100쪽

01 ③ 02 ②

01 선거구제와 대표 선출 방식

정답: ③

③ 비례 대표제는 소수 정당에 유리한 대표 선출 방식이다.

| 오답 피하기 | ① 비례 대표 국회 의원 수가 지역구 국회 의원 수보다 매우 적기 때문에 군소 정당이 난립하여 정국이 혼란될 가능성은 낮다. ② 유권자는 투표용지를 2장 받고 지역구 국회 의원 후보자와 정당에 투표를 하고, 지역구 국회 의원 선거에서 2차 투표가 필요할 경우 또 투표를 할 수 있다. ④ 2차 투표에서는 가장 많은 표를 얻은 사람이 당선된다. 즉, 유효 표의 50% 초과 지지를 얻으면 당선이 된다. ⑤ 일반적으로 비례 대표제가 절대다수 대표제보다 사표를 적게 발생시킨다.

02 선거구제의 종류와 특징

정답: ②

일반적으로 소선구제하에서는 다수당 후보자가 당선될 가능성이 커서 정국 안정에 도움이 된다고 하지만, 대통령제하에서 행정부 수반인 대통령이 의회 다수당에 속하지 않는 경우에는 행정부와 입법부 간에 긴장과 대립이 있을 수 있다.

| 오답 피하기 | ① 소선거구제의 상황을 다루고 있으므로 비례 대표 국회 의원 수가 줄어드는 것과는 관계가 없다. ③ 연립 내각은 의원 내각제 국가에서 의회 내 과반수 정당이 없을 경우에 구성된다. ④ 의원 내각제의 상황이다. ⑤ 행정부와 입법부의 갈등과는 관계가 없다.

심화 수능 유형 익히기 101쪽

01 ②

01 선거 결과 분석

정답: ②

1안의 경우 선거구 1~3에서 선거구별 유효 투표 총수(1,500표)의 20%인 300표 이상을 얻은 정당은 A당, B당이고, 선거구 4~5에서 선거구별 유효 투표 총수(500표)의 20%인 100표 이상을 얻은 정당은 A당, C당이다. 따라서 선거구 1~3에서는 A당이 2석, B당이 1석을 배분받고, 선거구 4~5에서는 A당, C당이 각각 1석씩을 배분받는다.

2안의 경우 선거구별 유효 투표 총수(2,000표)의 5%인 100표 이상을 얻은 정당은 A당~E당이다. 따라서 A당이 2석, B당이 1석, C당이 1석, D당이 1석을 각각 배분받는다.

갑국의 현행 선거 결과와 선거 제도 개편안 두 가지에 따른 예상 선거 결과를 정리하면 아래와 같다.

구분	A당	B당	C당	D당	E당
현행	2	1	2	0	0
1안	3	1	1	0	0
2안	2	1	1	1	0

ㄱ. A당의 경우 1안이 현행보다 유리하다. ㄷ. C당의 경우 1안과 2안 모두 현행보다 불리하다.

| 오답 피하기 | ㄴ. B당의 경우 1안과 2안 모두 현행과 같은 결과를 얻는다. ㄹ. D당의 경우 2안이 유리하다.

주제 3 다양한 정치 주체의 역할과 참여

1단계 개념 익히기 106쪽

01 (1) 정치적 충원 (2) 시민 단체 (3) 압력 단체 (4) 의제 설정
02 (1) 야당 (2) 사익 (3) 상업주의 03 (1) ○ (2) × (3) ○ (4) × 04 (1) – ㉢ (2) – ㉡ (3) – ㉠ 05 로비 활동
06 시민 단체

2단계 내신 유형 익히기 107~109쪽

01 ① 02 ② 03 ② 04 ③ 05 ⑤ 06 ② 07 ②
08 ③ 09~12 해설 참조

01 정당의 기능 정답: ①

갑은 정당이 주최하는 공청회를 통해, 을은 국민 경선에 참여해 대통령 후보자를 선출함으로써 정치에 참여하고 있다. 이를 통해 정당은 국민들에게 정치에 대한 지식을 제공하고 관심을 이끌어 내는 정치 사회화 기능을 수행하고 있음을 알 수 있다.

| 오답 피하기 | ②, ④, ⑤ 모두 정당의 기능에 해당하지만 대화에 나타나는 공통적인 기능으로 보기는 어렵다. ③은 정당의 목적이다.

02 정당의 공천 방식 정답: ②

일정 기간 당비를 납부한 당원만 공천을 신청할 수 있기 때문에 A당보다 상대적으로 자기 정당의 정체성을 유지하는 데 유리하다.

| 오답 피하기 | ㄱ. 당 대표가 구성한 공천 심사 위원회에서 공천이 이루어지기 때문에 A당보다 상대적으로 투명성은 낮다. ㄷ. 당비를 납부한 당원에 한해서만 공천이 가능하기 때문에 외부 인사의 공천은 불가능하다. ㄹ. 공천 심사 위원회의 결정에 의해 후보자가 결정되기 때문에 하향식 의사 결정에 해당한다.

03 정당 제도의 유형 정답: ②

A는 일당제, B는 다당제, C는 양당제이다. ㄱ. 일당제의 대표적인 국가로 중국이 있다. ㄹ. 양당제는 정치적 영향력이 큰 정당이 두 개이기 때문에 다당제보다 유권자의 정당 선택이 용이하다.

| 오답 피하기 | ㄴ. 일당제는 다른 정당 제도보다 가장 강력하게 정책을 추진할 수 있다. ㄷ. 다당제는 다양한 가치를 반영하는 정당이 많기 때문에 양당제에 비해 소수의 이익이 보호될 가능성이 높다.

04 이익 집단의 특징 정답: ③

노동자의 권리를 주장하는 내용을 통해 노동조합이라는 것을 알 수 있다. 노동조합은 대표적인 이익 집단이다. ㄱ. 이익 집단은 자신의 이익을 추구하는 과정에서 정부 정책을 감시하고 비판한다. ㄹ. 지역 대표제만으로는 다양한 직업적 이익의 반영이 어렵기 때문에 직업적 이익을 중심으로 구성된 이익 집단이 이를 보완한다.

| 오답 피하기 | ㄴ. 이익 집단은 정치적 책임을 지지 않는다. ㄷ. 이익 집단은 공공선이 아닌 사익을 추구한다.

05 시민 단체의 문제점과 해결 방법 정답: ⑤

시민 단체는 시민들이 자발적으로 구성한 단체이지만, 시민이 중심이 되지 못하는 일부 지도층 중심의 '시민 없는 시민운동'의 문제점도 지적되고 있다. 이를 해결하기 위해 상향식 의사 결정 구조를 확립하여 시민 단체의 민주성을 확보할 수 있다.

06 이익 집단과 시민 단체의 공통점 정답: ②

㉠은 이익 집단, ㉡은 시민 단체에 해당한다. 두 집단은 시민들이 직접 참여하는 과정을 통해 대의 민주주의의 한계를 보완하는 기능을 한다.

| 오답 피하기 | ① 국회, 정부에 대한 설명이다. ③ 이익 집단에만 해당하는 설명이다. ④ 정당에 대한 설명이다. ⑤ 두 집단은 비공식적 참여자에 해당한다.

07 정치 참여 주체의 종류 정답: ②

'공익 추구를 우선시하는가?'라는 질문을 통해서 A가 이익 집단임을 알 수 있다. ㄱ. 이익 집단이 추구하는 특수한 이익은 정당, 시민 단체가 추구하는 공익과 충돌할 우려가 있다. ㄷ. 선거에 후보자를 추천하는 정치 참여 주체는 정당이므로 C에는 정당이 들어갈 수 있다.

| 오답 피하기 | ㄴ. 정당, 이익 집단, 시민 단체는 모두 시민들의 자발적인 참여를 바탕으로 한다. ㄹ. 정당은 당정 협의회 등을 통해 의회와 정부를 매개하므로 (가)에 '의회와 정부를 매개하는가?'가 들어간다면 C가 정당이다.

08 언론의 기능 정답: ③

언론은 거울처럼 사실을 객관적이고 공정하게 보도해야 한다는 것을 강조하고 있다.

| 오답 피하기 | ①, ②, ④, ⑤ 언론의 기능에 해당하지만 제시문이 강조하는 내용과는 거리가 멀다.

09 정당 제도의 유형

| 예시 답안 | 갑국의 정당 제도는 양당제에서 다당제로 재편되었다. 다당제는 국민의 다양한 이익을 반영하고 정당 간 대립 시 중재가 용이하다는 장점이 있다.

| 채점 기준 |

구분	기준
상	다당제를 쓰고 그 장점을 두 가지 모두 옳게 쓴 경우
중	다당제를 쓰고 그 장점을 한 가지만 옳게 쓴 경우
하	다당제만 쓴 경우

10 이익 집단과 시민 단체의 차이점

| 예시 답안 | (1) (가) 이익 집단, (나) 시민 단체
(2) 이익 집단은 특수 이익을 추구하지만 시민 단체는 공공선과 공익을 추구한다.

| 채점 기준 |

구분	기준
상	(가), (나)의 명칭과 차이점을 모두 옳게 쓴 경우
중	(가), (나)의 명칭과 차이점 중 두 가지를 옳게 쓴 경우
하	(가), (나)의 명칭과 차이점 중 한 가지만 옳게 쓴 경우

11 정치 참여 주체의 종류

| 예시 답안 | 정권 획득을 추구하는가? 정치적 책임을 지는가? 등

| 채점 기준 |

구분	기준
상	옳은 질문을 두 개 서술한 경우
하	옳은 질문을 한 개만 서술한 경우

12 언론의 기능

| 예시 답안 | 언론의 의제 설정 기능을 보여 주고 있다. 이는 언론이 특정한 주제를 선택해 보도함으로써 사람들이 중요한 문제로 인식하게 만드는 것을 의미한다.

| 채점 기준 |

상	의제 설정 기능과 그 의미를 모두 정확하게 쓴 경우
중	의제 설정 기능을 쓰지 못했으나 그 의미는 정확하게 쓴 경우
하	의제 설정 기능만 쓴 경우

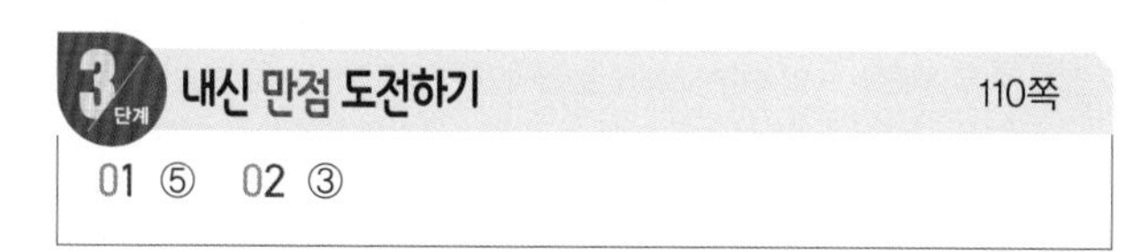

3단계 내신 만점 도전하기 110쪽

01 ⑤ 02 ③

01 정당 제도의 유형 정답: ⑤

A는 다당제, B는 양당제이다. 다당제는 군소 정당의 난립으로 정국이 불안정할 우려가 있기 때문에 양당제가 상대적으로 정국 안정의 가능성이 높다.

02 정당과 이익 집단 정답: ③

A는 이익 집단, B는 정당이다. ㄴ. 이익 집단의 활동은 지역 대표제의 한계를 보완해 다양한 직업적 이익을 반영할 수 있다. ㄷ. 정당의 목적과 활동이 민주적 기본 질서에 위배될 때는 정당 해산 심판을 통해 해산될 수 있다.

심화 수능 유형 익히기 111쪽

01 ③ 02 ①

01 정치 참여 주체 정답: ③

정치 참여 주체 중 A는 시민 단체, B는 정당, C는 이익 집단이다. ③ 이익 집단은 집단의 특수한 이익을 추구하므로 사회 전체의 보편적 이익과 충돌할 수 있다.

| 오답 피하기 | ① 정부와 의회를 매개하는 역할을 수행하는 것은 정당이다. ② 정당이 정권 획득을 목표로 하는 것은 맞지만 정치적 중립성을 추구하는 것은 아니다. ④ 시민 단체와 이익 집단 모두 대의 정치의 한계를 보완하는 기능을 수행한다. ⑤ 정당과 이익 집단 모두 정책 결정 및 집행 과정에 영향력을 행사한다.

02 정당 제도 정답: ①

ㄱ. 다당제는 의회에 진출한 정당의 수가 많으므로 양당제에서보다 다양한 민의를 국정에 반영하기가 용이하다. ㄴ. 다당제보다 양당제에서 국가 정책을 강력하게 추진하기가 용이하다.

| 오답 피하기 | ㄷ. 의원 내각제에서 양당제가 나타날 경우 단독 정부가 구성될 가능성이 높다. ㄹ. 두 정당제 모두 민주주의 원리에 부합하는 정당 제도이다.

대단원 3 마무리하기 113~114쪽

01 ② 02 ① 03 ⑤ 04 ④ 05 ② 06 ④ 07 ① 08 ③

01 정치 과정의 단계 정답: ②

ㄱ. 일반 국민, 정당, 이익 집단, 시민 단체 등 다양한 정치 참여 주체가 투입 과정에서 영향력을 행사할 수 있다. ㄷ. 행정부, 입법부, 사법부의 결정과 행동은 산출 과정에 해당한다.

| 오답 피하기 | ㄴ. 정책 결정 기구에는 행정부, 입법부, 사법부가 포함되며 시민 단체는 투입의 주체로서 활동할 수 있다. ㄹ. 사법부의 판결은 권위적 결정이라는 점에서 산출에 해당한다.

02 정치 참여의 의의 정답: ①

'이것'은 정치 참여로, 정치 참여는 기본적으로 합법성과 자발성에 바탕을 둔다. ① 시민의 정치 참여는 합법적인 절차에 따라 이루어져야 한다.

03 선거구제의 종류와 특징 정답: ⑤

각 선거구에서 2인의 당선자가 배출된 것을 통해 이 국가는 중·대선거구제를 채택하고 있음을 알 수 있다. 중·대선거구제는 소선거구제에 비해 군소 정당이 난립할 가능성이 커 정국 혼란이 우려된다.

| 오답 피하기 | ①, ②, ③, ④ 모두 소선거구제의 특징이다.

04 공정한 선거 제도 정답: ④

A시 인구는 30만 명인데 의석수는 2석, B시의 인구는 20만 명인데 의석수는 4석, C시의 인구는 10만 명인데 의석수는 2석인 것을 알 수 있다. A시 시민들의 표의 가치가 지나치게 과소 대표되고 있는 상황이므로 평등 선거의 원칙에 위배되고 있음을 알 수 있다. 이에 표의 가치가 가장 낮은 A시 시민들은 A시의 의석수 확대를 요구하고 있다.

05 대표 선출 방식의 종류와 특징 정답: ②

A 제도는 단순 다수 대표제, B 제도는 절대다수 대표제 중 결선 투표제에 해당한다. 절대다수 대표제는 당선자의 대표성을 강화할 수 있다.

| 오답 피하기 | ① 두 번의 선거를 치르기 때문에 선거 비용은 증가한다. ③ 다수 대표제이므로 다양한 의견은 반영되기 힘들다. ④ 직능 대표제에 대한 설명이다. ⑤ 다수 대표제이므로 소수파의 의회 진출은 상대적으로 어렵다.

06 비례 대표 제도의 단점 정답: ④

득표율과 의석률이 일치하는 것을 통해 비례 대표제임을 알 수 있다. 비례 대표제는 의석 배분 방식이 복잡하고, 군소 정당이 난립할 경우 정국이 불안정해질 우려가 있으며, 비례 대표 후보자 결정 과정에 유권자의 의사를 반영하기 힘들다는 단점이 있다.

07 정당 제도의 유형 정답: ①

t 시기는 양당제였으나 선거 이후 t+1 시기에 다당제로 변화하였다. 다당제는 양당제보다 상대적으로 정치적 책임 소재가 불분명하다.

08 정치 참여 주체의 종류와 특징 정답: ③

A는 정당, B는 이익 집단, C는 시민 단체이다. ㄴ. 이익 집단은 지역 대표제의 한계를 보완하여 직업적 이익을 반영하기도 한다. ㄷ. 시민 단체는 공익 추구를 목표로 한다.

| 오답 피하기 | ㄱ. 이익 집단은 자신들의 이익을 반영하기 위해 정부의 정책 결정 과정에 압력을 가하므로 압력 단체라고도 불린다. ㄹ. 정치 사회화 기능은 정당, 이익 집단, 시민 단체 모두 수행한다.

민주 시민 역량 기르기

115쪽

01 | 예시 답안 |

찬성 입장	의무 투표제를 통해 더 많은 유권자가 투표에 참여한다면 당선자의 대표성을 제고할 수 있고, 많은 유권자의 정치적 의사가 반영되기 때문에 대표자들이 보다 책임 있는 정치를 할 것이다. 또한 일정 연령 이상의 모든 국민이 투표에 참여하기 때문에 특정한 세력에 의해서 조직적으로 동원되는 표의 영향력을 줄일 수 있다.
반대 입장	의무 투표제는 투표 기권도 일종의 정치 행위라는 측면에서 본다면 유권자의 투표하지 않을 권리를 박탈하기 때문에 비민주적이며 개인의 정치적 자유를 지나치게 침해하는 제도이다. 또한 선거나 투표에 관심이 없지만 처벌을 받기 싫어서 충동적으로 투표하는 경우를 생각해 본다면 높은 투표율이 투표 결과의 질까지 보장하지는 않을 것이다.

| 평가 영역 | 개념 이해(자료에 나오는 개념에 대한 이해도)

| 채점 기준 |

상	선거 제도와 투표율에 대해 찬성과 반대의 측면에서 모두 이해하고 서술한 경우
중	선거 제도와 투표율에 대해 찬성과 반대의 측면에서 이해하고 서술했으나 다소 부족한 경우
하	선거 제도와 투표율에 대해 찬성과 반대의 측면에서 이해하고 서술했으나 매우 부족한 경우

02 | 예시 답안 | 선거는 국민이 주권자로서의 권리를 행사하고 보다 나은 사회를 만들 수 있는 지역과 국가의 인물을 선출하는 과정이므로, 표 한 장 한 장은 그 자체가 권력이라고 볼 수 있다. 그런 차원에서 의무 투표제는 도입되어야 한다. 투표 참여를 자율에 맡긴 상황에서 우리나라의 각종 투표율은 절반을 간신히 넘기는 수준이며, 이는 국민 절반의 의사는 반영되지 않는다는 것을 뜻한다. 이처럼 주권자로서의 지위를 스스로 포기하는 풍조의 확산은 무책임하고 무능력한 권력자의 등장을 초래할 것이고 궁극적으로 민주주의 발전을 저해할 우려가 있다.

| 평가 영역 | 의사소통 능력(주제와 관련된 자신의 견해를 논리적이며 분명하게 표현하는 정도)

| 채점 기준 |

상	의무 투표제 도입 여부에 대해 논리적인 근거를 바탕으로 서술한 경우
중	의무 투표제 도입 여부에 대해 논리적인 근거를 바탕으로 서술했으나 다소 부족한 경우
하	의무 투표제 도입 여부에 대해 논리적인 근거를 바탕으로 서술했으나 매우 부족한 경우

대단원 4 개인 생활과 법

 민법의 이해

1단계 개념 익히기 122쪽

01 (1) 민법 (2) 과실 책임의 원칙 (3) 소유권 공공복리의 원칙 02 사적 자치의 원칙(계약 자유의 원칙) 03 (1) ○ (2) × (3) ○ 04 무과실 책임의 원칙 05 (1) 고의 (2) 절대적인 (3) 공정해야 06 (1) ㄱ, ㄷ, ㅂ (2) ㄴ, ㄹ, ㅁ

2단계 내신 유형 익히기 123~125쪽

01 ④ 02 ④ 03 ② 04 ⑤ 05 ③ 06 ④ 07 ⑤ 08 ① 09~12 해설 참조

01 민법의 내용 정답: ④
밑줄 친 '이 법'은 민법이다. 민법은 개인의 재산 관계나 가족 관계를 규율하는 대표적인 사법(私法)이다.

02 민법의 의의 정답: ④
민법은 개정을 거치면서 남녀의 혼인이 가능한 나이가 같도록 바뀌었다. 이는 양성평등의 구현에 기여한 것이다.

03 민법의 기본 원칙 정답: ②
(가), (나)의 밑줄 친 부분에서 공통으로 언급되는 민법의 기본 원칙은 사유 재산권 존중의 원칙이다. 사유 재산권 중 가장 대표적인 것이 소유권이기 때문에 소유권 절대의 원칙이라고도 부른다.

| 오답 피하기 | ① 사적 자치의 원칙에 대한 설명이다. ③ 계약 공정의 원칙에 대한 설명이다. ④ 소유권 공공복리의 원칙에 대한 설명이다. ⑤ 과실 책임의 원칙에 대한 설명이다.

04 근대 민법의 기본 원칙의 등장 배경 정답: ⑤
A는 개인주의, B는 자유주의로 근대 민법의 기본 원칙의 등장 배경이다.

| 오답 피하기 | ㄱ. 현대 민법의 기본 원칙은 자본주의의 문제점을 해결하고자 하는 과정에서 등장하였다.

05 민법의 기본 원리의 변화 정답: ③
제품의 결함으로 소비자가 손해를 입은 경우, 고의나 과실이 없더라도 제조업자가 배상 책임을 질 수 있도록 한 것이다.

| 오답 피하기 | ① 근대 민법의 기본 원칙을 전면 부인하지는 않는다. ② 제조물에 관한 정보를 제조업자만 갖고 있는 경우가 많기 때문에 개정되었다. ④ 소유권 절대의 원칙에 대한 설명으로, 제시문의 내용과 관련이 없다. ⑤ 소비자가 제조물의 결함을 입증하기 어렵다는 점을 고려하여 개정되었다.

06 계약 공정의 원칙 정답: ④
ㄴ. 사적 자치의 원칙을 지나치게 강조한 결과 불공정한 노예 계약이 발생하였다. ㄹ. 이러한 문제를 해결하려면 계약 공정의 원칙이 필요하다.

| 오답 피하기 | ㄱ. 과실 책임의 원칙과는 관련성이 떨어진다. ㄷ. 소유권 공공복리의 원칙과는 관련성이 떨어진다.

07 민법의 기본 원리의 변화 정답: ⑤
자본주의가 발전하면서 빈부 격차, 환경 오염, 독과점 등의 부작용이 나타났다. 이러한 사회 문제를 해결하기 위해 현대 민법에서는 개인의 사회적 책임을 강조하는 방향으로 민법의 기본 원칙에 일부 변화가 나타났다.

08 사적 자치의 원칙 정답: ①
밑줄 친 '이 원칙'은 사적 자치의 원칙 또는 계약 자유의 원칙을 의미한다.

09 민법의 내용
| 예시 답안 | 재산권, 계약 관계, 불법 행위 등을 규율한다.

| 채점 기준 |

등급	기준
상	재산법에서 규율하는 내용을 두 가지 이상 정확히 서술한 경우
하	재산법에서 규율하는 내용을 한 가지만 정확히 서술한 경우

10 민법의 기본 원칙
| 예시 답안 | (1) 소유권 공공복리의 원칙
(2) 자본주의가 발달하는 과정에서 각종 사회 문제가 출현하였는데, 이를 해결하고자 현대 민법에서는 개인의 사회적 책임을 강조하는 방향으로 민법의 기본 원리에 일부 변화가 나타났다.

| 채점 기준 |

등급	기준
상	소유권 공공복리의 원칙을 쓰고, 민법의 기본 원리의 변화 방향과 그 배경을 모두 옳게 서술한 경우
중	소유권 공공복리의 원칙을 쓰고, 민법의 기본 원리의 변화 방향이나 그 배경 중 하나만 옳게 서술한 경우
하	소유권 공공복리의 원칙만 옳게 쓴 경우

11 과실 책임의 원칙과 무과실 책임의 원칙
| 예시 답안 | (1) 무과실 책임의 원칙
(2) 과실 책임의 원칙의 폐기가 아니라 과실 책임의 원칙을 기초로 무과실 책임의 원칙을 일부 인정하는 것이다.

| 채점 기준 |

등급	기준
상	무과실 책임의 원칙을 쓰고, 과실 책임의 원칙의 전면적 폐지가 아니라는 것과 과실 책임의 원칙을 기초로 무과실 책임의 원칙을 일부 인정하는 관계라는 것을 모두 옳게 서술한 경우
중	무과실 책임의 원칙을 쓰고, 과실 책임의 원칙의 전면적 폐지가 아니라는 것만 서술한 경우
하	무과실 책임의 원칙만 옳게 쓴 경우

12 사유 재산권 존중의 원칙

| 예시 답안 | (1) 사유 재산권 존중의 원칙(소유권 절대의 원칙)
(2) 개인은 자신이 소유하고 있는 재산에 대해 절대적인 지배권을 가지고, 국가나 다른 개인이 여기에 간섭하거나 제한할 수 없다는 것을 의미한다.

| 채점 기준 |

등급	기준
상	사유 재산권 존중의 원칙(소유권 절대의 원칙)을 쓰고, 그 의미도 옳게 서술한 경우
중	사유 재산권 존중의 원칙(소유권 절대의 원칙)을 쓰고, 그 의미를 서술하였으나 내용이 미흡한 경우
하	사유 재산권 존중의 원칙(소유권 절대의 원칙)만 옳게 쓴 경우

3단계 내신 만점 도전하기 126쪽

01 ② 02 ③

01 민법의 기능 정답: ②

ㄱ, ㄹ. 제시된 민법 조항은 계약이 제대로 이행되지 않거나 개인이 다른 사람에게 고의나 과실로 손해를 입혔을 경우 손해 배상 책임을 지도록 규정하여 개인의 재산권을 보호한다.

| 오답 피하기 | ㄴ. 공법에 대한 설명이다. ㄷ. 민법 내용 중 가족법과 관련된 내용이다.

02 소유권 공공복리의 원칙 정답: ③

제시된 사례는 소유권 공공복리의 원칙과 관련이 있다.

| 오답 피하기 | ① 개인의 사회적 책임을 강조한다. ② 인간이 자유롭고 평등하다는 사상에 직접적 영향을 받아 등장한 것은 근대 민법의 기본 원칙이다. ④ 사적 자치의 원칙(계약 자유의 원칙)에 대한 설명이다. ⑤ 무과실 책임의 원칙에 대한 설명이다.

심화 수능 유형 익히기 127쪽

01 ⑤ 02 ⑤

01 근대 민법의 수정 원칙 정답: ⑤

ㄷ. 개인이 고의나 과실이 없어도 일정한 요건에 따라 손해 배상 책임을 질 수 있는 것은 무과실 책임의 원칙에 해당한다. ㄹ. 연예인 전속 계약 기간을 과도하게 설정한 계약을 규제하는 것은 계약 공정의 원칙에 따른 것이다.

| 오답 피하기 | ㄱ. A는 소유권 공공복리의 원칙, B는 무과실 책임의 원칙이다. ㄴ. 사유 재산권 존중의 원칙에 대한 설명이다.

02 민법의 기본 원리 정답: ⑤

⑤ 제조물 책임법은 제조업자에게 일정한 경우 무과실 책임의 원칙을 적용한 예이다.

| 오답 피하기 | ① 계약 공정의 원칙에 대한 설명이다. ② 과실 책임의 원칙은 우리나라 민법에서 여전히 적용되고 있다. ③ 소유권 공공복리의 원칙은 소유권이 공공복리의 차원에서 제한될 수 있다고 본다. ④ 노예 계약은 계약 공정의 원칙에 따르면 적법하지 않다.

주제 2 재산 관계와 법

1단계 개념 익히기 132쪽

01 (1) 계약 (2) 취소 (3) 불법 행위 02 채무 불이행
03 (1) ○ (2) ○ (3) × 04 책임 능력 05 (1) 권리 (2) 긴급 피난 (3) 정당방위 06 ㄱ, ㄴ, ㅁ

2단계 내신 유형 익히기 133~135쪽

01 ⑤ 02 ④ 03 ⑤ 04 ③ 05 ④ 06 ③ 07 ④
08 ④ 09~12 해설 참조

01 계약의 의미와 성립 정답: ⑤

(가), (나) 모두 일상생활에서 발생하는 계약의 사례이다.

02 계약서의 작성 정답: ④

계약서는 계약의 내용을 명확히 하고, 다툼이 발생했을 때 증거 자료로 활용할 수 있으므로 중요하다.

03 무효와 취소 정답: ⑤

A는 취소, B는 무효이다. ⑤ 우리 법에서는 선량한 풍속 또는 사회 질서에 위반되는 계약은 그 효력을 인정하지 않는다.

| 오답 피하기 | ③ 당사자 간에 지나치게 불공정한 계약은 무효이다. ④ 착오, 사기 등에 의해서 한 법률 행위는 취소할 수 있다.

04 미성년자의 계약 정답: ③

열일곱 살은 미성년자로서 법정 대리인의 동의 없이 한 법률 행위는 원칙적으로 당사자나 법정 대리인이 취소할 수 있다. 다만, 계약으로 받은 이익을 현존하는 한도에서 상환할 책임이 있다.

| 오답 피하기 | ㄱ. 취소할 수 있는 법률 행위이다. ㄷ. 질문자는 법정 대리인의 허락이 있었던 것처럼 꾸미지 않았다.

05 불법 행위의 성립 요건 정답: ④

불법 행위가 성립하기 위해서는 가해자의 위법 행위와 피해자의 손해 사이에 인과 관계가 있어야 한다.

06 위법성 조각 사유 정답: ③

A는 자기에게 닥친 급박한 위난을 피하기 위하여 부득이하게 B에게 손해를 가하였으므로 A의 행위는 긴급 피난에 해당한다. 긴급 피난은 위법성 조각 사유이다.

| 오답 피하기 | ㄱ. A의 행위는 긴급 피난에 해당한다. ㄹ. 불법 행위의 성립 요건 중 위법성을 충족하지 못한다.

07 가해자의 책임 능력 정답: ④

민법 제755조에 따르면 다른 자에게 손해를 가한 사람이 책임 능력이 없는 경우에는 그를 감독할 법정 의무가 있는 자가 그 손해를 배상할 책임이 있다.

| 오답 피하기 | ① 아이들의 가해 행위가 있다고 보았다. ② 부모의 배상 책임을 인정하였다. ③ 법원은 아이들의 과실을 인정하였다. ⑤ 법원은 아이들 부모에게 책임 무능력자의 감독자 책임이 있다고 판단하였다.

08 불법 행위에 따른 손해 배상 정답: ④

손해 배상은 재산적 손해는 물론 정신적 손해까지 배상해야 하며, 정신적 손해에 대한 배상금을 위자료라고 한다.

09 계약의 이행과 불이행

| 예시 답안 | 법률에 따라 상대방에게 강제적으로 계약을 이행하게 하거나 채무 불이행으로 발생한 손해를 배상해 달라고 청구할 수도 있다.

| 채점 기준 |

상	법률에 따른 강제적 계약 이행과 손해 배상 청구를 모두 서술한 경우
하	법률에 따른 강제적 계약 이행과 손해 배상 청구 중 한 가지만 서술한 경우

10 미성년자의 계약

| 예시 답안 | (1) 미성년자로 행위 능력이 제한된다.

(2) 갑 본인이나 부모님(법정 대리인)이 구입 계약을 취소할 수 있다.

| 채점 기준 |

상	행위 능력이 제한된다는 것을 옳게 쓰고, 취소할 수 있는 주체를 갑 본인이나 부모님(법정 대리인) 모두 언급하여 서술한 경우
중	행위 능력이 제한된다는 것을 옳게 쓰고, 취소할 수 있는 주체를 갑 본인이나 부모님(법정 대리인) 중 하나만 서술한 경우
하	행위 능력이 제한된다는 것만 옳게 쓴 경우

11 위법성 조각 사유

| 예시 답안 | (1) 정당방위

(2) 위법성이 조각되어 불법 행위가 되지 않는다.

| 채점 기준 |

상	정당방위를 옳게 쓰고, 불법 행위가 되지 않는 이유를 옳게 서술한 경우
중	정당방위를 옳게 쓰고, 불법 행위가 되지 않는 이유를 서술하였으나 논리적으로 미흡한 경우
하	정당방위만 옳게 쓴 경우

12 특수 불법 행위

| 예시 답안 | (1) 사용자의 배상 책임에 따라 손해 배상 책임을 질 수 있다.

(2) 을 회사(사용자)가 버스 기사들(피용자)의 선임 및 그 사무 감독에 상당한 주의를 한 때는 손해 배상 책임을 지지 않는다.

| 채점 기준 |

상	손해 배상 책임을 지는 법적 근거를 옳게 쓰고, 을 회사가 손해 배상 책임을 지지 않는 조건도 옳게 서술한 경우
중	손해 배상 책임을 지는 법적 근거를 옳게 쓰고, 을 회사가 손해 배상 책임을 지지 않는 조건을 서술하였으나 미흡한 경우
하	손해 배상 책임을 지는 법적 근거만을 옳게 쓴 경우

3단계  136쪽

01 ⑤ 02 ③

01 미성년자의 법률 행위 정답: ⑤

ㄴ, ㄹ. 민법 제5조에 규정된 내용과 관련 있다. ㄷ. 민법 제6조에 규정된 내용과 관련 있다.

| 오답 피하기 | ㄱ. 의사 능력은 자신의 행위가 어떤 의미를 가지는지 판단할 수 있는 정신적 능력을 말한다. 미성년자는 의사 능력이 있을 수도, 없을 수도 있다.

02 특수 불법 행위의 유형 정답: ③

특수 불법 행위는 일반적인 불법 행위와 달리 타인의 가해 행위, 공동으로 저지른 행위, 사람 또는 물건의 관리 감독 소홀 등에 대해서도 책임을 지는 경우를 의미한다.

| 오답 피하기 | ① 법원은 갑이 책임 능력이 있다고 판단한다. ② 갑이 급박한 위난을 피하기 위해 한 행위는 아니다. ④ 손해 배상은 금전으로 배상을 청구하는 것이 원칙이다. ⑤ 정신적 손해뿐 아니라 재산적 손해도 배상을 받을 수 있다.

심화 수능 유형 익히기 137쪽

01 ② 02 ⑤

01 미성년자의 법률 행위 정답: ②

ㄱ. A의 경우에 갑은 의사 능력 없이 계약을 체결했으므로 갑의 부모가 갑의 행위를 동의했어도 계약의 효력은 없다. ㄷ. C의 경우에 을은 미성년자인 갑이 아니라 갑의 부모(법정 대리인)에게 계약의 취소 여부에 대한 확답을 요구할 수 있다.

| 오답 피하기 | ㄴ. 갑이 계약 당시 의사 능력을 갖고 문서로 계약을 했더라도 제한 능력을 이유로 계약을 취소할 수 있다. ㄹ. C의 경우 갑이나 갑의 부모(법정 대리인)가 계약을 취소하면 을은 손해 배상을 청구할 수 없다.

02 특수 불법 행위 정답: ⑤

⑤ 공작물을 점유하고 있는 무에게 손해 배상 책임이 인정되지 않는 경우 공작물을 소유한 정이 무과실 책임을 진다.

| 오답 피하기 | ① 을의 감독자인 갑은 자신이 감독 의무를 다하였음을 증명하면 손해 배상 책임을 지지 않는다. ② 사용자인 병은 사용자의 배상 책임을 질 수 있다. ③ 병이 A와 계약을 체결하였으므로 병이 계약에 따른 채무 불이행 책임을 진다. ④ 무가 손해 방지에 필요한 주의를 다하였음을 증명하면 손해 배상 책임을 지지 않는다.

주제 3 가족 관계와 법

1단계 개념 익히기 142쪽

01 (1) 혼인 신고 (2) 부부 별산제 (3) 친권 02 성년 의제 03 (1) ○ (2) ○ (3) × 04 친양자 제도 05 (1) 재판상 (2) 양자 (3) 공동 06 ㄱ, ㅁ, ㅂ

2단계 내신 유형 익히기 143~145쪽

01 ⑤ 02 ④ 03 ③ 04 ④ 05 ③ 06 ① 07 ④ 08 ② 09~12 해설 참조

01 혼인의 성립 요건 정답: ⑤

우리나라는 법률혼주의를 채택하고 있기 때문에 혼인 신고를 하지 않은 상태에서 부부처럼 함께 사는 사실혼은 제한적인 범위에서 법적 보호를 받는다.

02 성년 의제의 효력 정답: ④

미성년자가 혼인을 한 경우에는 독립된 가정을 꾸려 생활할 수 있도록 성년으로 본다. 이를 '성년 의제'라고 한다.

03 일상 가사 대리 정답: ③

부부의 한쪽이 일상의 가사에 관하여 제삼자와 법률 행위를 한 때에는 다른 한쪽은 이로 인한 채무에 대하여 연대 책임이 있다.

| 오답 피하기 | ① 사례에는 부부 별산제가 나타나지 않는다. ② 일상 가사 대리는 생활필수품 구매와 같은 일상생활에 필요한 지출에 적용된다. ④ 결혼하기 전부터 가지고 있던 고유 재산은 부부 각자가 관리하도록 한다. ⑤ 부부와 그 자녀가 공동생활을 하는 데 필요한 통상적인 거래 행위에 대해서는 편의를 위해 어느 한쪽이 대신할 수 있다.

04 이혼의 유형 정답: ④

배우자가 부정한 행위를 한 때, 배우자를 악의로 유기한 때, 배우자 또는 그 직계 존속으로부터 심히 부당한 대우를 받은 때 등이 재판상 이혼을 할 수 있는 사유이다.

| 오답 피하기 | ㄷ. 이혼이 성립되면 결혼 생활 중 취득한 재산에 대해 분할을 청구할 수 있다.

05 친자 관계의 의미 정답: ③

혼인 중의 출생자는 부부 사이의 자녀로 추정되어 친생자 관계가 성립하지만, 혼인하지 않은 남녀 사이에서 태어난 아이의 경우에는 자녀로 인지되는 별도의 절차가 필요하다.

| 오답 피하기 | ① 친생자 관계가 형성되면 재산 상속 및 부양의 권리와 의무가 생긴다. ② 혼인 외의 출생자라고 한다. ④ 친생자 관계가 형성되면 부모는 친권과 자녀의 혼인, 입양에 대한 동의권이 생긴다. ⑤ 혼인하지 않은 남녀 사이에 태어난 아이는 자녀로 인지되는 절차가 필요하다.

06 양자와 친양자 정답: ①

A 입양은 친양자 입양, B 입양은 양자 입양이다. 친양자는 기존 친생부모와의 관계가 종료되는 것이 원칙이다. A 입양과 B 입양 모두 법률적으로 친자 관계를 맺는 것이다.

| 오답 피하기 | ㄷ. 양자는 친생부모와의 관계가 유지된다. ㄹ. 양자 입양 시 입양 신고는 꼭 필요하다.

07 친권의 의미와 내용 정답: ④

친권은 과거에는 미성년인 자녀에 대한 가장의 권리 성격이 강하였지만, 오늘날에는 주로 자녀를 양육하기 위한 부모의 의무라는 측면이 강조되고 있다.

08 친권의 상실 정답: ②

부모가 미성년인 자녀를 학대할 경우 가정 법원이 친권의 상실을 선고할 수 있도록 하여 자녀를 보호한다.

| 오답 피하기 | ① 친권은 권리와 의무를 모두 갖는다. ③ 친권은 가정 법원의 선고로 상실될 수 있다. ④ 부모는 미성년인 자녀를 보호하고 양육할 권리와 의무를 갖는다. ⑤ 부모가 친권을 행사할 수 없는 중대한 사유가 있을 경우 가정 법원이 친권의 상실을 선고할 수 있도록 하여 자녀를 보호한다.

09 일상 가사 대리

| 예시 답안 | 어느 한쪽이 빚을 졌더라도 다른 일방이 연대 책임을 지게 된다.

| 채점 기준 |

등급	기준
상	어느 한쪽이 빚을 졌더라도 연대 책임을 지게 된다는 것을 서술한 경우
하	다른 한쪽도 책임을 피할 수 없다는 것만 서술한 경우

10 이혼 숙려 제도

| 예시 답안 | (1) 이혼 숙려 제도

(2) 이혼이 부부로서의 결합을 영구적으로 해소하는 중요한 일이므로 신중하게 결정하도록 돕기 위한 것이다.

| 채점 기준 |

등급	기준
상	이혼 숙려 제도를 쓰고, 이 제도의 취지를 옳게 서술한 경우
중	이혼 숙려 제도를 쓰고, 이 제도의 취지를 서술하였지만 미흡한 경우
하	이혼 숙려 제도만 쓴 경우

11 혼인 외의 출생자

| 예시 답안 | (1) 친자 관계가 성립한다.

(2) 혼인 외 출생자에 대해 생부 또는 생모가 자신의 자녀임을 인정하는 것이다.

| 채점 기준 |

상	친자 관계가 성립한다는 것을 쓰고, 혼인 외 출생자에 대해 생부 또는 생모가 자신의 자녀임을 인정하는 것이라는 내용을 서술한 경우
중	친자 관계가 성립한다는 것을 쓰고, 생부 또는 생모가 자신의 자녀임을 인정하는 것이라는 내용만 서술한 경우
하	친자 관계가 성립한다는 것만 쓴 경우

12 친권의 상실

| 예시 답안 | (1) 친권

(2) 가정 법원은 일정한 자의 청구에 의해 부 또는 모의 친권 상실을 선고하여 아동을 보호할 수 있다.

| 채점 기준 |

상	친권을 쓰고, 가정 법원은 부 또는 모에게 친권 상실을 선고하여 아동을 보호할 수 있다는 내용을 서술한 경우
중	친권을 쓰고, 가정 법원이 부 또는 모에게 아이에 대해 갖는 여러 권리와 의무를 상실시킬 수 있다는 내용만 서술한 경우
하	친권만 쓴 경우

3단계 내신 만점 도전하기 146쪽

01 ② 02 ②

01 일상 가사 대리 정답: ②

② 일상 가사에 해당하지 않아 연대 책임을 지지 않는다.

| 오답 피하기 | ① 협의 이혼 사유에는 제한이 없다. ③ 혼인 가능한 연령인 미성년자가 혼인을 할 경우 성년 의제가 되어 단독으로 유효한 법률 행위를 할 수 있다. ④ 우리 민법은 결혼 생활 중 자신의 명의로 취득한 재산은 부부 각자가 관리하도록 하는 부부 별산제를 채택하고 있다. ⑤ 이혼할 경우 결혼 생활 중 취득한 재산에 대해 분할을 청구할 수 있는데, 이를 재산 분할 청구권이라고 한다.

02 친양자 입양 정답: ②

ㄱ, ㄹ. 친양자 입양 확정 시 입양 전의 친족 관계가 종료되는 것이 원칙이므로 A에는 '친양자'가 들어갈 수 있다. 친양자 입양이 이루어지면 당사자 간 친자 관계가 형성된다.

| 오답 피하기 | ㄴ. 친양자 입양은 가정 법원의 허가가 필요하다. ㄷ. 친권은 부모가 공동으로 행사하는 것이 원칙이다.

심화 수능 유형 익히기 147쪽

01 ⑤ 02 ②

01 재판상 이혼과 친자 관계 정답: ⑤

갑이 청구한 이혼은 이혼에 대한 합의가 이루어지지 않았을 때 법원의 판결로써 강제로 이혼하는 재판상 이혼이다. ⑤ 재판상 이혼의 경우에도 혼인 중 공동으로 형성한 재산에 대해 부부 모두 재산 분할을 청구할 수 있다.

| 오답 피하기 | ① 협의 이혼의 경우 원칙적으로 숙려 기간을 갖도록 하고 있다. ② 협의 이혼에 대한 설명이다. ③ 을이 이혼 시 친권자로 지정되지 않았다 하더라도 병과의 친자 관계가 사라지는 것은 아니므로, 을의 사망 시 병은 법정 상속인이 될 수 있다. ④ 갑의 청구가 받아들여지면 갑이 양육권자로 지정되므로, 갑은 을에게 병에 대한 양육비를 청구할 수 있다.

02 이혼과 상속 정답: ②

ㄱ. 병이 A를 친양자로 입양하여 A에 대한 을의 면접 교섭권은 인정되지 않는다. ㄷ. B가 성년 의제되면 B에 대한 을의 친권은 소멸된다.

| 오답 피하기 | ㄴ. 갑과 병의 이혼이 확정되지 않아 갑은 병의 법정 상속인이 된다. ㄹ. 병의 친양자로 입양된 A는 을 사망 시 을의 법정 상속인이 될 수 없다.

대단원 4 마무리하기 149~150쪽

01 ⑤ 02 ④ 03 ② 04 ④ 05 ③ 06 ③ 07 ①
08 ④

01 민법의 기능 정답: ⑤

민법은 불법 행위에 대한 손해 배상 책임을 규정하여 개인의 재산권을 보호한다.

02 근대 민법의 기본 원칙 정답: ④

민법 제105조에는 사적 자치(계약 자유)의 원칙이 나타난다. 이는 누구나 자신의 의사에 따라 상대방과 평등한 위치에서 자유롭게 법률관계를 맺을 수 있다는 것이다.

| 오답 피하기 | ①, ② 사적 자치의 원칙은 계약 자유의 원칙이라고도 부른다. ③ 소유권 공공복리의 원칙, ⑤ 과실 책임의 원칙에 관한 설명이다.

03 변화된 민법의 기본 원리 정답: ②

제시된 법 조항에 공통으로 적용되는 민법의 기본 원리는 무과실 책임의 원칙이다. 이는 개인의 사회적 책임을 강조하는 배경하에 등장하였다.

| 오답 피하기 | ③ 계약 공정의 원칙에 관한 설명이다. ④ 사적 자치의 원칙에 관한 설명이다. ⑤ 과실 책임의 원칙에 관한 설명이다.

04 계약의 효력 정답: ④

제시문의 '이것'은 계약이다. ㄱ. 구두로도 계약이 성립한다. ㄷ. 계약이 성립되면 계약에 따른 권리와 의무가 발생한다. ㄹ. 채무 불이행이 발생하였다면 법률에 따라 상대방이 강제적으로 계약을 이행하게 할 수 있다.

| 오답 피하기 | ㄴ. 법정 대리인의 동의가 필요한 사안에 대한 미성년자의 계약은 일단 효력이 발생하고, 본인 또는 법정 대리인이 취소할 수 있다.

05 불법 행위의 성립 요건과 손해 배상 정답: ③

정신적 손해에 대한 배상을 위자료라고 한다.

06 특수 불법 행위 정답: ③

법원은 공작물의 설치 또는 보존의 하자로 인하여 타인에게 손해를 가한 때에는 공작물 점유자가 손해를 배상할 책임이 있다고 판단하였다.

| 오답 피하기 | ① 공작물의 설치 또는 보존의 하자가 발생하였다. ② 공작물 등의 점유자 책임을 인정하였다. ④ 손해의 방지에 필요한 주의를 하였음을 입증하지 못하여 손해 배상 책임을 지게 되었다. ⑤ 특수 불법 행위에 따른 손해를 배상할 책임이 있다고 판단하였다.

07 부부 관계와 이혼 정답: ①

ㄱ. 생활필수품 구매와 같은 일상생활에 필요한 지출로 인해 빚이 생긴 것이 아니기에 최신부는 박신랑의 빚을 갚을 의무가 없다. ㄴ. 우리 민법은 결혼하기 전부터 가지고 있던 재산과 결혼 생활 중 자신의 명의로 취득한 재산은 부부 각자가 관리하도록 하는 부부 별산제를 채택하고 있다.

| 오답 피하기 | ㄷ. 이혼에 관한 책임이 있는 배우자는 상대방에게 위자료를 지급할 책임을 진다. ㄹ. 이혼이 성립되면 양육을 맡지 않는 사람은 자녀와 연락할 수 있는 면접 교섭권을 주장할 수 있다.

08 친권의 상실 정답: ④

민법에서는 부모가 친권을 남용하거나 현저한 비행이 있는 경우, 또는 그 밖에 친권을 행사할 수 없는 중대한 사유가 있을 때에는 가정 법원이 친권의 상실을 선고할 수 있도록 하여 자녀를 보호한다.

민주 시민 역량 기르기

151쪽

01 | 예시 답안 |

등장 배경	근대 시민 사회의 개인주의와 자유주의에 대한 열망 속에서 등장한 민법의 기본 원칙은 19세기 말 새로운 국면에 부딪혔다. 자본주의가 발전하는 과정에서 빈부 격차, 환경 오염, 독과점 등의 부작용이 나타났기 때문이다. 특히 사유 재산권 존중의 원칙은 경제적 강자가 경제적 약자를 지배하는 수단으로 악용되는 문제가 나타났다. 이러한 사회 문제를 해결하려고 현대 민법에서는 소유권 공공복리의 원칙이 등장하였다.
두 원칙의 관계	우리 헌법 제23조 제1항 모든 국민의 재산권은 보장된다는 규정과 우리 민법 제211조 소유자는 그 소유물을 사용, 수익, 처분할 권리가 있다는 규정에 사유 재산권 존중의 원칙이 나타나 있다. 한편, 우리 헌법 제23조 제1항 재산권의 내용과 한계는 법률로 정한다는 규정, 제2항 재산권 행사는 공공복리에 적합하도록 하여야 한다는 규정과 우리 민법 제211조 소유자는 법률의 범위 내에서 소유권을 갖는다는 규정에 소유권 공공복리의 원칙이 나타나 있다. 이와 같이 우리 법은 두 원칙의 조화를 통해 소유권 절대의 원칙을 소유권 공공복리의 원칙으로 보완하고 있다.

| 평가 영역 | 비판적 사고력(개념 간의 관계를 합리적으로 판단할 수 있는 정도)

| 채점 기준 |

상	소유권 공공복리의 원칙의 등장 배경과 우리 법에서 추구하는 두 원칙의 관계를 모두 이해하고 서술한 경우
중	소유권 공공복리의 원칙의 등장 배경과 우리 법에서 추구하는 두 원칙의 관계 중 한 가지 경우만 이해하고 서술한 경우
하	소유권 공공복리의 원칙의 등장 배경과 우리 법에서 추구하는 두 원칙의 관계를 서술하였으나 모두 미흡한 경우

02 | 예시 답안 | 개인이 갖는 재산권은 국민의 기본권인 자유권에 해당하는 내용이기 때문에 보장받아야 하며, 국가 권력은 국민의 재산권을 부당하게 간섭하거나 침해해서는 안 된다. 하지만 개인의 재산권을 절대적으로 인정할 경우 재산권 행사로 인해 다른 개인의 권리를 침해하거나 사회의 공공복리 또는 공공의 이익을 심하게 저해할 수 있다. 따라서 개인의 재산권은 일정한 제한이 필요하다. 이 경우 국민의 대표인 의회에 의해 제정된 법률에 의하여 공공복리를 위해 필요한 최소한의 정도만 제한이 이루어져야 한다.

| 평가 영역 | 의사소통 능력(주제와 관련된 자신의 견해를 논리적이며 분명하게 표현하는 정도)

| 채점 기준 |

상	개인의 재산권이 절대적으로 인정되어야 하는지에 관한 자신의 생각을 적절한 근거를 제시하여 논리적으로 서술한 경우
중	개인의 재산권이 절대적으로 인정되어야 하는지에 관한 자신의 생각을 어느 정도 제시하였으나 근거가 타당하지 않은 경우
하	개인의 재산권이 절대적으로 인정되어야 하는지에 관한 자신의 입장을 정립하려는 노력이 필요한 경우

대단원 5 사회생활과 법

주제 1 형법의 이해

1단계 개념 익히기 158쪽

01 (1) 범죄 (2) 형벌 (3) 구성 요건 해당성 (4) 정당 행위
02 죄형 법정주의 03 (1) × (2) ○ (3) ○ 04 법률
05 (1) 14 (2) 자유형 (3) 보안 처분 06 ㄴ, ㄷ, ㄹ

2단계 내신 유형 익히기 159~161쪽

01 ⑤ 02 ⑤ 03 ④ 04 ④ 05 ① 06 ④ 07 ⑤
08 ④ 09~12 해설 참조

01 형법의 의의와 기능 정답: ⑤
㉠에 들어갈 법은 범죄와 형벌의 관계를 규정한 것으로 형법이다.

| 오답 피하기 | ①, ③ 국가의 최고법으로 국민의 권리와 의무 및 국가의 통치 구조를 정해 놓은 것은 헌법이다. ② 형법은 개인적 응징과 보복을 금지하고 공적인 관점에서 형법을 만들어 가해자를 형벌로 처벌할 필요성에서 만들어진 것이다. ④ 형법은 범죄를 저지르면 형벌이 부과됨을 알려 범죄를 줄이는 규제적 기능을 수행한다.

02 형법의 의미 정답: ⑤
㉠에는 형법상 형벌이 규정되어 있고, ㉡에는 공직 선거법상 형벌이 규정된 반면, ㉢에는 도로 교통법상 행정 질서벌이 규정되어 있다. ⑤ ㉢ 과태료는 형벌이 아닌 행정 질서벌에 해당한다. 행정 질서벌은 행정 법규의 위반이 행정 질서에 장애를 줄 정도의 단순한 의무 태만에 대한 제재 수단으로서 형벌이 아니라 행정법상의 제재 수단이다.

| 오답 피하기 | ① ㉠, ㉡은 모두 범죄에 대해 부과하는 형벌이다. ② ㉠에 ㉡보다 과중한 형벌이 규정되어 있다. ③ ㉡의 근거 법률인 공직 선거법에서 형벌을 규정하고 있으므로 실질적 의미의 형법에 해당한다고 볼 수 있다. ④ ㉢은 행정 질서벌이다.

03 죄형 법정주의의 내용 정답: ④
형벌은 성문의 법률에 규정되어야 하고 관습법에 의하여 형벌을 부과하거나 형을 가중하여서는 안 되는데, 이를 성문 법률주의 또는 관습 형법 금지의 원칙이라고 한다.

04 죄형 법정주의의 내용 정답: ④
㉠에서 '형법의 기본 원칙', '건전한 민족 감정', '처벌받아 마땅한 행위' 등은 그 내용이 명확하지 않으므로 명확성의 원칙에 위배된다. ㉡의 규정은 죄형 법정주의에서 금하고 있는 유추 해석에 해당한다.

05 위법성 조각 사유 정답: ①
형법 제20조는 정당 행위, 제21조는 정당방위, 제24조는 피해자의 승낙에 해당하는 것으로 위법성을 조각하는 사유들이다.

06 범죄의 성립 요건 정답: ④
편의점 점원이 과자를 훔치려는 초등학생을 때려 상해를 입힌 행위는 목적에 비하여 수단이 과도하여 정당방위나 정당 행위 또는 자구 행위에 해당하지 않으며 위법성이 있는 행위이다.

| 오답 피하기 | ① 갑의 폭행 행위는 상해죄의 처벌을 받게 될 것이다. ② 상해죄의 대상은 사람이므로 애완동물을 다치게 하는 행위는 상해죄의 구성 요건에 해당하지 않는다. ③ 병은 실수로 남의 우산을 집에 가져왔고 다음 날 우산을 돌려주려고 마음먹은 것으로 보아 자신이 소유하고자 하는 의사가 없었음을 알 수 있다. 따라서 범죄의 구성 요건에 해당하지 않아 범죄가 불성립한다. ⑤ 9세인 초등학생 무는 형사 미성년자이므로 그가 동생에 대하여 한 상해 행위는 책임이 없다.

07 형벌의 종류 정답: ⑤
징역형은 일정 기간 교도소 등 내로 범죄자의 자유를 제한하며 정역을 부과하는 형벌로 조선 시대의 도형과 유사하다.

| 오답 피하기 | ① 명예형은 범죄자의 자격을 박탈 또는 제한하는 형벌로 자격 정지와 자격 상실이 있다. ② 유형은 유배를 보내는 형벌로 현재는 이와 유사한 형벌이 없다. ③ 징역형은 범죄자를 일정 기간 교도소 등에 가두고 정역을 부과한다. ④ 제시된 자료에서 가장 무거운 형벌은 사형이다.

08 형벌과 보안 처분 정답: ④
(가)는 벌금, (나)는 징역, (다)는 보호 관찰이다. ㄱ. 현재 우리나라의 벌금형은 같은 범죄에 대해 동일한 벌금 액수를 부과하기 때문에 경제적 능력이 많은 사람은 형벌로서의 인식을 별로 갖지 못하는 반면, 경제적 능력이 적은 사람은 그 벌금을 감당하기 힘든 경우가 있다. ㄷ. 징역은 교도소 등에 구금하는 것이므로 개인의 자유로운 일상생활이 허용되지 않고 범죄의 전염 우려도 있다. 이러한 단기 자유형의 폐해를 막기 위해 신체의 자유를 제한하지 않는 벌금형을 활용하는 경우가 있다. ㄹ. 보호 관찰, 치료 감호는 보안 처분에 해당한다.

| 오답 피하기 | ㄴ. 징역은 신체의 자유를 제한하기 때문에 자유형으로 분류된다. 신체형은 신체의 일부를 훼손하는 것으로 인간의 존엄성을 해치기 때문에 허용되지 않는다.

09 죄형 법정주의의 의미와 목적
| 예시 답안 | (1) 죄형 법정주의

(2) 죄형 법정주의는 국가의 형벌권 남용을 방지하여 국민의 자유와 권리를 보장하는 데 목적이 있다.

| 채점 기준 |

상	죄형 법정주의를 쓰고, 그 목적을 옳게 서술한 경우
하	죄형 법정주의만 옳게 쓴 경우

10 죄형 법정주의의 내용

| 예시 답안 | (1) 유추 해석 금지

(2) 관습 형법 금지의 원칙, 명확성의 원칙, 소급효 금지의 원칙, 적정성의 원칙이 있다.

| 채점 기준 |

상	유추 해석 금지의 원칙을 쓰고 나머지 죄형 법정주의의 파생 원칙 중 세 가지를 모두 옳게 서술한 경우
중	유추 해석 금지의 원칙을 쓰고 나머지 죄형 법정주의의 파생 원칙 중 두 가지를 옳게 서술한 경우
하	유추 해석 금지의 원칙만 쓰거나 나머지 죄형 법정주의의 파생 원칙 한 가지만 옳게 서술한 경우

11 소급효 금지의 원칙

| 예시 답안 | (1) 소급효 금지의 원칙

(2) 소급 입법이 오히려 정의에 부합하는 경우나 심히 중대한 공익상의 사유가 있는 경우에는 예외가 적용된다. 또한 피고인에게 유리한 경우에 예외적으로 소급효가 적용된다.

| 채점 기준 |

상	소급효 금지의 원칙을 쓰고, 소급효 금지의 원칙의 예외를 옳게 서술한 경우
중	소급효 금지의 원칙을 쓰고, 소급효 금지의 원칙의 예외를 서술하였으나 내용이 미흡한 경우
하	소급효 금지의 원칙만 옳게 쓴 경우

12 위법성 조각 사유

| 예시 답안 | (1) (가)는 피해자의 승낙, (나)는 긴급 피난에 해당한다.

(2) 두 사례 모두 법질서 전체의 관점에 비추어 볼 때 부정적인 가치 판단이 들지 않기 때문이다.

| 채점 기준 |

상	(가), (나)에 해당하는 위법성 조각 사유를 모두 쓰고, (가), (나) 사례의 범죄 불성립 이유를 옳게 서술한 경우
중	(가), (나) 사례의 범죄 불성립 이유만을 옳게 서술한 경우
하	(가), (나)에 해당하는 위법성 조각 사유만 옳게 쓴 경우

3단계 내신 만점 도전하기 162쪽

01 ① 02 ③

01 범죄의 성립 요건 정답: ①

(가)는 자구 행위, (나)는 긴급 피난, (라)는 정당 행위로서 모두 위법성이 조각되어 범죄가 성립하지 않는다.

| 오답 피하기 | (다)에서 D는 형사 미성년자(14세 미만)로서 책임이 조각되어 범죄가 성립하지 않고, (마)는 실제로 범죄 사건이 일어나지 않았으므로 구성 요건 해당성이 없어 범죄가 성립하지 않는다.

02 형벌과 보안 처분 정답: ③

ㄱ. 구류형은 30일 미만의 기간 동안 교도소 등에 수감하여 신체의 자유를 구속하는 자유형이다. ㄷ. 징역은 30일 이상 구치하며 정역을 부과하는 형벌이다.

| 오답 피하기 | ㄴ. 구류는 형벌로 법원에서 선고하는 형법상의 제재이다. ㅁ. 심신 미약자는 범죄는 성립되나 책임이 감경되어 처벌을 감경한다. 책임 조각 사유는 형사 미성년자 또는 심신 상실자의 행위나 강요된 행위이며, 이 경우에는 범죄가 성립되지 않는다.

심화 수능 유형 익히기 163쪽

01 ④ 02 ①

01 형벌과 보안 처분 정답: ④

(가)는 형벌이며, (나)는 보안 처분이다. 형벌은 범죄를 저지른 행위자에게 국가가 공권력을 행사하여 부과하는 처벌이고, 보안 처분은 형벌 이외의 대안적 형사 제재 수단이다. ④ 형벌과 보안 처분은 모두 범죄 예방을 목적으로 한다.

| 오답 피하기 | ① 자격 상실은 명예형에 해당하는 형벌이고, 과료는 재산형에 해당하는 형벌이다. ② 치료 감호와 보호 관찰은 보안 처분에 해당한다. ③ 보안 처분은 범죄자에 대한 개선 교육이나 보호 등의 처분으로, 범죄 행위를 한 자의 사회 복귀를 촉진하고자 부과하는 대안적 제재 수단이다. ⑤ 형벌과 보안 처분은 모두 법률과 적법한 절차에 따라 부과되어야 한다.

02 범죄의 성립 요건 정답: ①

① 갑은 14세 이상이므로 검사가 선도 조건부 기소 유예 처분을 내릴 수 있다. 을은 형사 미성년자이므로 경찰서장이 가정 법원 소년부로 직접 송치해 소년법상 보호 처분을 받게 할 수 있다.

| 오답 피하기 | ② 갑과 을은 모두 가정 법원 소년부에 의해 보호 처분을 받을 수 있다. ③ 병의 행위는 위법성 조각 사유 중에서 긴급 피난에 해당한다. ④ 갑과 정의 행위는 각각 범죄의 구성 요건에 해당한다. ⑤ 을과 무의 행위는 책임이 조각된다.

2 형사 절차와 인권 보장

1단계 개념 익히기 168쪽

01 (1) 수사 (2) 공판 (3) 상소 (4) 배상 명령 02 범죄 피해자 구조 제도 03 (1) ○ (2) × (3) × (4) ○ 04 무죄 05 (1) 피고인 (2) 검사 (3) 법관 06 ㄱ, ㄷ

2단계 내신 유형 익히기 169~171쪽

01 ③ 02 ④ 03 ④ 04 ③ 05 ③ 06 ④ 07 ④ 08 ⑤ 09~12 해설 참조

01 형사 절차에서의 인권 보장 원칙 정답: ③

(가) 헌법 제12조 제1항은 적법 절차의 원리를, (나) 제27조 제4항은 무죄 추정의 원리를 선언하고 있다.

| 오답 피하기 | ① 영장주의란 체포·구속 시 적법한 절차에 따라 법관이 발부한 영장에 의해야 한다는 원칙이다. ④, ⑤ 국선 변호인 제도는 피의자나 피고인이 변호인 선임을 할 능력이 없는 때에 법률이 정하는 바에 의해 국가가 변호인을 선정해 주는 제도를 말한다.

02 형사 절차와 범인의 명칭 정답: ④

경찰과 검사의 수사 대상이 되는 범죄 혐의자는 피의자이고, 검사의 기소로 재판을 받게 되면 피고인이 된다. 재판 결과 유죄가 확정되어 형의 집행으로서 교도소에 수감되면 수형자가 된다.

| 오답 피하기 | ㄱ. '피고'는 민사 재판에서 원고의 주장에 의해 재판을 받게 된 사람을 말한다.

03 형사 절차 정답: ④

㉠은 공소 제기(기소), ㉡은 판결(선고)이다. ㄱ. 공소 제기(기소)는 피의자의 범죄 혐의가 인정될 때 검사가 법원에 사건에 대한 심판을 구하는 것이다. ㄷ. 법관은 유죄의 심증을 얻지 못한 때에는 무죄 추정의 원칙에 따라 무죄를 선고해야 한다. ㄹ. 상소란 판결에 불복하여 상급 법원에 다시 소를 제기하는 것을 말한다. 검사와 피고인 모두 상소할 수 있다.

| 오답 피하기 | ㄴ. 구속 적부 심사는 기소 전 수사 단계에서 피의자가 청구하는 것이다.

04 형사 절차와 인권 보장 원칙 정답: ③

1. 영장은 검사의 청구에 의해 법관이 발부하므로 답은 ×이다. 4. 수사 기관은 검사와 경찰이므로 답은 ○이다. 5. 무죄 추정의 원칙은 수사가 시작된 후부터 법원의 판결이 확정되기 전까지 적용되는 중요한 원칙으로 피의자와 피고인 모두에게 적용되므로 답은 ×이다.

| 오답 피하기 | 2. 형사 재판의 당사자는 검사와 피고인이다. 3. 적법 절차의 원리는 수사의 편의를 위한 것이 아니라, 피의자 및 피고인의 인권을 보호하기 위한 것이다. 6. 피고인의 유죄 입증은 검사의 몫이므로 피고인이 검사와 대등한 재판을 받을 수 있도록 피고인의 진술 거부권은 반드시 보장되어야 한다.

05 형사 절차 정답: ③

제시된 고소장은 갑이 을로부터 폭행을 당했으므로 수사하여 을을 처벌해 달라는 내용이다. ㄴ. 폭행을 당했다는 사실은 대체로 의사의 진단서로 입증한다. ㄹ. 형사 재판에서는 범죄자를 처벌하는 것이 목적이므로 국가를 대표하여 검사가 원고가 된다.

| 오답 피하기 | ㄱ. 고소에 의해 수사가 시작될 수 있다. 또한 폭행은 범죄이므로 수사를 한 후 범죄의 혐의가 인정되어 형사 재판을 받을 필요성이 있다고 검사가 판단할 경우 기소함으로써 형사 재판이 시작된다. ㄷ. 고소장은 경찰이나 검찰청에 제출한다. 일단 수사를 통해 범죄의 혐의를 입증해야 하기 때문이다.

06 진술 거부권 정답: ④

우리 헌법은 진술 거부권(㉠)을 명시하여 인정하고 있다. ㄱ. 수사 시작 전에 피의자에게 진술 거부권을 고지해야 한다. ㄴ. 진술 거부권은 수사 절차에서의 인권 보장 제도이다. ㄹ. 진술 거부권은 피의자나 피고인이 수사 기관과 대등한 위치에서 수사 또는 재판받을 수 있도록 한 보호 장치이다.

| 오답 피하기 | ㄷ. 진술 거부권을 고지한 이후 획득한 진술만 증거 능력을 인정받는다.

07 범죄 피해자 구조 제도 정답: ④

범죄로 인해 생명, 신체에 대한 피해를 본 범죄 피해자 또는 유가족은 국가로부터 일정한 한도의 구조금을 지급받을 수 있는데, 이를 범죄 피해자 구조 제도라고 한다. 우리나라는 범죄 피해자를 보호하기 위해 「범죄 피해자 보호법」을 제정해 피해자를 위한 상담, 의료 지원, 구조금 지급 등의 정책을 시행하고 있다.

08 배상 명령 제도 정답: ⑤

가해자에 대한 형사 재판이 진행 중일 때 피해자에 대한 손해 배상의 편의와 신속을 도모하려는 취지에서 마련된 제도는 배상 명령 제도이다.

| 오답 피하기 | ① 배상 명령은 모든 형사 사건을 대상으로 하는 것이 아니라 상해, 과실 치상, 절도나 강도, 횡령이나 배임, 사기나 공갈, 손괴, 강간·추행 등에 한정된다. ② 벌금은 형벌이므로 국가에 귀속된다. ③ 피해자의 생활이 빈곤하지 않더라도 신청할 수 있다. ④ 국가의 잘못을 문제 삼는 것이 아니라, 가해자의 불법 행위에 대한 손해 배상 청구를 간편하게 하기 위한 제도이다.

09 형사 절차에서의 인권 보장 제도

| 예시 답안 | (1) 범죄를 유발하는 함정 수사에 의하여 수집한 증거는 적법 절차의 원칙을 위반한 것이므로 증거 능력이 부정된다.
(2) 재판에 중대한 오류가 있는 경우 이를 바로잡기 위해 법원에 재심을 청구할 수 있다.

| 채점 기준 |

상	적법 절차의 원칙을 위반하였다는 내용과 재심을 청구할 수 있다는 내용을 모두 옳게 서술한 경우
하	적법 절차의 원칙을 위반하였다는 내용과 재심을 청구할 수 있다는 내용 중 한 가지만 옳게 서술한 경우

10 배상 명령 제도

| 예시 답안 | (1) 배상 명령
(2) 범죄 피해자가 범행으로 입은 피해를 보상받기 위해서는 형사 소송과는 별개로 민사 소송을 제기해야 한다.

| 채점 기준 |

상	배상 명령을 쓰고, 형사 소송과는 별개로 민사 소송을 제기해야 한다는 내용을 서술한 경우
중	형사 소송과는 별개로 민사 소송을 제기해야 한다는 내용만 서술한 경우
하	배상 명령만 쓴 경우

11 미란다 원칙의 의미와 목적

| 예시 답안 | (1) 미란다 원칙(적법 절차의 원칙)
(2) 형사 피의자나 피고인의 인권은 일반인보다 더 침해되기 쉽기 때문에 이를 보호하기 위해서이다.

| 채점 기준 |

상	미란다 원칙(적법 절차의 원칙)을 쓰고, 피의자의 인권 보호를 위해서라는 이유를 옳게 서술한 경우
하	미란다 원칙(적법 절차의 원칙)만 옳게 쓴 경우

12 형사 절차에서의 인권 보장 제도

| 예시 답안 | (1) 피의자는 체포 및 구속의 적법성과 필요성을 심사해 석방해 줄 것을 법원에 청구하는 구속 적부 심사 제도를 활용할 수 있다.
(2) 만일 피고인이 변호인을 선임하지 못하는 경우에 피고인의 권리 보장을 위해 법원은 직권으로 국선 변호인을 선임해 주게 된다.
(3) 제1심 판결에 대한 불복이므로 제2심 법원에 항소할 수 있다. 또는 상소 제도를 통하여 상급 법원에 다시 재판을 청구할 수 있다.

| 채점 기준 |

상	구속 적부 심사 제도, 국선 변호인, 항소 관련 내용을 모두 옳게 서술한 경우
중	구속 적부 심사 제도, 국선 변호인, 항소 관련 내용 중 두 가지만 옳게 서술한 경우
하	구속 적부 심사 제도, 국선 변호인, 항소 관련 내용 중 한 가지만 옳게 서술한 경우

3단계 내신 만점 도전하기 172쪽

01 ⑤ 02 ⑤

01 형사 절차에서의 인권 보장 제도 정답: ⑤

(라) 단계에서 보석은 허용된다. 피의자 또는 피고인이 구속되었더라도 유죄 확정 판결 전까지 무죄로 추정하게 되어 있고, 재판이 장기화되면 구속된 자의 고통이 매우 크기 때문에 일정한 보증금의 납부 등을 조건으로 보석 허가 청구를 받아들이도록 하는 것을 원칙으로 하고 있다.

| 오답 피하기 | ① 진술 거부권, 변호인의 도움을 받을 권리는 피의자와 피고인 모두를 보호하는 제도이다. ② 체포 또는 구속 시 원칙적으로 법관이 발부한 영장이 있어야 한다는 영장주의는 피의자 권리 보호 제도이다. ③ 법관은 심문 결과와 수사 기록 등을 종합해 피의자 구속 여부를 심사(구속 전 피의자 심문 제도 = 구속 영장 실질 심사)한다. ④ 피의자는 법원에 체포 · 구속 절차의 적법성 심사 신청 및 석방을 요구(체포 · 구속 적부 심사)할 수 있다.

02 형사 절차와 인권 보장 제도 정답: ⑤

피고인만이 항소한 사건에 대하여는 원심 판결보다 무거운 형을 선고하지 못하는데, 이를 불이익 변경 금지의 원칙이라고 한다. 이는 피고인이 중한 형으로 바뀔 위험 때문에 상소권을 행사하지 못하는 것을 방지하기 위해서 마련된 제도이다.

| 오답 피하기 | ① 기소나 구형 모두 검사가 행위 주체이다. ② 법관은 재판 과정을 통해 피고인이 유죄라는 심증을 얻었다면 유죄를, 피고인이 유죄라는 심증을 얻지 못했다면 무죄 추정의 원칙에 따라 무죄를 선고하게 된다. ③ 집행 유예는 일정 기간 형의 집행을 미루는 결정으로, 다른 죄를 저지르지 않고 그 기간이 경과하면 형 선고의 효력이 상실된다. ④ 법관이 검사의 구형보다 비교적 가벼운 형을 선고한 이유는 ㉣을 통해 피고인의 개선 가능성을 고려하였기 때문이다.

심화 수능 유형 익히기 173쪽

01 ① 02 ③

01 형사 절차에서의 인권 보장 제도 정답: ①

A는 기소에 해당하고, B는 법원이 판결한 내용이다. ① 소급효 금지의 원칙에 따라 처벌 규정이 개정되어 강화되더라도 갑은 행위 시의 법률을 적용받는다.

| 오답 피하기 | ② 기소로 인해 피의자에서 피고인으로 신분이 바뀐다. ③ 보증금 납부 후 석방을 신청할 수 있는 보석 제도는 기소 후에 활용할 수 있다. ④ 배상 명령 신청은 1심 또는 2심 공판 과정에서 할 수 있으며, 유죄 판결 확정 시 배상받을 수 있다. ⑤ 선고 유예는 유죄 판결에 해당하여 형사 보상을 청구할 수 없다.

02 형사 절차와 인권 보장 제도 정답: ③

③ 형사 재판의 당사자는 피고인과 검사이므로 갑과 병이다.

| 오답 피하기 | ① 구속된 갑은 구속 적부 심사를 통해 구속 상태에서 벗어날 수 있다. ② 구속 적부 심사는 피의자 측에서 법원에 청구할 수 있다. ④ 피해자는 판결에 대해 불복하여 상소할 수 없다. ⑤ 집행 유예는 유죄 판결에 해당하므로 형사 보상을 청구할 수 없다.

주제 3 근로자의 권리와 법

1단계 개념 익히기 178쪽

01 (1) 근로권 (2) 서면 (3) 면제 (4) 취직 인허증 02 최저 임금제 03 (1) × (2) ○ (3) × 04 노동 위원회 05 (1) 민사 (2) 단체 행동권 (3) 법원 06 ㄱ, ㄴ, ㄷ

2단계 내신 유형 익히기 179~181쪽

01 ④ 02 ① 03 ③ 04 ④ 05 ⑤ 06 ② 07 ① 08 ④ 09~12 해설 참조

01 근로 계약과 노동 3권 정답: ④

근로자의 노동 3권을 규정하고 있는 것은 노동조합 및 노동관계 조정법이다.

| 오답 피하기 | ② 근로 계약의 주요 내용에는 임금, 근로 시간, 휴일, 휴가 제도, 업무에 관한 사항 등이 있다. ③ 임금 관련 계약 내용이 최저 임금에 미치지 못하면 해당 부분은 무효가 되고 법에 정해진 최저 임금이 적용된다.

02 근로 계약의 내용 정답: ①

근로 계약은 상위의 법령(헌법, 근로 기준법 등)보다 유리한 근로 조건을 규정할 수 있다.

| 오답 피하기 | ② 근로 시간은 1일 8시간 1주 40시간이 기준이고, 연장 근로는 1주 12시간 이내로 가능하므로 최대 1주 52시간까지 근로가 가능하다. ③ 1주간 개근한 근로자에게는 1주 평균 1회 이상의 유급 휴일을 반드시 주어야 한다. ④ 임금은 매월 1회 일정한 날짜에 통화의 형태로 지급해야 한다. ⑤ 근로 계약의 내용 중 근로 기준법에 어긋나는 부분이 있으면 근로 계약 자체가 무효가 되는 것이 아니라 해당 부분만 무효가 된다.

03 부당 노동 행위의 구제 절차 정답: ③

사용자의 부당 노동 행위 때문에 근로자의 노동 3권을 침해당했을 때 해당 근로자는 노동 위원회에 구제 신청을 할 수 있다. ③ 노동 3권은 노동조합도 가지는 권리이므로 노동조합 역시 조합의 이름으로 노동 위원회에 구제 신청을 하고 법원에 소송을 제기할 수 있다.

04 노동 3권 정답: ④

ㄴ. 단체 교섭권은 노동조합이 근로 조건의 유지·개선을 위해 사용자와 협의할 수 있는 권리이다. ㄹ. 단체 행동권은 쟁의 행위를 통하여 기업의 정상적인 업무를 방해할 수 있는 권리로 정당한 쟁의 행위는 민·형사상 책임을 면제받을 수 있다. ㅁ. (가)는 단결권, (나)는 단체 교섭권, (다)는 단체 행동권으로 우리나라 헌법 제33조 제1항에 규정된 헌법상의 권리이다.

| 오답 피하기 | ㄱ. 단결권은 근로 조건의 유지·개선을 위해 노동조합을 자유롭게 조직하고 가입할 수 있는 권리이다. ㄷ. 직장 폐쇄는 근로자의 단체 행동에 대해 사용자가 대응할 수 있는 방안이다. 근로자 쟁의 행위의 대표적인 수단으로는 파업, 태업, 보이콧 등이 있다.

05 부당 해고 시 구제 절차 정답: ⑤

A는 부당 해고를 당했으므로 민사 법원에 해고 무효 확인 소송을 제기할 수 있다.

| 오답 피하기 | ① 행정 심판은 행정청의 처분에 이의가 있을 때 청구한다. 편의점 사장이 내린 해고 처분은 행정 처분이 아니므로 행정 심판의 대상이 될 수 없다. ② 국가 인권 위원회는 소송을 담당하는 곳이 아니다. 국가 인권 위원회에는 진정을 접수할 수 있다. ③ 단체 교섭은 임금이나 근로 시간 등 근로 조건에 대한 것이어야 한다. 해고 문제는 단체 교섭의 대상이 아니다.

06 청소년 근로자의 권리 정답: ②

ㄱ. 13세 미만은 원칙적으로 고용이 불가하다. ㄷ. 18세 미만 근로자를 고용하는 사용자는 그 연령을 증명하는 서류와 친권자 또는 후견인의 동의서를 사업장에 갖추어야 한다.

| 오답 피하기 | ㄴ. 15세 미만인 청소년이 일을 하기 위해서는 고용노동부 장관이 발급한 취직 인허증이 있어야 한다. ㄹ. 도덕상 또는 보건상 유해하거나 위험한 일을 할 수 없는 근로자는 18세 미만 근로자이다.

07 청소년 근로자의 권리 정답: ①

ㄱ. 연소 근로자인 청소년을 보호하기 위한 조치이다. 청소년은 이러한 근로 시간 제한과 함께 야간 근로와 휴일 근로를 할 수 없는 것이 원칙이다. ㄴ. 원칙적으로 15세 미만인 자는 근로할 수 없는데, 다만 13~14세 청소년은 고용 노동부 장관이 발급하는 취직 인허증이 있으면 근로할 수 있다.

| 오답 피하기 | ㄷ. 청소년 근로자도 성인과 동일하게 최저 임금을 적용받는다. ㄹ. 청소년도 일하다 다치면 성인과 같이 산업 재해 보상 보험법이나 근로 기준법에 따라 치료와 보상을 받을 수 있다.

08 청소년 근로자의 근로 계약 정답: ④

ㄱ. 계약서상 근로 시간은 휴식 시간 1시간을 제외하면 8시간이다. 청소년은 1일 7시간이라는 근로 시간 제한이 있으나, 청소

년이 동의하면 1일 1시간 연장이 가능하므로 법정 근로 시간 위반이 아니다. ㄴ. 18세 미만의 청소년은 보호자(친권자 또는 후견인)의 동의를 받아 직접 근로 계약을 체결해야 하며, 보호자가 청소년의 근로 계약을 대리하여 체결할 수는 없다. ㄹ. 청소년의 근로에 대한 임금은 청소년이 직접 수령해야 한다. 이는 모두 부모나 타인에 의한 청소년 노동 · 임금 착취를 방지하기 위함이다.

| 오답 피하기 | ㄷ. 법이 정한 최저 임금은 8,350원이지만 계약서상의 9,000원이 더 유리하므로 법정 기준보다 유리한 9,000원을 시간당 임금으로 적용받는다.

09 근로 기준법의 배경과 목적

| 예시 답안 | 근로자는 사용자에 비해 사회 · 경제적 지위가 낮아 불공정한 근로 계약이 체결되는 경우가 있는데, 이에 사용자와 근로자가 대등한 입장에서 공정한 근로 계약을 체결할 수 있도록 근로 기준법이 제정되었다. 근로 기준법은 근로 조건의 기준을 정함으로써 근로자의 기본적 생활을 보장하고 나아가 균형 있는 국민 경제의 발전을 이루고자 한다.

| 채점 기준 |

상	근로 기준법 제정의 배경과 목적을 모두 옳게 구분하여 서술한 경우
하	근로 기준법 제정의 배경과 목적 중 하나만 옳게 서술한 경우

10 부당 해고의 내용과 구제 절차

| 예시 답안 | (1) 해고가 불가피한 경우 사용자는 근로자에게 적어도 30일 전에 해고 계획이 있음을 예고하거나 30일분 이상의 통상 임금을 지급해야 한다. 또한 해고의 사유와 그 시기는 반드시 서면으로 알려 주어야 한다.

(2) ㉠은 지방 노동 위원회, ㉡은 중앙 노동 위원회, ㉢은 행정 법원이다.

| 채점 기준 |

상	부당 해고에 해당하는 두 가지 측면의 이유를 서술하고, ㉠~㉢에 들어갈 기관을 모두 옳게 서술한 경우
하	부당 해고에 해당하는 두 가지 측면의 이유와 ㉠~㉢에 들어갈 기관 중 하나만 옳게 서술한 경우

11 노동 3권과 쟁의 행위

| 예시 답안 | (1) 노동 3권은 단결권, 단체 교섭권, 단체 행동권이다. 단결권은 사용자 측과 집단으로 근로 조건을 협의하기 위해 노동조합을 결성할 수 있는 권리이고, 단체 교섭권은 근로 조건에 관하여 사용자와 협의할 수 있는 권리이며, 단체 행동권은 단체 교섭의 결렬 및 노동 쟁의 발생 시 일정 절차를 거쳐 단체 행동을 할 수 있는 권리이다.

(2) 근로자 측의 쟁의 행위에는 파업, 태업, 보이콧, 피케팅 등이 있고 사용자 측의 쟁의 행위에는 직장 폐쇄가 있다.

(3) 폭력이나 파괴 행위를 금지한다. 정치 활동이나 경영에 관여할 목적으로 행해져서는 안 된다.

| 채점 기준 |

상	노동 3권의 종류와 의미, 근로자 측의 쟁의 행위와 사용자 측의 쟁의 행위, 쟁의 행위를 행사할 때 지켜야 할 원칙을 모두 옳게 서술한 경우
중	노동 3권의 종류와 의미, 근로자 측의 쟁의 행위와 사용자 측의 쟁의 행위, 쟁의 행위를 행사할 때 지켜야 할 원칙 중 두 가지만 옳게 서술한 경우
하	노동 3권의 종류와 의미, 근로자 측의 쟁의 행위와 사용자 측의 쟁의 행위, 쟁의 행위를 행사할 때 지켜야 할 원칙 중 한 가지만 옳게 서술한 경우

12 부당 노동 행위의 내용과 구제 절차

| 예시 답안 | (1) 노동조합과의 단체 교섭을 정당한 이유 없이 거부하는 것, 노동조합에 가입하지 않거나 탈퇴할 것을 조건으로 고용하는 것 등

(2) 노동 위원회

(3) 법원에 민사 소송을 제기

| 채점 기준 |

상	사용자의 부당 노동 행위의 두 가지 사례, 노동 위원회, 민사 소송을 모두 옳게 서술한 경우
중	사용자의 부당 노동 행위의 두 가지 사례, 노동 위원회, 민사 소송 중 두 가지만 옳게 서술한 경우
하	사용자의 부당 노동 행위의 두 가지 사례, 노동 위원회, 민사 소송 중 한 가지만 옳게 서술한 경우

내신 만점 도전하기 182쪽

01 ④ 02 ⑤

01 근로자의 권리 정답: ④

부당 해고를 당한 갑이 법적 구제 절차를 밟으려면 노동 위원회에 구제 신청을 하거나 이와 별도로 법원에 해고 무효 확인 소송을 제기할 수도 있다.

| 오답 피하기 | ① 자료에서 갑이 부당 노동 행위를 당했다는 내용은 찾을 수 없다. ② 갑의 근로 계약서에는 업무 내용과 임금이라는 필수적 요소가 누락되어 있으므로 이 근로 계약은 근로 기준법에 위배된다. 노동조합 및 노동관계 조정법은 노동 3권 위반 사항 등을 주로 규율한다. ③ 취직 인허증은 15세 미만인 청소년이 일을 하기 위해 필요한 것이다. 갑은 19세이므로 해당하지 않는다. ⑤ 근로 기준법은 임금, 근로 시간, 휴일 및 휴가, 기타 근로 조건에 대해 서면 형태로 근로 계약을 맺도록 하고 있다.

02 부당 해고 시 구제 절차 정답: ⑤

부당 해고를 당한 노동자는 노동 위원회를 통해 구제받을 수 있으며, 이와 별도로 해고 무효 확인 소송(민사 소송)을 제기할 수도 있다. ㄷ. 해고 처분된 갑이 중앙 노동 위원회 위원장을 상대로 소송을 제기하였으므로 중앙 노동 위원회는 갑에 대한 해고를 부당 해고가 아니라고 판단하였을 것이다. ㄹ. 사례에서 갑이 제기한 소송은 행정 소송이며 행정 소송은 민사 소송, 형사 소송과 마찬가지로 3심제가 적용된다.

| 오답 피하기 | ㄱ. 갑이 제기한 소송은 부당 해고에 대한 것이므로 노동조합은 제기할 수 없다. 부당 노동 행위에 대한 것은 노동조합도 제기가 가능하다. ㄴ. 사용자의 부당 해고 여부가 재판의 쟁점이 되었다.

심화 수능 유형 익히기

183쪽

01 ① 02 ③

01 부당 해고와 부당 노동 행위

정답: ①

갑은 해고를 통보받은 즉시 해고의 효력을 다투는 소송을 제기하였으므로 해고 무효 확인 소송을 제기한 것이 된다. ㄱ. 갑은 해고 무효 확인 소송을 제기하기 전에 노동 위원회에 구제를 신청할 수 있다. ㄴ. 해고 무효 확인 소송은 민사 소송이다.

| 오답 피하기 | ㄷ. 파업을 주도했다는 이유로 갑을 해고한 것은 부당 해고에도 해당하고 부당 노동 행위에도 해당한다. 부당 해고는 사용자가 근로자를 정당한 이유나 절차 없이 해고하는 것이고, 부당 노동 행위는 사용자가 노동 3권을 침해하는 행위이다. ㄹ. 사용자가 정당한 이유 없이 단체 교섭에 응하지 않으면 단체 교섭권 침해가 된다.

02 근로자의 권리

정답: ③

③ 근로 기준법상 연장 근로는 1주 12시간 이내에서 가능하다. 갑이 을에게 매 근무일 21시까지 근로를 시키면 1주 연장 근로 시간이 15시간이 된다. 따라서 근로 기준법을 어기게 되므로 갑과 을의 합의가 있어도 위법하다.

| 오답 피하기 | ① 9시간 일했다면 연장 근로 1시간이 포함되어 있다. 따라서 연장 근로에 대한 수당을 포함하여 하루 임금으로 85,500원(=9시간×9,000원+4,500원)을 받아야 한다. ② 근로 계약서상의 근로 시간은 9시간이지만 휴게 시간 1시간이 포함되어 있으므로 실제 근로 시간은 8시간이다. 따라서 근로 기준법의 기준에 어긋나지 않는다. ④ 근로 감독관은 근로 계약서의 근로 기준법 준수 여부에 대한 감독 권한이 있다. ⑤ 1주간 개근하는 경우에 사용자는 근로자에게 유급 휴일에 대한 수당을 추가로 지급해야 한다.

대단원 5 마무리하기

185~186쪽

01 ① 02 ① 03 ⑤ 04 ② 05 ① 06 ③ 07 ② 08 ④

01 죄형 법정주의

정답: ①

제시된 내용은 죄형 법정주의를 설명한 것이다. 죄형 법정주의는 어떤 행위가 범죄가 되고 그 범죄에 대하여 어떤 처벌을 할 것인가는 미리 성문의 법률에 규정되어 있어야 한다는 원칙이다.

| 오답 피하기 | ㄷ. 관습 형법 금지의 원칙에 위배된다. ㄹ. 유추 해석 금지의 원칙에 위배된다.

02 범죄의 성립 요건

정답: ①

ㄱ. ㉠은 특허권에 해당하는 권리로 재산권으로 보호된다. ㄴ. ㉡의 행위는 형법에서 절도죄로 처벌한다.

| 오답 피하기 | ㄷ. 범죄 행위는 행위의 이유나 동기를 묻지 않으므로 법적 처벌은 불가피하다. 다만 판결 과정에서 정상이 참작되어 형벌의 양이 줄어들 수 있다. ㄹ. 약사(피해자)가 허락했다면 위법성이 조각된다.

03 위법성 조각 사유

정답: ⑤

(가)는 일반인의 현행범 체포로 정당 행위에 해당하며, (다)는 정당방위, (라)는 긴급 피난으로 각각 위법성을 조각하여 범죄가 성립하지 않는다. ⑤ (다)에서 병이 B의 공격을 피하기 위해 부득이하게 남의 집에 허락 없이 들어갔다면 긴급 피난에 해당하여 위법성이 조각된다.

| 오답 피하기 | ①, ②, ④ 을의 행위는 피해자인 A 아버지의 승낙이 없었으므로 위법성을 조각하지 않으며 범죄가 성립한다. ③ 정의 행위의 결과 행인이 다쳤으므로 인과 관계는 성립한다.

04 형사 절차와 인권 보장 원칙

정답: ②

무죄 추정의 원칙에 의해 유죄 확정 판결이 나기 전까지는 무죄로 추정된다.

| 오답 피하기 | ① 구속된 피의자는 구속의 적법성과 필요성을 법원에 심사해 줄 것을 신청하는 구속 적부심을 청구할 수 있으며, 구속 적부심 청구가 법원에 의해 받아들여지면 피의자는 불구속 상태에서 수사를 받게 된다. ③ 체포·구속을 할 때에는 피의자에게 체포 또는 구속의 이유와 피의 사실 등을 고지(일명 미란다 원칙)하여 자신의 권리를 방어할 수 있도록 해 주어야 한다. ⑤ 재판은 검사가 공소 제기한 내용을 토대로 이루어지며, 검사의 공소 사실이 아닌 다른 사실을 재판에서 다룰 수는 없다.

05 형사 절차에서의 인권 보장 제도

정답: ①

ㄱ. 갑은 구속 기소된 상태로서 현재 1심 판결만 받은 경우이므로 앞으로의 재판에서 보석을 청구할 수 있다. 법원이 보석 허가 결정을 내리면 갑은 불구속 상태에서 재판을 받게 된다. ㄴ. 재판 결과 확정된 형은 검사의 지휘에 따라 집행된다.

| 오답 피하기 | ㄷ. 실제로 정신 착란 증세가 나타나 심신 상실 상태에서 범행을 했다면 책임 조각 사유에 해당하여 처벌을 받지 않는다. ㄹ. 상소 제도(항소, 상고)는 같은 사건을 세 번까지 재판하기 때문에 재판의 신속성과 효율성은 낮아진다. 반면 재판을 공정하게 처리함으로써 궁극적으로 국민의 인권을 보호하고 법질서를 유지할 수 있다.

06 정당한 해고 요건 정답: ③

해고의 사유와 시기는 반드시 서면으로 통지해야 한다. 추후에 증거로 활용할 수 있어야 하기 때문이다.

| 오답 피하기 | ① 긴박한 경영상의 필요가 있어야 해고할 수 있다. ② 해고를 회피하기 위해 상당 기간 최대한의 노력을 했어야만 해고의 정당성이 인정된다. ④ 해고를 하고자 할 경우에는 근로자에게 적어도 30일 전에 해고 계획이 있음을 예고해야 한다. ⑤ 부득이하게 해고를 하려고 할 경우에는 해고 대상의 결정 기준이 합리적이고 공정해야 하는데, 근로 능력을 기준으로 하는 것이 가장 합리적이다. 성별이나 장애 등을 기준으로 해고 대상자를 정하는 것은 차별 행위로서 불합리하다.

07 부당 해고 및 부당 노동 행위 구제 절차 정답: ②

ㄱ. 사용자가 정당한 이유 없이 근로자에 대해 해고·감봉·전직 기타 징계를 하는 경우 혹은 사용자의 부당 노동 행위 때문에 근로자의 노동 3권을 침해당했을 때 해당 근로자는 노동 위원회에 구제 신청을 함으로써 구제받을 수 있다. 부당 노동 행위의 경우 노동조합 역시 조합의 이름으로 노동 위원회에 구제 신청을 하고 법원에 소송을 제기할 수 있다. ㄷ. 피해 당사자는 3개월 이내에 구제를 신청해야 한다.

| 오답 피하기 | ㄴ. 근로자는 단결권, 단체 교섭권, 단체 행동권의 노동 3권을 보장받는다. ㄹ. 중앙 노동 위원회의 결정에 불복할 경우 15일 이내에 행정 소송(행정 법원 → 고등 법원 → 대법원)을 제기할 수 있다.

08 청소년 근로자의 권리 정답: ④

청소년 근로에 대해서는 보호자(친권자나 후견인)의 취업 동의서가 필요하다. ④ 연소 근로자라도 임금은 직접 청구할 수 있다.

| 오답 피하기 | ① 근로 계약 시 친권자의 동의를 요하는 것은 18세 미만의 청소년이다. 을이 성년자라면 친권자의 동의서가 필요 없다. ② 18세 미만자는 연소 근로자로서 보호자의 동의하에 근로 계약을 직접 체결해야 한다. ③ 연소 근로자는 1일 7시간 이내에서 근로해야 한다. 연장 근로를 하더라도 1일 1시간 이내이므로 을은 1일 8시간을 초과하여 근로할 수 없다. ⑤ 18세 미만의 청소년에게는 당사자의 동의를 얻고 고용 노동부 장관의 인가를 받아 야간 또는 휴일에 일을 시킬 수 있다.

민주 시민 역량 기르기

187쪽

01 | 예시 답안 | (가)는 형사 피의자와 피고인은 유죄 판결이 확정되기 전까지는 무죄로 추정된다는 무죄 추정의 원칙이다. (나)는 피의자와 피고인은 형사상 자기에게 불리한 진술을 거부할 수 있는 진술 거부권이다. 이러한 원칙과 권리를 보장하고 있는 것은 개인의 인권이 부당하게 침해되는 것을 막아 국가의 형벌권 남용을 견제하는 데 목적이 있다.

| 평가 영역 | 개념 이해(자료에 나오는 개념에 대한 이해도)

| 채점 기준 |

등급	기준
상	무죄 추정의 원칙과 진술 거부권의 내용을 쓰고, 이를 보장하고 있는 이유를 서술한 경우
중	무죄 추정의 원칙과 진술 거부권의 내용을 쓰고, 이를 보장하고 있는 이유를 서술하였으나 그 내용이 미흡한 경우
하	무죄 추정의 원칙과 진술 거부권의 내용만 쓴 경우

02 | 예시 답안 | 형사 절차는 범죄가 발생했을 때 형벌권을 가진 국가가 수사와 재판을 통해 사건의 실체적 진실을 밝히고 죄가 확인되면 형벌을 부과하여 형을 집행하는 것이다. 이 과정에서 무고한 시민이 혐의가 있다는 이유만으로 인권을 부당하게 침해당할 수도 있으므로 형사 절차에서 인권을 보장하기 위한 원칙을 세우고, 이에 관한 인권 보장 제도를 마련하고 있다.

| 평가 영역 | 의사소통 능력(주제와 관련된 자신의 견해를 논리적이며 분명하게 표현하는 정도)

| 채점 기준 |

등급	기준
상	형사 절차의 내용을 쓰고, 형사 절차에서 인권을 보장하기 위해 노력하는 이유를 서술한 경우
중	형사 절차의 내용을 쓰고, 형사 절차에서 인권을 보장하기 위해 노력하는 이유를 서술하였으나 그 내용이 미흡한 경우
하	형사 절차에서 인권 보장 노력이 중요하다고만 쓴 경우

대단원 6 국제 관계와 한반도

주제 1 국제 관계와 국제법

1단계 개념 익히기 194쪽

01 (1) 국제 관계 (2) 자국의 이익 (3) 세계 중앙 정부
02 베스트팔렌 조약 03 (1) × (2) × (3) ○ 04 법의 일반 원칙 05 (1) 조약 (2) 국제 관습법 (3) 갈등 06 ㄷ, ㄹ, ㅁ

2단계 내신 유형 익히기 195~197쪽

01 ① 02 ③ 03 ④ 04 ⑤ 05 ① 06 ⑤ 07 ②
08 ⑤ 09~12 해설 참조

01 국제 사회의 특징 정답: ①
국제 사회에서는 개별 국가들이 자국의 이익을 최우선적으로 추구하는 가운데 국가 간 협력과 경쟁, 갈등이 공존하는 모습을 자주 목격할 수 있다.

| 오답 피하기 | ③ 국제법의 경우 제정된 법을 강제할 집행 기구가 없기 때문에 국가 간 분쟁을 완벽하게 해결해 주지 못한다.

02 국제 사회를 바라보는 관점 정답: ③
갑의 관점은 현실주의적 관점, 을의 관점은 자유주의적 관점이다.

| 오답 피하기 | ㄴ. 국가 간의 상호 의존적 관계에 중점을 두는 것은 자유주의적 관점이다. ㄷ. 갑이 을을 몽상가라고 비판할 것이다.

03 국제 사회의 변천 정답: ④
④ 냉전의 종식을 선언한 것은 몰타 미·소 정상 회담(1989년)이다.

04 세계화와 국제 관계의 변화 정답: ⑤
세계화의 영향으로 국가 간 상호 의존성이 심화됨에 따라 오늘날의 국제 관계는 보다 포괄적이고 효과적인 공동의 의사 결정 과정과 법질서를 마련하는 방향으로 변화하고 있다.

05 국제법의 법원 정답: ①
(가)는 법의 일반 원칙, (나)는 조약, (다)는 국제 관습법이다.

| 오답 피하기 | ㄷ. 조약은 우리나라에서 국내법과 같은 효력을 가지는데, 체결 주체에 한하여 적용된다. ㄹ. 국제 관습법의 예로는 국내 문제 불간섭의 원칙 등을 들 수 있다.

06 국제법의 법원 정답: ⑤
기사에 등장한 것은 상호 내정 불간섭 원칙이며, 이는 국제 관습법에 속한다.

| 오답 피하기 | ①은 조약이다. ④는 법의 일반 원칙이다.

07 국제법의 한계 정답: ②
개별 국가가 국제적으로 약속한 사안을 지키지 않는다고 해도 이를 제재하거나 강제할 집행 기구가 없다는 것이 국제법의 한계로 지적된다.

08 국제법의 법원 정답: ⑤
빈칸에 들어갈 국제법의 법원은 조약이다. 국내 문제 불간섭 원칙은 국제 관습법에 해당한다.

09 국제 사회의 변천
| 예시 답안 | 자유 진영과 공산 진영으로 양분되어 대립하는 냉전 체제가 종식되었다.

| 채점 기준 |

상	냉전의 종식이라는 내용을 넣어 옳게 서술한 경우
하	몰타 선언과 관련된 내용을 서술하였으나 냉전의 종식이라는 내용을 서술하지 못한 경우

10 국제 사회를 바라보는 관점
| 예시 답안 | (1) 현실주의적 관점
(2) 국가 간 상호 의존적 관계를 간과한다, 복잡한 국제 관계를 힘의 논리로 지나치게 단순화하여 설명한다 등

| 채점 기준 |

상	현실주의적 관점을 쓰고 그 한계를 정확하게 서술한 경우
중	현실주의적 관점을 쓰고 한계를 서술하였으나 정확하지 않은 경우
하	현실주의적 관점만 쓴 경우

11 조약의 특징
| 예시 답안 | (1) 조약
(2) 주로 문서의 형식으로 이루어진다, 원칙적으로 체결 주체에 대해서만 구속력을 갖는다, 우리나라의 경우 국내법과 같은 효력을 갖는다 등

| 채점 기준 |

상	조약을 쓰고, 조약의 특징 두 가지를 옳게 서술한 경우
중	조약을 쓰고, 조약의 특징 한 가지만을 옳게 서술한 경우
하	조약만 옳게 쓴 경우

12 국제법의 의의와 한계
| 예시 답안 | (1) 국가를 비롯한 국제 사회 행위 주체들의 행동 규범과 판단 기준을 제시한다, 국제 사회의 갈등을 줄이고 분쟁을 해결한다, 국가들이 안정적으로 상호 협력할 수 있는 기반을 제공한다 등
(2) 입법 기구가 없다, 실질적인 재판 규범으로 적용되기 어렵다, 법을 강제할 집행 기구가 없다, 국제법과 국내법이 충돌할 경우 어느 것을 우선 적용해야 할지의 문제가 생긴다 등

| 채점 기준 |

상	국제법의 의의와 한계를 두 가지씩 옳게 서술한 경우
중	국제법의 의의(또는 한계)는 두 가지 서술하였으나, 국제법의 한계(또는 의의)는 한 가지만 서술한 경우
하	국제법의 의의와 한계를 한 가지씩만 서술한 경우

3단계 내신 만점 도전하기 198쪽

01 ④ 02 ②

01 국제 사회의 변화 정답: ④

제2차 세계 대전 이후 국제 연맹의 정신을 계승하여 국제 평화 유지를 목적으로 국제 연합(UN)이 창설되었다.

| 오답 피하기 | ① 베스트팔렌 조약 이후의 일이다. ② 1989년 몰타 선언 당시의 상황이다. ③ 1970년대 들어서 나타난 변화이다. ⑤ 1990년대 중반 이후의 변화이다.

02 국제법의 법원 정답: ②

(가)는 조약, (나)는 국제 관습법이다. 우리 헌법은 조약이 국내법과 같은 효력을 가진다고 규정하고 있으며, 조약과 국제 관습법은 모두 국제법의 법원에 해당한다.

| 오답 피하기 | ㄴ. 신의 성실의 원칙, 권리 남용 금지의 원칙은 법의 일반 원칙에 해당한다. ㄹ. 조약과 국제 관습법은 모두 국제 사법 재판소의 재판 준거가 될 수 있다.

심화 수능 유형 익히기 199쪽

01 ③ 02 ②

01 국제 사회를 바라보는 관점 정답: ③

국제 사회에서 국제법과 국제기구의 역할을 중시하고, 힘의 논리보다 상호 협력을 강조하는 것은 자유주의적 관점에 해당한다. 국제 사회에서 자국 이익의 배타적 추구를 중시하고, 자국의 안보를 위해 동맹 및 군사력 강화를 강조하며, 국가 간 힘의 균형을 통해 평화가 유지될 수 있다고 보는 것은 현실주의적 관점에 해당한다. 따라서 병이 국제 사회를 바라보는 현실주의적 관점에서 일관되게 응답하였다.

02 국제법의 법원 정답: ②

A는 국제 관습법, B는 법의 일반 원칙, C는 조약이다.

| 오답 피하기 | ① 조약에 대한 설명이다. ③ 우리나라에서 조약의 체결·비준 권한은 대통령에게 있다. ④ 성문화된 형식으로 존재하는 것은 조약이다. ⑤ 국제 관습법과 법의 일반 원칙 모두 국제 사회에서 포괄적 구속력을 가진다.

주제 2 국제 문제와 국제기구

1단계 개념 익히기 204쪽

01 (1) × (2) ○ (3) ○ 02 (1) 없다 (2) 확대 (3) 존재하지 않는다 03 (1) ㄱ, ㄹ, ㅁ (2) ㄴ, ㄷ 04 세계 무역 기구(WTO) 05 (1) 총회 (2) 안전 보장 이사회 (3) 경제 사회 이사회 06 국제 사법 재판소

2단계 내신 유형 익히기 205~207쪽

01 ⑤ 02 ③ 03 ⑤ 04 ④ 05 ③ 06 ② 07 ④ 08 ④ 09~12 해설 참조

01 국제 문제의 특징 정답: ⑤

우리나라에 피해를 입히는 미세 먼지의 원인이 중국에 있다고 규정할 경우, 문제를 해결하기는 매우 어렵다. 중국을 강제할 수 있는 방법을 찾기가 어렵기 때문이다.

| 오답 피하기 | ① 국경을 초월하여 발생하는 문제이다. ② 개별 국가에 미치는 영향의 범위가 확대되고 있다. ③ 안보 문제에 관한 설명이다. ④ 국제 관계의 상호 의존성이 심화되면서 점점 늘어나고 있다.

02 국제 문제의 특징 정답: ③

대표적인 공해 산업인 석면 산업은 선진국에서 개발 도상국으로 이전하고 있다. 이러한 문제를 해결하기 위해서는 국제적 차원의 노력이 필요하다.

| 오답 피하기 | ㄴ. 선진국의 환경 규제가 엄격하기 때문에 발생한다. ㄷ. 국제 사회에는 강제성을 가진 초국가적 기구가 없어 국가 간 합의 도출이 어렵다.

03 국제 문제의 특징 정답: ⑤

국가 간 상호 의존성이 높아지면서 국제 문제가 개별 국가에 미치는 영향력이 커지고 있다.

04 국제기구의 종류 정답: ④

㉠은 미국과 중국으로, 국제 사회의 가장 기본적인 행위 주체인 국가에, ㉡은 국제기구에 해당한다. 국제기구를 활동 영역에 따라 분류하면 세계 무역 기구(WTO)는 자유 무역 증진이라는 특정 분야에서 활동하는 전문적 국제기구이다.

05 국제기구의 종류 정답: ③

㉠은 국제 비정부 기구, ㉡은 지역적 기구, ㉢은 일반적 기구이다. 국제 사면 위원회(AI)는 대표적인 국제 비정부 기구이고, 국제기구는 모두 국제 협력과 공조를 위해 설립되었다.

| 오답 피하기 | ㄴ. 지역적 기구는 특정 지역의 국가만이 회원이 될 수 있다. ㄷ. 세계 보건 기구(WHO)는 전문적 국제기구이다.

06 국제기구와 국제 문제 정답: ②

미국이 2017년에 파리 협정에서 탈퇴했으며 협정에 소극적이던 다른 나라들도 탈퇴할 수 있다는 관측이 나오고 있다. 그렇지만 국제 연합이 강제성을 바탕으로 실질적인 제재를 하기는 어렵다.

07 국제 연합의 주요 기관 정답: ④

(가)는 총회, (나)는 안전 보장 이사회이다. 안전 보장 이사회는 국제 분쟁의 평화적 해결을 중재하는 역할을 한다.

| 오답 피하기 | ① (가)는 총회에 대한 설명이다. ② 안전 보장 이사회에서 실질 사항의 경우 상임 이사국 중 한 국가라도 거부권을 행사하면 안건이 부결된다. ③ 총회의 의사 결정 방식 중 하나이다. ⑤ 경제 사회 이사회에 대한 설명이다.

08 국제 사법 재판소의 특징 정답: ④

국제 사법 재판소는 국가 간의 법적 분쟁을 국제법에 따라 해결하고자 노력하는 국제 연합의 주요 사법 기관이다. 그러나 당사국이 판결을 이행하지 않을 경우 이를 직접 제재하기는 어렵다는 한계를 갖고 있다.

| 오답 피하기 | ㄱ. 국적이 서로 다른 15명의 재판관으로 구성된다. ㄷ. 국제 사법 재판소의 판결은 당사국에만 구속력을 미치며, 단심으로 종결된다.

09 국제 문제의 특징

| 예시 답안 | 국경을 초월하여 발생하며 한 국가만의 노력으로는 해결하기 어려운 국제 문제이다.

| 채점 기준 |

상	국제 문제라는 단어를 넣어 그 특징을 옳게 서술한 경우
하	나름대로 문제들의 공통점을 서술하였으나 국제 문제라는 점을 파악하지 못한 경우

10 국제 문제의 종류와 특징

| 예시 답안 | (1) 남북문제

(2) 국제 문제를 관리하고 규제할 강제성을 가진 초국가적 기구가 없어 문제 해결을 위한 국가 간의 합의를 도출하기 어렵기 때문이다.

| 채점 기준 |

상	남북문제를 쓰고 문제 해결이 어려운 이유를 정확하게 서술한 경우
중	남북문제를 쓰고 문제 해결이 어려운 이유를 서술하였으나 정확하지 않은 경우
하	남북문제만 쓴 경우

11 국제 연합의 주요 기관

| 예시 답안 | (1) 안전 보장 이사회

(2) 실질 사항에 있어서 상임 이사국 중 한 국가라도 거부권을 행사하면 안건이 부결된다.

| 채점 기준 |

상	안전 보장 이사회를 쓰고, 상임 이사국의 권한을 정확하게 서술한 경우
중	안전 보장 이사회를 쓰고, 상임 이사국의 권한을 서술하였으나 정확하지 않은 경우
하	안전 보장 이사회만 쓴 경우

12 국제 사법 재판소

| 예시 답안 | (1) 국제 사법 재판소

(2) 원칙적으로 당사국 간 합의가 없는 사건에 대해 관할권을 강제하기 어렵다. 정치적 분쟁은 재판의 대상에서 제외되는 경우가 많다. 당사국이 판결을 이행하지 않을 경우 이를 직접 제재하기 어렵다 등

| 채점 기준 |

상	국제 사법 재판소를 쓰고, 그 한계를 정확하게 서술한 경우
중	국제 사법 재판소를 쓰고, 그 한계를 서술하였으나 정확하지 않은 경우
하	국제 사법 재판소만 쓴 경우

3단계 내신 만점 도전하기 208쪽

01 ⑤ 02 ②

01 국제 문제의 해결 정답: ⑤

파리 협정은 지구 온난화 문제와 남북문제를 동시에 고려하여 선진국과 개발 도상국 모두가 온실가스 감축 의무를 지되, 선진국들이 개발 도상국을 지원하자는 내용으로 이루어져 있다.

| 오답 피하기 | ㄱ, ㄴ. 대화의 내용과 관련이 없는 서술이다.

02 국제 연합의 주요 기관 정답: ②

A는 안전 보장 이사회이다. 안전 보장 이사회는 국제 평화와 안전에 위협이 된다고 판단하는 국가에 대한 국제적 제재안을 결의한다.

| 오답 피하기 | ① 국제 연합 아동 기금(UNICEF), 국제 연합 교육 과학 문화 기구(UNESCO) 등에 대한 설명이다. ③ 상임 이사국 5개, 비상임 이사국 10개로 구성된다. ④ 총회에 대한 설명이다. ⑤ 국제 사법 재판소에 대한 설명이다.

심화 수능 유형 익히기 209쪽

01 ① 02 ①

01 국제 연합과 조약 정답: ①

ㄱ. 국제 연합은 각국 정부를 회원으로 하는 정부 간 국제기구이다. ㄴ. 조약은 국제 사법 재판소의 재판 준거로 활용된다.

| 오답 피하기 | ㄷ. 조약은 원칙적으로 체결 당사국만 구속한다. ㄹ. 헌법에 정해진 절차에 따라 체결·공포된 조약은 원칙적으로 국내법과 같은 효력을 가진다.

02 국제 연합의 주요 기관 정답: ①

A는 총회, B는 안전 보장 이사회, C는 국제 사법 재판소이다. ① 총회는 1국 1표 원칙을 적용하여 표결이 이루어지므로 주권 평등 원칙에 따른 표결 방식을 채택하고 있다.

| 오답 피하기 | ② 안전 보장 이사회의 상임 이사국만 거부권을 가진다. ③ 안전 보장 이사회에 대한 설명이다. ④ 국제 사법 재판소는 국가 간의 분쟁을 법적으로 해결하는 기관이다. ⑤ 국제 사법 재판소가 내린 판결의 이행 권고 또는 필요한 조치에 관한 결정을 내릴 수 있는 것은 안전 보장 이사회이다.

주제 3 우리나라의 국제 관계

1단계 개념 익히기 214쪽

01 다자간 안보 협력 체제 02 (1) 상호 의존적인 (2) 세계 무역 기구(WTO) (3) 아시아·태평양 경제 협력체(APEC) 03 ㄴ, ㄷ, ㄹ 04 (1) 지정학적 위치 (2) 자유 무역 협정(FTA) (3) 외교 05 (1) × (2) ○ (3) ○ 06 (1) ㄷ (2) ㄴ (3) ㄹ (4) ㄱ

2단계 내신 유형 익히기 215~217쪽

01 ④ 02 ② 03 ① 04 ④ 05 ⑤ 06 ② 07 ③ 08 ⑤ 09~12 해설 참조

01 우리나라의 지정학적 위치 정답: ④

우리나라는 지정학적으로 대륙과 해양으로 진출하기 용이한 지역에 위치하고 있어서 주변국들의 끊임없는 침탈에 시달렸다.

02 우리나라의 국제 관계 정답: ②

우리나라의 안보 문제는 분단이라는 특수한 상황 및 주변국의 이해관계와 맞물려 해결이 쉽지 않을 것으로 예상되며, 다자간 안보 협력 체제의 필요성이 제기되고 있다.

| 오답 피하기 | ㄴ. 어느 편에 서기보다 실리를 추구해야 한다. ㄹ. 긴밀한 상호 의존 관계 속에서 우리나라는 주변국의 영향을 많이 받고 있다.

03 우리나라의 국제 관계 정답: ①

우리나라는 다양한 국제기구에 가입하여 다른 국가들과 경제적 협력을 꾀하고 있다. 국제 사면 위원회(AI)는 세계의 인권 침해 사례를 찾아내고 이를 국제 사회에 알리는 등 인류의 인권 실현을 목적으로 활동하는 국제 비정부 기구로, 제시된 내용과는 관련이 없다.

04 한반도 주변의 국제 질서 정답: ④

A는 국제 사법 재판소이다. 현재 일본은 독도 문제를 계속 분쟁화하려고 하지만, 우리 정부는 독도가 명백한 우리 영토이므로 외교 교섭이나 사법적 해결의 대상이 될 수 없다고 본다.

| 오답 피하기 | ① 국제 연합의 주요 사법 기관이므로 정부 간 국제기구에 해당한다. ② 안전 보장 이사회에 대한 설명이다. ③ 국제 사법 재판소가 판결 이행을 직접 제재하기는 어렵다. ⑤ 현실주의적 관점으로 설명할 수 있다.

05 외교의 의미 정답: ⑤

외교는 자국의 이익을 달성하기 위하여 국제 사회에서 평화적인 방법으로 펼치는 대외적 활동으로, 주로 협상을 통해 이루어진다.

06 다양한 외교 활동 정답: ②

신문 기사의 내용은 기여 외교에 관한 것이다.

| 오답 피하기 | ① 소프트 파워에 기여한다. ③ 공공 외교에 관한 설명이다. ④ 국가 위상을 제고하여 자국의 이익에 도움이 될 수 있다. ⑤ 다자 외교에 관한 설명이다.

07 다양한 외교 활동 정답: ③

A는 공공 외교를 의미한다. 군사력이나 경제력이 하드 파워라면, 소프트 파워는 강제나 보상이 아닌 설득과 매력을 통해 원하는 것을 얻는 능력을 말한다.

| 오답 피하기 | ㄷ. 정부가 하는 외교는 여전히 중요하다.

08 한류 외교 정답: ⑤

한류 외교는 외교의 형식과 분야가 확대되면서 등장하였다.

09 우리나라의 지정학적 위치

| 예시 답안 | 우리나라는 아시아 대륙과 태평양을 잇는 접점으로서 대륙과 해양으로 진출하기 용이한 전략적 요충지로서의 성격을 갖고 있다.

| 채점 기준 |

구분	기준
상	우리나라의 지정학적 특성을 옳게 서술한 경우
하	지도의 위치에 근거하여 서술하였으나 우리나라의 지정학적 특성을 서술하지 못한 경우

10 경제적 측면의 국제 관계

| 예시 답안 | (1) 자유 무역 협정(FTA)

(2) 소비자들은 상품 선택의 기회가 증가한다, 다른 나라 기업들과의 경쟁이 심화된다, 우리나라의 무역 의존도가 높아진다 등

| 채점 기준 |

구분	기준
상	자유 무역 협정을 쓰고, 우리나라에 가져올 변화를 정확하게 서술한 경우
중	자유 무역 협정을 쓰고, 우리나라에 가져올 변화를 서술하였으나 정확하지 않은 경우
하	자유 무역 협정만 쓴 경우

11 한반도 주변의 국제 질서

| 예시 답안 | (1) 배타적 경제 수역

(2) 각 국가가 자국의 이익만을 추구하며 보편적 윤리 등을 중시하지 않기 때문이다. 이 경우 국가 간 협력은 매우 어려워진다.

| 채점 기준 |

상	배타적 경제 수역을 쓰고, 갈등의 이유를 현실주의적 관점에 근거하여 서술한 경우
중	배타적 경제 수역을 쓰고, 갈등의 이유를 나름대로 서술하였으나 현실주의적 관점에 근거하지 않은 경우
하	배타적 경제 수역만 쓴 경우

12 다자 외교의 의미

| 예시 답안 | (1) 다자 외교

(2) 셋 이상의 국가가 특정 의제에 관해 이해관계를 조정하고 협력 방안을 찾아가는 외교 활동을 말한다.

| 채점 기준 |

상	다자 외교를 쓰고, 그 의미를 정확하게 서술한 경우
중	다자 외교를 쓰고, 그 의미를 서술하였으나 정확하지 않은 경우
하	다자 외교만 쓴 경우

3단계 내신 만점 도전하기 218쪽

01 ② 02 ①

01 한반도 주변의 국제 질서 정답: ②

현재 우리나라의 안보는 다자간 안보 협력 체제가 필요한 상황으로, 현재 정부에는 주변국과 공조하여 국가 주권을 수호하고 국민의 안전을 확보해야 할 과제가 있다.

| 오답 피하기 | ㄴ. 주변국들과의 관계는 외교에 있어 매우 중요하다. ㄹ. 주변국들은 자국의 이익을 중심으로 행동하므로 이를 고려하여 외교 정책을 펼쳐야 한다.

02 다양한 외교 방식 정답: ①

스웨덴은 인권 외교를 적극적으로 실행하고 있는 국가 중 하나이다.

| 오답 피하기 | ② 공공 외교, ③ 기여 외교, ④ 한류 외교, ⑤ 다자 외교에 관한 설명이다.

심화 수능 유형 익히기 219쪽

01 ① 02 ①

01 우리나라가 체결한 조약 정답: ①

㉠은 조약에 해당한다. ① 조약은 국가 간, 국가와 국제기구 간, 혹은 국제기구 간에 체결된 합의로, 주로 문서 형식으로 이루어지며 국제법의 법원(法源)이 된다.

| 오답 피하기 | ② 우리나라에서 조약의 체결권과 비준권은 대통령에게 있고, 국회에는 조약의 비준 동의권이 있다. ③ ㉠은 비정부 국제기구와 체결한 양자 조약이 아니라 여러 국가 간에 체결된 조약 중 하나이다. ④ ㉠이 국내법과 같은 효력을 가지게 되는 것은 비준서를 기탁한 때부터이다. ⑤ 조약은 국제 사회 일반에 적용되는 것이 아니라 체결 당사국에만 적용된다.

02 국제 사회의 변천 정답: ①

ㄱ. '교토 의정서'는 환경 문제를 해결하기 위해 체결한 협약으로, 1997년에 채택되었다. ㄷ. 6·23 평화·통일·외교 정책에 관한 특별 선언은 남북한 유엔 동시 가입 및 공산주의 국가에 문호 개방 등의 내용을 담고 있었다.

| 오답 피하기 | ㄴ. 국제 연맹이 해체되고 국제 연합이 창설된 계기가 된 것은 제2차 세계 대전이다. ㄹ. 1970년대에 들어서면서 공산 진영이 다원화되고 제3 세계가 등장함에 따라 냉전 체제는 서서히 완화되었고 1989년 몰타 선언으로 공식적으로 막을 내렸다. 따라서 (나), (다)는 냉전 체제 종식 전의 일이다.

대단원 6 마무리하기 221~222쪽

01 ③ 02 ② 03 ⑤ 04 ③ 05 ② 06 ④ 07 ⑤ 08 ⑤

01 국제 사회를 바라보는 관점 정답: ③

갑은 국제 사회를 바라보는 현실주의적 관점을, 을은 자유주의적 관점을 가지고 있다.

| 오답 피하기 | ㄴ. 국제기구나 국제법의 역할을 강조하는 것은 자유주의적 관점이다. ㄷ. 국제 사회를 무정부 상태로 보는 것은 현실주의이다.

02 국제 사회의 변천 정답: ②

제1차 세계 대전 이후 국제 연맹이 창설되었고, 제2차 세계 대전 이후 국제 연합(UN)이 창설되었다.

| 오답 피하기 | ① (다)는 1648년, (가)는 1914년, (라)는 1940년대 중반, (마)는 1989년, (나)는 1990년대 중반에 일어난 일이다. ③ 정치, 경제, 사회·문화 등 여러 분야에서 국제 사회의 상호 의존성이 증가하는 세계화 현상이 나타나고 있다. ④ 베스트팔렌 조약 이후 주권 국가가 국제 사회의 주체로 떠올랐다. ⑤ 미·소 간의 몰타 정상 회담으로 인해 냉전이 공식적으로 종식되었다.

03 국제법의 법원 정답: ⑤

(가)는 조약, (나)는 법의 일반 원칙, (다)는 국제 관습법이다. (가)~(다)는 모두 국제 사법 재판소의 재판 근거로 활용된다.

| 오답 피하기 | ① 국제 관습법에 대한 설명이다. ② 조약에 대한 설명이다. ③ 법의 일반 원칙에 대한 설명이다. ④ 우리나라의 경우 조약은 국내법과 같은 효력을 가진다.

04 국제 문제의 특징 정답: ③

국제적인 협약을 이행하지 않는다고 해도 그것을 직접 제재할 수 있는 방법이 없기 때문에 국제 문제의 해결이 쉽지 않다.

05 국제 연합의 주요 기구 정답: ②

㉠은 총회, ㉡은 안전 보장 이사회이다. 총회는 모든 회원국들이 참여하는 최고 의사 결정 기구이고, 안전 보장 이사회는 5개의 상임 이사국과 10개의 비상임 이사국으로 구성된다.

| 오답 피하기 | ㄴ. 평화와 안전에 대한 권고와 같은 중요 문제에 관해서는 출석 투표국 3분의 2 이상의 찬성이 있어야 한다. ㄹ. 안전 보장 이사회의 상임 이사국은 거부권이 있으나 비상임 이사국은 그러한 권한을 가지고 있지 않다.

06 국제 사법 재판소 정답: ④

자료에서 설명하는 기관은 국제 사법 재판소이다. 국제 사법 재판소의 판결을 당사국이 이행하지 않는다고 해도 국제 사법 재판소가 이를 직접 제재하기는 어렵다는 한계를 가지고 있다.

07 우리나라의 지정학적 위치 정답: ⑤

우리나라는 아시아 대륙과 태평양을 잇는 접점에 위치하여 대륙과 해양으로 진출하기 용이한 전략적 요충지로서의 성격을 지닌다. 이로 인해 주변국들의 끊임없는 침탈이 이어졌다.

08 우리나라의 바람직한 국제 관계 정답: ⑤

우리나라의 안보 문제는 북한, 중국, 미국, 일본, 러시아 등 다양한 주변국들의 이해관계와 맞물려 있기 때문에 다자간 안보 협력 체제의 필요성이 제기되고 있다.

민주 시민 역량 기르기

223쪽

01 | 예시 답안 |

관점	예시
현실주의적 관점	2017년 미국은 온실가스 배출량 감축을 내용으로 하는 파리 협정에서 탈퇴한다고 선언하였다. 그런데 미국은 세계 2위의 온실가스 배출국이다. 윤리적으로 생각한다면 당연히 미국이 온실가스 배출량을 줄이기 위한 국제적 노력에 참여해야 하지만, 국제 관계에서는 윤리가 중요한 원칙이 되지 않는다.
자유주의적 관점	우리나라는 세계 무역 기구(WTO)에 가입하고, 많은 국가들과 자유 무역 협정(FTA)을 맺으면서 국제 교역을 통해 비교 우위에 따른 이익을 얻고 있다. 이는 각 국가들이 기본적으로 협정의 내용을 이행했기 때문에 가능한 것이다. 국제적 규범을 지키는 것이 자국에도 이익이 된다는 점을 상기한다면 국제 관계에서의 협력은 충분히 가능하다.

| 평가 영역 | 개념에 대한 이해와 현실 사회에 적용하는 능력

| 채점 기준 |

등급	기준
상	(가), (나)의 관점을 모두 잘 이해하고 적절한 사례를 제시하여 서술한 경우
중	(가), (나) 중 하나만 제대로 이해하고 적절한 사례를 제시하여 서술한 경우
하	(가), (나)를 뒷받침해 주는 사례를 제시하였으나 모두 미흡한 경우

02 | 예시 답안 | 국제 사회에는 현실주의적 관점에서 말하는 측면과 자유주의적 관점에서 말하는 측면이 모두 존재한다. 힘의 논리가 국제 관계의 매우 중요한 속성인 것도 사실이고, 국제기구나 국제법을 통한 국제 협력이 이루어지고 있는 것도 사실이다. 따라서 우리나라는 국제 사회에서 다른 국가들과 협력하면서 실리를 추구해야 하지만, 다른 국가들이 윤리나 도덕에 의해서가 아니라 자국의 이익에 의해서 약속과 다른 행동을 할 수도 있다는 점을 항상 염두에 두어야 한다. 그리고 우리나라뿐만 아니라 다른 국가들도 이익을 얻을 수 있는 길을 찾아서 다른 국가들을 설득해야 한다.

| 평가 영역 | 의사소통 능력(주제와 관련된 자신의 견해를 논리적이며 분명하게 표현하는 정도)

| 채점 기준 |

등급	기준
상	국제 사회에서 우리나라가 어떻게 대처해야 할지에 관한 자신의 생각을 적절한 근거를 제시하여 논리적으로 서술한 경우
중	국제 사회에서 우리나라가 어떻게 대처해야 할지에 관한 자신의 생각을 어느 정도 제시하였으나 근거가 타당하지 않은 경우
하	국제 사회를 바라보는 관점에 관한 자신의 입장을 정립하려는 노력이 필요한 경우

고등학교 정치와 법
자습서

교과서 활동 풀이

금성출판사

교과서 활동 풀이

단원 ① 민주주의와 헌법

주제 1 민주 정치와 법

생활 속 정치 교과서 10쪽

질문 1 정치 또는 법과 관련 있다고 생각하는 장면에 표시해 보고, 왜 그렇게 생각하였는지 적어 보자.

「도로 교통법」에 근거하여 등굣길에 설치된 횡단보도는 주민들의 보행 안전을 보장해 준다. 학용품을 구입하는 과정은 개인 간의 법률 행위에 관해 민법에 규정함으로써 사람들의 법익을 보호하고자 한다. 학급 회의는 학급 구성원의 의사를 확인하여 민주적인 학교생활의 토대가 되며, 사전 투표는 국민의 선거 참여율을 높여 국민 주권을 실현하고 국민의 의사를 집약하는 기능을 수행한다 등

질문 2 짝이 표시한 내용과 비교해 보고, 내가 생각하는 정치와 법의 의미에 대해 이야기해 보자.

정치란 사람들이 추구하는 가치가 달라 발생할 수 있는 갈등을 조정하여 해결하는 과정이며, 법은 정의를 실현하기 위한 사람들 간의 약속이다.

세상 속으로 교과서 11쪽

생각+ 우리 주변에서 나타나는 다양한 정치의 모습을 이야기해 보자.

주차 문제를 해결하기 위한 마을 주민 회의와 지역 내 기피 시설 설치 여부를 두고 전문가, 이해 당사자 및 주민이 함께 참여하여 해결 방안을 모색하는 공청회 등이 있다.

활동 교과서 13쪽

1 파악하기 제시된 사례의 〈선택 1〉 상황에서 갈등을 어떻게 해결하였는지 정치의 기능과 관련지어 이야기해 보자.

- 〈자료 1〉: 층간 소음 문제 해결을 위해 주민들이 '층간 소음 관리 위원회'를 만들어 상호 이해를 통해 주민 간의 갈등을 합리적으로 해결한다.
- 〈자료 2〉: 퇴근길에 사고를 당해 받은 피해를 근로자와 사용자가 대화를 통해 산업 재해로 인정하는 모습으로, 사회 구성원 사이에서 발생할 수 있는 갈등과 대립을 조정하고 있다.

2 적용하기 제시된 사례의 〈선택 2〉 상황에 대한 해결 방안을 〈자료 3〉에서 찾아보자.

- 〈자료 1〉: 「공동 주택 관리법」에 따라 층간 소음 문제 발생 시 피해 주민이 관리 주체에게 피해 사실을 알리면 관리 주체가 피해를 끼친 주민에게 소음 발생 중단을 요청하거나 차음을 위한 대안 마련을 권고할 수 있다.
- 〈자료 2〉: 「산업 재해 보상 보험법」에 따르면 통상적인 경로와 방법으로 출퇴근 시 재해를 당했을 때는 업무상 재해로 인정하고 있으므로 이 조항을 근거로 사용자에게 산업 재해 보상을 요구할 수 있다.

3 추론하기 〈자료 3〉이 법의 이념인 '정의 실현'을 위해 어떤 내용을 담고 있는지 말해 보자.

「공동 주택 관리법」을 통해 입주자 간의 권리가 함께 존중되며 공존할 수 있도록 하여 층간 소음 문제에 관해 대처할 수 있다. 「산업 재해 보상 보험법」에 출퇴근 시간도 근로 시간으로 인정되도록 명시함으로써 '노동자의 권리 보호'라는 정의 실현을 가능하도록 한다.

4 평가하기 우리 사회에서 정치와 법이 각각 어떤 역할을 하고 있는지 사례를 들어 이야기해 보자.

대기업의 무분별한 사업 확장으로 소상공인의 피해가 증가하자 '생계형 적합 업종' 품목 지정과 일부 시장에 대기업의 진출 금지 주장이 힘을 얻었다. 이에 국회는 「소상공인 생계형 적합 업종 지정에 관한 특별법」을 제정하여 소상공인을 보호하고, 소상공인이 자생할 방안을 마련하였다.

문서로 본 민주주의의 발전 교과서 15쪽

생각+ 각 문서에서 민주주의 요소를 찾아보고, 민주주의가 어떻게 발전해 왔는지 이야기해 보자.

제시된 문서에는 국민 주권 사상, 의회 민주주의, 직접 민주주의, 천부 인권 사상, 기본권 사상, 보통 선거제 등의 요소가 담겨 있다. 이러한 요소들은 근대 시민 혁명을 통해 형성·발전되기 시작하였으며, 현대 민주 정치 사회로 이행되며 모든 인간의 보편적인 권리로 보장되었다.

세상 속으로 교과서 16쪽

생각+ 수권법은 법치주의 관점에서 어떤 문제가 있을까?

수권법은 형식적 법치주의의 전형으로, 적법한 절차를 거쳤다는 이유로 정부가 헌법을 넘어서는 권력을 휘두를 수 있게 함으로써 그 내용과 목적은 문제 삼지 않고 일당 독재를 강화하는 수단으로 악용되었다.

활동 교과서 17쪽

1 적용하기 자료를 토대로 우리 사회에서 민주주의와 법치주의가 구현된 사례를 찾아보자.

2008년 우리나라는 국민 참여 재판을 도입하여 국민이 배심원으로 형사 재판에 참여할 수 있게 되었다. 국민이 배심원으로 참여해 다양한 견해를 제시하고 토의하는 모습, 사법 또한 국민의 통제 아래에 두어야 한다는 점을 통해 민주주의의 모습을 찾을 수 있다. 또한 이 제도가 법률에 근거해 실시되는 제도라는 측면에서 법치주의가 구현되고 있음을 알 수 있다.

2 토의하기 현대 국가에서 민주주의와 법치주의가 어떤 관계를 형성하는지 이야기해 보자.

현대 국가에서 법치주의는 민주 정치에 국민 의사를 확인할 수 있는 절차를 제공하고, 민주 정치는 국민의 의사를 확인하여 입법에 반영해 법적 기초를 마련하는 상호 보완적인 관계를 형성하고 있다.

함께 배우기 교과서 18쪽

1 제시된 자료에서 민주주의 요소와 법치주의 요소를 찾아본다.

영국 권리 장전에서 왕의 자의적인 권력 행사 제한과 의회의 자유로운 선거 등의 민주주의 요소와 지나친 보석금이나 벌금, 잔혹한 형벌의 제한 등의 법치주의 요소를 찾을 수 있다. 미국 독립 선언에서는 정부의 정당한 권력은 국민의 동의로부터 나온다는 내용을 통해 민주주의 요소를 찾을 수 있다. 프랑스 인권 선언에서는 모든 정치적 결사의 목적이 인간의 소멸할 수 없는 권리를 보전하고, 모든 시민이 법 제정에 참여할 권리를 갖는다는 내용을 통해 민주주의 요소를, 법의 보호와 법에 의한 처벌에서 만인이 평등하다는 내용을 통해 법치주의 요소를 찾을 수 있다. 영국 인민 헌장에서는 성인 남성에게 투표권을 부여하고 의원이 되기 위한 재산 자격 제한을 폐지하는 등의 모든 조항을 통해 민주주의 요소를 찾을 수 있다.

2 제시된 자료와 관련된 역사적 사건의 배경, 의의, 한계 등을 조사한다.

영국 권리 장전은 왕권을 제한하고 의회 정치 확립에 이바지하여 영국에 시민 사회가 형성되는 계기가 되었으나, 자연권의 적극적인 보장보다 의회의 왕권 견제의 목적이 더 강했다. 미국 독립 선언은 영국으로부터 독립을 선포한 선언문으로, 인간의 권리를 주장하였지만 그 권리를 행사할 수 있었던 계층은 재산을 가진 남성에게만 한정되었다. 프랑스 인권 선언은 절대 왕정

의 타파와 봉건적 특권의 폐지, 자유와 평등의 이념 등을 유럽에 전파하여 시민 사회 형성에 기여했으나, 19세기까지 여성은 시민의 범주에 포함되지 않았다. 선거권을 보장받지 못했던 영국의 노동자들이 차티스트 운동을 벌이고 인민 헌장을 통해 의회 민주주의 실시 등을 요구하여 보통 선거가 실시되는 계기를 마련하였으나 성인 남성의 선거권만 주장하였다.

3 각 역사적 사건이 민주주의와 법치주의 발전 과정에 어떻게 기여하였는지 분석한다.

시민 혁명은 사회 계약설에 바탕을 둔 민주 정부를 구성하는 계기가 되었고, 시민이 선출한 대표가 의회를 구성하고 의회에서 제정된 법에 따라 정치가 행해지는 법의 지배가 확립되어 민주주의와 법치주의 발전에 기여하였다.

정리 분석한 내용을 발표하고 민주주의와 법치주의의 바람직한 관계에 관해 토의해 보자.

민주주의는 국민의 의사를 확인하여 법적 기초를 마련하고, 법치주의는 민주주의를 통해 국민의 의사를 확인하는 상호 보완적 관계로 나아가야 한다.

스스로 확인하기 — 교과서 19쪽

1 (1) 정치 (2) 시민 혁명 (3) 법치주의

2 (1) × (2) ○ (3) ×

3 (1) **홉스, 로크, 루소가 주장한 사회 계약설의 공통점을 써 보자.**

사회 계약론자들은 공통적으로 국가 성립 이전의 상태를 자연 상태로 가정하고, 자연 상태에서는 인간의 자연권 보장이 불확실하므로 개인은 자연권 보장을 위해 국가와 계약을 맺어 정부를 구성한다고 보았다.

(2) **사회 계약설이 민주주의의 발전 과정에 어떠한 영향을 미쳤는지 서술해 보자.**

사회 계약설은 자연권을 보장받고자 하는 평등한 개인들 사이의 계약을 토대로 국가가 형성된 것으로 보고, 국가 권력이 국민으로부터 기원한다고 보았다. 이는 중세 이후 성장한 시민 계급의 사상적 기반으로 작용하여 절대 왕정을 무너뜨리는 시민 혁명의 토대가 되어 민주주의가 발전하는 계기가 되었다.

주제 2 헌법의 의의와 원리

생활 속 법 — 교과서 20쪽

질문 1 편지에서 '나'와 '당신'이 의미하는 것은 무엇인지 낱말 카드에서 찾아 적어 보자.

• 나: 헌법 • 당신: 국민

질문 2 글쓴이가 '당신'을 위해서 하고자 하는 일이 현대 민주 국가에서 어떤 의미를 가지는지 생각해 보자.

현대 민주 국가에서의 헌법은 국민의 기본권 보장을 위한 최고의 법 규범으로서, 모든 국민의 인간 존엄성, 자유와 평등 등의 기본권을 보호한다.

활동 — 교과서 23쪽

1 분류하기 위 자료에서 민주주의 요소와 법치주의 요소를 찾아보자.

민주주의 요소	법치주의 요소
친일 행위의 대가로 취득한 재산을 국가가 환수해야 한다는 여론을 반영한 법률 제정 등	법을 통해 재산을 환수하여 법치주의 구현 및 사회 정의 실현 등

2 분석하기 나의 밑줄 친 부분을 토대로 헌법이 민주주의와 법치주의의 구현에 어떻게 기능하였는지 짝에게 설명해 보자.

헌법 재판소는 재산 환수를 통해 사회 정의를 실현하고 진정한 사회 통합을 추구하는 것은 헌법적 의무라고 판단하였다. 이를 통해 친일 반민족 행위자 재산 환수 문제에 대한 가치 갈등을 해결하고, 궁극적으로 사회 정의와 통합을 실현하는 데 헌법이 기능하고 있음을 알 수 있다.

3 적용하기 현대 국가에서 민주주의와 법치주의가 헌법을 통해 구현되고 있는 사례를 이야기해 보자.

경찰이 집회 현장에서 해산을 목적으로 최루액을 섞은 물대포를 뿌린 행위에 관해 헌법 소원 심판이 청구되었다. 이에 헌법 재판소는 최루액을 혼합하여 뿌린 행위는 집회 참가자들의 신체의 자유 및 집회의 자유를 침해했으며, 법령에 근거가 없는 공권력의 행사라는 이유로 위헌 결정을 내렸다. 이는 집회에 참여하여 민주주의의 가치를 실현할 국민의 권리를 공권력이 침해하여 헌법 재판소가 헌법에 근거하여 구제한 것이다.

세상 속으로 — 교과서 26쪽

생각+ 올림픽 휴전 결의안과 관련 있는 헌법의 기본 원리는 무엇일까?

국제 평화주의

활동 — 교과서 27쪽

1 분석하기 〈자료 1〉의 ㉠~㉥에 담긴 헌법의 기본 원리를 써 보자.

㉠: 문화 국가의 원리 ㉡: 평화 통일의 지향 ㉢: 자유 민주주의
㉣: 복지 국가의 원리 ㉤: 국제 평화주의 ㉥: 국민 주권주의

2 적용하기 가 ~ 다와 관련 있는 헌법의 기본 원리를 〈자료 1〉에서 찾아보자.

• 가: 국민 주권주의 • 나: 평화 통일의 지향 • 다: 복지 국가의 원리

3 탐색하기 생활 속에서 헌법의 기본 원리를 실현하려는 노력들을 이야기해 보자.

'임대 주택 등록 활성화 제도'를 통해 저소득층의 주거 안정을 강화하여 복지 국가의 원리를 실현하고자 한다 등

함께 배우기 — 교과서 28쪽

2 역할 분담 모둠원이 협의하여 각 사진에 나타난 헌법의 기본 원리를 〈보기〉에서 찾아 쓰고, 각자 담당할 헌법의 기본 원리를 한 가지씩 선정한다.

(가장 왼쪽부터 시계 방향으로) 복지 국가의 원리, 자유 민주주의, 평화 통일의 지향, 국제 평화주의, 문화 국가의 원리, 국민 주권주의

3 전문가 집단 활동 같은 헌법의 기본 원리를 맡은 각 모둠원이 함께 모여 전문가 집단을 구성하고, 해당 기본 원리에 관한 헌법 조항과 사례를 찾아 탐구 보고서를 작성한다.

(국제 평화주의) 원리 탐구

1. 관련 헌법 조항은 무엇인가? 헌법 제6조 ① 헌법에 의하여 체결·공포된 조약과 일반적으로 승인된 국제 법규는 국내법과 같은 효력을 가진다.
2. 헌법 조항을 실현하기 위한 제도적 노력은 무엇인가? 외국과의 자유 무역을 위해 자유 무역 협정(FTA)을 체결
3. 해당 내용과 관련된 언론 기사 내용은 무엇인가? 자유 무역 협정(FTA) 발효로 해외 농축산물의 빗장이 풀린 이후 우리 농축산물 시장은 물론 식생활 문화까지 급변하고 있음

4. 해당 헌법의 기본 원리가 일상생활에 어떤 영향을 미쳤는가? 국제 평화주의 원리에 따라 외국과 체결·공포한 조약은 국내법과 같은 효력을 지닌다. 대표적으로 자유 무역 협정 체결 이후, 우리나라는 다른 국가들과 무역이 활발해지면서 다양한 상품을 수입할 수 있게 되었다. 그 결과, 소비자들은 과거에는 접하기 힘들었던 상품들을 저렴하고 손쉽게 소비할 수 있게 되었지만, 수입 증가에 따라 국내 산업이 피해를 받는 경우도 발생하고 있다.

정리 **우리 생활 주변에서 헌법의 기본 원리를 실현하기 위한 노력을 더 찾아보자.**

복지 국가의 원리에 따라 정부에서 운영하는 건강 보험 제도를 통해 저렴한 가격으로 다양한 의료 서비스를 받을 수 있으며, 보장 범위도 점차 확대되고 있다 등

스스로 **확인**하기 교과서 29쪽

1 (1) 헌법 (2) 입헌주의 (3) 국민 주권주의

2 문화 국가의 원리

3 (1) **제시된 자료와 관계 깊은 헌법의 기본 원리를 써 보자.**
복지 국가의 원리

(2) **우리나라 헌법의 기본 원리에 비추어 '기본 소득' 제도의 도입에 관한 자신의 입장을 근거를 들어 서술해 보자.**
제4차 산업 혁명의 도래로 점점 인간의 일자리는 줄어들 것이라는 예측이 커지면서 기본 소득 제도에 대한 필요성은 더욱 절실해진다. 모든 사람은 인간다운 삶을 보장받아야 한다는 측면에서 기본 소득이 보장되면 실업자들의 근로 욕구가 증대되어 사회적 참여의 자극제가 될 수 있다.

창의·융합 활동 교과서 30~31쪽

2 | 지식 탐색

1 헌법은 언제 제정되는가?
정부 수립 전에 제정된다.

2 통일 헌법이 지향해야 할 목표와 가치는 무엇인가?
인간으로서의 존엄과 가치 및 행복 추구권, 자유와 평등의 가치 보장 등

3 통일 헌법의 기본 원리는 무엇이 되어야 할까?
국민 주권주의, 자유 민주주의, 복지 국가의 원리, 문화 국가의 원리, 국제 평화주의 등

4 내가 통일 헌법 제정에 참여한다면 어떤 내용을 포함할 것인가?
평화, 화합을 강조하는 내용을 포함할 것이다.

3 | 사고력 키우기

1 예측하기 우리나라가 통일될 경우 새로운 헌법이 필요한지 생각해 보고, 그 이유를 〈자료 1〉을 참고하여 작성해 보자.
우리나라의 헌법과 북한 헌법의 내용과 체계가 달라 헌법 간의 모순점이 발생할 수 있기 때문에 새로운 헌법이 필요하다.

2 토의하기 세계 각국의 헌법 제1조가 다른 이유를 생각해 보고, 통일된 우리나라 헌법 제1조는 어떻게 표현하는 것이 바람직할지 토의해 보자.
헌법 제1조는 그 나라와 헌법이 지향하는 최고 우선의 가치를 담는다. 그러므로 모든 인간의 기본권을 포괄적으로 보장하는 조항이 바람직하다.

3 판단하기 통일된 우리나라가 지향해야 할 헌법의 기본 원리를 생각해 보고, 통일이 될 경우 현행 헌법에서 개정해야 할 내용에 관해 논의해 보자.
분단 극복과 통일 기본 질서 확립을 위한 헌법의 기본 원리가 필요하다.

4 | 통일 헌법 만들기

통일 국가의 헌법

전문 유구한 역사와 전통에 빛나는 우리 대한 국민은 위대한 독립 정신을 계승하여 통일 국가를 재건한 한반도에서 민족의 단결을 공고히 하고, 모든 사회적 폐습과 불의에 항거하며, 모든 인간에게 평등한 기회를 부여하고 자유와 권리에 따르는 의무와 책임을 다해 통일 국가의 국민으로서 생활의 균등한 향상과 지역의 균형 발전을 도모하고, 세계 평화와 인류 번영에 노력하여 우리들과 우리들의 자손의 안전과 자유, 행복을 영원히 확보할 것을 결의하고, 분단을 극복하여 통일 국가의 기본 질서를 확립하고자 이 헌법을 개정한다.

제1조 대한민국은 민주 공화국이다. 모든 국민은 자유롭고 평등하며, 모든 인간의 존엄성은 보장된다.

제2조 대한민국의 주권은 국민에게 있으며, 모든 권력은 국민으로부터 나온다.

제3조 대한민국의 영토는 한반도와 그 부속 도서로 한다.

주제 3 기본권의 보장과 제한

생활 속 법 교과서 32쪽

질문 1 위 사례의 주인공이 겪고 있는 상황을 기본권 침해라고 할 수 있을까?
가~마의 주인공들은 모두 기본권을 침해당하고 있다.

질문 2 각 상황과 관계 깊은 기본권이 무엇인지 낱말 카드에서 찾아보자.
가: 참정권 나: 평등권 다: 사회권 라: 자유권 마: 청구권

세상 속으로 교과서 34쪽

생각+ 여성의 정치 대표성을 강화하는 방안에 대한 자신의 견해를 밝히고, 헌법을 근거로 찬반 토론을 해 보자.

- **찬성 입장:** 우리 사회의 실질적 평등을 달성하고 여성의 정치 대표성을 강화하기 위해서는 사회 구조적 해결이 필요하므로 선거에서 여성 후보를 남성 후보와 동수로 추천하는 법적 장치 마련이 필요하다 등
- **반대 입장:** 선거에서 경쟁력은 정당과 국민들이 판단하는 것이므로 여성 후보 추천을 법적 장치를 두어 강제하는 것은 적절하지 않다 등

활동 교과서 35쪽

1 적용하기 가~다와 같은 제도의 시행으로 보장하고자 하는 기본권이 무엇인지 관련 헌법 조항을 근거로 말해 보자.

가 헌법 제24조 "모든 국민은 법률이 정하는 바에 의하여 선거권을 가진다."라는 조항으로 참정권을 보장하고자 한다.

나	헌법 제11조 제1항 "모든 국민은 법 앞에 평등하다. 누구든지 성별·종교 또는 사회적 신분에 의하여 정치적·경제적·사회적·문화적 생활의 모든 영역에 있어서 차별을 받지 아니한다."라는 조항으로 차별을 금지하여 평등권을 보장하고자 한다.
다	헌법 제22조 제2항 "저작자·발명가·과학 기술자와 예술가의 권리는 법률로써 보호한다."라는 조항으로 저작권 소유자의 재산권과 권리를 보호하여 자유권을 보장하고자 한다.

2 토의하기 헌법에 규정된 기본권 실현을 위해 우리 사회에서 어떤 노력을 하고 있는지 토의해 보자.

사회권 보장을 위해 의무 교육 제도 및 각종 사회 보장 제도 등을 운영하고 있다 등

활동 교과서 36쪽

1 파악하기 위 사례에서 각각 충돌하고 있는 기본권이 무엇인지 찾아보자.

- 〈사례 1〉: 폐쇄 회로 텔레비전(CCTV) 설치로 인해 주민의 안전한 생활을 할 권리와 이를 통과하는 일반 시민들의 사생활의 비밀과 자유 및 초상권이 충돌하고 있다.
- 〈사례 2〉: 어린이 보호 구역 설정으로 어린이들이 안전하게 보행할 권리와 이를 통과하는 운전자들의 자유로운 이동권이 충돌하고 있다.

2 판단하기 충돌하고 있는 기본권 중 어떤 기본권이 우선되어야 하는지 생각해 보자.

- 〈사례 1〉: 폐쇄 회로 텔레비전(CCTV)의 설치로 추구되는 개인의 안전권보다 보행자인 일반 시민의 기본권이 우선되어야 한다.
- 〈사례 2〉: 어린이 보호 구역 속도 제한 설정으로 추구되는 어린이의 안전권이 운전자의 이동권보다 더 본질적인 내용이므로 어린이의 권리가 우선되어야 한다.

3 추론하기 기본권은 어떤 경우에 제한할 수 있을지 이야기해 보자.

기본권은 국가 안전 보장, 질서 유지, 공공복리를 위해서는 제한할 수 있다.

함께 배우기 교과서 38쪽

1 각 사례에서 제한받고 있는 기본권이 무엇인지 토의한다.

가에서 제한된 기본권은 교육을 받을 권리와 거주·이전의 자유이다.
나에서 제한된 기본권은 평등권과 행복 추구권이다.

2 각 사례의 기본권 제한 근거가 무엇인지 다에서 찾아본다.

가와 나의 기본권 제한 근거는 헌법 제37조 제2항이다.

3 각 사례의 기본권 제한이 정당한지 아래 질문을 활용하여 분석한다.

기본권 제한 요건	정당성 여부와 그렇게 생각하는 이유	
	가	나
국가 안전 보장, 질서 유지, 공공복리를 위한 경우인가?	공공복리를 위한 경우임	공공복리를 위한 경우임
필요한 경우에 한하여 최소한으로 제한하였는가?	필요한 경우에 한하여 최소한으로 제한함	필요한 경우에 한하여 최소한으로 제한함
법률로써 제한하였는가?	「학교 보건법」에 의해 제한함	「청소년 보호법」에 의해 제한함
자유와 권리의 본질적인 내용을 침해하지 않았는가?	침해하지 않음	침해하지 않음

4 분석 내용을 바탕으로 기본권 제한의 필요성과 그 한계에 관해 토의한다.

어떤 사람의 기본권 행사가 다른 사람의 기본권을 침해하거나 공동체의 이익을 해할 염려가 있으면 국가는 기본권 행사를 제한할 수 있다. 그러나 국민의 기본권이 함부로 제한되어서는 안 된다. 국가 권력에 의한 기본권 제한이 심각한 기본권 침해로 이어지는 문제가 발생하지 않도록 필요한 경우에 한하여 최소한으로 제한하되 법률로써 제한해야 한다.

스스로 확인하기 교과서 39쪽

1 (1) 행복 추구권 (2) 자유권 (3) 국가 안전 보장

2 ㉠ 인간의 존엄과 가치 및 행복 추구권 ㉡ 참정권 ㉢ 사회권

3 **(1) 위 자료에서 A 씨가 제한받고 있는 기본권이 무엇인지 써 보자.**

자유권

(2) 헌법 재판소의 결정을 기본권 제한의 요건 및 한계와 관련지어 서술해 보자.

보호 입원 제도는 정신 질환자 본인과 사회의 안전, 공공복리를 지키기 위한 정당한 목적으로 「정신 보건법」 제24조에 따라 기본권을 제한하고 있다. 그러나 정신 질환자의 의사 확인이나 부당한 강제 입원에 대한 불복 제도를 충분히 갖추고 있지 않고, 보호 입원 제도로 인한 정신 질환자의 신체의 자유 제한을 최소화할 수 있는 적절한 방안이 마련되어 있지 않아 기본권을 과도하게 제한하고 있다. 그러므로 「정신 보건법」 제24조는 헌법에 위배된다.

단원 마무리 교과서 40~41쪽

단원 한눈에 보기

❶ 사회 통합 ❷ 정의 ❸ 시민 혁명 ❹ 보통 선거 ❺ 실질적 법치주의 ❻ 국가 창설 ❼ 국민 주권주의 ❽ 평등권 ❾ 질서 유지

단원 ② 민주 국가와 정부

주제 1 민주 국가와 정부 형태

생활 속 정치 교과서 44쪽

질문 1 학생들의 대화에서 G20 정상 회의에 참여하는 국가 정상의 명칭을 찾아보자.

대통령, 총리

질문 2 정상 회의에 참여하는 국가 정상의 명칭이 다른 이유는 무엇일까?

각국이 채택하고 있는 정부 형태가 다르기 때문이다. 대통령제를 채택하고 있는 국가에서는 대통령이 국가의 정상이지만, 의원 내각제를 채택하고 있는 국가의 정상은 총리이다.

세상 속으로  교과서 45쪽

생각+ 의원 내각제와 대통령제의 발생 배경에는 어떤 차이점이 있을까?

의원 내각제는 영국의 의회가 전제 왕권을 제한하는 과정에서 발생한 정부 형태로, 의회의 권한이 강화되고 의회 정치가 확립되면서 나타났다. 대통령제는 미국이 독립하는 과정에서 등장한 정부 형태이다. 전통적으로 왕이 없었던 미국은 대통령과 의회의 의원을 별도로 선출하고 국가 기관 사이의 권력이 엄격히 분립되고 상호 견제하는 대통령제를 채택하였다.

교과서 활동 풀이

활동 교과서 46~47쪽

1 분석하기 〈자료 1〉과 〈자료 2〉의 그림이 미국과 영국 중 각각 어느 나라의 정부 형태를 나타내는지 빈칸에 적어 보자.

• 〈자료 1〉: 영국 • 〈자료 2〉: 미국

2 비교하기 〈자료 3〉의 A 국과 〈자료 4〉의 B 국은 각각 어떤 정부 형태에 해당하는지 설명해 보자.

• 〈자료 3〉 A 국: 의원 내각제 • 〈자료 4〉 B 국: 대통령제

3 종합하기 제시된 자료를 토대로 대통령제와 의원 내각제의 특징을 아래 표에 정리해 보자.

구분	대통령제	의원 내각제
행정부의 대표	대통령	총리
행정부의 대표 선출 방법	국민의 투표로 선출	의회 다수당의 대표
장점	• 대통령 임기 중 정국 안정 • 다수당의 횡포 방지	• 정치적 책임에 민감 • 국민의 요구에 충실
단점	• 임기 보장으로 책임성 저하 • 강력한 통치로 독재 가능성	• 다수당의 횡포 가능성 • 연립 정부로 정국 불안

세계 여러 나라의 정부 형태 교과서 49쪽

생각+ **세계 여러 나라의 정부 형태가 서로 다른 이유를 생각해 보자.**

세계 여러 나라는 국가의 역사적 경험과 국민의 정치의식 수준에 따라 다양한 방식으로 정부 형태가 운영되고 있다.

함께 배우기 교과서 50쪽

1 우리나라 헌법에서 영국이나 미국의 정부 형태와 유사한 조항을 각각 찾아본다.

• **영국의 정부 형태:** 제52조, 제86조 제1항
• **미국의 정부 형태:** 제40조, 제66조 제1항과 제4항, 제67조 제1항, 제70조

2 분석 내용을 토대로 우리나라 정부 형태의 특징과 장단점에 관해 토의한다.

우리나라는 의원 내각제 요소를 가미한 대통령제를 채택하고 있다. 대통령은 국민이 선거를 통해 선출하며 국가 원수인 동시에 행정부 수반으로서의 지위를 가진다. 또한 국무총리의 존재와 행정부의 법률안 제출권, 의원의 장관 겸직 가능 등 의원 내각제적 요소도 지니고 있다. 우리나라 정부 형태는 대통령의 임기를 보장하여 국정이 안정되고, 장기 집권이나 독재를 방지할 수 있지만 중·장기적인 정책을 추진하기 어렵다.

3 토의 내용과 아래 자료를 참고하여 우리나라 정부 형태 관련 개헌 제언에 대한 자신의 입장을 정한다.

대통령 중임제로 개정하는 것을 찬성한다. 우리나라의 정치 상황에서 5년 단임제는 정책 평가에 대한 부담이 상대적으로 덜하므로 책임 정치가 이뤄지기가 어렵고, 대통령의 임기 막바지에는 레임덕 현상이 발생하여 국정 운영에 많은 어려움이 뒤따른다. 대통령 중임제는 국정 운영의 연속성이 담보되기 때문에 대통령은 국가 운영의 중·장기 계획을 세워 추진할 수 있고, 짧은 기간에 국민이 직접 대통령을 평가하기 때문에 책임 정치 구현에 뛰어난 제도이다.

4 모둠 내에서 개헌에 대한 찬성과 반대 입장을 나누고 토론한다.

찬성	대통령 중임제는 행정부 수반의 임기가 보장되어 국정의 안정적인 운영이 가능하다는 장점이 있다. 단임제는 제한된 임기 내에 정책을 추진하는 것이 어려울 수 있으므로 대통령 중임제 개정이 필요하다.
반대	대통령제에서 행정부 수반의 임기 보장은 국정의 안정적 운영이라는 장점이 있지만, 그로 인해 강력한 권력을 가진 대통령의 독재가 발생하여 국민의 자유와 권리를 침해할 수 있다는 위험이 있다.

스스로 **확인**하기 교과서 51쪽

1 (1) 대통령제 (2) 의원 내각제 (3) 의회 해산권

2 (1) ○ (2) ○ (3) ×

3 (1) **빈칸에 공통적으로 들어갈 용어를 써 보자.** 의원 내각제

(2) **현재 우리나라 정부 형태의 특징을 밑줄 친 내용을 중심으로 서술해 보자.**

우리나라는 대통령제를 근간으로 하면서도 의원 내각제적 요소를 일부 도입하고 있다. 선거에 의해 선출된 대통령이 행정부 수반과 국가 원수의 지위를 가지며 국회에서 제출한 법률안에 대한 거부권을 행사할 수 있는 것은 대통령제에 해당한다. 또한 국회는 행정부와 사법부에 대한 탄핵 소추권을 가진다. 의원 내각제적 요소에는 대통령의 국정 운영을 보좌할 국무총리가 있다는 점, 정부의 법률안 제출권을 인정한다는 점, 국회 의원이 국무 위원을 겸직할 수 있다는 점, 국회가 국무총리와 국무위원에 대해 해임을 건의할 수 있다는 점 등이 있다.

주제 2 국가 기관의 역할과 상호 관계

생활 속 정치 교과서 52쪽

질문 1 국회, 행정부, 법원, 헌법 재판소는 각각 어떤 일을 하고, 서로 어떤 관계를 맺고 있을까?

국회는 법률 제정 및 개정, 예산안 심의·확정, 국정 감시 및 통제의 역할을 담당한다. 행정부는 법령의 집행, 조약 체결 및 비준, 헌법 기관을 구성하는 역할을 담당한다. 법원은 법을 해석하고 판단하며, 헌법 재판소는 헌법 해석과 관련된 분쟁을 해결하고, 국가 권력에 의해 침해된 국민의 기본권을 구제한다. 각 기관은 권력 분립의 원리에 따라 헌법상 부여된 역할을 담당하고, 상호 견제할 수 있는 장치들이 헌법에 명시되어 있다.

질문 2 각각의 국가 기관 중 어떤 한 기관에 모든 권력이 집중된다면 어떤 현상이 발생할까?

권력 남용이 발생할 수 있고, 국민의 자유와 권리가 침해될 수 있다.

활동 교과서 55쪽

1 분류하기 밑줄 친 ㉠~㉤을 국회의 입법에 관한 역할, 일반 국정에 관한 역할, 재정에 관한 역할로 분류해 보자.

입법에 관한 역할	일반 국정에 관한 역할	재정에 관한 역할
㉢	㉠, ㉡, ㉣	㉤

2 탐구하기 국회가 행정부나 사법부를 견제하는 활동을 위 일지에서 찾아보고, 그러한 활동의 목적을 생각해 보자.

• **행정부 견제 활동:** 대정부 질문, 국정 감사, 예산안 심의
• **사법부 견제 활동:** 대법원장 임명 동의권
• **목적:** 상호 견제하게 함으로써 국민의 권리를 보호하기 위해

우리나라 대통령의 주요 공식 일정(2017년)

교과서 56쪽

생각+ 아래 일정에 나타난 대통령의 업무에 관한 헌법 조항을 찾아보자.

일정	헌법 조항
6월	제81조 대통령은 국회에 출석하여 발언하거나 서한으로 의견을 표시할 수 있다.
7월	제104조 ② 대법관은 대법원장의 제청으로 국회의 동의를 얻어 대통령이 임명한다.
9월	제66조 ① 대통령은 국가의 원수이며, 외국에 대하여 국가를 대표한다.

활동

교과서 57쪽

1 조사하기 ㉠, ㉡에 들어갈 기관을 적고, 「정부 조직법」에서 해당 기관과 관련된 법 조항을 찾아보자.

구분	㉠	㉡
기관명	인사 혁신처	교육부
관련 법 조항	제22조의 3(인사 혁신처) ① 공무원의 인사·윤리·복무 및 연금에 관한 사무를 관장하기 위하여 국무총리 소속으로 인사 혁신처를 둔다.	제28조(교육부) ① 교육부 장관은 인적 자원 개발 정책, 학교 교육·평생 교육, 학술에 관한 사무를 관장한다.

2 적용하기 가, 나에 나타난 정책과 관련 있는 기관을 정부 조직도에서 찾아보자.

- 가: 교육부 • 나: 보건 복지부

활동

교과서 59쪽

1 비교하기 〈사례 1〉과 〈사례 2〉에 나타난 심판의 청구권자와 청구 절차를 비교해 보자.

사례	청구권자	청구 절차
1	국회	국회는 대통령을 비롯한 고위 공무원의 직무 집행이 헌법이나 법률을 위반한 경우 헌법 및 국회법에 따라 탄핵의 소추를 의결하여 헌법 재판소에 탄핵 심판을 청구한다. 헌법 재판소는 탄핵 심판 청구가 이유가 있는 경우에 피청구인을 해당 공직에서 파면하는 결정을 선고한다.
2	소송 당사자	법률이 헌법에 위반되는지 여부가 재판의 전제가 된 경우 당사자가 법원에 위헌 법률 심판 제청을 신청하였으나 기각되면 헌법 재판소에 헌법 소원 심판을 청구할 수 있다.

2 설명하기 〈사례 1〉과 〈사례 2〉에서 이루어진 헌법 심판의 유형을 쓰고, 이러한 제도를 둔 까닭을 설명해 보자.

사례	헌법 심판 유형	제도를 둔 까닭
1	탄핵 심판	대통령과 같은 고위 공무원이 국가 권력을 헌법에서 정한 범위를 넘어서 잘못 행사하는 것을 막고, 헌법 질서와 민주주의 원칙을 지켜 내려는 것이다.
2	헌법 소원 심판	국가 권력에 의해 기본권이 침해된 국민의 권리를 구제하는 것을 목적으로 하며, 헌법 소원 심판을 통해 국가 권력을 행사하는 기관들이 권한 행사에 보다 주의를 기울이도록 할 수 있다.

활동

교과서 61쪽

1 분석하기 가~다 사례에 적용될 수 있는 헌법 조항을 〈자료 2〉에서 찾아보자.

사례	관련 헌법 조항
가	제53조 ① 국회에서 의결된 법률안은 정부에 이송되어 15일 이내에 대통령이 공포한다. ② 법률안에 이의가 있을 때에는 대통령은 제1항의 기간 내에 이의서를 붙여 국회로 환부하고, 그 재의를 요구할 수 있다. …….
나	제61조 ① 국회는 국정을 감사하거나 특정한 국정 사안에 대하여 조사할 수 있으며, 이에 필요한 서류의 제출 또는 증인의 출석과 증언이나 의견의 진술을 요구할 수 있다.
다	제107조 ② 명령·규칙 또는 처분이 헌법이나 법률에 위반되는 여부가 재판의 전제가 된 경우에는 대법원은 이를 최종적으로 심사할 권한을 가진다.

2 설명하기 가~다에 나타난 국가 기관 간 상호 관계를 권력 분립의 원리에 기초하여 설명해 보자.

가	대통령의 법률안 거부권은 행정부가 입법부를 견제하기 위한 수단 중 하나이다.
나	국회의 국정 감사는 입법부가 행정부를 견제하기 위한 수단에 해당한다.
다	행정 소송은 사법부가 행정부를 견제하기 위한 수단이다.

3 종합하기 제시된 자료와 같은 국가 기관들의 활동이 궁극적으로 추구하는 목적을 논의해 보자.

입법부와 행정부, 사법부가 권력을 나누고, 서로를 견제할 수 있는 장치를 둔 이유는 어느 한쪽의 권력이 거대해질 경우에 그 권력은 언제든지 부패할 수 있고, 이는 결국 국민의 기본권 침해로 이어지기 때문이다. 그러므로 국가 기관 간의 상호 견제와 균형을 통해 권력의 집중이나 자의적 행사로부터 국민의 자유와 권리를 보호하는 것이 목적이다.

함께 배우기

교과서 62쪽

정리 현재 우리나라에서 나타나는 입법부, 행정부, 사법부 간의 상호 관계에 대한 자신의 생각을 발표해 보자.

현재 우리나라에서는 행정부의 행정 입법이 증가하면서 점점 국회 고유 권한인 입법권이 약화되고, 이로 인해 국회가 행정부의 권한 위임을 위한 기관으로 성격이 변모되어 갈 수 있으므로 엄격한 권력 분립이 필요하다.

스스로 확인하기

교과서 63쪽

1 (1) 의회 (2) 국무총리 (3) 법원 (4) 헌법 재판

2 (1) – ㉡ (2) – ㉠ (3) – ㉢ (4) – ㉣

3 (1) **두 사상가의 주장에 나타난 차이점을 써 보자.**

- **로크:** 국가 권력을 입법권과 행정권으로 분리해야 한다고 주장하였다.
- **몽테스키외:** 국가 권력을 입법권과 행정권 및 사법권으로 분리할 것을 주장하였다.

(2) **위의 사상이 오늘날 민주 국가에 미친 영향이 무엇인지 서술해 보자.**

로크의 권력 분립 이론은 입법권을 최고권으로 규정하고 입법부가 상위를 차지해야 한다는 것으로, 영국의 의회 중심의 정치, 즉 의회제 민주주의 이론의 토대를 제공하였다. 몽테스키외의 삼권 분립론은 로크와는 달리 삼권이 서로 대등한 입장에서 상호 견제되어야 한다는 것으로, 미국의 엄격한 권력 분립에 의한 대통령제의 기초가 되었다.

교과서 활동 풀이

창의 · 융합 활동 교과서 64~65쪽

2 | 지식 탐색

1 법률안 제출 방법에는 어떤 것들이 있는가?

국회의 법안 발의, 행정부의 법률안 제출, 국민 발안, 입법 청원 등이 있다.

2 법률안은 어떤 형식을 갖추어야 하는가?

발의 날짜, 발의자, 제안 이유, 주요 내용, 조문 등이 포함되어야 한다.

3 식품 의약품 안전처는 어떤 역할을 하는 기관인가?

식품과 건강 기능 식품, 의약품, 마약류, 화장품, 의료 기기 등의 안전에 관한 사무를 관장하는 기관이다.

4 고카페인 음료는 어떤 부작용이 있는가?

카페인을 과다하게 섭취하면 짜증, 불안, 신경과민, 불면, 두통 등 다양한 신체적 · 정신적 증상이 나타날 수 있다. 특히 어린이나 청소년들이 카페인을 지나치게 많이 섭취할 경우 칼슘 공급에 문제가 있어, 뼈의 성장이 지체되고 성인이 된 후 골다공증을 앓을 수도 있다.

3 | 사고력 키우기

1 조사하기 현재 고카페인 음료의 위험으로부터 청소년을 보호하는 법안 및 정책에는 무엇이 있는지 조사해 보자.

「어린이 식생활 안전 관리 특별법」 개정안은 학교에 설치된 매점 또는 자판기로 커피 등 고카페인 함유 식품을 판매할 수 없다고 규정되어 있다.

2 제안하기 제시된 자료를 토대로 고카페인 음료에 관한 새로운 법률안 제안의 필요성을 생각해 보자.

청소년의 경우 고카페인 음료를 다량 섭취할 경우 건강에 심각한 장애를 겪을 수 있으므로 고카페인 음료 구매 시 1인 구매 할당량을 정해 두는 내용의 법률안을 제안할 필요가 있다.

3 탐구하기 청소년을 고카페인 음료의 위험으로부터 보호하는 법률안에 어떤 내용을 포함해야 하는지 토의해 보자.

구매 제한 연령, 고카페인 음료로 규정하는 품목, 1인 구매 할당 수량, 고카페인 음료 판매 가능 업소 등이 함께 규정되어야 한다.

4 | 법률안 작성하기

고카페인 음료의 위험에 관한 청소년 보호법 법률안

제안 이유	청소년이 카페인을 많이 섭취할 경우 다양한 부작용이 나타날 수 있기 때문에 고카페인 음료의 위험에 관한 청소년 보호법 법률안을 제출합니다.
주요 내용	1. 청소년의 고카페인 음료 음용에 대한 가정과 사회의 책임 2. 고카페인 음료의 심의 · 결정 3. 청소년 유해 표시 의무 4. 광고 선전의 제한
조문	제1조(목적) 이 법은 카페인 과다 섭취로 인한 위험으로부터 청소년을 보호함으로써 청소년이 건전한 인격체로 성장할 수 있도록 함을 목적으로 한다. …….

주제 3 지방 자치의 의의와 과제

생활 속 정치 교과서 66쪽

질문 1 우리 주변의 지방 자치 모습이다. 중앙 정부의 활동과 어떤 점이 같고, 어떤 점이 다를까?

중앙 정부처럼 지방 자치도 의결 기관인 지방 의회와 집행 기관인 지방 자치 단체장으로 권한이 분립되어 있다는 점은 같다. 차이점은 중앙 정부 차원의 정책 결정이나 집행 과정에는 주민들이 직접 참여하거나 영향력을 행사하기 쉽지 않지만, 지방 자치 단체 수준에서는 주민들이 직접 자신의 생활 관계에 영향을 미치는 많은 사안을 결정하는 과정에 참여할 수 있다.

질문 2 지방 자치를 '풀뿌리 민주주의'라고 부르는 까닭은 무엇일까?

풀의 무수한 잔뿌리들이 물과 양분을 흡수해서 풀이 잘 자랄 수 있도록 하는 것처럼 지방 자치가 아주 작은 지역 문제부터 주민들의 생활에 밀접한 문제까지 영향을 미친다는 의미이다. 즉 지역 주민들이 참여하여 지역 문제를 스스로 결정하면서 민주 정치가 훈련된다는 것이다.

세상 속으로 교과서 68쪽

생각+ 우리 지역은 지역 주민의 복리 증진을 위해 어떤 정책을 시행하고 있을까?

○○군은 조례 개정을 통해 출산 장려금 지원을 확대하고, 임산부를 위한 다양한 정책을 실시하여 지역 주민들의 삶의 질을 향상시키고자 한다.

활동 교과서 69쪽

1 파악하기 가~다에 나타난 지방 자치 단체 활동의 취지와 효과가 무엇인지 이야기해 보자.

가	소방 공무원의 정당한 소방 활동 중 발생한 타인의 물적 피해에 대한 손실 보상 및 예산 지원 근거를 마련하기 위해 조례를 제정한 것으로, 소방 공무원의 더욱 적극적인 재난 대응 활동을 유도하여 주민들의 복리가 증진될 수 있다.
나	주민 참여 예산제는 예산 편성 과정에 주민 참여를 보장하여 지방 자치에 시민 참여의 기회를 확대하고, 주민 자치를 강화하려는 제도로, 예산의 투명성이 증대하고, 재정 민주주의가 활성화될 수 있다.
다	정부 합동 평가는 지방 자치 단체에서 수행하는 정책의 추진 성과에 대해 관계 부처 합동으로 성과를 평가하고 환류를 실시하여 국정의 통합성과 책임성을 확보하고자 도입하였다. 이를 통해 중앙 정부의 시책이 지방 행정에 적극적으로 반영될 수 있으며, 지속적인 제도 개선이 이루어질 수 있다.

2 추론하기 가~다의 활동과 관련하여 중앙 정부는 어떤 역할을 하는지 논의해 보자.

중앙 정부는 지방 자치 단체의 활동이 국가 목적에 합당하도록 지도 · 감독하되, 자치권을 훼손하지 않도록 지원해야 한다.

활동 교과서 70쪽

1 분석하기 〈자료 1〉에서 지역별로 재정 자립도가 격차를 보이는 까닭은 무엇인지 말해 보자.

재정 자립도는 해당 지방 자치 단체의 인구수, 대형 산업 단지의 유무 등에 의해 달라질 수 있어 지역별로 격차가 나타난다.

2 추론하기 〈자료 2〉에서 대통령 선거의 투표율에 비해 지방 선거의 투표율이 상대적으로 낮은 까닭은 무엇인지 이야기해 보자.

국민은 국가적 이슈는 중요하게 여겨서 주요 정당과 각 후보에게 관심을 갖지만, 자신의 지역 대표를 뽑는 지방 선거는 사소한 것으로 생각하는 경향이 있다. 또한 지방 선거는 대통령 선거와 달리 총 7표를 행사하기 때문에 개별 후보자의 공약이나 각 정당의 정강을 살펴보기에 어려움이 있다.

3 종합하기 위 자료에 나타난 문제점을 해결하기 위한 방안에 관해 토의해 보자.

주민들이 자기 지역에 관한 관심을 바탕으로 지역 문제를 민주적으로 해결하려는 자세를 가져야 한다. 또한 지역 간 균형 있는 발전을 통해 재정 자립도의 격차를 완화할 필요가 있다.

주민 참여가 활발한 지방 자치 교과서 71쪽

생각+ 우리나라 지방 자치의 발전을 위해 각 참여 주체는 어떤 역할을 해야 할까?

중앙 정부는 국가 재정의 균형적 배분과 국가 기간 사업의 균형적 배치를 해야 한다. 지방 의회는 전문성 있는 조례의 제정과 지방 행정 기관에 대한 감시를 게을리해서는 안 되며, 지방 자치 단체장은 내실 있는 재정 운영과 중앙 정부와의 협조에 힘써야 할 것이다. 지역 주민은 지방 선거 참여뿐만 아니라, 지방 자치 단체의 각종 행사에 참여하고 지방 의회와 지방 자치 단체장이 해야 할 일을 제대로 하고 있는지 감시하는 등 적극적이고 능동적으로 참여해야 한다.

함께 배우기 교과서 72쪽

1 제시된 자료에 나타난 '우리나라 지방 자치의 현실과 과제'를 분석한다.

현재 우리나라 국민의 대다수가 지방 자치가 필요하다고 평가하고 있으며, 지방 자치 제도가 이루어지면서 주민들의 실생활이 개선되었다고 평가하고 있다. 그러나 주민 안전, 지역 경제 활성화, 환경 관리 등을 개선 과제로 보았고, 지방 자치 발전을 위해 지방 재정의 건전성, 중앙-지방 및 지방 간 상호 협력 확대, 주민 참여 확대를 개선 과제로 꼽았다. 이는 현재 지방 자치 단체의 재정 자립도를 높이기 위해 지방 분권과 제도 개편이 필요하며, 중앙과 지방 간은 물론 지방 간의 상호 협력과 주민의 참여 기회가 확대되어야 함을 알 수 있다.

2 인터넷에서 '우리나라 지방 자치의 현실과 과제'에 관한 자료를 더 찾아본다.

정부는 '내 삶을 바꾸는 자치 분권'이라는 비전 아래, '연방제에 버금가는 강력한 지방 분권'을 목표로 구성한 「자치 분권 로드맵(안)」을 발표하였다. 정부는 중앙 권한의 획기적 지방 이양, 강력한 재정 분권 추진, 자치 단체의 자치 역량 제고, 풀뿌리 주민 자치 강화, 네트워크형 지방 행정 체계 구축 등 5대 핵심 전략을 세우고 30대 과제를 구성하였다. 또한 정부는 국회의 헌법 개정을 적극적으로 지원하여 헌법에 지방 분권 국가 선언, 자치 입법권 확대, 사무 처리의 범위 확대, 과세 자주권 보장 등의 내용을 포함하는 방식으로 자치 분권을 추진하겠다고 밝혔다. – 행정 안전부, 「지방 자치 분권 5년 밑그림 나왔다」 –

정리 준비한 발표 자료를 학급 전체에 나누어 주고, '우리나라 지방 자치의 현실과 과제'에 대해 프레젠테이션해 보자.

저는 우리나라 지방 자치의 현실을 가장 잘 보여 주는 것이 바로 지방 선거에 대한 투표율이라고 생각합니다. 지방 자치에 대해 일반 국민이 관심이 있다고 하더라도 참여할 수 있는 방법에는 한계가 있으므로 가장 기본적이지만 제일 중요한 투표율을 끌어올리는 것이 가장 중요합니다. 따라서 지방 선거에 나선 후보자들이 주민들의 생활 실정에 맞는 공약을 발표하고, 지역 주민들은 자신들의 지역 발전에 도움을 줄 수 있는 공직자를 선출한다면 지방 자치의 밝은 미래가 약속된다고 생각합니다.

스스로 확인하기 교과서 73쪽

1 (1) 지방 자치 (2) 지방 의회 (3) 지방 분권

2 (1) ○ (2) × (3) ○

3 (1) **위 사례와 관련된 우리나라의 지방 자치의 발전 과제는 무엇인지 적어 보자.**

지방 자치의 발전을 위해서는 지역 여건과 실정을 반영한 정책이 추진되어야 하며, 이를 위해서는 중앙 정부가 지방 자치 단체로의 사무 이양을 통해 적극적인 지방 분권이 이루어져야 한다.

(2) **위 사례를 바탕으로 우리나라 지방 자치가 발전하기 위해 중앙 정부는 어떤 노력을 해야 하는지 서술해 보자.**

중앙 정부는 국가 사무와 지방 사무를 합리적으로 재배분하고, 지방 정부의 정책을 지원하는 방향의 노력을 해야 한다.

단원 마무리 교과서 74~75쪽

단원 한눈에 보기

❶ 대통령제 ❷ 재정 ❸ 행정부 수반 ❹ 감사원 ❺ 권력 분립
❻ 주민 자치

단원 ③ 정치 과정과 참여

주제 1 정치 과정과 정치 참여

생활 속 정치 교과서 78쪽

질문 1 자신이 알고 있는 정치 참여의 방식을 적어 보고 짝과 비교해 보자.

선거, 정당 활동, 이익 집단 활동, 시민 단체 활동, 언론 이용, 진정, 청원, 캠페인 활동, 정책 모니터링, 인터넷, 누리 소통망(SNS) 등

질문 2 과거와 비교할 때 오늘날의 정치 참여 모습은 어떻게 변화하고 있을까?

과거에는 대표자를 선출하는 선거 중심으로 정치 참여가 나타난 반면, 최근에는 선거뿐만 아니라 정당, 이익 집단, 시민 단체, 언론, 인터넷, 누리 소통망(SNS) 등과 같은 다양한 수단을 통해 언제 어디서나 시민들의 정치 참여가 이루어지고 있다.

세상 속으로  교과서 79쪽

생각+ 최저 임금에 관한 다양한 의견은 왜 발생하고, 어떻게 조정될 수 있을까?

다원화된 사회에서 최저 임금에 대한 다양한 가치와 이해관계를 가지고 있기 때문이다. 이는 정치 과정을 통해 조정될 수 있다.

세상 속으로  교과서 80쪽

생각+ 각 장면은 정치 과정의 흐름 중 어느 단계에 해당할까?

- **시민 단체의 집회:** 투입 단계 / • **국무 회의:** 산출 단계
- **최저 임금 수준 결정:** 산출 단계 / • **정책 토론회:** 환류 단계

활동 교과서 81쪽

1 분석하기 위 자료에 나타난 정치 과정을 투입, 산출, 환류의 단계별로 분석해 보자.

투입 단계	광화문 1번가와 청와대 누리집의 국민 소통 광장을 통해 국민이 직접 원하는 정책을 제안하는 것
산출 단계	국민 제안 실천 과제를 선정하고 이를 부처별 정책 추진 계획에 반영·실행하는 것
환류 단계	청와대 누리집의 국민 소통 광장을 통해 국민이 기존의 정책을 토론, 비판하는 것

활동 교과서 82쪽

1 분석하기 가, 나에서 시민이 각각 어떤 방식으로 정치에 참여하고 있는지 말해 보자.

- 가: 사회의 공익을 위하여 매달 최악의 예산 낭비 사례를 발표하는 시민 단체 활동을 함으로써 시민이 정치에 참여하고 있다.
- 나: 지방 자치 단체에서 운영하는 청소년 참여 위원회를 통해 청소년들이 지방 자치 단체의 정책 및 사업 과정에 주체적으로 참여하고 있다.

2 비평하기 제시된 자료에 나타난 정치 참여 활동이 공통적으로 가지는 의의를 토의해 보자.

시민의 적극적인 정치 참여는 국민 주권과 국민 자치의 원리를 실현하게 하고, 주권자로서의 시민 의식을 갖게 한다.

시민의 다양한 정치 참여 교과서 83쪽

생각+ 사진 속 시민들은 어떤 방법으로 정치에 참여하고 있는가?

- 시민들은 정당에 당원으로 가입하여 당 집행 위원을 선출하거나 당을 대표하여 선거에 출마할 후보자 경선 과정에 참여할 수 있다.
- 시민 단체들이 기자 회견을 통해 설악산 케이블카 설치로 인한 환경 문제를 지적하며 정책을 비판하고 있다.
- 청소년들이 참정권 확대를 위해 거리에서 캠페인 활동을 하고 있다.
- 대학생들이 국가 기관의 정책을 모니터링하고 그에 대한 의견을 제시하여 정책 개선에 참여하고 있다.

함께 배우기  교과서 84쪽

1 모둠별로 정치 참여 수준에 대한 정치학자들 사이의 논쟁을 두 가지 입장으로 구분하고, 관련 주장과 근거를 찾아 분석한다.

학자	알몬드, 버바, 립셋	학자	샤츠슈나이더, 페이트만
주장	시민은 정치적 문제를 대표의 자율적 판단에 맡겨야 한다.	주장	시민은 정치 과정에 적극적으로 참여해야 한다.
근거	시민들이 모든 정치 과정에 참여하면 오히려 공익을 저해하거나 위험한 방향으로 정책을 결정하기도 하므로 시민들의 정치 참여는 제한되어야 한다.	근거	시민이 정치 과정에 적극적으로 참여해야 그들의 다양한 의견이 정책에 반영될 수 있고, 자신 스스로의 발전도 경험할 수 있다.

2 바람직한 정치 참여 수준에 대한 자신의 입장을 정리하고 모둠 내에서 토론한다.

시민은 선거를 통해 대표를 선출하였으면 대표의 자율적이고 전문적인 판단에 정치적 문제를 맡겨야 한다. 왜냐하면 첫째, 시민이 정치 과정에 과도하게 참여하다 보면 사익 추구로 인해 사회 공공의 이익이 저해되고, 많은 갈등이 유발될 수 있다. 둘째, 우리나라 헌법 제46조 제2항에 "국회 의원은 국가 이익을 우선하여 양심에 따라 직무를 행한다."라고 명시되어 있듯이 시민은 대표의 양심과 판단을 신뢰하며 그들에게 정치 문제를 맡겨야 한다는 것을 우리 사회의 최고 규범으로 정하고 있다.

정리 자료 분석 내용과 모둠 토론 내용을 정리하고, '정치 참여의 의의와 바람직한 정치 참여 수준'에 관한 자신의 생각을 논술문으로 작성해 보자.

시민의 정치 참여는 권력 남용을 방지하여 시민의 권리와 이익을 보호할 수 있고, 정부 정책에 정당성을 부여하여 안정적인 정책 집행을 가능하게 한다. 또한 시민의 적극적인 정치 참여로 국민 주권과 국민 자치의 원리가 실현될 수 있다. 그러나 시민의 정치 참여가 과도하면 정치인들이 자신을 뽑아 준 선거구민의 이해관계에 묶여 공익이 저해되고, 수많은 갈등이 유발될 수 있다. 따라서 시민은 정치 과정에서 투입 및 환류 영역에 성실히 참여하고, 정책 결정은 정치인들의 양심과 판단에 맡기는 것이 바람직하다.

스스로 **확인**하기 교과서 85쪽

1 (1) 다원화 (2) 정치 과정 (3) 정치 참여

2 ㉠ 투입 ㉡ 환경 ㉢ 정책 결정 기구 ㉣ 환류 ㉤ 산출

3 **(1) 제시된 자료에 나타난 시민의 정치 참여 방식을 써 보자.**

정당을 통한 정치 참여

(2) 시민의 정치 참여 사례를 생활 주변에서 찾아 적어 보자.

교육 정책의 방향성에 대한 공청회 참여, 국민 신문고 누리집을 이용한 보행자 교통사고 다발 지역에 육교 건설 민원 제기 등이 있다.

주제 2 민주 정치와 선거 제도

생활 속 정치 교과서 86쪽

질문 2 유권자의 한 표가 모여 우리 사회에 어떤 변화를 만들어 낼 수 있을까?

한 표, 한 표가 모여 투표 사안의 가부 또는 대표자의 당락이 결정된다는 점에서 유권자의 한 표는 우리 사회의 민주주의를 발전시킬 수 있다.

활동 교과서 87쪽

1 판단하기 대표자의 역할에 관한 두 가지 입장을 읽고, 지지하는 입장을 선택해 보자.

대표자는 국가와 국민의 이익을 위해 자신의 양심과 소신에 따라 자율적이고 독자적으로 판단해야 한다고 생각하여 대표자가 자신의 판단에 따라 의사 결정을 해야 한다는 입장을 지지한다.

2 토론하기 선거를 통해 선출된 대표자는 어떤 역할을 해야 하는지 토론해 보자.

대표자는 자신을 뽑아 준 지역 유권자의 의사를 존중해야 하지만 국민 전체를 대표해야 하므로 자신을 뽑아 준 지역 유권자들의 이익이 우리 사회의 공익에 배치될 경우 공익을 실현하는 쪽으로 의사 결정을 해야 한다.

세상 속으로  교과서 88쪽

생각+ 선거구 획정이 선거에 미치는 영향은 무엇일까?

선거구 획정 방식에 따라 특정 정당이나 후보자에게 유리하거나 불리하여 선거 결과가 달라질 수 있다.

활동 교과서 89쪽

1 분석하기 단순 다수 대표제를 시행할 때, 각 정당별로 몇 명이 당선되는지 분석해 보자(단, 결신 투표는 치르지 않는다고 가정한다).

• A 정당: 3명 • B 정당: 2명 • C 정당: 0명 • D 정당: 0명

2 비평하기 단순 다수 대표제를 시행할 때 발생할 수 있는 문제점을 서술해 보자.

사표가 많이 발생하며 소수 의사를 반영하기 어렵고 정당의 득표율과 의회 의석수 간 불일치가 발생하여 전체적인 국민의 의사가 왜곡될 수 있다.

3 토의하기 어떤 방식으로 대표를 선출하는 것이 국민의 의사를 잘 반영할 수 있을지 토의해 보자.

선거 제도는 장점과 단점이 있기 때문에 특정 선거 제도를 하나만 운영하기

보다 여러 선거 제도를 함께 선택하거나 국가 상황에 맞게 보완해야 한다.

활동 교과서 90쪽

1 파악하기 우리나라의 선거 제도를 조사하여 〈자료 1〉의 ㉠~㉣에 들어갈 내용을 써 보자.

㉠ 다수 대표제 ㉡ 5년 ㉢ 정당 명부식 비례 대표제 ㉣ 25세

2 비교하기 우리나라와 미국의 대통령 선거 제도를 비교하고 장단점을 평가해 보자.

우리나라 대통령 선거는 전국 단위의 단순 다수 대표제를 채택하며, 직선제 방식으로 이루어진다. 반면에 미국의 대통령 선거는 직접 선거와 간접 선거를 혼합한 대통령 선거인단 제도를 채택하고, 승자 독식제 방식을 따른다. 우리나라 대통령 선거 제도는 선거 관리가 용이하며, 상대적으로 시간과 비용이 적게 든다는 장점이 있다. 단점은 사표가 많이 발생하여 대표성이 떨어질 우려가 있고, 선거가 과열될 수 있다는 점이다. 미국의 대통령 선거 제도는 연방 정부에 대해 각 주(州)가 독자적 주권과 위상을 가지게 한다는 장점이 있다. 그러나 국민의 지지를 많이 받아도 선거인단 득표 수가 적어 패자가 될 수 있고, 승자 독식으로 뽑힌 선거인단이 소속 당의 후보에게 투표하지 않고 개인의 판단에 따라 다른 후보에게 투표하여 국민의 의사가 제대로 반영되지 못할 수 있다는 단점이 있다.

함께 배우기 교과서 92쪽

1 자료를 보고 유권자의 투표 행태가 어떻게 변화하였는지 분석한다.

유권자의 투표 행태가 후보자의 출신 지역을 고려하거나 특정 지역에 기반을 둔 정당 후보를 밀어주는 지역주의·연고주의적 행태에서 세대별로 특정 후보의 우세가 나타나는 세대별 투표 행태로 변화하였다.

2 밑줄 친 부분과 관련하여 투표율의 중요성에 대해 생각해 보고, 세대별 투표율이 선거 결과에 미치는 영향을 토의한다.

젊은 층의 투표율이 과거보다 높아졌다는 것은 젊은 층이 정치적 무관심에서 벗어나 자신의 정치적 의사를 적극적으로 표현한 결과라고 해석할 수 있다. 따라서 투표율은 민주주의의 실현 정도를 파악할 수 있는 중요한 지표라고 볼 수 있다. 보통 젊은 층 투표율이 중장년층보다 높을수록 상대적으로 진보적인 후보자의 당선 가능성이 높아지고, 반대로 중장년층 투표율이 높을수록 상대적으로 보수적인 후보자의 당선 가능성이 높아진다.

4 분석 내용과 조사 내용을 바탕으로 우리나라 선거 문화의 특징과 문제점에 관해 토론한다.

과거보다 영향이 줄어들긴 했지만 여전히 지역주의적 선거 문화가 나타나고, 최근 들어 세대별로 지지하는 후보가 다른 선거 문화도 나타난다. 이는 지역·세대 간 극심한 갈등을 유발할 수 있다. 또한 정책 공약을 중심으로 한 생산적인 선거 경쟁을 저해할 수 있으며, 선출된 대표의 대표성이 떨어지는 문제가 발생할 수 있다.

정리 우리가 지향해야 할 바람직한 선거 문화에 대해 이야기해 보자.

출신 지역을 대표하거나 특정 세대를 대표한다고 해서 무조건적으로 지지하는 것이 아니라 정책 공약을 고려하여 합리적으로 후보자를 선택하고 투표하는 선거 문화가 필요하다. 또한 선거 제도에 대한 시민의 지속적 평가, 선거 관련 법률과 제도의 보완 등도 필요하다.

스스로 **확인**하기 교과서 93쪽

1 (1) 선거 (2) 소선거구제 (3) 비례 대표제

2 (1) – ㉠ (2) – ㉢ (3) – ㉡ (4) – ㉣

3 **(1) 사전 투표, 선상 투표, 재외 선거 제도를 도입한 목적을 써 보자.**

사전 투표, 선상 투표, 재외 선거 제도는 일정한 연령 이상의 국민 모두에게 선거권을 부여하는 보통 선거의 원칙과 참정권을 실현하는 것이다.

(2) 선거를 통한 정치 참여의 중요성을 서술해 보자.

선거는 정치권력에 정당성을 부여하고, 정치권력을 통제하는 기능과 국가와 국민을 연결하는 통로 역할도 하므로 매우 중요하다.

주제 3 다양한 정치 주체의 역할과 참여

생활 속 정치 교과서 94쪽

질문 1 위의 문제를 해결하기 위해 각 정치 주체는 어떻게 참여할 수 있을까? 빈칸에 적어 보자.

정당	우리 당은 세대수에 따른 자전거 보관대 설치에 관한 법률 제정을 국회에서 추진하겠습니다.
이익 집단	아파트 입주자 단체로서 아파트 단지 내 자전거 보관대의 확충을 요구하기 위해 구청 앞에서 집회를 개최하겠습니다.
시민 단체	우리 단체는 자전거 보관대의 확대 설치가 필요한 이유를 알리는 캠페인 활동을 벌이도록 하겠습니다.
언론	구청이 보관대로 이동하지 않은 자전거를 수거한다고 공고하자 시민들은 자전거 보관대가 부족한 현실을 고려하지 않은 결정이라며 자전거 보관대의 확충을 적극적으로 요구하고 있다는 보도입니다.

세상 속으로  교과서 96쪽

생각+ 정당의 공천 과정에서 나타나는 문제를 해결하기 위한 시민 참여 방법에는 무엇이 있을까?

시민들이 각 정당별로 정당의 공직 후보자 선출 과정이 공정하게 이루어지고 있는지 감시하는 시민 공천 관리 위원회를 만들어 적극적으로 참여한다.

활동 교과서 97쪽

1 비교하기 두 사례에 나타난 정치 참여 방법의 공통점은 무엇인지 이야기해 보자.

두 사례 모두 이해관계가 같은 사람들끼리 공동의 특수 이익을 실현하기 위해 결성한 이익 집단을 통해 정치에 참여하는 모습이 나타난다.

2 평가하기 위와 같은 정치 참여의 장단점을 평가해 보자.

이익 집단의 정치 참여는 정부에 대한 감시와 비판, 국민의 다양한 정치적 의사 표출, 특정 분야의 전문성을 바탕으로 정당의 부족한 점을 보완한다는 등의 장점이 있다. 그러나 특수 이익과 공익이 충돌할 우려, 이익 집단의 경쟁적 압력 행사로 정책 결정의 지연과 혼란 초래 가능성, 정치권력과 결탁한 부정부패 발생 가능성 등의 단점이 나타날 수 있다.

세상 속으로  교과서 98쪽

생각+ 제시된 사례와 관련하여 시민 단체의 입장에서 제안하고 싶은 정책을 말해 보자.

사회가 다원화·복잡화되면서 동물 복지와 관련된 분야도 매우 다양해졌다. 따라서 동물 복지 문제를 근본적으로 해결하기 위해서는 동물 관련 분야별 전문가 및 의사 결정자들로 구성된 '동물 복지 위원회'를 설립하고 운영하는 정책을 통해 동물 보호와 복지 증진을 효과적으로 실현할 수 있다.

활동 교과서 99쪽

1 발표하기 위 자료를 읽고 누리 소통망(SNS)을 통한 정치 참여 경험을 공유해 보자.

누리 소통망(SNS)을 통해 선거 참여 독려 캠페인 활동 계획을 홍보하고, 이

에 공감하는 사람들이 거리에 모여 선거 참여 독려 캠페인을 실시하였다.

2 토론하기 누리 소통망(SNS)을 통한 정치 참여 확대의 장단점을 토론해 보자.

누리 소통망(SNS)을 통한 정치 참여는 시민들이 편리하게 정치적 의사를 표출·공유할 수 있어 민주적 여론 형성에 도움이 되고, 정치 집단의 조직화에 기여하는 등의 장점이 있다. 그러나 자극적이고 근거 없는 허위 정보가 빠르게 전파되어 정치에 대한 불신과 냉소주의를 유발할 수 있고, 정보 격차로 인해 특정 계층이 정치에 있어 소외될 수 있는 등의 단점이 있다.

함께 배우기 교과서 100쪽

1 제시된 두 개의 보도 기사가 어떠한 관점을 취하고 있는지 살펴보고, 언론의 특성에 관해 토의한다.

가	탈원전 등 친환경 전력 정책 추진 시 추가 발전 비용이 발생하고, 이로 인해 가구당 전기 요금이 상승할 것이라는 점을 강조하며 탈원전 정책을 반대하는 관점을 취하고 있다.
나	사용 후 핵연료 관리 비용, 원전 해체 비용, 사고 비용 등까지 고려하면 원자력이 가장 저렴한 에너지가 아니라는 것을 강조하며 탈원전 정책을 찬성하는 관점을 취하고 있다.
언론의 특성	언론은 사회적 논쟁이 되는 사안에 대해 특정한 사실 또는 주장을 부각시켜 여론 형성을 주도하는 특성을 갖는다.

2 각 보도 기사에서 제시되고 있는 통계 자료의 내용을 분석하고 평가한다.

가	친환경 전력 정책에 따른 가구당 전기 요금 인상 효과 추정에 대한 통계 자료가 제시되어 있는데, 발전 비용 인상으로 각 가구가 부담해야 할 월평균 전기 요금 인상분이 2030년까지 증가하고 있다. 그러나 원자력 발전의 비용이나 이것의 계산 방식, 외부 비용의 포함 여부 등이 제시되어 있지 않다.
나	사용 후 핵연료 관리 비용, 1호기당 원전 해체 비용 추정에 대한 통계 자료가 제시되어 있는데, 핵폐기물 처리 및 원전 폐로 비용 증가와 외부 비용까지 고려하면 원자력이 저렴한 에너지가 아니라는 의미가 담겨 있다. 그러나 친환경 전력 정책의 비용과 비교했을 때 원자력 발전의 비용이 어느 수준인지는 나타나 있지 않다.

3 위와 같이 첨예한 의견의 대립이 존재하는 문제에 관한 뉴스를 읽을 때 어떠한 능력과 태도가 필요한지 토의한다.

언론은 항상 중립적인 입장에서 보도를 하는 것이 아니다. 따라서 다양한 언론들을 단순하게 받아들이기보다는 비판적으로 해석하고 창의적으로 검토하여 콘텐츠를 재창조하는 능력을 갖추어야 한다. 이러한 능력을 미디어 리터러시(Media literacy)라 하며, 언론의 비판적 활용을 위해 반드시 갖추어야 할 필수적 요건이다.

정리 모둠별 토의 내용을 발표하고, 미디어 리터러시의 중요성에 관해 논의해 보자.

언론 보도를 시민이 일방향적으로 수용하면 언론의 선동이나 가짜 뉴스까지 당연시하고 사실로 믿게 되는 현상이 나타날 수 있다. 이러한 현상이 지속된다면 언론 스스로도 진실성과 객관성을 확보하려는 노력을 소홀히 할 수 있다. 따라서 시민은 미디어의 특성을 이해하고, 전달되는 메시지의 내용을 비판적으로 평가할 수 있는 미디어 리터러시를 갖추어야 한다.

스스로 확인하기 교과서 101쪽

1 (1) 정당 (2) 이익 집단 (3) 시민 단체 (4) 언론

2 ㉠ 이익 집단 ㉡ 시민 단체 ㉢ 정당

3 **(1) 제시된 자료와 같은 문제가 나타나는 이유를 써 보자.**

시민 단체의 회원들이 활동 분야에 대한 전문적 지식이 부족하여 소수의 전문가 위주로 운영되면서 공익을 대표하는 성격이 부족해진다.

(2) 시민 단체를 통한 정치 참여가 더욱 활발하게 이루어지기 위해 필요한 요건이 무엇인지 서술해 보자.

시민 단체의 회원들이 활동 분야에 대한 전문적 지식을 습득하고, 식견을 가질 수 있도록 시민 교육을 단체 내에서 활성화해야 한다. 또한 우리 사회 공공의 이익은 바로 시민들이 지켜야 한다는 책임 의식을 갖고 시민 단체 활동에 적극적으로 임하는 개인적 노력도 필요하다.

창의·융합 활동 교과서 102~103쪽

2 | 지식 탐색

1 지방 자치 단체의 예산 편성의 과정은?

다음 회계 연도에 자치 단체가 하고자 하는 시책이나 사업 계획을 바탕으로 세입·세출 예산안을 작성하고 예산 조정, 예산안의 확정에 이르는 모든 과정을 포함한다.

2 예산 학교는 무엇을 배울 수 있는 곳인가?

참여 예산 제도의 의의와 지방 예산의 기본 개념 및 절차, 지방 자치 단체의 주요 예산 현황, 예산 편성 및 집행 과정에 대한 이해를 통해 참여 예산의 중요성 인식, 시민 참여의 가치, 공동체 의식 공유 등을 배운다.

3 주민 참여 예산 제도는 왜 중요한가?

지방 재정 운영의 투명성과 자원 배분의 공정성을 확보하여 참여 민주주의를 실현할 수 있기 때문이다.

4 내가 참여할 수 있는 방법은 무엇인가?

내가 속한 지방 자치 단체에 참여 예산 사업 제안서를 작성하여 신청한다.

3 | 사고력 키우기

1 추론하기 수집한 자료를 바탕으로 주민 참여 예산 제도가 가지는 의의를 적어 보자.

시민의 적극적인 정치 참여를 통해 국민 주권과 주민 자치의 원리를 실현할 수 있다.

2 분석하기 훌륭한 주민 참여 예산 제안서를 작성하기 위해 필요한 요소가 무엇인지 생각해 보고, 왼쪽 빈칸에 적어 보자.

효율성, 형평성, 민생, 창의성, 실현 가능성, 공익, 구체성 등

3 종합하기 훌륭한 제안서 작성을 위해 필요한 요소를 고려하여 자신이 살고 있는 지역을 위해 필요한 것이 무엇인지 생각해 보고, 오른쪽 빈칸에 적어 보자.

교통사고 다발 지역 LED 유도등

4 제안하기 주민 참여 예산 제도가 보다 활성화되기 위해서 필요한 것은 무엇인지 생각해 보자.

지방 자치 단체의 주요 사업의 예산 편성 과정에도 주민 참여를 확대하고, 관련 기구나 위원회를 구성하여 주민들이 주민 참여 예산 제도에 체계적으로 참여할 수 있도록 한다.

단원 마무리 교과서 104~105쪽

단원 한눈에 보기

❶ 정책 결정 기구 ❷ 국민 주권 ❸ 대표자 선출 ❹ 소선거구제
❺ 정당 ❻ 공익 추구

단원 4 개인 생활과 법

주제 1 민법의 이해

생활 속 법 교과서 108쪽

질문 1 위 그림이 각각 어떤 상황을 나타내는지 낱말 카드에서 찾아 적어 보자.

가: 매매 **나**: 혼인 **다**: 부동산 **라**: 유언

질문 2 **가**~**라**의 상황을 '재산과 관련된 법률관계'와 '가족과 관련된 법률관계'로 구분해 보자.

- 재산 관계: **가** 물건을 사고파는 계약과 관련되어 있다.
  다 부동산 매매 계약과 관련되어 있다.
- 가족 관계: **나** 남녀가 부부 관계를 형성하는 혼인과 관련되어 있다.
  라 재산을 상속하는 유언과 관련되어 있다.

활동 교과서 110쪽

1 **분석하기** 〈자료 1〉과 〈자료 2〉에 공통적으로 언급되는 민법의 기본 원리를 적어 보자.

사유 재산권 존중의 원칙(소유권 절대의 원칙)

2 **탐구하기** 우리나라 민법에서 민법의 기본 원리와 관련된 조항을 찾아보자.

사유 재산권 존중의 원칙	민법 제211조(소유권의 내용) 소유자는 법률의 범위 내에서 그 소유물을 사용, 수익, 처분할 권리가 있다.
사적 자치의 원칙	민법 제105조(임의 규정) 법률 행위의 당사자가 법령 중의 선량한 풍속 기타 사회 질서에 관계없는 규정과 다른 의사를 표시한 때에는 그 의사에 의한다.
과실 책임의 원칙	민법 제750조(불법 행위의 내용) 고의 또는 과실로 인한 위법 행위로 타인에게 손해를 가한 자는 그 손해를 배상할 책임이 있다.

세상 속으로 교과서 111쪽

생각+ 「제조물 책임법」과 관련된 민법의 기본 원리는 무엇일까?

과실 책임의 원칙으로 인한 문제를 해결하기 위해 무과실 책임의 원칙이 적용되었다.

함께 배우기 교과서 112쪽

1 **가**~**다**의 신문 기사를 근대 민법의 기본 원리와 변화된 민법의 기본 원리로 각각 평가한다.

구분	근대 민법의 기본 원리	변화된 민법의 기본 원리
가	사적 자치의 원칙에 비추어 볼 때 두 당사자가 자유롭게 맺은 계약이라면 존중되어야 한다.	연습생에게 일방적으로 불리한 계약이므로 계약 공정의 원칙에 따라 지키지 않아도 된다.
나	사유 재산권 존중의 원칙에 비추어 볼 때 대법원의 판결은 부적절하다.	소유권 공공복리의 원칙에 비추어 볼 때 대법원의 판결은 적절하다.
다	과실 책임의 원칙에 비추어 볼 때 □□ 공사와 △△ 공단에 고의나 과실이 없었다면 손해를 배상할 책임이 없다.	□□ 공사와 △△ 공단은 고의 또는 과실이 없었다고 하더라도 축산 농가에 피해를 줬다면 책임을 져야 한다.

2 근대 민법에서 현대 민법으로 전환되면서 민법의 기본 원리에 어떤 변화가 있었는지 토의한다.

자본주의 발달 과정에서 나타난 부작용을 해결하기 위하여 개인의 사회적 책임을 강조하는 방향으로 변화가 나타났다.

3 모둠별로 민법의 기본 원리와 관련된 신문 기사를 조사하고, 그 특징을 분석한다.

신문 기사	A 씨는 지난해 2월 자신이 지분을 가진 임야에 이 진입로가 포함되어 있는데도 마을 주민들이 통행료도 지급하지 않고 이 길로 통행한다는 이유로 ○○구의 임야를 지나는 한 마을 진입로 입구와 주변 약 120m가량에 철조망을 설치하였다. A 씨는 주민들 통행을 막아 교통을 방해한 혐의로 재판에 넘겨졌다. 법원은 마을 사람 등 불특정 다수가 이 길을 10년 이상 통행로로 사용해 왔고, 대체 도로가 있다고 해도 옛 도로의 효용이 없어지지 않았다면 그 도로를 다니는 걸 방해하는 것은 일반 교통 방해죄에 해당한다고 판단하였다. – 부산일보, 2017. 3. 27. –
관련 민법의 기본 원리 및 특징	소유권 공공복리의 원칙: 개인의 재산권은 법에 따라 보장되지만 재산권의 행사는 공공복리에 적합하도록 해야 한다.

스스로 확인하기 교과서 113쪽

1 (1) 사법 (2) 민법 (3) 사적 자치(계약 자유)

2 (1) 계약 공정의 원칙 (2) 무과실 책임의 원칙 (3) 소유권 공공복리의 원칙

3 (1) **제시된 사례와 관련된 근대 민법의 기본 원리가 무엇인지 써 보자.**

사유 재산권 존중의 원칙

(2) **김철수 씨의 행동이 적절하다고 생각하는지에 관해 자신의 의견을 서술해 보자.**

김철수 씨는 자신에게 큰 이익이 없음에도 불구하고 이영수 씨에게 불편함을 줄 목적으로 담장을 쌓았다. 이는 개인의 권리를 정당하게 행사한 것으로 보기 어렵다. 따라서 김철수 씨의 행동은 부적절하다.

주제 2 재산 관계와 법

생활 속 법 교과서 114쪽

질문 1 위 그림에서 재산 관계로서 계약이라고 볼 수 있는 상황을 세 군데 찾아보고, 그 까닭을 설명해 보자.

- **가**: 학생이 문구점에서 공책과 볼펜을 사는 매매 계약의 장면이다.
- **나**: 아르바이트생이 편의점에서 일하기로 하는 근로 계약과 관련된 장면이다.
- **마**: 못 입는 옷을 다른 사람에게 무상으로 주는 증여 장면이다.

질문 2 지난 한 주 동안 내가 맺은 계약에는 어떤 것이 있는지 적어 보자.

서점에서 문제집을 구매하였다, 편의점에서 과자를 구매하였다, 등하굣길에 버스를 이용하였다 등

활동 교과서 116쪽

1 **파악하기** 위의 사례에서 계약 당사자는 각각 누구인지 써 보자.

- 〈사례 1〉: 김갑돌 씨, 이을순 씨
- 〈사례 2〉: 박철수 씨, 최영희 씨

교과서 활동 풀이

2 분석하기 계약을 통해 어떤 권리와 의무 관계가 발생하는지 이야기해 보자.

사례	의무	권리
1	• **김갑돌 씨:** 이을순 씨에게 1,000만 원을 빌려줄 의무 • **이을순 씨:** 1년 뒤 김갑돌 씨에게 1,100만 원을 돌려줄 의무	• **김갑돌 씨:** 1년 뒤 이을순 씨에게서 1,100만 원을 돌려받을 권리 • **이을순 씨:** 김갑돌 씨에게 1,000만 원을 빌릴 권리
2	• **박철수 씨:** 최영희 씨의 편의점에서 약속된 시간 동안 노동력을 제공할 의무 • **최영희 씨:** 박철수 씨에게 임금을 줄 의무	• **박철수 씨:** 최영희 씨에게서 임금을 받을 권리 • **최영희 씨:** 약속된 시간 동안 박철수 씨의 노동력을 제공받을 권리

3 적용하기 〈사례 1〉과 〈사례 2〉 중 하나를 골라 짝과 역할을 나누어 계약서를 작성한 후 다른 친구들이 작성한 것과 비교해 보자.

금전 소비 대차 계약서

채권자: 김갑돌

채무자: 이을순

1. 20××년 ×월 ×일 채무자는 채권자로부터 일천만 원을 빌려서 쓰고, 채권자는 이 금액을 즉시 채무자에게 지급한다.
2. 채무자는 일 년 뒤인 20△△년 △월 △일까지 일천만 원과 연 10%의 이자를 함께 갚기로 한다.
3. 채무자가 약속한 날짜까지 갚지 못할 경우 연 10%의 비율로 1년을 365일로 보고 1일 단위로 계산한 지체 일수에 해당하는 지연 손해금을 채권자에게 지급한다.

20××년 ×월 ×일

채권자	주소					
	성명	김갑돌 (인)	주민 등록 번호		전화 번호	
채무자	주소					
	성명	이을순 (인)	주민 등록 번호		전화 번호	

한 걸음 더 교과서 117쪽

생각+ 위의 내용을 토대로 아래의 질문 글에 대해 답변 글을 적어 보자.

열일곱 살은 미성년자로서 법정 대리인의 동의 없이 한 법률 행위는 당사자나 법정 대리인이 취소할 수 있어요. 다만 현재 먹고 남은 물건을 반환해야 할 책임이 있어요.

세상 속으로  교과서 119쪽

생각+ 인공 지능(AI)이 다른 사람에게 손해를 입힌 경우 누가 배상해야 할까?

인공 지능을 개발한 회사가 손해를 배상해야 한다고 생각한다. 또는 인공 지능을 이용하는 소유주가 책임을 지는 것이 옳다고 생각한다.

함께 배우기 교과서 120쪽

1 제시된 사례를 불법 행위의 성립 요건을 활용하여 분석한다.

불법 행위의 성립 요건	사례 분석
가해자의 행동에 고의나 과실이 있는가?	갑돌 군이 일부러 한 것은 아니지만 부주의하여 을순 양을 다치게 하였으므로 과실이 있다.
가해자의 행동에 위법성이 있는가?	갑돌 군의 행동이 을순 양을 다치게 하였으므로 위법성이 있다.
가해자는 누구이며, 책임 능력이 있는가?	가해자는 갑돌 군이며, 고등학생이므로 일반적으로 책임 능력이 있다고 볼 수 있다.
피해자는 누구이며, 어떤 손해가 발생하였는가?	피해자는 을순 양이며, 팔을 다치는 신체적 손해와 휴대 전화가 망가지는 재산상의 손해를 입었다.
가해자 행위와 피해자 손해 사이에 인과 관계가 있는가?	갑돌 군이 찬 공에 맞아 을순 양이 피해를 당했으므로 인과 관계가 존재한다.

2 분석 결과를 바탕으로 불법 행위 여부를 판단하는 결정문을 작성한다.

위 사례는 불법 행위에 해당하는 것으로 판단된다. 왜냐하면 불법 행위가 성립하는 데 필요한 요건인 가해자의 고의 또는 과실이 있을 것, 가해자 행위에 위법성이 있을 것, 가해자에게 책임 능력이 있을 것, 피해자에게 손해가 발생했을 것, 가해자의 위법 행위와 피해자 손해 사이에 인과 관계가 존재할 것 등을 모두 충족하기 때문이다.

3 을순 양에게 손해 배상이 필요하다고 생각하는지, 필요하다면 어느 수준이 적절한지 토의한 후 발표한다.

나는 을순 양에게 손해 배상이 필요하다고 생각한다. 다친 팔의 치료비와 망가진 휴대 전화를 수리하는 비용뿐 아니라 팔을 다쳐 학교생활을 제대로 하지 못하는 것에 대한 손해에도 손해 배상이 있어야 할 것이다.

정리 나의 주변에서 불법 행위의 사례를 찾아 **1**의 질문을 활용하여 분석해 보자.

자동차 운전자가 잠시 한눈을 팔아 골목을 걷던 보행자를 쳐 보행자가 다치는 교통사고가 발생했다. 불법 행위의 성립 요건으로 분석하면 자동차 운전자의 과실이 있고, 운전자의 행동에 위법성이 있으며, 운전자가 책임 능력이 있고, 보행자가 다치는 피해가 발생하였으며, 보행자의 피해와 운전자의 행동 사이에 인과 관계가 있어 운전자의 행위는 불법 행위에 해당한다.

스스로 **확인**하기 교과서 121쪽

1 (1) 계약 (2) 채무 불이행 (3) 불법 행위 (4) 손해 배상

2 (1) ○ (2) ○ (3) ×

3 (1) **갑의 공기 청정기 구매 과정에서 계약 당사자 간에 생기는 권리와 의무를 각각 적어 보자.**

갑에게는 정상적으로 작동하는 공기 청정기를 받을 권리와 공기 청정기 대금 80만 원을 지급할 의무가 생긴다. 물건을 판매한 가게는 공기 청정기 대금 80만 원을 받을 권리와 정상적으로 작동하는 공기 청정기를 줄 의무가 생긴다.

(2) **갑은 계약을 유지해야만 할까? 자신의 판단을 법적 근거를 들어 서술해 보자.**

갑은 계약을 유지하지 않아도 된다. 미성년자가 법정 대리인의 동의 없이 한 법률 행위는 미성년자 본인이나 법정 대리인이 취소할 수 있기 때문이다. 따라서 갑은 공기 청정기를 현재 상태 그대로 반환하고 계약을 취소해 달라고 요구할 수 있다.

창의 · 융합 활동 교과서 122~123쪽

1 | 자료 읽기

『심청전』을 읽고 어떤 계약이 성립하였는지 생각해 보자.

심청이 공양미 삼백 석에 자신의 목숨을 파는 장면으로, 인간의 몸(생명)을 매매의 대상으로 두고 뱃사람과 공양미 삼백 석에 관한 계약을 맺고 있다.

2 | 지식 탐색

1 민사 재판은 다른 재판과 어떻게 다른가?

민사 재판은 개인 간의 사적 관계에서 일어나는 분쟁을 법원이 국가의 재판권에 의해 법률적 · 강제적으로 해결하는 절차이다.

2 원고와 피고는 각각 누구인가?

원고는 재판을 청구한 사람이고, 이로 인해 재판을 받는 사람이 피고이다.

3 변호사(소송 대리인)가 하는 역할은 무엇인가?

원고나 피고의 편에서 법률적인 도움을 주는 사람이다.

4 판사는 어떻게 판결을 내리는가?

민사 재판에서 판사는 원고와 피고가 제출한 서면과 증거 및 양쪽의 주장을 검토하여 손해 배상이나 의무 이행 판결을 내린다.

3 | 사고력 키우기

1 파악하기 『심청전』에서 심청과 뱃사람이 계약을 통해 거래하는 것이 무엇인지 적어 보자.

심청이 재물이 되어 인당수에 빠지는 것에 대한 대가로 뱃사람이 공양미 삼백 석을 절에 시주하기로 계약을 맺었다 등

2 비판하기 심청이가 계약을 이행하지 못할 상황이 생겼을 때 내가 심청 또는 뱃사람의 변호사(소송 대리인)라면 각각 어떻게 주장할지 정리해 보자.

심청의 변호사(소송 대리인)	뱃사람의 변호사(소송 대리인)
심청과 뱃사람의 계약은 인간의 존엄과 가치 실현에 위배되므로 무효이다.	뱃사람은 이미 심청에게 계약의 대가를 지불하였으므로 심청은 계약을 즉시 이행해야 한다.

3 판단하기 심청과 뱃사람의 계약이 법적 효력을 가지는가? 내가 이 사건을 담당한 판사라면 어떻게 판결을 내릴지 정리해 보자.

심청과 뱃사람의 계약은 생명을 담보로 이루어졌으므로 법적 효력이 없다. 내가 판사라면 심청과 뱃사람의 계약을 무효로 하되 심청이 받아 간 공양미 삼백 석 중 남은 것을 돌려주라고 할 것이다.

4 | 모의재판하기

다음 과정에 따라 모의재판(민사 재판)을 시연해 보자.

- **등장인물 구성하기:** 심청, 뱃사람, 심청의 변호사, 뱃사람의 변호사, 판사, 증인 1~3
- **모의재판 대본 구성하기**

[판사] 원고는 피고에 대하여 어떤 청구를 하고 있고, 왜 그런 청구를 하는지 말씀해 주십시오.

[원고 소송 대리인] 원고는 피고 심청이 공양미 삼백 석을 돌려주거나 계약을 즉시 이행할 것을 청구합니다.

[판사] 피고는 원고의 주장에 대해 답변하십시오.

[피고 소송 대리인] 피고와 원고 간의 계약은 심청의 생명을 담보로 한 것으로, 이는 인간의 존엄과 가치를 위배하므로 계약은 무효입니다.

[판사] 원고는 피고의 주장에 대해 반박하시겠습니까? ……

주제 3 가족 관계와 법

생활 속 법 교과서 124쪽

질문 1 가와 나의 빈칸에 들어갈 말을 각각 적어 보자.

- 가: 혼인 신고
- 나: 출생

질문 2 부부 관계, 부모와 자녀 관계에서는 어떤 권리와 의무가 있을까?

부부 관계에서는 일상 가사를 대리할 수 있는 권리와 배우자가 사망할 경우 상속받을 권리를 갖는 반면, 동거, 부양, 협조, 정조의 의무 등이 생긴다. 부모와 자녀 관계에서는 부모가 자녀에 대한 보호와 양육의 권리와 의무, 거소 지정권, 징계권, 관리권, 동의 및 대리권 등을 갖는다.

활동 교과서 126쪽

1 분석하기 제시된 사례에서 김남편과 최신부는 각각 배우자의 빚을 갚을 의무가 있는지 이야기해 보자.

김남편은 배우자의 빚을 갚을 의무가 있고, 최신부는 배우자의 빚을 갚을 의무가 없다.

2 적용하기 〈사례 1〉과 〈사례 2〉의 차이점을 '부부 별산제'와 '일상 가사 연대 책임' 개념을 적용하여 친구에게 설명해 보자.

우리나라 민법에서는 부부의 재산은 각자가 관리하는 부부 별산제를 채택하고 있지만, 공동의 생활을 위해 필요한 지출에 대해서는 일상 가사 연대 책임을 지도록 하고 있다. 〈사례 1〉은 일상 가사 대리에 해당하므로 일상 가사 연대 책임을 져야 한다. 〈사례 2〉에서 빚은 일상 가사로 발생한 것이 아니므로 부부 별산제에 따라 부부 각자가 책임지도록 한다.

세상 속으로  교과서 127쪽

생각+ 가족법의 변화가 우리 사회에 미친 영향은 무엇일까?

가족법의 변화는 남성 중심의 가족 관계에 변화를 가져왔으며, 가족 내 양성평등을 실현하고, 우리 사회의 여성 권리 신장에 크게 이바지하였다.

세상 속으로  교과서 128쪽

생각+ 과학 기술이 발전함에 따라 친자 관계와 관련하여 생길 수 있는 문제는 무엇일까?

제3자 정자로 인공 수정하여 태어난 자녀에 대해 정자를 제공한 제3자가 친권을 주장할 수 있을까, 수정된 난자를 이식하여 자녀를 대신 출산한 대리모에게 친권이 인정될까 등

활동 교과서 129쪽

1 토의하기 제시된 사례에서 부모의 친권이 인정될 수 있는지 토의해 보자.

사례 가에서는 부모가 자녀의 교육을 거부하고 있고, 사례 나에서는 부모가 자녀에게 제대로 된 의료 서비스를 제공하지 못하고 있다. 두 사례 모두 부모가 자녀를 보호하고 양육해야 하는 의무를 충실히 하고 있지 못하므로 친권을 인정하기 어렵다고 생각한다.

2 조사하기 친권에 대한 국가적 개입이 필요한 사례를 찾아 발표해 보자.

친족 간 성폭력, 아동 학대와 같은 범죄가 있을 경우 국가가 개입하여 가해자의 친권을 상실하도록 결정하는 것이 필요하다고 생각한다.

교과서 활동 풀이

함께 배우기 교과서 130쪽

3 조사한 내용을 정리한다.

내가 선택한 상황	상황 1
관련 교과서 개념	혼인 신고
문제 상황 요약	나도 모르는 사이에 누군가가 혼인 신고를 해서 이미 결혼을 한 것으로 되어 있다.
문제 해결 방안	당사자 간의 합의가 없이 혼인 신고가 된 상황이므로 혼인을 무효로 할 수 있다. 가정 법원에 혼인 무효 확인 소송을 제기하여 혼인이 무효라는 법원의 판결을 받으면 혼인한 사실이 없는 것으로 정정할 수 있다.

정리 가족 관계와 관련하여 평소 궁금하였던 법률 내용에 관한 상담 질문을 하나 만들고, '찾기 쉬운 생활 정보' 누리집을 참고하여 답변을 적어 보자.

상담 질문	남편과 이혼 후 혼자 아이를 키우다가 좋은 사람을 만나서 재혼하게 되었어요. 전남편과 현재 남편의 성이 달라서 아이가 속상해 해요. 어떻게 해야 할까요?
답변	법원에 친양자 입양을 청구하여 친양자로 입양하면 현재 남편의 성과 본으로 변경할 수 있어요.

스스로 **확인**하기 교과서 131쪽

1 (1) 혼인 신고 (2) 일상 가사 대리 (3) 친생자 (4) 친권

2 (1) × (2) ○ (3) ○

3 (1) **윗글에서 설명하는 제도가 무엇인지 써 보자.**

이혼 숙려 제도

(2) **이 제도의 도입이 이혼에 미치는 효과와 한계를 서술해 보자.**

이혼 숙려 제도는 홧김 이혼을 줄이고 숙려 기간 동안 이혼에 대해 신중하게 판단할 시간을 줄 뿐 아니라 부부가 양육 및 면접 교섭권 등 자녀의 복리와 밀접하게 관련된 문제들을 조정할 시간을 준다. 본질적으로 이혼의 자유를 제한하고 협의 이혼을 원하는 부부에게 불안정하거나 이미 파탄난 혼인 상태를 법적으로 유지하도록 강제한다는 한계가 있다.

단원 마무리 교과서 132~133쪽

단원 한눈에 보기

❶ 사법 ❷ 무과실 책임 ❸ 취소 ❹ 위법성 ❺ 혼인 신고 ❻ 친권

단원 ❺ 사회생활과 법

주제 1 형법의 이해

생활 속 법 교과서 136쪽

질문 1 가~라의 상황을 '사회적 비난을 받는 행위'와 '국가의 제재를 받는 행위'로 구분해 보자.

- 사회적 비난을 받는 행위: 가, 나, 다, 라
- 국가의 제재를 받는 행위: 다, 라

질문 2 국가에서는 무엇을 기준으로 행위의 제재 여부를 결정할까?

국가는 사회적으로 바람직하지 않은 행위에 대해 형법을 기준으로 처벌 여부를 결정한다. 형법은 일정한 행위를 범죄로 규정하고 그 범죄에 대하여 형벌, 기타 형사 제재를 부과한다. 따라서 형법에 범죄로 규정되어 있으면 국가는 이를 처벌할 수 있고, 규정되어 있지 않으면 이를 처벌할 수 없다.

활동 교과서 138쪽

1 비판하기 〈자료 1〉의 「사회 질서 수호법」을 적용하는 과정에서 발생할 수 있는 문제점을 생각해 보자.

'건전한 국민 감정을 해치는 행동'이 무엇인지 분명하지 않아 행위 시에 위법한 행동인지 판단하기 어렵다. 또한 행위의 효과로서 부과되는 형벌의 종류와 기간을 정하지 않아 형벌권이 권력자의 임의대로 적용되고 행사될 수 있다.

2 추론하기 우리 헌법과 형법에 〈자료 2〉와 같은 규정을 둔 이유를 이야기해 보자.

국가 형벌권의 한계를 명확하게 하여 국가의 형벌권 남용을 방지하고, 국민의 자유와 권리를 보장하기 위함이다.

세상 속으로 교과서 139쪽

생각+ 법률이 죄형 법정주의에 위배되어 헌법 재판소에서 위헌으로 결정한 사례를 조사해 보자.

헌법 재판소는 「파견 근로자 보호법」 제42조 제1항에 관한 위헌 법률 심판에서 재판관 전원 일치로 위헌 결정했다. 이 조항은 공중위생 또는 공중도덕상 유해한 업무에 취업시킬 목적으로 근로자를 파견하면 5년 이하의 징역이나 5,000만 원 이하의 벌금에 처하도록 하고 있다. 헌법 재판소는 "공중도덕은 시대 상황, 사회가 추구하는 가치 및 관습 등 시간적·공간적 배경에 따라 그 내용이 얼마든지 변할 수 있는 규범적 개념으로 구체적으로 무엇을 의미하는지 설명하기 어렵다."라고 지적하였다. 헌법 재판소는 "심판 대상 조항은 건전한 상식과 통상적 법 감정을 가진 사람으로 하여금 자신의 행위를 결정해 나가기에 충분한 기준이 될 정도의 의미 내용을 가지고 있다고 볼 수 없다."라며 "이 때문에 실제 단속이 이뤄지거나 형벌을 받기 전에 자신의 행위가 금지되는 것인지 예측하기 어렵고 불명확한 규정으로 말미암아 관련 행정 기관이나 법관의 자의적 법 해석과 집행을 가져올 위험성도 커 죄형 법정주의의 명확성 원칙에 위배된다."라고 밝혔다.

– 서울경제, 2016. 11. 24. –

활동 교과서 140쪽

1 분석하기 (가)~(마)의 사례는 범죄일까? 아닐까? 왼쪽 그림의 위법성 조각 사유에서 그 근거를 찾아 판단해 보자.

(가)는 위법성 조각 사유 중 정당 행위, (나)는 위법성 조각 사유 중 정당방위에 해당하여 범죄가 성립되지 않는다. (다)의 경우 현재의 위난을 피하기 위한 부득이한 경우이므로 긴급 피난이고 위법성 조각 사유에 해당하여 범죄가 성립되지 않는다. (라)의 거액의 빚을 갚지 않고 외국으로 이민 가려는 채무자를 붙잡은 경우는 자구 행위로 위법성이 조각되어 범죄가 성립되지 않는다. (마)는 긴급 피난에 해당하여 손괴죄가 성립되지 않는다.

2 조사하기 대법원 판례를 검색하여 위법성 조각 사유로 인정되거나 부정된 사례를 찾아보자.

피고인은 '회사의 직원이 회사의 이익을 빼돌린다'라는 소문을 확인할 목적으로, 비밀번호를 설정하여 비밀 장치를 한 전자 기록인 피해자가 사용하던 '개인용 컴퓨터의 하드디스크'를 다른 컴퓨터에 연결하고 의심이 드는 단어로 파일을 검색하여 메신저 대화 내용, 이메일 등을 출력하였다. 피고인은 이 과정에서 피해자의 동의 없이 개인 정보를 열람했다는 이유로 기소되었다. 이에 대해 대법원은 피해자의 범죄 혐의를 구체적이고 합리적으로 의심할 수 있는 상황에서 피고인이 긴급히 확인하고 대처할 필요가 있었고, 그 열람의 범위를 범죄 혐의와 관련된 범위로 제한하였으며, 피해자가 입사 시 회사 소유의 컴퓨터를 무단 사용하지 않고 업무 관련 결과물을 모두 회사에 귀속시키겠다고 약정하였고, 검색 결과 범죄 행위를 확인할 수 있는 여러 자료가 발견된 사정 등에 비추어, 피고인의 행위는 사회 통념상 허용될 수 있는 상당성이 있는 행위로서 형법 제20조의 '정당 행위'라고 본 원심의 판단을 수긍하였다.

– 대법원 2009. 12. 24. 선고 2007도6243 판결 –

함께 배우기 교과서 142쪽

1 가~마의 사례가 그림의 ❶~❹ 중 어디에 해당하는지 찾아본다.

가 – ❸ 나 – ❶ 다 – ❹ 라 – ❷ 마 – ❸

2 ❷와 ❸에 해당하는 경우 그 이유를 구체적으로 발표한다.

- **❷에 해당하는 경우:** 라의 경우 은행 강도를 넘어뜨려 상해를 입힌 행위는 범죄로 정해 놓은 일정한 행위인 구성 요건에 해당된다. 그러나 자신의 현재의 부당한 침해를 방위하기 위한 행위로서 상당한 이유가 있는 행위인 정당방위에 해당되어 위법성이 없으므로 범죄가 성립되지 않는다.
- **❸에 해당하는 경우:** 가의 사례에서 편의점에서 빵과 우유를 훔친 갑은 10세로, 우리나라 형법은 '14세 미만인 자의 행위는 벌하지 아니한다'라고 규정하고 있어 형법상 책임을 묻기 어렵다. 마의 사례에서 의뢰인의 비밀을 상대 측에게 누설한 무의 행위는 구성 요건에 해당하며, 위법성 또한 충족한다. 하지만 자신 또는 가족의 생명·신체에 대한 협박에 의해 강요된 행위 등에 대해서는 책임이 조각되기 때문에 범죄가 성립되지 않는다.

3 ❹에 해당하는 경우 아래 형법 조항을 참고하여 어떤 형벌이 부과될 수 있는지 토의한다.

다의 경우 과속으로 운전하던 병이 술에 취해 횡단보도를 건너던 행인을 치어 다치게 한 행위로 범죄로 정해 놓은 일정한 행위인 구성 요건에 해당하고 위법성을 조각할 만한 사유가 없다. 또한 행위자인 병에게 책임을 물을 수 없는 특별한 사유가 없으므로 범죄의 성립 요건을 충족하여 범죄가 성립된다. 형벌의 정도는 형법 제268조의 '중과실 치사상'에 해당되어 5년 이하의 금고 또는 2천만 원 이하의 벌금에 처할 수 있다.

정리 생활 주변에서 범죄로 성립되는 사례를 찾아 합리적이고 타당한 형벌의 정도를 논의해 보자.

박 씨(29세)는 종업원으로 일했던 음식점에 침입해 현금 26만 원과 식재료를 훔쳤다. 이는 형법 제330조의 야간 주거 침입 절도죄로 10년 이하의 징역에 처해질 수 있다. 그러나 형법 제51조 양형의 조건 및 양형 위원회에서 제시한 감경 및 가중 사유를 참작하여 구체적 형벌을 정한다. 법원에서는 박 씨가 범죄 사실을 모두 인정하고 반성하고 있는 점, 피해자가 피고인에 대한 선처를 탄원하고 있는 점, 피해 정도가 아주 심하지는 않은 점, 피고인의 처가 아들을 출산한 후 병원비가 부족해 범행에 이른 것으로 보이는 등 범행 동기 및 경위에 참작할 사정 등을 고려해 징역 8월 및 2년의 집행 유예, 보호 관찰을 명하였다.

– 대국민 양형 체험 프로그램 누리집, 「사건 구분: 절도」 –

스스로 확인하기 교과서 143쪽

1 (1) 범죄, 형벌 (2) 죄형 법정주의 (3) 구성 요건 해당성 (4) 형벌

2 죄형 법정주의 중 유추 해석 금지의 원칙

3 **(1) 차등 벌금제가 형벌로서 갖는 효과는 무엇인지 생각해 보자.**

차등 벌금제는 벌금 부과에 있어서 실질적 평등을 지향하여 벌금 제도가 실효성이 있도록 한다.

(2) 차등 벌금제 도입에 대한 자신의 입장을 서술해 보자.

차등 벌금제에 대해 찬성한다. 왜냐하면 벌금의 목적이 범죄를 예방하는 것인데 현재의 총액 벌금제는 재산이 많은 사람들에게는 실효성이 거의 없다. 만약 차등 벌금제의 범죄 예방 효과가 형식적 평등의 가치보다 크다면 시행되어야 한다.

주제 2 형사 절차와 인권 보장

생활 속 법 교과서 144쪽

질문 1 가 사례에서 경찰관은 강제로 여성의 가방을 검사할 수 있을까?

상대방이 흉기나 폭탄을 소지하였다고 의심할 만한 상당한 이유가 있는 경우에는 그 조사를 위해 소지품의 안을 열어 볼 것을 요구할 수도 있다. 그러나 소지인이 거절하는 경우 경찰관이 그 소지품을 직접 강제로 열어 보거나 열어 볼 것을 강요하는 것은 허용되지 않는다.

질문 2 나 사례에서 경찰관은 강제로 남성을 체포하여 구속할 수 있을까?

남성을 체포하려면 남성이 죄를 범하였다고 의심할 만한 상당한 이유가 있고, 정당한 이유 없이 출석 요구에 응하지 않거나 응하지 않을 우려가 있는 경우에 한해 검사의 청구에 의해 판사가 발부한 체포 영장을 제시해야 한다. 또 체포한 사람에게는 범죄 사실의 요지와 체포의 이유, 변호인을 선임할 수 있음을 말하고 변명할 기회를 주어야 정당, 적법한 체포가 된다. 체포한 경우에도 48시간 이내로 경찰서 등 일정한 장소에 인치하여야 한다.

활동 교과서 146쪽

1 비판하기 '적법 절차의 원칙'에 비추어 밑줄 친 미란다의 상고 청원 이유의 타당성에 대한 자신의 생각을 발표해 보자.

미란다의 경우 헌법상 보장된 피의자의 절차적 권리를 침해당했기 때문에 공정한 재판을 받지 못했으므로 미란다의 상고 청원 이유는 타당하다. 연방 대법원의 판결 역시 경찰 수사 과정에서 피의자의 권리를 적극 보장한 것이라는 점에서 의미가 있다.

2 토론하기 위 사례와 관련하여 연방 대법원 판결이 과연 정의로운 판단인지 당시 미국에서도 많은 논란이 있었다고 한다. 실체적 진실 발견을 통한 '정의 실현'과 피의자의 '인권 보장', 이 두 가지 중 어느 것을 우선시해야 하는지 토론해 보자.

실체적 진실을 발견하여 사회 정의를 실현하는 것도 중요하지만 단 한 명이라도 억울한 사람이 생긴다면 그로 인해 침해되는 법익이 더 크다고 생각한다. '의심스러울 때에는 피고인의 이익으로'라는 무죄 추정의 원칙에 따라 피의자의 인권 보장이 우선시되어야 한다.

세상 속으로  교과서 148쪽

생각+ 재심으로 무죄 판결을 확정받은 최 군은 어떤 보상을 받을 수 있을까?

최 군은 「형사 보상 및 명예 회복에 관한 법률」에서 정한 절차에 따라 무죄 판결을 선고한 법원으로부터 보상 결정을 받고, 그 법원에 대응하는 검찰청에 보상금 지급 청구서를 제출하여 보상금의 지급을 청구할 수 있다. 또한 무죄 재판이 확정된 때부터 3년 이내에 확정된 무죄 재판 사건의 재판서를 법무부 누리집에 게재하도록 해당 사건을 기소한 검사가 소속된 지방 검찰청에 청구할 수 있다.

활동 교과서 149쪽

1 적용하기 막막해 씨와 나억울 씨는 어떤 제도를 통해 보호받을 수 있을지 써 보자.

막막해 씨는 「범죄 피해자 보호법」에 따라 유족 구조금을 신청하여 아들의 죽음으로 인한 피해를 배상받을 수 있다. 나억울 씨는 법원에 배상 명령을 신청하여 법원이 주폭행 씨에게 유죄 판결을 선고할 경우 치료비와 위자료 등 손해 배상을 받을 수 있다.

2 추론하기 국가가 나서서 범죄 피해자들을 도와주는 이유가 무엇인지 생각해 보자.

간편하고 신속하게 범죄 피해자의 피해 회복을 도모하고, 범죄 피해자가 인간다운 생활을 할 수 있도록 돕기 위해서이다.

함께 배우기 교과서 150쪽

1 다음 형식에 맞게 자신의 입장을 정리한다.

나는 중범죄자 신상 공개를 반대한다. 왜냐하면 피의자는 무죄 추정의 원칙에 따라 재판 확정 전까지는 무죄로 추정되어야 하고, 자칫 신상이 공개될 경우에는 여론에 따른 재판이 될 위험이 있기 때문이다. 내가 그렇게 생각하는 근거는 범죄자의 신상 공개로 인해서 일부 네티즌들이 피의자의 사생활을 파헤치고 인격적으로 비난한 사례를 보았기 때문이다.

2 모둠 안에서 찬성과 반대 입장을 나눈 후 '입론 → 반박 → 재반박'의 순서로 토론한다.

1차 입론	국민은 범죄 사실이나 범죄인에 대하여 알 권리를 갖고 있고, 중범죄자에 대한 정보를 통해 스스로 범죄 피해를 예방할 수 있으므로 중범죄자 신상 공개를 해야 한다.
반박	피의자는 무죄 추정의 원칙에 따라 재판 확정 전까지는 무죄로 추정되어야 한다.
재반박	판옵티콘은 중앙에서 감시하는 감시자의 시선이 어디로 향하는지 알 수 없게 되어 죄수들은 자신이 감시를 받고 있다는 느낌이 들게 되고 결국 죄수들이 규율을 내면화하여 스스로 감시하게 된다는 감옥 형태이다. 중범죄자의 신상 공개도 이와 비슷한 원리로 범죄자가 사회에 나왔을 때 다른 사람들이 자신을 알아보고 감시한다는 생각에 스스로 행동을 규제하여 재범률을 낮출 수 있다.
2차 입론	네티즌들의 중범죄자 '신상 털기'가 도를 넘고 있다. 일부 네티즌들은 범죄 피의자의 거주지, 가족 그리고 지인의 신상 정보까지 무차별적으로 찾아내 비난하는 등 여론 재판을 하고 있다. 이는 범죄 피의자뿐만 아니라 주변 사람들의 인권을 침해하는 것이다.
반박	피의자의 사생활 보호나 인권보다는 국민의 알 권리 보장과 범죄 예방 등 공공의 이익을 우선시해야 한다.
재반박	현재 이루어지는 언론에서의 범죄 보도는 공공의 이익을 위해서라기보다는 자극적인 용어, 끔찍한 사진 및 영상으로 구성되고, 피의자는 물론 피해자의 주변 정보까지 드러내는 가십성 보도가 주를 이룬다. 또한 법의 형평성 차원에서도 중범죄자와 경범죄자를 어떻게 구분할 것인지에 대한 기준도 명확하지 않다.

정리 형사 절차에서의 인권 보장 원칙을 고려하여 '중범죄자 신상 공개 결정' 시 유의해야 할 사항에 관해 생각해 보자.

신상 공개의 범위와 수준에 대한 명확한 기준을 마련해야 한다, 해당 범죄와 관련이 없는 가족이나 친인척의 이름과 초상이 노출되지 않도록 유의해야 한다, 범죄 보도 당사자의 반론권 보장 방안에 대해서도 고민해야 한다, 신상 공개가 되는 중범죄자와 그렇지 않은 경범죄자의 구분 기준을 명확하게 하여 형평성 문제가 제기되지 않도록 해야 한다 등

스스로 **확인**하기 교과서 151쪽

1 (1) 무죄 (2) 영장 (3) 변호인 (4) 배상 명령

2 (1) × (2) ○ (3) ×

3 (1) 대법원에서 밑줄 친 부분과 같이 판결한 근거를 써 보자.

수사 기관이 사술이나 계략 등을 써서 피고인의 범의를 유발케 한 것, 즉 범의 유발형으로서 위법하고, 이러한 함정 수사에 기한 공소 제기 또한 그 절차가 법률의 규정을 위반하여 무효이다.

(2) 함정 수사로 수집한 증거는 증거 능력이 있는지 서술해 보자.

범죄를 유발한 함정 수사에 의하여 수집한 증거는 적법 절차의 원칙을 위반한 것이므로 그 증거가 실제로 그 범죄인의 범죄 행위를 입증하는 증거라 하더라도 증거 능력이 부정된다.

창의·융합 활동  교과서 152~153쪽

1 | 자료 읽기

〈자료 1〉을 참고하여 〈자료 2〉의 상황이 어떻게 진행될지 예상해 보자.

긴급 체포된 을은 경찰서와 검찰 수사실에서 신문을 받게 된다. 검사는 증거 자료와 피해자의 진술을 토대로 피의자의 범죄 혐의가 인정된다고 판단하여 공소를 제기한다. 법원은 공판을 진행하며 검사와 피고인 양측의 주장을 듣고 판결을 선고한다. 재판 결과 확정된 형은 검사의 지휘에 따라 집행된다.

2 | 지식 탐색

1 수사 기관이 피의자를 신문하기 전에 고지해야 할 내용은 무엇인가?

수사 기관은 피의자를 신문하기 전에 반드시 피의자에게는 진술 거부권 및 변호인 선임권이 있음을 알려 줘야 한다.

2 검사가 피의자에게 구속 영장을 청구하면 법관은 어떻게 해야 할까?

체포된 피의자에 대해 구속 영장을 청구받은 법원은 피의자 심문을 실시하여 구속 여부를 결정하며, 구속 사유에 해당하면 구속 영장을 발부한다.

3 구속된 피의자 또는 피고인이 석방되기 위해 할 수 있는 일은 무엇인가?

구속된 피의자는 구속 적부 심사 청구를 할 수 있다. 이 경우 피의자의 출석을 보증할 만한 보증금의 납입을 조건으로 석방을 명할 수도 있는데, 이

것이 피의자에 대한 보석 제도이다. 검사의 공소 제기 후 피고인은 보석 허가 청구를 할 수 있다.

3 | 연극 준비하기

1 탐구하기 제시된 자료를 참고하여 연극 계획서를 작성해 보자.

(1) **등장인물:** 경찰, 피의자 또는 피고인(을), 검사, 법관, 증인(갑)

(2) **줄거리:** 경찰은 을을 주거 침입과 절도죄로 긴급 체포하였다. 검사가 공소를 제기하여 공판이 진행되고 재판 결과 을은 징역형을 선고받는다.

(3) **배경:** 수사 단계−경찰서 및 검찰, 공판 단계−법정, 형 집행 단계−교도소

(4) **역할 분담하기:** 연출은 대본 정리, 전체 진행 점검, 등장인물의 동선 배치 등의 역할을 담당하고, 조연출은 연출을 도와 매체 자료 제작 등에 참여한다. 등장인물들은 각자의 역할에 맞는 대본을 암기하여 실연하고, 알맞은 복장을 준비한다. 소품 담당은 무대 장치 구성 및 소품을 준비한다.

2 표현하기 연극의 대본인 희곡을 형사 절차에 따라 크게 세 장면 정도로 구성하여 작성해 보자.

- **수사 단계:** 경찰서와 검찰에서 경찰 및 검사가 피의자를 조사한다.
- **공판 단계:** 검사는 피고인(을)의 범죄를 입증하고 피고인과 변호인은 검사의 주장을 반박한다. 법관은 양측의 주장을 듣고 판결을 선고한다.
- **형 집행 단계:** 징역형을 선고받은 피고인(을)은 교도소에 수용된다.

주제 3 근로자의 권리와 법

생활 속 법 교과서 154쪽

질문 1 각 상황에서 근로자가 겪는 문제는 무엇인가?

- **가**: 약속한 임금의 전액을 받지 못하고 있다.
- **나**: 연장 노동을 강요받고 있다.
- **다**: 휴식 시간을 보장받지 못하고 있다.
- **라**: 하루아침에 구두로 해고를 통보하였다.

질문 2 사회생활에서 위와 같은 문제를 해결 또는 예방하기 위해서는 어떻게 해야 할까?

임금, 근로 시간, 휴일, 휴가, 기타 근로 조건을 명시한 근로 계약서를 서면 형태로 작성한다. 사용자에 비해 상대적으로 불리한 위치에 놓인 근로자를 위한 노동법을 만들어 근로자의 권리를 보장해야 한다.

활동 교과서 156쪽

1 조사하기 인터넷 검색을 통해 〈사례 1〉과 〈사례 2〉에 적절한 답변을 작성해 보자.

- **〈사례 1〉:** 우선 사용자에게 내용 증명 우편과 같은 방법 등으로 임금 청구를 하고, 그래도 받지 못하면 사업장 소재지 관할 지방 고용 노동 관서에 진정을 하거나 사업장 소재지를 관할하는 지방 법원 또는 지원에 지급 명령 또는 민사 소송을 제기하여 체불 임금을 받을 수 있다.
- **〈사례 2〉:** 기업이 도산하여 임금 및 퇴직금을 받지 못하고 퇴직한 근로자는 퇴직 당시의 사업장을 관할하는 지방 고용 노동청장 또는 지청장에게 체당금 지급을 청구할 수 있다.

2 탐구하기 임금과 관련된 다양한 궁금증을 생각해 보고, 답변을 찾아보자.

질문) 아내가 출산하여 병원비가 급하게 필요합니다. 회사에 이번 달에 근무한 날만큼의 임금을 미리 청구할 수 없나요?

답변) 근로자는 출산, 질병, 재해 등 비상(非常)한 경우 비용을 충당하기 위하여 임금의 지급 기일 전이라도 사용자에게 임금 지급을 청구할 수 있습니다. 사용자는 근로자의 임금의 비상시 지급 요구에 응해야 하며, 이를 위반하면 1,000만 원 이하의 벌금에 처해집니다.

– 찾기 쉬운 생활 법령, www.easylaw.go.kr –

활동 교과서 159쪽

제시된 상황 카드에서 청소년 근로자의 권리와 어긋나는 부분이 있는지 찾아보고, 뒷면에 권리 카드를 만들어 보자.

- **〈상황 1〉:** 「근로 기준법」에 정해져 있는, 임금은 근로자에게 '직접' 지급해야 한다는 규정을 어기고 있다.
- **〈상황 2〉:** 업무 중 발생한 사고로 인한 부상이므로 명백하게 산업 재해에 해당되지만 정당한 보상을 받지 못하였다.
  → 일하다 다치면 사용자 책임! 일하던 도중 다치거나 병에 걸렸다면 비록 근로자의 실수가 있었다고 하더라도 보상을 받을 수 있다.
- **〈상황 3〉:** 청소년 근로자의 동의 없이 휴일 노동을 강요하고 있다.
  → 강제 노동은 안 돼! 18세 미만 청소년에게 휴일 노동을 시킬 경우, 근로자의 동의와 고용 노동부 장관의 인가를 받아야 한다.

함께 배우기 교과서 160쪽

1 인터뷰 질문 작성 법에서 보장하고 있는 근로자의 권리를 조사하고, 이를 바탕으로 아래 예시와 같이 각자 인터뷰 질문을 두 가지 이상 작성한다.

노동법	질문
근로 기준법	• 퇴근 시간은 잘 지켜졌나요? • 연차 휴가가 있나요?
산업 재해 보상 보험법	• 일하다 다쳤을 때 산업 재해 보상을 신청했나요? • 일하다 다치면 산업 재해로 처리되는 건 알고 있나요?

4 보고서 작성하기 인터뷰를 통해 발견된 노동권 보장 및 침해 상황을 정리하고, 침해된 노동권 구제 방법을 조사하여 보고서를 작성한다.

<table>
<tr><td>인터뷰 일시</td><td>20○○. ○○. ○○.</td><td>인터뷰 장소</td><td>△△ 마트</td></tr>
<tr><td>인터뷰 대상</td><td colspan="3">20세 김○○</td></tr>
<tr><td rowspan="3">인터뷰 내용</td><td>질문</td><td colspan="2">답변</td></tr>
<tr><td>• 퇴근 시간은 잘 지켜졌나요?</td><td colspan="2">• 밤 9시 20분이 원래 퇴근 시간인데 11시 넘어서까지 일했어요. 문 닫고 정리하는 건 일하는 시간에 포함되지 않고요.</td></tr>
<tr><td>• 연차 휴가가 있나요?</td><td colspan="2">• 1년 이상 일했는데도 그런 건 없는데요.</td></tr>
<tr><td>시사점</td><td colspan="3">• 노동권 보장 및 침해 상황: 노동자의 동의 없이 야간 노동이 이루어졌고, 늘어난 근로 시간에 대한 보상이 이루어지지 않았으며, 정리 시간이 실 근로 시간에 포함되지 않았고, 연차 휴가를 누리지 못하고 있다.
• 침해된 노동권 구제 방법: 노동자는 연장 근로에 대한 가산 수당, 실 근로 시간에 대한 임금을 지급받지 못하고 있으며, 연차 휴가를 누리지 못하고 있으므로 사업장의 관할 지방 고용 노동 관서 또는 노동 위원회에 권리 구제를 요청할 수 있다.</td></tr>
</table>

정리 **모둠별로 인터뷰 결과 보고서를 발표하고, 근로자의 노동권 보장을 위한 방안을 토의해 보자.**

부당한 일을 당하면 사업주에게 당당하게 요구한다, 노동 전문 상담 기관, 노동 위원회 등에 도움을 요청한다, 근로 조건의 개선을 위하여 노동조합을 만들거나 가입하여 활동한다 등

스스로 **확인**하기 　교과서 161쪽

1 (1) 서면 (2) 해고 (3) 부당 노동 행위

2 근로, 단결, 단체 교섭, 단체 행동
제시된 헌법 규정들은 근로자를 보호하고자 한다.

3 (1) **'빅맥' 한 개를 사기 위해 일해야 하는 시간이 나라마다 다른 이유는 무엇인지 생각해 보자.**

각 나라마다 물가 수준과 최저 임금이 다르기 때문이다. 물가가 낮을수록, 최저 임금이 높을수록 햄버거 하나를 사기 위해 필요한 노동 시간이 짧아진다.

(2) **최저 임금 제도가 규정되지 않을 경우 나타날 수 있는 문제점을 서술해 보자.**

임금은 원래 근로자와 사용자 간의 근로 계약 또는 단체 협약에 의하여 자주적으로 결정되는 것이 원칙이다. 그러나 근로 계약의 당사자인 개별 근로자와 사용자 간에는 대등한 교섭 관계가 이루어지기 힘들다. 따라서 임금 결정을 당사자 간의 근로 계약에만 맡겨 놓으면 근로자는 실질적으로 적정 임금의 확보가 어렵게 될 수 있다.

단원 마무리 　교과서 162~163쪽

단원 한눈에 보기

❶ 적정성의 원칙 ❷ 사형 ❸ 적법 절차 ❹ 재심 ❺ 근로 기준법 ❻ 단결권

단원 ❻ 국제 관계와 한반도

주제 1 국제 관계와 국제법

생활 속 법 　교과서 166쪽

질문 1 **위 사례와 같이 우리가 여러 나라와 교류하며 살고 있다고 느낄 때를 이야기해 보자.**

해외여행이나 유학, 외국인 노동자, 해외 관광객, 우리나라 상품의 해외 수출, 외국 상품의 수입, 우리나라 가수들이나 드라마의 한류 열풍, 할리우드 영화 개봉 등 우리 대부분의 일상생활에서 우리나라와 다른 나라와의 교류의 영향과 결과를 찾을 수 있다.

질문 2 **세계화 시대의 국제 관계는 과거와 비교할 때 어떻게 달라졌을까?**

세계화로 인해 국제 관계는 예전에 비해 양적으로나 질적으로 훨씬 더 복잡하고 역동적인 모습을 띠게 되었다. 우리의 일상생활에서 국제 관계를 배제하고 생각하기 어려워진 현재의 모습은 세계화의 영향이 더욱 크다. 정치, 경제, 사회·문화 등 많은 영역에서 개별 국가의 국경이 약화되었으며, 마치 국내의 많은 행위 주체들이 다양한 관계를 자연스럽게 맺듯이 국제 사회의 다양한 행위체들의 교류가 시시각각 이루어지고 있다.

활동 　교과서 169쪽

1 **설명하기 세계화 현상이 국제 관계에 어떤 변화를 가져왔는지 자료를 보고 설명해 보자.**

세계화로 인해 복잡해진 국제 관계에 따라 정치적인 영역에 있어서 개별 국가 단위의 단독적 행위보다 다자간 협력 체제의 필요성이 증가하게 되었다. 또한 경제적인 영역에서 재화와 서비스가 국경을 초월하여 세계 무역이 급증하였으며, 이에 따라 세계 무역 기구가 출범하는 등 다양한 형태의 경제적 통합이 이루어지고 있다. 그러나 이렇게 국가 간 상호 의존성이 심화됨에 따라 새로운 국제 사회의 문제나 갈등이 대두되면서 효과적인 의사 결정 과정과 법질서를 마련해야 할 필요성이 제기되었다.

2 **토의하기 세계화 시대의 바람직한 국제 관계의 방향에 관해 토의해 보자.**

세계화 시대에는 여러 국가가 활발하게 교류하지만 개별 국가의 역량에 따라 불공평한 결과를 초래할 가능성이 높다. 예를 들면 선진국의 문화가 일방적으로 확산되거나 소수의 다국적 기업만 생존하고, 영세한 국내 기업이 어려워질 수 있다. 따라서 모든 국가가 눈앞의 이익보다 범지구적인 번영과 평화를 위해서 노력하고, 다자간 협력 체제를 잘 구축해야 한다.

세상 속으로  　교과서 170쪽

생각+ **'미터 협약'과 같은 국제법이 없다면 어떤 문제가 발생할까?**

나라마다 서로 다른 단위를 사용하면 부품을 외국에 주문하거나 상품을 거래할 때 크기나 양이 달라 혼란을 주어 무역이 불가능해질 수 있다.

활동 　교과서 171쪽

1 **파악하기 각 분야의 국제법이 추구하는 목적과 의의를 생각해 보자.**

세계 저작권 조약은 문학, 음악, 미술 및 지적인 작품을 포함한 저작물에 관하여 저자와 저작권을 가진 자의 권리를 보호하는 목적을 지녔으며, 이를 통해 문화·예술의 발달을 촉진하고 저작물의 보급을 용이하게 한다.

핵 확산 금지 조약은 이미 핵을 보유한 5개국 이외의 다른 국가의 핵 보유를 금지하여 핵이 확산되는 것을 방지하는 것이 목적이다. 이미 핵을 보유한 핵보유국과 비핵보유국 사이의 불평등 조약의 성격이 있지만, 핵 확산을 막아 인류를 보호하는 역할을 하고 있다. 유엔 기후 변화 협약은 온실가스의 배출을 제한하여 지구 온난화를 방지하는 것이 목적이며, 이를 통해 기후 변화 방지를 위한 각국의 노력을 이끌어 낼 수 있다. 국제 인권 규약은 인권에 관한 포괄적인 내용을 담고 있어 다양한 구체적인 권리 협약의 기초가 되었다. 아동이나 여성, 난민 등 권리를 보장받기 어려웠던 사회적 약자들의 인권이 보장받을 수 있는 계기가 되었다.

2 적용하기 각 분야의 국제법이 우리 생활에 어떤 영향을 미치고 있는지 이야기해 보자.

세계 저작권 조약으로 저작물의 무단 복제나 불법 유통이 금지되어 있고, 저작자는 다른 나라에서도 저작권을 보호받을 수 있다. 북한의 핵 개발 및 보유는 핵 확산 금지 조약에 따라 금지되어 있으며, 이에 대해 국제 사회의 제재를 받는 근거가 된다. 유엔 기후 변화 협약에 따라서 우리나라에서도 2018년 11월부터 냉매제로 사용되고 있는 프레온 가스 규제를 강화하는 「대기 환경 보전법」의 하위 법령이 시행될 예정이다. 국제 인권 규약에 근거하여 아동 및 여성의 인권이 보장받기 시작하여 18세 미만의 아동은 사형을 선고받지 않으며, 이혼한 후에도 자녀가 친부모를 만날 권리가 보장되는 등 구체적인 인권이 보장받게 되었다.

함께 배우기 교과서 172쪽

1 영화에 나타난 국제법의 법원과 의의 및 한계에 관해 논의한다.

「난민의 지위에 관한 협약」은 국제법의 법원 중 조약에 해당하며, 그 의의는 난민의 보호에 있어 가장 중요한 원칙인 '강제 송환 금지의 원칙'을 보장한 데 있다. 여기서 강제 송환이란 한 사람을 당사자의 의지와 상관없이 여러 가지 이유로 본국 또는 이전 체류지로 돌려보내는 것을 뜻한다. 강제 송환을 금지하는 것은 난민에 대한 국제적 보호에 있어서 가장 기초적인 것이다. 그러나 2018년 유엔이 새로 마련한 글로벌 난민 협약을 미국과 헝가리가 거부하겠다고 공식 선언한 것과 같이 국제법은 협약이나 협약의 이행에 있어서 강제성이 약하다는 한계점이 있다.

2 영화 속 국제법을 우리나라에서는 어떻게 가입하여 준수하고 있는지 조사한다.

우리나라는 지난 1992년 난민의 인권과 기본적 자유를 보장하는 「난민의 지위에 관한 협약」에 가입하였다. 최근 제주특별자치도에 몰려든 561명의 예멘 난민으로 난민 수용 반대 여론이 증가하고 있다. 그러나 우리나라에서는 국내법을 위반한 범법 행위를 저지르지도 않은 상태에서 그들을 강제 송환할 수 없다는 입장으로 국제 사회의 기본적인 협약이자 규범인 국제법을 준수하고 있다.

3 국제법이 나타난 다른 영화를 찾아보고 아래 항목을 포함하여 보고서를 작성한다.

영화 제목	「모뉴먼츠 맨: 세기의 작전」
국제법의 명칭	「문화재의 불법 반출입 및 소유권 양도 금지와 예방 수단에 관한 협약」(1970)
국제법의 법원(法源)	조약
의의	모든 문화재, 예술품은 원래 그것을 만든 나라와 국민의 소유지만 그것이 누구의 것이고 어디에 있든 문화재는 인류 공동의 자산이란 점에서 세계 모든 나라와 사람들이 보호해야 한다는 원칙을 규정한 것이다.
내용	제작된 원소유국을 떠나 불법적인 과정을 거쳐 타 국가의 공공 기관 및 개인이 소장하게 된 문화재에 관해 원소유국이 반환을 주장하는 내용이다.
한계	1970년 이후 문화재의 불법 반출입 및 소유권 양도만을 금지하고 있어 그 이전에 반출된 문화재 반환 문제 해결에는 한계가 있다.
우리나라의 체결 현황과 적용 사례	우리나라는 「문화재의 불법 반출입 및 소유권 양도 금지와 예방 수단에 관한 협약」(1970)과 UNESCO 협약에 가입하였다.

스스로 확인하기 교과서 173쪽

1 (1) 국제 관계 (2) 베스트팔렌 조약 (3) 세계화 (4) 조약

2 국제법

3 **(1) 밑줄 친 부분을 바탕으로 『전쟁과 평화의 법』이 근대 국제법학의 기초가 된 까닭을 적어 보자.**

흐로티위스는 전쟁과 그 해결 과정에서 발생하는 많은 분쟁을 해결하고자 『전쟁과 평화의 법』을 저술하였다. 전쟁과 분쟁을 해결하기 위해서는 인간의 보편적인 이성을 기초로 하여 각 국가가 서로 일정한 규칙을 준수하면서 피해를 줄여야 한다. 국가 간의 이해관계가 집중된 분쟁 상황에 적용하여 국제 관계를 법의 지배하에 두고, 이성적 논리와 합리성이라는 자연법적 해결을 시도했다는 점에서 근대 국제법학의 기초가 되었다.

(2) 국제법이 국제 사회의 평화에 어떻게 기여하는지 서술해 보자.

국제법이 가장 필요한 상황은 여러 국가들의 이해관계가 복합적으로 내재된 갈등과 분쟁 상태라고 할 수 있다. 국가 간의 전쟁은 국가들의 이해관계를 둘러싼 갈등이 최고조된 상태임을 의미한다. 국제법은 국제 사회의 갈등을 줄이고 분쟁을 해결하여 인류의 평화 확립에 기여한다.

주제 2 국제 문제와 국제기구

생활 속 정치 교과서 174쪽

질문 1 최근에 일어난 사건 중에서 가장 기억에 남는 국제 문제를 써 보자.

북미 회담, 평창 올림픽, 지진과 슈퍼 태풍으로 인한 피해 등

질문 2 국제 문제 중 가장 심각하다고 생각하는 문제와 그렇게 생각하는 까닭을 적어 보자.

한반도를 둘러싼 주변 국가 간의 정치 문제가 가장 심각하다고 생각한다. 한반도를 둘러싼 안보 문제는 전 세계의 평화를 위협하는 위험 요소였으나, 최근 변화가 나타나고 있다. 특히 북한의 비핵화 및 평화의 문제가 크게 대두되고 있다. 이를 우리나라가 주도적으로 중재하고 해결할 수 있다면 세계 평화와 남북통일을 실현하는 과정이 될 것이며 국제 사회에서 우리나라의 위상은 매우 높아질 것이다.

활동 교과서 176쪽

1 분석하기 〈자료 1〉~〈자료 3〉에 나타난 국제 문제가 무엇인지 이야기해 보자.

- 〈자료 1〉: 테러와 관련된 안보 문제
- 〈자료 2〉: 기아 문제와 관련된 경제 문제
- 〈자료 3〉: 환경 문제

2 발표하기 제시된 자료의 공통점을 파악하고 국제 문제의 특징을 발표해 보자.

제시된 자료 모두 국경을 초월하여 발생하고 영향을 끼치므로, 어느 특정 국가만의 문제로 볼 수 없다는 특징이 있다. 또한 국제 문제를 관리하고 규제할 강제성을 가진 기구가 없어 문제 해결을 위한 국가 간의 합의를 도출하기 어렵다.

3 토의하기 각 국제 문제의 발생 원인을 생각해 보고, 그 해결 방안을 토의해 보자.

- **〈자료 1〉**: 테러는 극단주의 무장 단체가 배후에 있으므로, 불특정 민간인을 상대로 벌어지는 테러를 방지하기 위한 적극적인 국제 협력이 필요하다.
- **〈자료 2〉**: 기아 문제는 각종 분쟁과 기후 변화와 연관된 가뭄, 홍수가 결합되어 발생하며, 단기적으로는 전 세계의 원조와 장기적으로는 국내의 경제 및 정치 구조를 개혁해야 한다.
- **〈자료 3〉**: 공해 수출 문제는 선진국과 개발 도상국에 공통적으로 적용되는 국제 규범의 미비와 국가의 이해관계가 결합하여 발생하였으므로, 모든 국가에 적용되는 국제 규범의 제정과 적용을 위하여 국제 사회가 공조할 필요성이 있다.

다양한 국제기구의 활동 교과서 177쪽

생각+ 위 국제기구와 관련 깊은 국제 문제는 무엇이며, 국제 문제 해결을 위해 이들이 수행하는 역할과 활동은 무엇인가?

경제 협력 개발 기구는 경제 문제 해결을 위해 차별 없는 세계 무역의 확대에 기여하고자 한다. 국제 사면 위원회는 인권 문제를 해결하는 국제 비정부 기구로서 정치범 석방, 고문과 사형 폐지 등의 역할을 하고 있다. 그린피스는 환경 문제를 해결하는 국제 비정부 기구이며, 원자력 발전소 건설 반대, 방사성 폐기물의 해양 투기 저지 운동 등의 활약을 한다. 세계 무역 기구는 세계 무역을 확대하고, 회원국 간의 통상 분쟁을 해결하는 역할을 한다.

활동 교과서 178쪽

1 조사하기 위 국제기구의 활동을 외교부 누리집에서 확인한 후 빈칸을 채워 보자.

- **국제 연합 평화 유지군:** 분쟁 지역에 파견돼 평화 유지를 위한
- **국제 연합 교육 과학 문화 기구:** 인류가 보존·보호해야 할 문화, 자연 유산을 세계 유산으로 지정하여 보호하는

2 종합하기 다양한 국제 문제를 해결하기 위해 국제 연합은 어떤 역할과 활동을 수행하는지 발표해 보자.

국제 평화와 안전 유지를 위하여 세계 대전과 같은 대규모 전쟁을 방지하고, 국지전에 개입하여 분쟁을 조정한다. 원자력을 평화적으로 이용하자는 국제 원자력 기구가 1957년 설립되어 군비를 축소한다. 이 외에도 경제적·사회적·문화적·인도적 차원에서 교류와 협력을 증진시키는 활동을 한다. 특히 선진국과 개발 도상국의 빈부 격차를 해소하기 위해 1964년 국제 연합 무역 개발 회의(UNCTAD)를 발족시키고, 개발 도상국의 수출품에 대한 관세 인하 등의 특혜 조치를 인정하였다. 또한 1965년 국제 연합 개발 계획(UNDP)을 발족하여 개발 도상국에 각종 원조를 제공하였다.

세상 속으로  교과서 179쪽

생각+ 국제 사법 재판소의 포경 금지 판결에도 일본이 포경을 재개한 배경은 무엇일까?

국제 사법 재판소의 판결이 있어도 국제 사법 재판소가 직접 이를 강제적으로 집행하거나 제재할 수 없는 한계점으로 인하여 일본이 포경을 재개하였을 것이다.

함께 배우기 교과서 180쪽

3 우리 모둠이 조사한 국제기구를 알리는 홍보 기자가 되어 각자 특집 기사를 작성한다.

그것이 알고 싶다. 국제 사면 위원회!

- **신문 1면:** 무엇을 하는 국제기구인가?
  언론과 종교의 자유에 대한 탄압과 반체제 인사들에 대한 투옥 및 고문 행위를 세계 여론에 고발하고, 정치범의 석방과 필요한 경우 그 가족들의 구제를 위해 노력하는 국제기구이다.
- **신문 2면:** 어떻게 시작되었나?
  1961년 영국 인권 변호사 피터 베넨슨의 제의에 따라 창설되었다. 베넨슨이 1961년 옵서버지에 '잊혀진 수인(포르투갈에서 자유를 외치다 투옥된 학생들의 소식을 담은 내용)'이란 칼럼을 썼는데, 이를 본 자원자들이 영국, 프랑스, 독일, 미국 등 7개국에서 인권 운동을 시작한 데서 비롯되었다.
- **신문 3면:** 어떻게 운영되나?
  국제 사면 위원회는 정치적·종교적 또는 기타 양심에 입각한 신조 때문에 억압받거나 인종·피부색·언어·성 등의 이유로 억압받는 양심수의 석방과 인권 보호를 위해 노력하며, 독립성 유지를 위해 정부 기관의 지원은 일절 받지 않고 회원의 회비로만 운영된다.
- **신문 4면:** 한국은 어떻게 활동하고 있나?
  한국에는 1972년에 한국 지부가 설립되어서 활동하고 있다. 1984년 10월 국제 사면 위원회는 한국의 인권 실태를 조사하였으며, 1987년 1월 서울대학교 학생이 경찰의 고문으로 사망하자 특별 성명을 발표하고 한국 정부에 대하여 어떠한 경우에도 구금자에게 고문이나 가혹 행위를 금지할 것을 촉구하였다. 또한 한국 정부에 국가 보안법 폐지, 사형제 폐지 등을 요구하고 있다.

정리 학생으로서 국제 문제를 해결하기 위한 국제기구 활동에 참여할 수 있는 방안을 조사하여 실제 활동에 참여해 보자.

국제 사면 위원회의 소식 받기와 SNS 친구 맺기를 통하여 다양한 계층과 집단의 인권 문제에 관심을 갖고 소식을 받으며, 각종 캠페인에 실제로 참여하거나 후원할 수 있다.

스스로 확인하기 교과서 181쪽

1 (1) 빈곤 (2) 인권 (3) 국제 연합(UN)

2 안전 보장 이사회

3 (1) **위 자료에서 빈칸에 공통으로 들어갈 국제기구를 써 보자.**

국제 사법 재판소

(2) **국제 분쟁의 해결에서 국제 사법 재판소가 필요한 까닭을 서술해 보자.**

국제 사회의 다양한 문제가 원만하게 조정되지 않고 국제 분쟁으로 확장될 경우 국제 사법 재판소는 국제법을 바탕으로 국제 사회의 준칙이 될 수 있는 사법적 판단을 내림으로써 국제 사회의 질서와 안정을 유지하고 있다. 특히 국제 사회 전체를 관할할 수 있는 국제기구가 존재하지 않는 상황에서 국제 사법 재판소의 판결은 국제 분쟁에 대한 대안을 제시함으로써 분쟁을 평화적으로 해결하여 국제 사회의 질서를 유지한다.

 우리나라의 국제 관계

생활 속 정치 교과서 182쪽

질문 1 미세 먼지 문제가 우리나라의 노력만으로 해결되기 어려운 까닭을 적어 보자.

환경부 국립 환경 과학원의 조사에 따르면, 2018년 3월 하순 미세 먼지 발생 원인의 최대 69%는 중국 등 국외 요인이라고 한다. 중국으로부터 미세 먼지 유입 후 국내 배출 효과가 더해지면서 고농도 미세 먼지가 발생했다는 것이다. 이처럼 미세 먼지에는 국경이 없기 때문에 우리나라의 노력만으로는 그 원인을 해결하기 어렵다.

질문 2 미세 먼지를 해결하기 위한 국제적 협력에는 어떠한 방법이 있을지 구체적으로 적고, 짝과 비교해 보자.

미세 먼지 해결을 위한 국제적 공조를 마련하기 위한 환경 외교가 필요하고, 구체적인 공조 기구를 마련하여 공동으로 대응할 규범을 제정하는 것이 필요하다.

세상 속으로  교과서 184쪽

생각+ 위 국제기구는 우리나라의 국제 관계에 어떤 영향을 미칠까?

우리나라는 한·중·일 3국 협력 사무국(TCS), 자유 무역 협정(FTA), 아시아·태평양 경제 협력체(APEC)를 통해 다양한 나라와 전반적인 협력을 하며, 특히 경제적 분야에서 무역 장벽을 완화하거나 자유 무역을 확대함으로써 경제적 실리를 확보하고 있다.

활동 교과서 185쪽

1 분석하기 〈자료 1〉과 〈자료 2〉의 국제 관계를 국가 주권의 입장에서 분석해 보자.

〈자료 1〉과 〈자료 2〉의 영토 분쟁은 한국과 일본, 한국과 중국이 그 지역이 갖는 지정학적 중요성뿐만 아니라 지하 광물 자원과 수산 자원 확보 등 다양한 정치적·경제적 주권을 통해 실리를 확보하려는 국가의 전략적 행위이다.

2 예측하기 최근 한반도 주변 국제 질서의 전망에 관해 논의해 보자.

2018년 남북 정상 회담의 성공적 개최를 둘러싸고 중국은 북한과의 긴밀한 관계 속에 아시아에서 미국의 세력을 견제하고자 하며, 남한은 북한과의 주도적인 관계를 통해 미국으로부터 국방의 자주권을 확보하면서 통일을 위해 단계적으로 접근하고 있다. 러시아는 신동진 정책을 추구하며, 남한과 긴밀한 경제적 협력에 적극적인 입장을 취하고 있다. 일본은 북미 회담 이후 한미 군사 훈련의 잠정적 중단에 대해 매우 예민한 반응을 보이며, 다른 나라와의 공조를 통해 북한을 견제하겠다는 입장이다.

활동 교과서 186쪽

1 분석하기 〈자료 1〉과 〈자료 2〉에서 외교를 통해 우리나라가 얻고자 한 이익이 무엇인지 이야기해 보자.

- 〈자료 1〉: 북방 외교를 통해서는 사회주의 국가들과의 관계 개선을 통해 한반도의 평화와 안정을 유지하고, 사회주의 국가와의 경제 협력을 통한 경제적 이익을 증진하여 남북한 통일의 발판을 마련하고자 하였다.
- 〈자료 2〉: 한류 외교는 최근 각광받는 한국의 대중문화를 통해 한국의 소프트 파워를 높이고, 민감한 관계에 있는 이웃 국가들과의 관계를 개선하고자 하였다.

2 예측하기 우리나라에 필요한 외교의 방향을 논의해 보자.

우리나라는 그동안 외교에 있어서 비교적 정형화된 방식을 추구해 왔다. 외교의 주체는 정부, 중심 의제는 안보와 정치, 그리고 상대국은 미국, 일본, 중국 등 강대국 중심이었다. 그러나 앞으로는 외교의 다변화를 꾀해서 민간 부문을 통한 공공 외교, 총력 외교, 실리 외교를 꾀해야 한다.

세계화 시대의 다양한 외교 활동 교과서 187쪽

생각+ 세계화 시대에서 각 외교 활동이 우리나라의 바람직한 국제 관계 형성에 미치는 영향은 무엇일까?

다자 외교는 기존의 강대국 중심의 4강 외교에서 탈피하여 우리나라와 많은 국가들 사이의 새로운 관계를 형성하고, 강대국과의 협상에서 새로운 실리를 획득할 수 있는 기회가 된다. 또한 공공 외교, 기여 외교, 인권 외교는 국제 사회의 공공선을 추구함으로써 국가 이미지를 제고하고 위상을 높여 우리나라의 평화와 번영뿐 아니라 국제 사회의 평화에 공헌할 수 있다.

함께 배우기 교과서 188쪽

1 5개 모둠을 구성하고, 모둠별로 역할을 나누어 한반도 평화에 관한 각국의 정책 방향을 조사한다.

- **갑국:** 북한과의 적대적인 관계를 지양하고 북한과의 지속적인 대화를 통한 화해 분위기를 조성하여 한반도의 비핵화와 남북 관계를 개선하고자 한다.
- **을국:** 다자간 안보 협력 체제를 구축하면서도 중국의 영향력을 견제하기 위해 일본과 밀접한 관계를 유지하고자 하며, 특히 북한에 대한 경제적 압박을 시도하고 있다.
- **병국:** 6자 회담의 의장국으로서 북한의 비핵화에는 동의하지만, 북한과의 관계도 악화시키고 싶어 하지 않아서 북한에 대한 직접적 제재는 회피하고 있다.
- **정국:** 미국과의 협력 관계를 통해 중국을 견제하고 한반도에서 영향력을 강화하고 있다.
- **무국:** 한반도의 비핵화를 추구하며, 특히 남한과의 적극적인 경제 협력을 추구하고 있다.

2 5개국 이외에 한반도 평화에 큰 영향을 미치는 국가들과 그들의 입장을 조사하여 우리 모둠이 맡은 국가에 미칠 수 있는 영향을 찾아본다.

동북아시아와 인접해 있으면서 그동안은 비주류로 인식되어 왔던 동남아시아 국가 연합(ASEAN)의 영향력이 커질 수 있다. 최근 다자간 안보 협력 체제의 필요성이 증대되고 있으며, 동남아시아 국가 연합의 회원국들의 경제가 성장하고 있기 때문이다. 또한 중국이 동남아시아 국가 연합(ASEAN)에 적극적으로 관여하고 있으므로, 동남아시아 국가 연합이 중국의 대북 정책을 비롯하여 한반도 평화 정책에 영향을 미칠 수 있다.

3 조사 내용을 바탕으로 한반도 평화를 위한 가상의 5개국 정상 회담에 관한 대본을 작성한 후, 모의 정상 회담을 개최한다.

나는 일본의 총리 ○○○입니다. 우리나라는 한반도 평화를 위해서 북한의 비핵화를 위한 강경책, 즉 군사적·경제적 압박을 통한 북한 제재가 필요하다고 생각합니다. 이를 위해서 우리나라는 미국과 군사적 공조를 시행할 것이며, 또한 경제적 압박을 위한 미국의 방침에 적극적으로 협조할 방침입니다. 또한 미국의 전략 무기를 한반도에 배치하는 것도 찬성합니다. 전략 무기 배치는 북한의 군사적 위협을 제지하여 동북아시아의 평화에 적극적 역할을 할 것입니다.

정리 모의 정상 회담에서 느낀 점을 발표하고 우리나라의 바람직한 국제 관계의 방향에 관해 이야기해 보자.

한반도 평화가 우리나라의 노력만으로 해결될 수 없고, 국제 관계를 통하여 해결될 수 있다는 것을 알게 되었다. 따라서 우리나라의 국제 관계가 한반도 평화를 위해서 적극적인 실리를 이루기 위해서는 다양한 방안을

통해서 힘의 균형을 적극적으로 찾아가는 것이 필요하다. 예를 들면 미국에 군사적으로 어느 정도 의존하고 있지만, 러시아나 중국과의 관계를 통해서 미국에 대해서도 보다 우위에서 우리의 의견을 관철시킬 수 있다.

스스로 확인하기 교과서 189쪽

1 (1) 자유 무역 협정(FTA) (2) 외교 (3) 공공 외교

2 (1) ○ (2) × (3) ×

3 **(1) 국제 관계에서 공공 외교가 중요한 까닭을 생각해 보자.**

민주주의의 확산, 누리 소통망(SNS) 등 통신 수단의 변화, 세계화 등 외교 활동의 근본적 변화에 따라 정책 결정 과정에서 여론 주도층과 일반 국민의 영향력이 급증하면서 공공 외교가 더욱 중요하게 되었다.

(2) 국제 관계 속에서 우리나라의 국가 브랜드를 높이는 방안을 서술해 보자.

한류, K-Pop과 같은 대중문화 활용, 국제 올림픽 등 국제 스포츠 행사의 유치 및 성공적 개최를 통한 한국 알리기 및 국가 이미지 제고, 전 세계 태권도 저변 확대, 디지털 전환기를 대비하여 가상 현실(VR), 증강 현실(AR) 등을 활용한 미래형 문화 콘텐츠 제작 지원 등을 통해 우리나라의 국가 브랜드를 높일 수 있다.

창의·융합 활동 교과서 190~191쪽

1 | 자료 읽기

다음 자료를 읽고 민간 외교의 역할을 생각해 보자.

- **자료 1:** 조선의 어부였던 안용복은 일본으로 건너가 일본 어부들의 불법 입항을 항의하고 울릉도가 조선의 영토임을 알렸다. 안용복은 일본과의 갈등을 슬기롭게 해결했다는 점에서 민간 외교관의 역할을 해냈다.
- **자료 2:** 여러 연예인들이 각자의 방법으로 우리 역사를 알리기 위해 노력하고 있으며, 이는 국내는 물론 해외에까지 상당한 영향을 미치고 있다.
- **자료 3:** 방송 프로그램에서 우리나라의 역사를 알리는 하시마섬에 대한 프로그램을 제작하여 방영함으로써 국민의 역사의식을 고취시키는 데 큰 영향을 미쳤다.

2 | 지식 탐색

1 외교부가 하는 일은 무엇인가?

외교부는 국내 외교 정책 및 국제기구에 관한 외교 정책 총괄 및 조정, 통일 문제 및 대북한 정책, 외교 의전 및 외빈 영접, 양자 및 다자간 조약 및 국제 협정에 관한 업무, 외국과 문화·학술 교류 및 체육 협력에 관한 정책 등을 실행한다.

2 외교관은 어떤 일을 하는가?

외교관은 정부의 지시를 받아 외국에 파견되어 일하는 공무원이다. 파견된 나라와 우리나라가 좋은 관계를 유지할 수 있도록 그 나라의 정보를 모으고 교류하며, 그 나라에 살거나 여행하는 우리나라 국민을 보호하고, 해당 나라에 우리나라를 알리는 역할을 한다.

3 민간 외교의 대표적인 사례는 무엇인가?

반크(VANK)는 외국을 상대로 우리의 역사와 문화를 홍보하고, 사이버 민간 외교관의 역할을 수행하는 민간단체이다. 주로 우리나라에 관한 정보를 찾아 이를 바로잡거나 독도가 우리 땅임을 알리는 활동을 하고 있다.

4 최근 우리나라가 해결해야 하는 주요 외교 과제는 무엇인가?

한반도 비핵화 및 통일 발판 마련, 일본과의 독도 문제, 중국과의 사드 관련 해결 문제 등

3 | 사고력 키우기

1 파악하기 제시된 자료를 토대로 민간 외교의 역할과 필요성을 서술해 보자.

국가 주도의 외교만으로는 정치·군사·경제·문화 등 다양한 측면에서 국가 간 마찰이나 갈등을 해소하는 데 한계가 있다. 민간 외교는 그 분야가 학문·예술·스포츠를 비롯하여 경제·정치에까지 영향을 미치고, 또한 협력 증진을 위한 활동을 펴는 데 비교적 자유로우며 '관계'라는 차원에서 형성되는 경우가 많다.

2 조사하기 우리나라의 주요 외교 과제 중 민간 외교가 해결에 기여하고 있는 사례를 조사해 보자.

일본군 '위안부' 문제를 알리고 해결하는 문제에 있어서 우리나라에서 여러 영화나 다큐멘터리가 제작되어 많은 국내의 관객들이 공감하고 마음을 모으고 있다.

3 수집하기 우리나라가 직면한 국제 문제에 대한 우리나라의 입장을 조사하고, 민간 외교관으로서 어떤 활동을 할 수 있을지 생각해 보자.

우리나라는 최근 일본군 '위안부' 문제에 대해 일본을 강도 높게 비판하며, 국민적 정서에 반하는 한일 위안부 합의를 무효화하고 진정한 일본의 사과 및 책임 있는 조치를 원하고 있다. 따라서 일본군 '위안부' 문제를 알리는 홍보 동영상을 유튜브에 올림으로써 우리나라의 입장을 알릴 수 있다.

4 | 홍보 영상 제작하기

우리나라가 직면한 국제 문제를 해결하기 위해 외국인에게 우리나라를 홍보하는 영상을 만들어 보자.

- **국제 문제:** 일본군 '위안부' 문제
- **내용:** 한일 위안부 합의를 무효화하고 진정한 일본의 사과 및 책임 있는 조치를 해야 한다는 내용이다. 일본군 '위안부' 문제에 대한 여러 영화와 영화를 관람한 우리 학교 학생 50명 친구들의 감상을 편집하여 영상을 제작한다.

단원 마무리 교과서 192~193쪽

단원 한눈에 보기

❶ 베스트팔렌 ❷ 분쟁 ❸ 국제 연합 ❹ 국제 사법 재판소
❺ 대륙 ❻ 외교

2015 개정 교육과정

고등학교 정치와 법 자습서

정답과 해설 및 교과서 활동 풀이